DU MÊME AUTEUR

Aux Éditions Gallimard

CARESSE DE ROUGE, 2004, prix François-Mauriac 2004 (Folio n° 4249)

KORSAKOV, 2004, prix Roman France-Télévisions 2004, prix des Libraires 2005 (Folio n° 4333)

PETIT ÉLOGE DE LA BICYCLETTE, 2007 (Folio 2 € n° 4619)

BAISERS DE CINÉMA, 2007, prix Femina 2007 (Folio n° 4796)

L'HOMME QUI M'AIMAIT TOUT BAS, 2009 (Folio n° 5133), Grand Prix des Lectrices de *Elle* 2010

QUESTIONS À MON PÈRE, 2010 (Folio n° 5318)

LE DOS CRAWLÉ, 2011

Aux Éditions Stock

LES ÉPHÉMÈRES, 1994

AVENTURES INDUSTRIELLES, 1996

CŒUR D'AFRIQUE, 1997 (Folio n° 5365)

VOYAGE AU CENTRE DU CERVEAU, 1998

NORDESTE, 1999 (Folio n° 4717)

UN TERRITOIRE FRAGILE, 2000 (Folio n° 4856)

JE PARS DEMAIN, 2001 (Folio n° 5258)

Chez d'autres éditeurs

LE FESTIN DE LA TERRE, *Lieu Commun*, 1988

LES ANNÉES FOLLES DES MATIÈRES PREMIÈRES, *Hatier*, 1988

LA FRANCE EN FRICHES, *Lieu Commun*, 1989

LA PISTE BLANCHE, *Balland*, 1991

ROCHELLE, *Fayard*, 1991 (Folio n° 4179)

MOI AUSSI JE ME SOUVIENS, *Balland*, 1992

BESOIN D'AFRIQUE, avec Christophe Guillemin et Erik Orsenna, *Fayard*, 1992

L'HOMME DE TERRE, *Fayard*, 1993

C'ÉTAIT AILLEURS, avec Hans Silvester, *La Martinière*, 2006

LA FRANCE VUE DU TOUR, avec Jacques Augendre, *Solar*, 2007

FEMMES ÉTERNELLES, avec les photographies d'Olivier Martel, *Philippe Rey*, 2011

MON TOUR DU « MONDE »

ÉRIC FOTTORINO

MON TOUR
DU « MONDE »

récit

GALLIMARD

Pour Natalie

Nous traversons le présent les yeux bandés.

Milan KUNDERA, *Risibles amours*

Prologue

RÉVOCATION

Dans quelques minutes, je ne serais plus le directeur du journal où je venais de passer vingt-cinq ans de ma vie. À quoi pensais-je, ce 15 décembre 2010, attendant le dixième point inscrit *in extremis* à l'ordre du jour du conseil de surveillance ? Pierre Bergé, à peine élu président, allait me révoquer. On me demanderait tout de même de rester quelques semaines, le temps de me trouver un successeur. Puis ce serait fini.

Ce matin-là, je ne sentais pas cette barre dans la région du cœur qui ne me lâchait plus depuis que j'avais pris les commandes du navire, à l'été 2007, et qui se manifestait sourdement de plan social en plan de cession, de recul des diffusions en crise publicitaire, de grève à l'imprimerie en défection de partenaires industriels. Sans parler des pressions de toutes sortes, politiques, financières ou judiciaires, que le chef de l'État et ses amis exerçaient sans répit.

Ce matin-là je faisais face. Je dévisageais chaque participant à ce conseil renouvelé. Six semaines plus tôt, le trio composé de Pierre Bergé, Xavier Niel et Matthieu Pigasse avait officiellement pris le contrôle du *Monde*. La presse avait parlé du « trio BNP », et ce sigle accentuait encore l'impression de richesse associée à leur victoire. Puisque longtemps la BNP, devenue BNP Paribas, avait été la banque historique du *Monde*, il s'installait à travers le B de Bergé, le N de Niel et le P de Pigasse une confusion du hasard, la sensation que notre journal et notre groupe seraient désormais à l'abri du besoin, sinon du danger.

En bonne logique, les nouveaux propriétaires avaient désigné des administrateurs à leur main : les écrivains Laure Adler et Bernard Henri-Lévy, l'ancienne secrétaire générale de la CFDT Nicole Notat, l'économiste Daniel Cohen, le banquier Antoine Bernheim, doyen de l'assemblée, et enfin Louis Gautier, l'ancien conseiller à la Défense de Lionel Jospin. C'était une curiosité amère d'assister à ce changement, dans une salle du conseil restée inchangée, au huitième étage du siège du *Monde*, boulevard Auguste-Blanqui. Les décorations murales, composées de couvertures agrandies des magazines du groupe, *Télérama, Courrier international, La Vie, Ulysse*, étaient bien à leur place. Tout était pareil. Le soleil éclatant qui éblouissait les participants installés face aux larges fenêtres. La composition des actionnaires internes : le représentant de la Société des rédacteurs du *Monde* (SRM), Gilles Van Kote. Celui de la Société des cadres, Jean-Luc Pellati. La représentante des employés, Marie-José Gallard. La représentante des Presses de *La Vie catholique* (PVC), Véronique Brocard. La sociologue Monique Dagnaud, présidente de l'association des HBM (Hubert Beuve-Méry). Christian Martin, président de la Société des lecteurs. Derrière la très large table du conseil, assis le long du mur, invités silencieux, se tenaient les délégués du personnel. Le décor était planté.

Je respirais sans gêne, sans chercher l'air comme parfois, avant les séances difficiles où je n'étais pas menacé, mais le journal si. C'est un soulagement de se savoir condamné. On prend de la hauteur, on se sent plus léger, le regard plus aigu. J'allais défendre mes convictions, j'allais réaffirmer mes valeurs, celles du *Monde*, une dernière fois. J'éprouvais du chagrin mais aucune douleur. Comme Cassius Clay, puisqu'il s'agissait tout de même de boxe, je pourrais dire à l'issue du combat, montrant mon visage intact : « *Look, nothing.* » Cassius Clay gagnait. Moi, j'allais perdre.

Pendant trois ans, David Guiraud et moi, qui pilotions le groupe, nous n'avions jamais reculé devant les décisions les plus difficiles et les plus ingrates. Mais dans les premiers jours de décembre, j'avais contesté le nouveau mode de management. Mon opposition signa ma perte.

À quoi pensais-je donc, ce 15 décembre, lorsque Pierre Bergé prit la parole pour se séparer de moi, alors que Louis Schweitzer, en signe de désaccord, venait de remettre sa démission et de quitter la salle dans un silence d'abysses? Bizarrement, je perçus dans les yeux de Bergé une plus grande humanité que chez le représentant des journalistes Gilles Van Kote, dont je cherchai en vain le regard. On révoquait le directeur, il ne se sentait pas concerné.

J'eus alors quelques paroles de circonstance, rappelant comment, avec David Guiraud et Louis Schweitzer, je m'étais battu sans répit ni faiblesse pour redresser *Le Monde*, lui éviter la barre du tribunal de commerce et l'avanie de la chute. Comment j'avais tenté d'en faire un journal moderne, adapté à son époque, tolérant et ouvert. Je déclarai aussi que pour diriger *Le Monde*, il fallait l'art et la manière, et que s'il n'y avait plus de manière alors il n'y avait plus d'art. Prononçant ces mots, je fixai le siège désormais vide de Louis et celui non moins béant de David, écarté la veille.

Le reste de la séance se perd dans le flou et le brouhaha d'où émergent par instants les lunettes en forme de cœur de Laure Adler, les paroles embarrassées de BHL. L'expression absente de Nicole Notat. Le malaise de Daniel Cohen. Tous me sacrifièrent sans trop de peine. Quelques balbutiements, une légère pâleur aux joues, des airs fuyants trahirent à peine leur trouble.

Pendant ces heures sans grâce, je revis défiler ma vie au *Monde*. Aux visages fermés qui m'observaient vinrent se substituer ceux qui avaient accompagné mes premiers pas dans la maison. André Fontaine, Pierre Drouin, Jean Planchais, Bruno Frappat, Jacques Amalric, Paul Fabra, et mes chefs du service économique, Bruno Dethomas, François Simon, Serge Marti, Michel Boyer. Je sentis la chaleur de leur présence comme un baume. J'avais trouvé refuge dans un théâtre d'ombres et le moulin à images se mit à tournoyer de plus en plus vite. La rue des Italiens, mes premiers reportages en Afrique, les échos du palais Brongniart, où je suivais les séances de la Bourse, nos petits matins de conspirateurs pour écrire ce satané canard qui raccourcissait nos nuits mais prolongeait nos vies.

J'ai tout revu, tout revécu. J'ai tout aimé ou presque, sachant avec Cioran qu'il faut savoir avaler l'amer avec le sucré. Ma mémoire a exhumé encore d'autres visages, reconnu d'autres voix, des anonymes qui avaient tant fait pour *Le Monde* chacun à sa manière, des ouvriers, des typos, des sténos aux intonations douces qui accueillaient nos articles le soir à point d'heure, et aussi le « dos d'âne », cette table en V renversé où chaque matin, au marbre, on pouvait lire les morasses avant que les pages ne volent à l'imprimerie, au temps du papier roi. J'ai cru entendre le souffle d'air comprimé qui parcourait les tuyaux du tube quand on envoyait un pli interne, un article urgent, roulés à l'intérieur de capsules de plastique qui disparaissaient dans les entrailles du journal. Des mains agiles les récupéraient en bout de course, dans un ailleurs mystérieux, au sous-sol peut-être, dans la « salle des machines » des Italiens, d'où sortaient vers 13 heures de lourds paquets de journaux.

Je revis — ou revécus — tout cela et d'autres choses encore, à une vitesse fulgurante. Passa le souvenir d'Edwy Plenel et de Jean-Marie Colombani. Un sentiment d'irréalité m'assaillit. Au cours de ces dernières années, j'avais tant de fois pris la parole dans cette enceinte saturée de lumière blanche. J'avais si souvent exposé mes visions du *Monde*. David Guiraud et moi, nous avions entendu tant d'encouragements de la part de Claude Perdriel, le patron du *Nouvel Observateur*, et aussi des actionnaires partenaires, du banquier mutualiste Étienne Pflimlin, de l'industriel Jean-Louis Beffa, et même des représentants de Lagardère saluant nos efforts de bonne gestion. Mais je n'étais plus de ce *Monde*.

Sans doute avais-je trop à me faire pardonner. Moins mes éditos que mes illusions, mon obstination, mon absence risible de sens politique, celui qui mène aux compromis et aux compromissions. Je songeai à Romain Gary : « Il est moins grave de perdre que de se perdre. » J'avais perdu mais ne m'étais pas perdu en route. J'avais tenu bon sur l'essentiel. J'avais défendu au mieux le personnel de la maison. Tant pis si je n'avais pu m'expliquer. « *Never explain, never complain.* » Et puisque la haine, disait encore Gary, est la colère des faibles, je m'efforçais de ne laisser entrer en moi aucun ressentiment, aucune amertume, juste de l'ironie et la dose d'humour suffisante pour résister.

Si tout se terminait là, cette existence privilégiée d'un jeune homme qui ne s'était pas vu vieillir, si tout s'arrêtait d'un coup de menton (j'avais à l'esprit l'expression latine « être révocable *ad nutum* », d'un coup de menton), je venais de vivre les années, les expériences, les rencontres les plus intenses, les plus inoubliables et les plus riches de ma vie.

Alors, être révoqué n'était pas si grave, un moindre mal peut-être, puisque ce *Monde*-là n'appartenait plus au présent. Je pensais à la scène que m'avait racontée Jacques Attali après son éviction mouvementée de la BERD, dans les années 1990. «Vous avez droit à vingt-quatre heures de découragement», lui avait concédé François Mitterrand. Mon abattement ne dura pas davantage. Il y avait tant à vivre, tant à faire. À commencer par raconter cette histoire, mon merveilleux tour du *Monde*.

PREMIÈRE PARTIE

UN SPLENDIDE AVENIR
D'OISEAU

1

IL ÉTAIT UNE FOIS...

Un matin de 1986, dans la fraîcheur encore vive du mois de mars, le jour se levant à peine, je vis surgir dans une étroite coudée du boulevard des Italiens l'austère façade de l'immeuble du *Monde*. Mon cœur battait à grand fracas. J'avais mal au ventre et pourtant j'avançais d'un bon pas. Sans doute même courais-je un peu sans le vouloir, déjà aimanté, déjà pressé, attiré aussi par l'œil cyclopéen de la grosse horloge que dominaient les lettres gothiques du *Monde*, par les larges aiguilles d'acier plantées telles des banderilles dans la chair du temps. Je savais pourquoi j'étais là. Pourquoi j'avais voulu de toutes mes forces travailler dans un quotidien, dans ce quotidien. Le mot « journaliste » contenait dans sa plénitude le mot « jour ». Et c'est ce fil des jours que je voulais remonter à la manière d'un funambule.

La France comptait encore pas mal de journaux d'information. Mais *Le Monde* était unique en son genre. Parce qu'il était un quotidien du soir (comme alors *La Croix* et ce qui restait de *France-Soir*). Parce qu'il était une institution, une référence, la gloire du journalisme, d'un certain journalisme trempé au bain rigoriste d'une sourcilleuse indépendance. Il exerçait un magistère. Il était parfois craint, toujours respecté, il en imposait. Il m'en imposait. Le jeune homme de vingt-cinq ans que j'étais alors, mal assuré de son identité, venait trouver ici une assurance, une reconnaissance en filiation, une forme de renaissance. Ce journal, privilège insigne, allait m'adopter, publier sous mon nom des articles, des reportages. Il allait me prouver que j'existais bien et que j'avais ma place quelque part. Et quelle place! J'en tremblais ce matin-là. C'était le jour, le grand jour. J'étais journaliste au *Monde*, et je mesurais déjà l'effet que cette révélation produirait à jamais. « Ah! vous êtes journaliste? Et où donc? » La réponse « au *Monde* » sonnait, sonnerait toujours comme un coup de cymbale, brillerait comme un talisman, déclenchant chez l'interlocuteur un frisson de respect, d'envie, un empressement à vous raconter, à vous traiter au mieux pour vous gratifier des meilleures informations, celles qu'on obtient par la confiance, la confidence, et la notoriété de son « organe de presse ». Souvent il me suffirait, saluant mes interlocuteurs, de dire seulement : « *Le Monde* », sans même énoncer mon propre nom, pour forcer l'attention.

L'horloge donc. Que chaque journaliste poussant la porte du *Monde* avalait tout rond pour garder jusqu'au bouclage un chronomètre dans le ventre. Aux murs de chaque service une pendule auxiliaire surveillait l'avancée du travail, et dans le vaste bureau du directeur, au premier étage, un cartel noir et or surmonté d'un angelot armé d'une faucille indiquait que le temps à chaque instant était compté, qu'il faudrait lâcher sa copie dans les meilleurs délais pour ne pas mettre le journal en retard. À midi dernier carat, l'affaire devait être pliée. Le temps était la grande affaire du quotidien du soir qui avait succédé justement au journal *Le Temps*, interdit de paraître pour faits de collaboration. *Le Monde* était né sur ses décembres, en décembre 1944, par la volonté du général de Gaulle et grâce au volontarisme sceptique mais inflexible du fondateur, Hubert Beuve-Méry.

Dans la petite rue des Italiens ce matin-là, passé la devanture de la librairie Del Duca qui deviendrait un de mes repaires favoris, je tombai sur un gros camion qui défendait l'entrée du journal, la benne remplie d'énormes bobines de papier. Six ou sept bobines de 5 tonnes qui seraient quelques heures plus tard débitées en petites coupures de quarante pages, imprimées pour partie au sous-sol de l'immeuble, à l'heure du déjeuner. La mission était clairement énoncée, de tout son poids, quand le camion faisait le gros dos : chaque rédacteur devait se réveiller tôt pour participer à l'œuvre collective, remplir intelligemment, avec pertinence et impertinence, ces kilomètres de papier, ces rouleaux qui auraient ravi Kerouac.

En ce temps-là, c'était le dernier quart du XXᵉ siècle, le journalisme au *Monde* était parfois manuel. Les plus récalcitrants à la machine — les gros doigts de François Renard — noircissaient leur papier pelure à la main, qu'une secrétaire leur arrachait en hâte, un œil sur la copie et l'autre sur la pendule. Déjà les fameuses bobines s'étiraient en souplesse entre les rotatives, dans une lenteur qui ne perdait rien pour attendre. Il arrivait qu'on descendît l'escalier en quatrième vitesse — un méchant escalier mal éclairé — pour apporter la copie à la rédaction en chef. Et quand on avait l'honneur paralysant d'écrire l'éditorial, alors appelé « bulletin de l'étranger », une longue chandelle anonyme démarrant en haut à gauche de la une et imprimée en caractères gras — le jeu consistait à savoir qui l'avait écrite —, on franchissait la porte du bureau directorial pour se soumettre à l'œil acéré d'André Fontaine, stylo rouge décapuchonné, prêt à rayer les fioritures et les imprécisions dans un épais silence oscillant entre recueillement et syncope. Et sous la surveillance du fameux cartel...

Pour ce coup de feu matinal, la plupart des fantassins s'échinaient sur de rudimentaires machines à écrire à ruban bicolore, noir et rouge. La mienne me laissait après l'édition le bout des doigts barbouillés comme si j'avais dû remettre en place la chaîne déraillée d'une bicyclette. Le chariot avalait des feuillets paramétrés de vingt-cinq lignes et soixante signes, il s'agissait d'écrire précis, profond, et dans la distance : deux feuillets, c'était deux feuillets. En cas de dépassement, le secrétariat de rédaction situé à l'étage directorial se chargeait de « jivariser » notre prose pour la mettre « à la longueur ». Mieux valait se couper soi-même.

Quand la pression montait, quand l'heure tournait, il y avait toujours quelqu'un pour faire le mariole. Au service économique, où je venais d'atterrir, le boute-en-train s'appelait Serge Marti. Spécialiste des marchés et des Bourses mondiales, c'était lui qui m'avait recruté en me débauchant de *La Tribune de l'économie* lancée deux ans plus tôt par deux anciens du journal, Jean-Michel Quatrepoint et Philippe Labarde. J'entends encore la voix de Serge : « On va pas se laisser emm... par deux feuillets ! » lançait-il crânement quand on manquait d'air, chacun concentré sur son papier, dans le crépitement métallique des machines. Parfois il sortait d'un tiroir une casquette verte rapportée de Chine et fleurant bon sa Révolution culturelle. « On fait la brigade ! » s'écriait-il, et, à peine l'ordre lancé, Alain Faujas, spécialiste des transports, sortait la sienne, et aussi Jacques Grall, chargé de l'agriculture. Combien donc Sergio avait-il rapporté de couvre-chefs de l'Empire du Milieu ?

Si l'immeuble était intimidant d'extérieur, il se révélait franchement décati à qui gravissait la volée de marches de l'entrée. Lumières jaunâtres, lino défraîchi et taché de cafés renversés, ascenseur étriqué et bourré d'arthrose dans lequel j'hésitais à me glisser, surtout quand des colosses comme le cher et regretté Emmanuel de Roux attendaient leur tour pour monter. C'est pourtant dans cette cabine improbable qu'un matin, après le bouclage, je pris place aux côtés d'un vieil homme bien mis, costumé et cravaté comme l'étaient encore pas mal de ces « messieurs du *Monde* », silencieux, l'air ailleurs, mais qui sembla me dévisager à travers ses yeux en meurtrières horizontales, si la chose existe, la paupière lourde et baissée comme un rideau de théâtre. Beuve hantait encore les lieux. Beuve, ou HBM, le commandeur. Il rejoignait sa soupente du sixième étage, où il reniflait l'atmosphère de son journal.

Il n'allait pas très fort, *Le Monde*, en 1986, mais il redressait la tête après une crise économique et éditoriale qui l'avait fortement secoué au début des années 1980. Sa complaisance envers le pouvoir socialiste lui avait coûté quelque cent mille lecteurs. Ses deux imprimeries, celles de Saint-Denis et des Italiens, pesaient dangereusement sur ses comptes. S'il n'avait pas vendu son bijou de famille, le fameux siège historique, s'il n'avait pas fait appel aux lecteurs invités à mettre la main à la poche pour sauver leur journal, la faillite aurait été irrémédiable. Mais *Le Monde* n'était pas mort et, la fumée des batailles précédentes une fois retombée, il était reparti de l'avant... jusqu'à la crise suivante, ces déchirements internes dont il semblait avoir le secret tant ils étaient violents et répétitifs.

Ces affaires me passaient largement au-dessus de la tête et j'étais tout à la joie fébrile d'avoir rejoint la grande maison. Peu m'importait de savoir qui avait été juliéniste (supporteur de Claude Julien) ou amalricien (soutien de Jacques Amalric), qui avait porté les couleurs d'une gauche étatiste ou d'un libéralisme bon teint, qui avait précipité la chute d'André Laurens ou favorisé l'élection d'André Fontaine au fauteuil directorial. Au hasard des discussions d'anciens, je compris que la BNP dirigée par René Thomas avait misé sur Fontaine, de même que Marcel Bleustein-Blanchet, le fondateur de Publicis, en fidélité pour son ami Beuve-Méry. Je compris simplement que *Le Monde* était un journal compliqué et qu'il valait mieux se tenir à l'écart de ses convulsions. Seul comptait alors le journalisme, écrire de bons papiers, ne pas commettre d'erreurs. Ce serait longtemps mon seul objectif : mériter l'honneur qu'on m'avait fait de m'engager.

La première fois j'avais refusé. Si incroyable que cela puisse paraître, quelques mois avant mon arrivée, j'avais décliné l'offre qui m'avait été faite de rejoindre le service économique pour occuper le poste de chroniqueur de la Bourse. Le chef de l'époque s'appelait Bruno Dethomas. Après la disparition du charismatique Gilbert Mathieu, ce brillant journaliste, neveu de Bertrand Poirot-Delpech, excellent connaisseur des questions pétrolières, s'était mis en tête de renforcer et de rajeunir l'économie au *Monde*. C'était un service épatant et mal-aimé, l'économie. Épatant par les personnalités qui le composaient, comme l'énarque François Renard, spécialiste des changes (« Le yen est une hyène » était sa saillie favorite), aussi désordonné sur son bureau termitière qu'il était clair dans sa tête pour expliquer les caprices insondables des monnaies. Ou encore Paul Fabra, surnommé Oncle Paul, dont les chroniques de l'économie, sur lesquelles j'avais souffert comme étudiant, étaient chaque semaine un sommet d'intelligence pour qui voulait bien se donner la peine de le gravir...

Au *Monde*, journal de la politique et de l'international par excellence, l'économie était regardée avec dédain. De la technique et des chiffres, des dossiers rasoir sauf à les tremper dans le bain des idéologies et du combat gauche/droite, voilà ce qui faisait de ce secteur un parent pauvre, sujet de méfiance ou d'indifférence comparé aux « noblesses » qui comprenaient aussi la société, les « infos géné », la justice, les transports, les régions. D'où le départ de Quatrepoint et Labarde pour lancer leur « *Financial Times* français », où ils m'avaient donné ma chance. Et puis l'économie, c'était l'argent. *Le Monde* n'aimait pas l'argent, parler d'argent, et ne parlons pas d'en gagner... Bruno Dethomas m'avait demandé de rejoindre le journal pour y traiter des matières premières et de la Bourse. Je devais accepter un contrat de cinq ans et, si les matières premières me passionnaient, je n'avais guère d'attrait pour la corbeille. Le choix fut pourtant cornélien. Entrer au *Monde*, bien sûr! Mais abandonner ceux qui m'avaient fait confiance, c'était au-dessus de mes forces. Et cinq ans de palais Brongniart, c'était bien long pour un jeune homme qui ne rêvait que d'horizons lointains. La mort dans l'âme je déclinai l'offre, persuadé que je commettais une erreur irréparable. Comment ai-je pu refuser cette chance!

Six mois plus tard, lorsqu'un conflit éclata entre la rédaction de *La Tribune* et son propriétaire, un certain Bruno Berthez, je me retrouvai sans emploi. Beaucoup de journalistes expérimentés, à la signature connue, se recasèrent rapidement, qui au *Matin* moribond, qui à *L'Express*. J'étais à la rue, ayant démissionné par solidarité avec une cinquantaine de confrères derrière notre chef emblématique Philippe Labarde. La liste des partants parut dans la presse et contre toute attente, sans rancune, Bruno Dethomas me téléphona simplement : « Alors, tu viens ? » Je courus, éperdu de reconnaissance. Et il ne fut plus question de rester cinq ans à la Bourse. « Tu prendras l'air », promit Dethomas. Il tint parole.

Quelque temps après mon arrivée, André Fontaine organisa une rencontre avec les nouvelles recrues du journal. Un début d'après-midi, nous étions une bonne vingtaine en rangs d'oignons, quelque peu intimidés par le cérémonial que le directeur ne tarda pas à rompre, ouvrant le col de sa chemise et s'asseyant familièrement sur son bureau. Il dressa un bref portrait du journal, de son histoire, de ses grandeurs et vicissitudes. Puis, dans une mise en scène sans doute bien préparée, on frappa à la porte. Fontaine pria d'entrer. Je reconnus le vieil homme tiré à quatre épingles que j'avais croisé dans l'ascenseur peu auparavant. Notre directeur le salua d'un « Bonjour, patron! » sonore qui sembla froisser la modestie de Beuve. Pourtant c'était bien lui, le patron, sculpté dans le vrai bois de la vraie croix, l'homme de la grande aventure, celui qui se demandait chaque jour s'il y aurait un journal le lendemain, si tout cela valait vraiment la peine.

À l'entretien d'embauche de Poirot-Delpech, le sphynx Beuve avait demandé à l'impétrant s'il tenait vraiment à entrer dans ce métier. « Ce n'est presque rien, le journalisme, vous savez », avait murmuré le patron. « Justement, c'est ce presque qui m'intéresse », avait répondu Poirot. Lorsque Jean-Claude Guillebaud arriva de Bordeaux en 1972, Beuve avait passé la main à Jacques Fauvet. Il reçut tout de même ce jeune prix Albert Londres dans sa retraite du sixième étage et ne vit rien comme consigne à lui donner, sauf celle-ci, prononcée *mezza voce* : « Ne nous ressemblez pas. » Cette invitation à rester soi-même était pleine de bon sens, instruit qu'il était des dangers et des méfaits de la consanguinité d'une rédaction qui avait longtemps, trop longtemps, fonctionné en vase clos. « Il ne vous suffira pas de faire un bon papier, ajouta peu après Pierre Viansson-Ponté, venu en son temps de *L'Express*. Il faudra vous le faire pardonner », glissa-t-il au futur grand reporter du *Monde*.

Un silence religieux s'installa quand Beuve parut devant notre monôme de débutants. D'une voix un peu lasse qui laissait des silences s'installer, il nous fit part des difficultés de la presse, de ses dérives sensationnalistes. Et soudain une lueur traversa la fente de ses yeux, accompagnée d'une certaine humeur qui frisait la colère froide : il en avait assez de ces articles interminables sur les taux d'intérêt. Les taux, les taux, les taux ! On écrivait des tartines quand ils montaient, des tartines quand ils baissaient, et cette propension du *Monde* à suivre les fluctuations de l'argent n'était guère à son goût. Pour les nouvelles recrues de l'économie que nous étions, Erik Izraelewicz, Yves Mamou, Françoise Lazare et moi, cela promettait ! Je me gardai bien d'avouer au « patron » que j'avais été engagé pour traiter de la Bourse, même si le sort des matières premières des pays d'Afrique et d'Amérique latine entrait aussi dans mes attributions.

Notre petite promotion comptait Francis Deron, qui couvrirait en Chine les événements de Tienanmen avec son manteau de gauche en apparence (coton noir), de droite à l'intérieur (fourrure), comme il disait en pince-sans-rire, et encore Emmanuel de Roux, expert en masques africains, en rues de Paris, en ronds-points, en amitié.

Nous étions pressés de faire nos preuves. L'aventure était commencée. C'était l'essentiel. À cette époque Lavilliers chantait :

« Nous étions jeunes et larges d'épaules/On attendait que la mort nous frôle/Elle nous a pris les beaux et les drôles/On the road again, again, again ». La mort en a frôlé plus d'un, et en a pris pas mal d'autres. Je m'aperçois que j'ai cité plus de disparus que de vivants. Le temps a passé. Je continue.

2

NAISSANCE D'UNE PASSION

Pourquoi le journalisme? Et comment avais-je atterri au *Monde*? Il fallait parfois que je raconte cette histoire à mes aînés pour me justifier d'être là, si pauvre d'expérience, malgré mes dix-huit mois à courir le monde pour *La Tribune de l'économie*, spécialiste du cuivre, de l'étain et du thé, du cacao, du tiers-monde, des causes perdues. Pendant six mois je fus le plus jeune journaliste de la rédaction, avant que Françoise Lazare ne vienne apporter son talent de rédactrice financière, toute fluette et pourtant doublure du géant François Renard. Un accident manqua la tuer quelques années plus tard. Il lui vola son visage et les plus belles années de sa vie, la rendit vieille avant l'âge, et pourtant si vive, si courageuse, s'accrochant coûte que coûte et jusqu'à la fin au fil de son métier.

Après son décès, en 2010, je dus prononcer son éloge au Père-Lachaise, essayant de retrouver son visage d'avant, sa jeunesse, quand elle savait tout du dollar, des économies de l'Est, de l'Amérique. En disant adieu à Françoise, en rappelant son incroyable audace de jeune étudiante à Johns Hopkins, devenue journaliste respectée au *Monde* avant d'être fauchée par le malheur, c'était nos débuts que j'enterrais, quand nous aimions le journalisme par-dessus tout, l'idée de partir, de découvrir, de transmettre. L'envie et l'ambition d'être toujours meilleurs, sinon les meilleurs. D'écrire des papiers inoubliables. On croyait à des choses pareilles, à vingt ans et des poussières. Dans ce vieux journal gris qu'était *Le Monde*, nous rêvions d'une vie haute en couleur et l'avenir de Françoise Lazare était brillant.

Où dois-je remonter si je veux retrouver mes premières envies de journalisme, les fourmis dans les jambes pour aller voir, les fourmis dans les mains pour raconter, cramponné au stylo, aux carnets à spirale ? Je préparais une licence de droit lorsqu'en 1979 un avocat de La Rochelle, Me Chantecaille, me convia aux assises de Saintes afin d'assister au procès d'un meurtrier de vingt ans. L'accusé risquait la peine de mort et une vive tension régnait quand s'ouvrirent les débats. L'avocat rochelais avait appelé en renfort son confrère vedette du barreau de Paris Me Lombard, qui avait débarqué en héros dans la cité saintongeaise chauffée à blanc, crinière de lion et œil vif-argent. Je me destinais à la basoche, au moins le pensais-je avant d'entrer dans cette dramatique de la justice. Avec passion et effroi, je suivis les débats, jusqu'au réquisitoire du procureur, aux plaidoiries des avocats, qui surent arracher leur client à la peine capitale.

À l'audience, une jeune femme chaussée de grosses lunettes prenait soigneusement en notes les propos tenus. C'était Catherine Dowmont, la journaliste de *Sud-Ouest*, et je me précipitais chaque matin sur ses papiers pour revivre l'intensité de ce qui s'était joué la veille sous mes yeux. Je fus subjugué par cet exercice si particulier de la chronique judiciaire. Depuis, j'en ai lu de très grandes sous la plume de Jean-Marc Théolleyre (qui préconisait d'écrire « sec, sec, sec ») ou de Pascale Robert-Diard. Mais en 1979, dans cette cour d'assises, j'éprouvai une sensation très violente au fond de moi, comme une impatience et un appel impérieux : je serais journaliste, il le fallait, et la justice serait mon champ d'expression.

Toutes affaires cessantes, au début de l'été, je poussai la porte de l'agence de *Sud-Ouest* de La Rochelle pour demander un stage... qu'on m'accorda illico. Je ne savais rien faire. Ce fut mon école de journalisme auprès du roi des sports Hervé Mathurin. Il m'apprit à écrire sans blabla, à calibrer mes textes, à titrer, à allonger quand il fallait allonger, ou au contraire à donner des coups de ciseaux. Il m'apprit à aller vite, à ne pas m'écouter écrire, à foncer pour la tombée. J'avais dix-neuf ans, c'était merveilleux. La championne olympique Colette Besson était venue disputer le tournoi de tennis de La Rochelle, dont j'assurais la couverture pour *Sud-Ouest*. On me demanda son portrait. Je paniquai. Je n'osai pas l'aborder de toute la journée, tournant autour d'elle sans jamais me manifester. Mon cœur avait migré dans mes tempes, qui cognaient comme un marteau de commissaire-priseur.

En fin d'après-midi, prenant mon courage à deux mains, plus mon stylo dans la droite, je finis par vaincre ma timidité au moment où elle rangeait son sac avant de filer. Ma voix devait être si basse, mon expression si embrouillée qu'elle me fit répéter ma question, ce qui doucha mon peu d'audace. Je réitérai ma demande et elle se prêta sans façon au jeu de l'interview. C'était ma première fois, avec une championne olympique rayonnante, disponible, assez compréhensive pour ne pas écarter ce plumitif emprunté. Avec le recul je mesure combien le jeune introverti que j'étais a guéri sa timidité par le journalisme. Aller vers les autres n'était guère mon penchant naturel. Je dus me faire violence. Douce violence avec Colette Besson.

À vingt ans, ayant renoncé à consacrer ma vie à la course cycliste — je n'avais pas la moelle d'un champion —, je quittai La Rochelle, le vieux port, mes amis de *Sud-Ouest*, pour tenter ma chance à Paris. Depuis quelques mois, mon père m'achetait *Le Monde* et le déposait sans un mot sur une chaise de la cuisine, se gardant bien de l'ouvrir. Sans doute considérait-il qu'un étudiant devait absolument lire ce journal, malgré son air austère et son encre noire qui tachait les doigts. *Le Monde* fut d'abord un cadeau de mon père, un présent rempli d'avenir, un bonheur différé, souffrir d'abord, lire et souffrir. Que d'après-midi et de soirées passés dans ma chambre, le journal étalé à mes pieds, je devrais dire éventré, ciseaux et tube de colle à portée de main ! Je voulais tout savoir, tout comprendre. Je constituais des dossiers, des sous-dossiers. Exercices laborieux, excitants, vertigineux.

C'était l'année de la révolution iranienne, je découvrais les mots « ayatollah », « chiites ». C'était au temps du giscardisme finissant. Il n'était question que de cour de sûreté de l'État, de tribunaux d'exception, de loi Sécurité et Liberté préparée par Alain Peyrefitte. On parlait beaucoup des diamants de Bokassa, du « bon choix mesdames, bon choix messieurs », perverti en « messieurs, mes diams », tandis qu'à gauche, après l'échec aux législatives de 1978, le thème de l'union et du programme commun remplissait des colonnes, comme les interminables comptes-rendus des séances parlementaires et les extraits du *Journal officiel* écrits en tout petit. Mes nouveaux amis de la fac m'incitaient à mettre les bouchées doubles. Je ne voulais pas apparaître ignare à leurs yeux. Avec mon tube de colle universelle, je me rendais le monde plus attachant. Tout m'intéressait. D'où mon embarras lorsque, découpant un article sur le recto (un papier d'Henri Pierre, correspondant aux États-Unis, sur la condition des Noirs), je tronçonnais la moitié d'un autre article au verso (Marcel Niedergang sur le Chili, ou Jean-Claude Pomonti au Viêt Nam). *Le Monde* grand ouvert sur les lames du parquet, j'assouvissais ma curiosité, découvrais qu'en dehors de l'Université, des diplômes, du savoir officiel, il existait une école de la vie qui palpitait dans les pages des journaux. Je mourais d'envie de m'y jeter à pieds joints. Le virus du journalisme m'avait attrapé. Je me croyais vacciné avec un rayon de bicyclette. C'était à la plume trempée dans l'encre que je m'étais tatoué.

Mes amis avaient lu Joseph Kessel, Albert Londres, Lucien Bodard, des noms alors quasi inconnus de moi, qui n'avais rêvé que de Merckx, Anquetil et Coppi. Nous passâmes un marché qui leur convint : je les initiais aux tours de France de légende, ils m'affranchissaient sur la deuxième gauche, sur l'économie keynesienne, sur Arafat et Shimon Peres, sur les essais de Rosanvallon et d'Attali, en particulier *Bruits*, où le futur conseiller spécial de Mitterrand reliait l'économie et la musique.

Un soir à La Rochelle, dans la grande salle de l'oratoire, le maire Michel Crépeau avait organisé une conférence sur Israël avec Roger-Gérard Schwartzenberg et le reporter de *L'Express* Jacques Derogy. C'était si passionnant qu'une fois encore je n'eus pas assez de mains pour noter ce qu'ils disaient, traversé par une onde puissante qui me disait : plus tard toi aussi tu raconteras tes reportages. Et lorsque dans le même lieu fut invité Daniel Mayer, le président de la Ligue des droits de l'homme et ancien collaborateur de Léon Blum, je vibrai à l'idée qu'un journaliste pouvait côtoyer les témoins de l'Histoire, leur parler, recueillir leurs confidences, se nourrir de leurs richesses.

Parmi nos professeurs de droit venus de Poitiers et même de Paris, l'un fut déterminant. C'était Pierre Avril, un journaliste parlementaire très british d'allure. Petites lunettes cerclées, éternel nœud papillon, physique de Fred Astaire, il avait fondé la revue *Pouvoirs*. Pierre Avril avait surtout suivi toutes les conférences de presse du général de Gaulle à partir de 1958. Il nous les racontait ; mieux, il nous les rejouait avec un humour, une clarté et un sens de la formule qui nous rendaient très excitant le « droit constit' ».

En 1980 je terminai une licence de droit à Nanterre puis passai l'examen d'entrée à Sciences Po, où je fus reçu sans trop savoir où je mettais les pieds. C'est en préparant cet examen que me vint l'idée d'écrire un texte pour *Le Monde* sur l'article 16 de la Constitution, l'article des pleins pouvoirs que les socialistes fraîchement élus avaient promis de supprimer. Je pris une feuille à grands carreaux et rédigeai au stylo cette analyse, tâchant de la rendre aussi vivante que possible. J'étais déjà sensible aux « attaques » de papier. Je ne connaissais pas encore le mot de Françoise Giroud « Si vous avez du talent, n'attendez pas la cinquième ligne pour le montrer, ou on ne lira pas la sixième », mais je sentais qu'il fallait accrocher son lecteur d'emblée, puis écrire simple et léger pour ne pas le perdre en route. Gagner l'attention du lecteur, ardente obligation du journaliste, sans jamais céder à la facilité, à l'à-peu-près, au bon mot qui tue une bonne idée.

J'adressai mon article à Philippe Boucher, un éditorialiste en vue du *Monde*, recommandé par un avocat parisien, Basile Yakovlev, qui le connaissait pour ses combats sur l'univers carcéral. Quelques jours plus tard, à ma grande surprise, il me convia au *Monde*. Ce fut mon premier contact avec la rue des Italiens.

Cette grande plume était enfermée dans un cagibi sans fenêtre au troisième étage de l'immeuble, près de la cage d'ascenseur. J'ignorais encore tout de la cruauté des disgrâces qui pouvaient frapper ici. Il m'accueillit, la moustache conquérante et l'œil bienveillant, qui vira au sévère dès qu'il se pencha sur mon texte. Il m'en fit la lecture à haute voix, lentement, et s'arrêta sur quelques expressions selon lui exagérées. « Vous dites : "Lorsque de Gaulle *confisqua* tous les pouvoirs". "Rassembla entre ses mains" serait plus indiqué. » Il poursuivit sa lecture, eut l'air satisfait, puis me dit : « Si vous tenez à faire du journalisme, je vous encourage à dactylographier vos articles, ce sera plus lisible. » J'opinai sagement et, avant même qu'un « d'accord » franchisse mes lèvres, il prit congé par ces mots : «Très bien, on le publie sans attendre, je vois avec Lauzanne et je vous préviendrai. » Il dévalait déjà l'escalier, mon article à la main. Je restai incrédule, pas très sûr d'avoir bien compris ses paroles. Quel besoin avait-il de montrer mon texte à Lausanne, fallait-il passer par la Suisse pour publier un papier dans *Le Monde*? Comment aurais-je deviné qu'il parlait de Bernard Lauzanne, le directeur de la rédaction à la stature gaullienne qui ne manquerait pas, plus tard, d'animer jusqu'à sa mort, et de toute son âme, la Société des anciens du *Monde*.

En attendant j'étais comme KO. Je venais d'avoir vingt et un ans. J'avais à mon seul actif quelques articles sur le cyclisme et un petit portrait de Colette Besson dans *Sud-Ouest* signé de mes initiales, et ma prose allait trouver sa place dans *Le Monde*? Depuis que je vivais à Paris, entraîné par mon ami Éric Girard, avec qui je partageais tout, à savoir les cours de droit et de sciences politiques, et un abonnement au *Monde* qui s'empilait dans notre appartement commun, avec consigne de ne pas jeter un seul exemplaire, j'avais tâté avec plus ou moins de bonheur des rédactions parisiennes. Au *Quotidien de Paris*, j'avais placé un papier sur les lois Auroux qui allaient régir le monde du travail. J'avais essayé de placer mon texte sur l'article 16, mais j'avais visiblement indisposé l'éditorialiste politique Paul Guilbert, qui m'avait sèchement éconduit. D'où mon bonheur intense à l'idée que ce papier trouverait sa place dans *Le Monde*.

À *Libération*, j'avais publié une enquête sur la « prolétarisation des jeunes avocats » qui faillit être titrée « Les ramasse-miettes de la basoche ». Tous ces articles étaient bien sûr gratis. Le discours était toujours le même : vous êtes jeune, votre paye c'est votre signature. Constituez-vous un press book. Il vous sera utile le moment venu pour intégrer une rédaction. Il y a trente ans, piger pour un journal était assez simple. Il était plus difficile d'y faire son trou.

À l'été 1982, je passai deux mois comme stagiaire à *Libération*, au service économique dirigé par Pierre Briançon. Il était brillant, rapide, ambitieux. On ne chômait pas et il me confia de lourdes enquêtes qui me valurent quelques sueurs froides. En deux mois de *Libé* il me sembla vivre une vie entière en raccourci. Il me reste des images fortes que le temps n'a pas ternies. La dégaine de

Serge July et ses vestes roses dans les couloirs de la rue Christiani, ses fulgurances aux réunions du matin, les angoisses des journalistes au milieu de l'après-midi, quand approchait le bouclage et qu'ils avaient déjà déchiré trois débuts de papier. La salle de rédaction enfumée. Jeanne Villeneuve, digne descendante d'une famille du cirque, se rongeait les ongles et clopait frénétiquement. Jean-Michel Baer, qui travaillerait plus tard avec Jacques Delors à Bruxelles, devenait blême. Yves Mamou, alors à *Libé* avant que nous partagions les aventures de *La Tribune* puis du *Monde*, s'enfermait à l'intérieur de lui-même. Sophie Gherardi ne se départait jamais de sa bonne humeur, mais elle refaisait autant de fois qu'il fallait sa première phrase, elle qui m'éblouissait par son esprit, sa virtuosité à parler anglais, italien, bulgare. Au service social, le rigolard s'appelait Éric Hassan. Un matin il partit en reportage en Italie. Il ne revint jamais. Son avion s'était écrasé contre un pylône au Bourget, dans une couche de brouillard. Étaient aussi à bord une journaliste de RTL, une autre de *La Croix* que je connaissais un peu. Cette catastrophe me glaça.

Quelques jours plus tard, il fallut d'urgence se rendre à Forbach, en Moselle. Le programme était simple : avion jusqu'au site minier puis plongée à 3 000 mètres sous terre, à condition de n'être pas claustrophobe. J'aurais dû sauter de joie. Je fus terrorisé. Jamais de ma vie je n'avais pris l'avion. Jamais je n'étais descendu dans une mine. Il n'en menait pas large, le futur grand reporter. Ma nuit fut agitée mais le lendemain je fus rassuré et déçu : l'avion semblait se traîner. La sensation fut autrement plus forte dans les boyaux étroits de la mine de charbon. Le contremaître me révéla après la visite : « Si vous aviez paniqué, on vous aurait assommé. Vous n'auriez rien senti, un coup sur la nuque, comme aux lapins. C'est mieux qu'une crise d'angoisse. »

Ce séjour à *Libé* fut très dense. Je rédigeai mon rapport de stage l'esprit commotionné. J'avais peine à sortir du tourbillon qui m'avait entraîné loin de mes centres d'intérêt habituels : en deux mois, j'avais écrit sur le Rubik's Cube, sur la guerre du téléphone aux États-Unis, sur la bataille américano-européenne de l'acier, sur la vie des fonctionnaires pendant l'austérité barriste, sur le coup de froid des tomates de Marmande, et aussi sur la dévaluation du franc... L'existence à laquelle j'aspirais m'avait été révélée. Butiner, passer du coq à l'âne, téléphoner, rencontrer, et, au final, un carnet sur les genoux dans le métro ou dans la surchauffe d'une rédaction, écrire, écrire, écrire.

Du jour au lendemain je dus quitter la rédaction et regagner la péniche de Sciences Po. Dans ma tête, dans ma peau, mes nerfs, partout, j'étais journaliste. J'étais pressé, je piaffais. Les piges que j'écrivais çà et là pour *Le Parisien* (des papiers anonymes écrits sur des matches de foot ou de basket que je rédigeais en transpirant dans les bureaux de Saint-Ouen après avoir couru de train de banlieue en métro puis du métro au siège du journal en coupant la foule des boulevards), ces piges qui me rapportaient trois sous me laissaient sur ma faim, rongeant mon frein, attendant mon heure.

Les soirs de découragement, je feuilletais mon maigre press book, qui s'ouvrait par mon article du *Monde*. Longtemps je l'ai regardé pour y puiser des forces, pour me dire que rien n'était perdu, que si j'avais pu un jour publier ce texte, dans ce prestigieux journal, ce n'était pas pour rien, ça ne pourrait pas finir en queue de poisson! Je reprenais espoir. Devenir journaliste. Je ne pensais plus qu'à ça. Le jour de la parution, Philippe Boucher m'avait passé un coup de fil : achetez le journal cet après-midi. J'avais couru le cœur battant puis, découvrant mon article en page 2, près d'un article du président de l'université Paris 2 Jacques Robert, j'avais marché de longues heures dans Paris, au hasard des rues, chantonnant, joyeux, léger, manquant me faire écraser, construisant des châteaux en Espagne. J'avais publié dans *Le Monde*!

J'ai encore à l'oreille la voix de mon père, sa fierté incrédule d'avoir découvert son nom, le nom qu'il m'avait donné en m'adoptant dix ans plus tôt, dans ce journal qu'il m'avait acheté sans l'ouvrir jamais. Il l'ouvrit plus tard, et bien des fois, pour avoir de mes nouvelles, à l'époque où mon aîné bienveillant Michel Noblecourt m'appelait « Tintin », toujours parti, toujours ailleurs. Ce jour-là, à force de rêver les yeux perdus à travers la capitale, j'avais fini par perdre mon chemin, et m'étais « réveillé » dans des quartiers inconnus.

3

À L'ÉCOLE DES MAGAZINES

Au sortir de mon stage à *Libé* j'étais encore loin du but. Mon diplôme de Sciences Po en poche, je me préparais à suivre la campagne américaine de 1984, qui verrait la réélection du « comédien » de Tampico, Ronald Reagan, l'homme pour qui l'État n'était pas la solution aux problèmes puisque l'État était le problème. En 1981, il avait été élu au cri de « *America is back* », le « *Yes we can* » de l'époque. Attiré par les États-Unis, j'avais décidé de partir en free lance, comme on disait. *Sud-Ouest* publierait mes papiers. J'avais aussi quelques ouvertures à *La Croix*, au journal financier *Investir*, où j'avais placé quelques piges. C'est à ce moment qu'on me proposa un poste de salarié au magazine *Les Nouvelles*, « l'hebdo qui a un bon gauche », lequel venait de succéder aux *Nouvelles littéraires* dirigées par Jean-François Kahn. Il s'agissait de traiter l'économie dans un journal avant tout politique et culturel. J'acceptai avec un mélange de joie et de tristesse. J'aurais ma carte de presse, un emploi assuré. Mais pourquoi fallait-il que cette offre tombe au moment où j'avais en poche un billet d'avion pour l'Amérique ? Alexandra, ma première fille, allait naître. J'aurais toute la vie pour voyager.

Je ne fus pas déçu, même si l'expérience de ce magazine piloté par Jean-Pierre Ramsay tourna court. L'orientation très militante à gauche donnait une pesanteur aux couvertures, qu'on appelait « *covers* ». Le journal était très lié à Jean-Claude Colliard, le conseiller de Mitterrand pour les médias à l'Élysée. Les portraits de Fabius et des barons socialistes se succédaient en une, semaine après semaine, et les ventes plongeaient. Moi, j'apprenais mon métier dans les locaux de la rue Christine, où, sur deux étages d'un vieil immeuble, ronflait une drôle de ruche. Je me souviens de Jérôme Garcin et de son vieux chien qui montait péniblement les marches. Je commençais l'ascension à hauteur de Jérôme, que je n'osais aborder, je la terminais avec son gentil clebs essoufflé.

Déboula un matin un type au regard d'épagneul avec une belle veste prune d'où surgissait une pochette comme destinée à un tour de magie. C'était un styliste à la manière des hussards. Il avait le cœur sur la main et la main talentueuse qui avait rédigé pas mal de billets de une du *Monde* en lieu et place du fameux Robert Escarpit. Il s'appelait Bernard Chapuis. Avec ces journalistes aux airs d'écrivains, je vécus des après-midi difficiles. Ce n'était plus le rythme du quotidien, quand à *Libé* Pierre Briançon faisait crépiter sa machine comme une mitraillette pour l'édition du lendemain. Dans l'hebdo, il fallait lécher l'écriture, ne pas lasser le lecteur, ne pas l'assommer de chiffres. J'ai gardé le souvenir cuisant de pannes soudaines. La peur de mal faire et la nervosité m'empêchaient d'avancer. Je m'épuisais à écrire des phrases lourdingues, sans élan, crispé devant ma machine avec l'envie de partir en courant et de ne jamais revenir. Je sortais marcher un peu et je remontais avec appréhension. Allais-je enfin démarrer ? Ces blocages finissaient par se dissiper, mais à présent encore j'en ressens les picotements dans mes mains et mes jambes.

Il faut dire que certains cadors avaient de quoi vous flanquer des complexes. Devant moi travaillait Maurice Najman, un ancien de *Libé*, qui pissait les feuillets les uns après les autres, clope au bec, parlant tout haut, chantant ou sifflotant, dans une frénésie ahurissante. Il pondait littéralement des romans de quinze ou vingt feuillets sur les grandes centrales syndicales françaises ou allemandes, sur la Pologne. Il savait tout, se souvenait de tout, balançait des histoires juives, parlait yiddish, disait quelques mots sur sa mère rescapée d'Auschwitz. Quand « Najy » était là, je ne pouvais plus travailler, fasciné par sa manière de parler, de bouger, de s'habiller en cuir noir, de tenir sa cigarette. En 1968 il avait été le leader des Comités d'action lycéenne. Il était passé du trotskisme libertaire au PSU avant de soutenir Coluche dans sa candidature de 1981. Il était très rock 'n' roll, tendance Sex Pistols et contre-culture, ses références m'étaient inconnues et assez mystérieuses. C'était un phénomène aussi attachant qu'exaspérant. Un personnage exceptionnel, dont j'avais l'impression que seul le journalisme en inventait. Avec la littérature.

Mon esprit était alors plein de tumulte. J'aspirais à ce métier et je ressentais confusément une envie de romans. Dans ce bouillon de culture des *Nouvelles*, je devinais les eaux mêlées du journalisme et de la littérature. Sans doute avais-je déjà un plus grand penchant pour les hommes que pour les idées, pour le style que pour les doctrines passées en contrebande de l'information. Des gens me touchaient, des situations me bouleversaient. Je tenais aussi à ce métier pour ça : être bouleversé.

D'autres silhouettes peuplaient cet univers, je devrais dire cette faune où des socialistes très apparatchiks côtoyaient des révolutionnaires revenus de leurs idéaux. Un type me faisait un peu peur au milieu de ce capharnaüm. Cheveux bouclés, trapu et massif, l'air pas commode, il promenait une sorte de mauvaise humeur d'un bureau à l'autre. Il s'appelait Michel Butel, avait reçu un prix Médicis. Je ne comprenais pas ce qu'il écrivait et encore moins ce qu'il disait, mais il m'apparaissait nettement que ses poings pourraient s'abattre sur la première faute de goût proférée dix mètres à la ronde. Sa présence ne faisait guère avancer mes papiers plus vite. Sacré Butel toujours en bisbille avec Ramsay, sacré Butel qui inventa cette merveille de *L'Autre Journal*, avec son tigre majestueux sur la première couv.

Au fil des jours, le chemin de fer se remplissait, les papiers étaient maquettés, collés au mur avec les photos, les titres, les inters séparant les paragraphes. Je m'abîmais devant ce mur, mesurais le talent de mes confrères, l'érudition linguistique du Finnois et ancien navigateur Pierre Enckell, l'esprit de Monique Gehler, les fantaisies et la gaieté d'Alain Duault, qui m'envoya un jour en reportage à Brest chez Georges Cabasse, l'inventeur du « nid-d'abeilles » pour ses enceintes à l'acoustique hors pair. C'est chez lui, dans sa maison de Bretagne, que j'eus pour la première fois entre les mains un compact disque, incrédule quand il me prédisait que les vinyles allaient disparaître. Comme c'était prévisible, *Les Nouvelles* mirent la clé sous la porte. Un sauveur se profila. Je n'en croyais pas mes yeux : Jean-François Kahn allait reprendre les choses en main pour lancer *L'Événement du jeudi*.

Ce trublion de la télé, que je voyais tenir tête aux Georges Marchais et consorts, deviendrait-il mon patron ? Il y a trente ans, JFK était une vedette du journalisme, avec son débit rapide au service de dix idées par seconde, sa gestuelle de bateleur et son air de Zébulon joyeux capable de parler aussi bien d'opérette que du XXVe congrès, écrivant à l'occasion ses éditos en alexandrins. Jean-François, comme on l'appelait tous, était une chaudière en ébullition, un pourvoyeur d'enthousiasme, un visionnaire de la presse. Il avait le sens du lecteur, le sens de l'info, le journalisme dans la peau. Je désirais plus que tout qu'il me garde.

L'économie, ça ne l'emballait pas. Il me reçut dans son bureau, m'écouta quelques secondes — il allait toujours très vite — et décida : « Tu restes là. Mais je te ferai faire d'autres choses que l'économie, d'accord ? » C'est ainsi que je couvris mon premier fait divers, une fusillade à Épône, à proximité des usines Renault de Flins — j'avais lu pendant mes études un livre de Nicolas Dubost édité par François Maspero qui s'appelait *Flins sans fin*). Un chef d'entreprise avait blessé par balle deux de ses ouvriers turcs. Kahn fut déconcerté par mon mode de traitement très « économique » de cette affaire, sur fond de chômage, de misère, d'ennui et de précarité. Mais je pus mesurer son ouverture d'esprit lorsqu'il jugea au final que cet angle inattendu était le bon. J'avais gagné sa confiance, qu'il m'a gardée depuis. Aujourd'hui encore je reste séduit par cette première couverture de *L'Événement*, dont le numéro inaugural parut quelques jours après l'assassinat d'Indira Gandhi. Elle représentait un superbe sikh enturbanné de jaune, le regard droit et fier. La photo était enchâssée entre quatre liserés blancs qui donnaient son élégance à l'ensemble. C'était très « classe », beau et innovant à la fois. J'ignorais qu'au *Monde*, le matin du drame, sous l'œil des horloges pressées, le chef de l'étranger Jacques Amalric avait sculpté un bout de sa légende en rédigeant dans la fièvre une page entière sur Indira Gandhi, terminant ses corrections au marbre, devant les rotatives prêtes à tourner, dans une odeur d'encre et de graisse.

Le plus fabuleux à *L'Événement* restait les conférences de rédaction hebdomadaires animées par Jean-François Kahn. Il était à son aise en chef d'orchestre. Devant nos doutes sur le prix du magazine, alors fixé à 20 francs quand les concurrents étaient à 16 ou 18 francs, il répondait, impérial : « Nous serons le magazine qui ne rend pas la monnaie ! » On s'amusait bien. D'autant qu'il conviait à ces happenings des collaborateurs extérieurs, des amis, des curieux. Comme il nous fit rire, François Cavanna, en revendiquant le droit au plantage. « Vous ferez deux papiers formidables, un pour raconter une histoire à votre sauce, l'autre pour raconter comment vous vous êtes gourés. » Je revois la silhouette de clown triste de François Weyergans apportant une chronique où il était question d'une armoire d'où il semblait juste tombé. Je revois le regard clair de Jean-Paul Kauffmann, quelques mois avant son enlèvement à Beyrouth, me commentant une carte de la Nouvelle-Calédonie, dont j'ignorais tout, et même qu'elle recelât du nickel. Je retrouve l'enthousiasme chaleureux de Michel Boujut et d'Anne Andreu, qui animaient à la télévision l'émission « Cinéma, cinéma » et venaient porter leur bonne humeur dans notre jeune rédaction. Il y avait aussi un type qui s'était pris le poing de Patrick Dewaere dans la figure pour je ne sais quel sombre motif, et un autre persuadé, après un entretien avec Sagan, qu'elle n'écrivait pas ses livres — peut-être était-ce le même.

Ces gens ne se prenaient guère au sérieux. Ils avaient l'écriture et la blague faciles. Émanait d'eux une sorte de légèreté dont Kahn savait tirer le meilleur. Un nuage de fumée nous enveloppait comme dans les films de Sautet. Les hommes se bagarraient avec leurs problèmes d'hommes, les filles étaient courageuses, talentueuses, séduisantes comme dans *Vincent, François, Paul... et les autres*. Moi qui ne fumais pas, je sortais de nos réunions la chemise puant le tabac, les sinus à vif. Je n'aurais cédé ma place pour rien au monde.

Vint pourtant le jour où je pris sur moi d'aller voir Jean-François dans son bureau pour lui dire que je partais. Un nouveau quotidien allait naître, c'était *La Tribune de l'Économie*. Je les avais convaincus qu'ils avaient besoin de moi pour traiter des matières premières. J'avais envie du quotidien, de ses coups de feu. Je brûlais de connaître ça plutôt que le faux rythme du magazine, où il fallait sans cesse courir derrière l'actu, trouver des angles, Coco... Kahn m'écouta sans m'interrompre. « Je te comprends, dit-il enfin.

J'ai été correspondant du *Monde* en Algérie en 1961. Alors je sais. Si un jour tu veux revenir, la porte est ouverte. » On se sépara sans se quitter vraiment. Ce n'était pas encore *Le Monde*, mais pas loin. D'ailleurs, deux anciens de la rue des Italiens créaient ce journal, c'était déjà un avant-goût, un galop d'essai. Je fonçai tête baissée, comme le coureur que je n'étais plus.

4

ENTRÉE EN MATIÈRES (PREMIÈRES)

J'avais tenté Sciences Po par goût de la politique. Ma famille paternelle attendait une victoire de la gauche depuis 1936. À Nanterre j'avais milité un peu à contrecœur pour Mitterrand, préférant Rocard. Un jour que nous suivions un cours de droit sur le campus, des nervis armés de barres de fer, le visage cagoulé ou protégé par un casque de motard, avaient fait irruption dans l'amphi, tapant à la volée sur les étudiants des derniers rangs. Aussitôt ce fut l'émeute et le coup de poing. On poursuivit les assaillants jusque sur les quais du RER, où l'un de ces agresseurs fut durement sonné, atteint par une pierre du ballast. C'était au moins de la légitime défense. Avec mon ami Éric Girard, je m'étais mêlé à la riposte. Si bien que le soir, nous avions été inculpés (on ne disait pas « mis en examen ») pour coups et blessures, après une étrange audition à la préfecture de police. L'homme qui m'interrogeait me demanda si nous avions utilisé des objets contondants, alors qu'étaient amassés près de lui quantité de barres de fer et de pieds-de-biche arrachés à ces faux étudiants d'Assas, membres du Gud (Groupe Union Défense), un nid de jeunes fachos qui voulaient « casser du gauchiste » à Nanterre. Ils se trompaient d'époque. Nanterre était une fac studieuse, délabrée, un campus triste et venté, séparé de l'ANPE par la voie du chemin de fer. Nous étions entre les deux tours de la présidentielle. L'information passa le soir aux journaux télévisés, mettant nos parents en émoi.

Nous trouvions un peu fort d'être inculpés, nous qui n'avions fait que répondre à cette attaque lâche et violente. *Le Monde* dépêcha un journaliste à Nanterre. Un homme d'une trentaine d'années, très brun, avec une moustache noire. Je répondis à ses questions et pris soin de lui donner le maximum d'éléments sur ce qui était arrivé : l'attaque surprise, la panique dans l'amphi, les cris, les fumées, la souricière (les portes latérales du bâtiment de droit étaient fermées par des chaînes). Il notait scrupuleusement, demandait d'autres détails. Le lendemain je me ruai sur *Le Monde*. J'avais répondu aux questions d'un certain Edwy Plenel.

L'année précédente, encore installé à La Rochelle, j'avais représenté les sympathisants du PS au congrès de réunification de l'Unef à Nanterre. Ce fut un vrai bizutage, ce congrès dit des fausses cartes où dominaient les trotskistes courant Cambadelis, lequel haranguait ses troupes avec un magnétisme inquiétant. Au milieu de la nuit, dans les amphis enfumés, tous entonnaient comme un seul homme des chants révolutionnaires qui s'arrêtaient sur un simple geste de la main de Camba. Je me perdais (déjà) dans les familles du trotskisme. Un jeune leader s'appelait Julien Dray, un autre Philippe Darriulat. Ils ne cessaient de s'invectiver. Comme Fabrice à Waterloo, j'assistais à leurs diatribes sans bien en comprendre l'enjeu, les yeux rétrécis d'épuisement. Si c'était ça la politique, alors très peu pour moi !

Dans ce congrès j'eus pour poisson-pilote un jeune barbu très ficelle qui, lui, semblait tout comprendre, et chez qui j'avais passé ma première nuit à Paris : Stéphane Fouks, futur patron d'Euro RSCG et « communicant » de DSK. Mais que les lambertistes de Cambadelis l'aient emporté sur la LCR de Julien Dray, que l'Unef indépendante et démocratique ainsi réunifiée soit venue affaiblir les organisations étudiantes communistes, tout cela me dépassait. Fouks appelait Rocard au téléphone, cela m'impressionnait beaucoup plus. Et il parlait du 98 comme d'une boîte de nuit familière, quand il s'agissait du 98 rue de l'Université, QG de l'ex-leader du PSU.

Cette ébullition qui précédait l'élection de Mitterrand m'amena tout naturellement à Sciences Po, et place de la Bastille sous l'orage du 10 mai, à écouter Francis Lalanne, Jean-Pierre Cot, Michel Rocard. Mais à ma sortie de la rue Saint-Guillaume, en juin 1983, j'en avais soupé de la politique. Il me semblait que les gens même les plus sérieux changeaient bien vite de convictions.

Les socialistes avaient inventé la rigueur, le palais Brongniart avait acclamé Fabius comme il acclamerait Bérégovoy. Je ne vibrais plus que pour l'économie et la justice, c'est-à-dire le tiers-monde. Je traçais sans m'en rendre compte ma voie de journaliste. Il s'agissait de trouver un domaine de prédilection stimulant, assez passionnant pour m'en faire une spécialité, assez technique, voire rébarbatif, pour ne pas entrer en concurrence avec des promotions entières de journalistes issues de l'école de la rue du Louvre. Je cherchais aussi des sujets peu traités dans la presse française, mais susceptibles d'attirer la curiosité des rédactions en chef, à condition de bien présenter l'affaire. Je n'avais ni parent ni allié dans le journalisme, profession réputée bouchée, comme d'ailleurs toutes les autres au lendemain des deux chocs pétroliers qui avaient vu la lèpre du chômage gagner nos sociétés de plein emploi. J'étais assez obstiné pour m'accrocher, aiguillonné par cet article du *Monde* qui vibrait tel un sésame.

C'est le droit international qui m'apporta l'objet rare connu sous le nom de dégradation des termes de l'échange. En clair, les pays du Sud producteurs de matières premières voyaient leurs revenus diminuer d'année en année. Chaque jour les marchés volaient un chili au Chili, une Côte d'Ivoire à la Côte d'Ivoire. Les pays pauvres jouaient leur salaire au casino des *future markets* où la spéculation était présentée comme un mal nécessaire qui endossait l'instabilité des cours tout en l'aggravant. Cette représentation du monde me révolta en même temps qu'elle me passionna. Savait-on la malédiction du cacao, du café, du coton ou du cuivre, au Ghana, au Tchad, en Zambie ?

J'achetai un livre d'Eduardo Galeano dans la superbe collection « Terre humaine », *Les veines ouvertes de l'Amérique latine*. Ce texte, servi par un souffle puissant, fut une révélation. En Amérique du Sud aussi, les fièvres du café — « l'encéphalogramme d'un fou », écrivait Galeano —, de l'argent, du cuivre (le métal rouge) ou de l'étain avaient entraîné bien des peuples dans la misère et la violence, pendant que leurs dirigeants nageaient dans le luxe, que les barons du caoutchouc édifiaient un opéra à Manaus où déclamait Sarah Bernhardt (« Cocher, à la forêt vierge ! »). Je perçus la dimension politique du sujet à travers le rôle de la CIA, qui avait déstabilisé le Chili d'Allende « coupable » d'avoir nationalisé les mines de cuivre. Le journalisme, c'était aussi s'indigner.

Le pétrole excepté, surcouvert par les médias depuis 1973, on ne trouvait dans la presse française que des comptes-rendus laconiques sur les cours du sucre à Paris ou du plomb à Londres et New York. Manquait la dimension géopolitique de ce que la presse anglo-saxonne, le *Financial Times* et le *Wall Street Journal*, appelait les « *commodities* ». Je brûlais : j'allais tenter de construire une explication du monde à travers le sol et le sous-sol, une diplomatie des non-ferreux, du blé et du soja, en répertoriant les embargos, les crises liées aux pénuries, la composition des stocks stratégiques, les flambées spéculatives. Je me passionnerais ainsi pour l'embargo soviétique sur le titane, en 1979, lorsque Moscou se retira du marché pour construire une nouvelle génération de sous-marins nucléaires. Je saurais tout de la folie des frères Hunt, ces Texans qui rêvaient de posséder tout l'argent de la terre. J'irais au plus près des marchés occidentaux où s'établissaient de manière inique les prix des matières premières dont dépendaient les planteurs de la brousse ivoirienne, de l'altiplano bolivien ou des hauteurs colombiennes. Je connaîtrais enfin les fruits du Congo de Vialatte, le coton d'Égypte et du Tchad, le phosphate du Maroc, le robusta, le cacao et les arachides de l'Ouest africain, les trésors de la Copperbelt à Kolwezi, l'uranium du Haut-Katanga qui fut extrait de la jungle congolaise pendant la Seconde Guerre mondiale, et servit de matière fissile à la bombe atomique lâchée sur Hiroshima. Je connaîtrais les diamants de la « cheminée bleue » de Kimberley, la canne à sucre de l'île Maurice, les gisements d'or imaginaires qui feraient s'affronter pour du vent le Mali et le Burkina Faso, pauvres parmi les pauvres.

Il faudrait raconter chaque fois une histoire, une légende, la malédiction des cultures de rente, le miracle devenu mirage. C'est pourquoi, à côté d'une lecture systématique des papiers consacrés aux produits de base dans les journaux étrangers, je me mis en quête d'ouvrages littéraires traitant des grands mythes des ressources naturelles ou les enracinant dans leur contexte historique : *Cacao* de Jorge Amado, le fameux *Sucre et la Faim* de Robert Linhart), *Riz et civilisation* du géographe Pierre Gourou, et bien sûr *Géographie de la faim* de Josué de Castro. Ou encore *Le sacrilège malais* de Pierre Boulle, situé dans les plantations d'hévéas de Malaisie, où l'auteur de *La planète des singes*, qui me reçut chez lui tout surpris d'être interrogé sur ce moment de sa vie, avait été ingénieur agronome. Je trouvai des passages édifiants sur les mines de cuivre du Chili dans *Le rat d'Amérique* de Jacques Lanzmann.

Je notai une formule étincelante de Sartre, « Bâtir sur le sucre vaut-il mieux que bâtir sur le sable ? », un proverbe bolivien disant qu'il fallait toujours saluer un mineur au pluriel pour ne pas offenser le diable qui l'accompagnait. Et je tournai avidement les pages de Blaise Cendrars narrant dans *L'Or* les aventures de Johann August Sutter, les yeux encore ensorcelés par les voyages de Marco Polo vers Cipango. J'étais devenu obsessionnel. Je ne pouvais lire le nom d'un pays sans me demander aussitôt s'il produisait des matières premières, s'il participait au grand jeu de la guerre froide, et de quel côté : Guinée et Madagascar prosoviétiques, Égypte proaméricaine.

Je dénichai des rapports anciens détaillant la stratégie du IIIᵉ Reich et celle des Alliés pour s'approvisionner en uranium, en manganèse. Je découvris, songeur, le continent africain, grand sac au fond duquel était tombées d'immenses richesses, tout en bas, dans l'Afrique du Sud de l'apartheid, qui avançait en politique à coups de catastrophe, en économie à coups de chance, représentant ce que les « mineurs » appelaient « un scandale géologique ». Je rêvai à l'évocation des nodules polymétalliques, ces champs d'énormes pommes de terre peuplant les fonds marins, gorgées d'une pléiade de métaux stratégiques. Je souris quand les spécialistes du platine m'expliquèrent que le Japon et la Chine constituaient un débouché pour leur métal blanc qui, à la différence de l'or, se mariait idéalement avec les peaux jaunes.

Quelques rencontres furent décisives. J'appris qu'un bon journaliste, c'était d'abord un carnet d'adresses, des contacts privilégiés qu'on pouvait solliciter à tout moment et le plus vite possible pour obtenir une information, un commentaire, une confirmation. D'où l'importance de posséder le numéro personnel des sources pour les joindre en dehors des heures de bureau, chez eux, à la campagne, quand les portables n'existaient pas. Lorsque je me sentis assez calé sur les matières premières, je pris mon courage à deux mains et proposai de traiter ces sujets dans des journaux aussi différents que la revue financière *Investir* ou le journal *La Croix*, qui m'octroya généreusement une demi-page un jeudi sur deux.

Quand je quittai les locaux de la rue Bayard, après avoir convaincu le chef du service économique Jean Marchand, je ne savais plus si je volais de joie ou si je tremblais du risque que j'avais pris en prétendant connaître ce que je maîtrisais encore si mal. Pourtant je devais me jeter à l'eau et à l'automne 1983, tout juste diplômé de Sciences Po, je signai mes premiers papiers « matières premières » dans le quotidien d'obédience catholique, en commençant par la malédiction du cuivre. Donner les cotations du métal n'avait que peu d'intérêt. Je cherchais chaque fois à poser une problématique historique, politique, économique et sociale. Mais après le cuivre, que j'avais pas mal potassé, il faudrait trouver quoi dire sur le cacao, le café, le sucre. Un ami d'*Investir* m'indiqua un contact à la Bourse de commerce de Paris, dont le dôme s'arrondissait non loin des Halles. « Alors comme ça les matières premières vous intéressent ? » me demanda mon interlocuteur, un homme d'un certain âge au maintien d'aristocrate, au poil blanc et ras, en me scrutant avec curiosité. Son œil brillait derrière des verres discrets. Mon nom lui rappelait un voyage en Sicile, qu'il me raconta. On s'éloigna du but de ma visite car il voulait parler de l'Italie, de Rome, du maître Raphaël. J'écoutai. Dans une salle voisine montaient les voix des courtiers. On cotait le cacao d'Afrique, le robusta et le sucre blanc.

Les cris de ses collègues le ramenèrent à nos moutons. « Je suis Maurice Nache. Laissez tomber le "monsieur", appelez-moi Nache. Je suis entré à la Bourse de commerce en 1964. Le café, le coco, le sucre, je connais ça par cœur. Je m'intéresse aussi aux métaux et aux céréales. Que voulez-vous savoir ? »

Son accent gouailleur mélangé aux rayures un peu strictes de son costume le rendait aussitôt pittoresque. Une connivence s'installa, malgré les deux générations qui nous séparaient. Je lui avouai qu'après mes éclats sur le cuivre mes connaissances restaient bien vagues. Ce premier entretien et les dizaines d'autres qui suivirent me donnèrent la substance nécessaire pour garder ma rubrique de *La Croix*. Jusqu'à mon entrée au *Monde* au printemps 1986, je deviendrais ainsi le « monsieur Matières premières » d'une bonne partie de la presse spécialisée, de l'hebdomadaire *La Vie française* à *La Cote Desfossés* ou encore aux *Échos* comme remplaçant occasionnel du titulaire, Gérard Nicaud. Grâce à ce diable de Nache, les matières premières avaient pris vie et visage — toujours mon penchant pour les hommes avant les idées. Nos rendez-vous à la corbeille du cacao étaient un rituel. Nache m'attendait avec un paquet de dépêches arrachées au fil Reuter ou Unicom News, qu'il repassait à la mine grasse d'un crayon de papier si l'encre était trop pâle, tel Tintin faisant apparaître les lettres de KARABOUDJAN.

Une sécheresse dans les plantations de café au Brésil, le report d'une livraison de sucre cubain, les prémices d'une vente américaine de blé aux Russes, une grève de mineurs quelque part en Amérique du Sud, rien ne lui échappait. Il se souvenait du prix du sucre en décembre 1974, du chiffre record de la récolte cacaoyère du Ghana comme du score de la finale du championnat d'Angleterre 1952 entre Newcastle et Arsenal. Il signait ses articles très factuels dans les revues spécialisées sous le pseudonyme Maurice Ghana, référence au premier producteur mondial de cacao au temps de ses débuts à la Bourse. Depuis, la Côte d'Ivoire avait supplanté le Ghana, mais il n'avait pas songé à s'appeler Maurice Abidjan. Lorsque, début 1984, *La Tribune* m'engagea, il devint ma « gorge profonde » privilégiée mais aussi ma doublure lorsqu'on m'envoya enfin en grand reportage dans l'univers illimité des matières premières.

5

L'APPEL DE « LA TRIBUNE »

La Tribune me donna un avant-goût du *Monde*. Elle n'était pas seulement l'œuvre d'anciens des Italiens. C'était un quotidien de l'après-midi. On s'y pressait donc chaque matin très tôt autour de Philippe Labarde, rue de Richelieu, à quelques centaines de mètres du *Monde*. Bien des jeunes journalistes embarqués dans son aventure se retrouveraient plus tard dans le quotidien de Beuve-Méry : Françoise Lazare, Sophie Gherardi, Yves Mamou, « Izra », Claire Blandin, les secrétaires de rédaction Bernard Déjean et Michel Lefebvre... Philippe Labarde nous électrisait. Grosse voix, gros yeux, grosse moustache, larges bretelles partant à l'assaut d'un ventre replet — les mauvaises langues disaient à tort : « Il gère le matin, il digère l'après-midi » —, Labarde était notre père spirituel, autoritaire et jovial. Il n'avait sans doute pas la transcendance ascétique de Beuve-Méry, mais il faisait régner dans sa rédaction un bel esprit de corps et d'émulation. Mélange de Brassens — qu'il entonnait à la guitare en plus de quelques chants révolutionnaires — et de guérillero de la pampa, ouvert à toutes les causes des opprimés, il se consumait d'un feu sacré qui brûlait nos vingt ans.

Labarde nous réunissait trois fois par jour dans les anciens locaux du quotidien financier *Le Nouveau Journal* dans une ambiance laborieuse. Les idées fusaient, on se creusait la cervelle. Et le matin, à mesure qu'approchait l'heure du bouclage, il se fermait, concentré sur la copie, sur les titres, avec l'espoir chaque jour de faire mieux que le quotidien des Italiens. L'après-midi, seul dans son bureau, il refaisait mentalement *Le Monde*, où il avait passé dix-sept ans de sa vie, soupesait les choix de sa *Tribune* au regard des pages de son ancienne maison. Labarde avait débuté modestement comme coulissier à la Bourse, un de ces métiers disparus qui peuplaient jadis le palais Brongniart. Il était venu par la petite porte au journalisme économique. Il s'y était imposé. Autodidacte mais sûr de son savoir et surtout de ses convictions, impertinent, fort de caractère mais avec des timidités de jeune fille, le regard noir qui ne désarmait jamais, la voix affublée du zézaiement de Pollux, ce faux calme que traversaient des tempêtes intérieures en imposait à sa rédaction. Nous l'aimions et sans doute nous aimait-il à sa manière. Quand *Le Monde* une première fois me sollicita, courant 1985, comment aurais-je pu dire oui?

D'autant que Labarde s'était entiché des matières premières, tout au moins de la façon dont je lui racontais les crises du cacao, du coton ou de l'étain, qu'on cotait à Londres à l'heure du thé (« L'étain, messieurs, l'étain », annonçait un appariteur muni d'une cloche sur le *floor* du London Metal Exchange). Pour l'homme de gauche qu'il était, les inégalités du monde se nouaient sur ces champs de bataille où le Nord égoïste exploitait le Sud. Cette vision un brin manichéenne me convenait et je n'hésitais pas à l'illustrer rapidement par une série de reportages en Côte d'Ivoire puis au Chicago Board of Trade, où se fixaient chaque jour les prix mondiaux du blé. Comment oublier ces premières émotions? Voir son nom à la une d'un quotidien, avec cette mention prestigieuse flottant comme un drapeau entre deux filets noirs : « Abidjan : de notre envoyé spécial »; « Chicago : de notre envoyé spécial ».

Ces premiers reportages furent ma récompense, après tous ces mois passés à ingurgiter la technique des matières premières. Quelques semaines seulement après le lancement de *La Tribune*, en janvier 1985, j'avais proposé une grande analyse sur le nickel calédonien, le « métal du diable », huit feuillets bien tassés détaillant les intérêts de la France dans le « caillou calédonien ». Mon papier était prêt lorsque François Mitterrand annonça une visite surprise à Nouméa. « *Le Monde* a fait l'impasse et on est plus complet que *Les Échos*! » exulta Labarde. J'avais gagné quelques galons. Aussi ne fit-il pas de difficultés quand je plaidai ma cause : partir au plus vite sur le terrain. Il me considéra gravement derrière sa moustache, sourit avec les yeux : c'était d'accord. Je pourrais partir dès que je trouverais un remplaçant pour écrire ma page quotidienne. Maurice Nache vola à mon secours, trop heureux à soixante-dix ans passés d'entrer dans la « grande presse », comme il disait.

S'il n'était pas disponible, un garçon déroutant s'était proposé, un peu confus dans son expression mais passionné par les matières premières, qu'il cultivait comme un jardin secret. Originaire des prairies du Manitoba — dont j'ignorais l'existence avant qu'il ne me les situe sur une carte —, il connaissait bien les ressources minières de l'Amérique du Nord. Il parlait du marché au grain de Winnipeg, qu'il semblait connaître comme sa poche, et on se demandait toujours si ses histoires de complots et de coups tordus étaient du lard ou du cochon. Si on l'interrogeait, il piquait un fard. C'était un compagnon fantasque, échafaudant des mondes incertains qui provoquaient notre tranquillité. Ses initiales accolées donnaient GAK. Il s'appelait Guy-André Kieffer et me succéda sur cette rubrique quand je la quittai pour *Le Monde*. Jamais je n'aurais soupçonné que ses enquêtes sur la sulfureuse filière ivoirienne du cacao le conduiraient à une fin si tragique en 2004. Gentil Guy-André au cœur fragile, qui n'aurait pas fait de mal à une mouche.

Je le revois avec sa jolie jeune femme Osange, enceinte de leur enfant, quand la vie était encore insouciante et légère. J'ai un temps espéré que GAK réapparaîtrait soudain, l'air confus de nous avoir tant inquiétés. Qu'il bafouillerait quelques mots d'excuse, auxquels bien sûr on n'aurait pas cru. Hélas, il a fallu cesser d'attendre, cesser d'espérer. Guy-André était bel et bien mort assassiné par le proche entourage de Laurent Gbagbo.

Mes reportages en Côte d'Ivoire et à Chicago me renforcèrent dans mes intuitions. Le reportage devait transporter le lecteur. On était dans la presse écrite, alors il devait être bien écrit. Il devait montrer, suggérer, offrir le détail vrai. Je me donnais de la peine pour rédiger mes débuts, avec cette sensation que le premier paragraphe contenait l'élan et l'énergie de tout l'édifice, qu'il suffisait ensuite de dérouler. Sans doute mon style était-il trop fleuri ou enflé, oubliant le fameux précepte : « Sujet, verbe, complément, et pour les adjectifs vous repasserez me voir... » Mais il fallait que ça claque d'emblée, que ça cravache comme un coup de fouet, que les mots crépitent, chantent et brillent, surtout pour aborder des sujets réputés techniques et ingrats. Après des journées entières dans la brousse ivoirienne à respirer l'odeur moite de l'Afrique, le parfum d'iode du port de San Pedro, ivre aussi de l'odeur fermentée du cacao et des discours-fleuves des planteurs, j'éprouvais le besoin de me retrouver seul le soir, dans ma chambre d'hôtel ou à la table d'un « maquis » traversé d'effluves de poisson grillé, pour relire mes notes, souligner les phrases clé, ébaucher un article.

Cette sensation se confirma chaque fois : au milieu de la pluie d'informations récoltées en vrac, écrire serait un acte libératoire, un soulagement, et j'attendrais ce moment de silence, vidant avec gourmandise mes carnets de notes pour construire une histoire. Ce n'était pas une recherche esthétique en soi, encore que je n'étais pas insensible à la poésie de cette matière ardue. Le but était d'expliquer, de transmettre au lecteur un savoir, une compréhension. Ainsi mon premier reportage africain d'octobre 1985, titré « Le sang de la Côte d'Ivoire » (une série de trois articles, comme cela se pratiquait au *Monde*), évoquait-il l'argent du cacao indispensable aux planteurs pour l'achat des manuels et des fournitures scolaires des enfants, indispensable pour financer le mariage de l'un, les funérailles de l'autre. Ou encore la fête des ignames.

Quelques mois auparavant, un dimanche de mai, j'avais marché jusqu'à m'étourdir dans les rues de Chicago. Pour moi il était plus de 2 heures du matin mais là-bas c'était l'après-midi et je fus saisi par le gigantisme des avenues, la forme des buildings. Je ne cessais de me répéter : Tu es à Chicago ! Tu es à Chicago ! Quel métier merveilleux ! J'imaginais le gang de Capone, Elliott Ness. Je vivais un rêve éveillé. J'entendais le fracas d'acier du métro, les airs plaintifs du blues. Je passais le souffle coupé devant l'immeuble du *Chicago Tribune*, dont le titre était frappé en caractères gothiques comme un certain quotidien français. Plus tôt dans l'avion, j'avais aperçu l'image scintillante du lac Michigan. Je me souvenais de cette phrase d'André Siegfried : « Ce qu'on peut d'abord dire de l'Amérique, c'est que tout est plus grand. » J'avais aussi à l'esprit le mot de Jules Romains pêché dans je ne sais quelle lecture mais que j'avais noté sur un carnet où je commençais à rassembler toutes les phrases qui me frappaient, des citations, des extraits d'articles : « En Amérique, avait écrit l'auteur des *Copains*, chaque détail est atteint de gigantisme. »

Au détour d'une grande rue, dans un renfoncement, je restai saisi devant un bâtiment massif surgissant d'un décor de théâtre aux allures néoclassiques. C'était un dimanche, la ville était silencieuse, on entendait seulement les pneus des autos glissant sur le bitume mouillé juste après la pluie. Sous le titre « Sa majesté le Chicago Board of Trade », l'attaque de mon enquête céda au lyrisme :

> Un totem géant, tendu vers le ciel, surmonté par l'imposante statue de Cérès, la gardienne des récoltes. Le premier contact avec le Chicago Board of Trade s'effectue la tête renversée sur la nuque. Du haut de ses 80 mètres, le plus grand marché à terme céréalier du monde semble narguer les bâtisses à colonnades de la Continental Illinois et du fédéral Reserve Bank de Chicago. Gravés dans la pierre, deux personnages arborent un épi de maïs et une gerbe de blé sous l'œil fier d'un aigle impérial. Voilà le visiteur averti : c'est ici que l'Amérique veille au grain.

Toute la force de frappe céréalière de l'Amérique se concentrait autour des corbeilles électroniques de ce marché hors norme. À quelques rues de là, je découvris son « petit frère » le Chicago Mercantile Exchange, où l'on cotait, entre autres curiosités, le jus d'orange congelé et la fameuse *pork belly*, autrement dit la carcasse de porc. Ce qui vaudrait au *Wall Street Journal* ce titre mémorable lors d'une flambée des cours de la viande : « La carcasse de porc s'envole à Chicago ». Ce reportage fut une incroyable leçon de choses. Je mesurai combien le monde des matières premières était schizophrène, entre le réel et le virtuel. D'un côté des millions de tonnes de grain, de fèves de cacao, de cerises de café, de feuilles de thé, de gousses de vanille, de lingots métalliques. Et de l'autre des spéculateurs qui amplifiaient les mouvements de hausse ou de baisse — on ne parlait pas encore de bulles.

À mon retour, je pris conscience qu'on revenait toujours avec plus de questions que de réponses. C'est pourquoi, à peine rédigés mes articles américains, je partis pour Genève, où étaient renégociés les grands accords internationaux de stabilisation des prix des matières premières, le cacao, le café, le caoutchouc. Entretemps, sur la recommandation de mon ancien professeur d'économie et ami Christophe Guillemin, qui présidait l'organisme de régulation des marchés à terme, je rencontrai un ancien conseiller de Jean-Pierre Cot au ministère de la Coopération, Erik Arnoult. L'œil bleu et vif, le débit rapide, le verbe net et précis, il me livra sa passion pour les matières premières. Il écrivait d'ailleurs un gros ouvrage sur le caoutchouc, me confia-t-il en passant, qu'il publierait quelques années plus tard sous le titre *L'exposition coloniale*. Je ne savais pas que je venais de croiser la route d'Erik Orsenna, qui m'amènerait plus tard, et avec quelle générosité, à la littérature.

Ce qui m'occupait alors, c'était la fameuse dégradation des termes de l'échange, et la stratégie des pays pauvres face au laminoir des marchés mondiaux. Erik Arnoult me tendit deux fascicules de sa composition, l'un sur l'accord cacao, l'autre sur l'accord caoutchouc. C'est muni de ces bréviaires que je me présentai un matin au palais des Nations de Genève, constructions lourdes et désuètes au milieu d'un parc immense. Au bout de quelques séances je déchantai. À l'activisme des marchés répondait la léthargie des fonctionnaires internationaux. Comme l'avait écrit René Dumont, l'Afrique noire était mal partie. En marge de débats oiseux, les lobbies industriels s'activaient pour que soit abandonnée l'idée restrictive des quotas d'exportation. Les représentants des chocolatiers britanniques, avec l'appui de leur administration, cherchaient à populariser leur vision d'un chocolat sans fèves de cacao, composé de matières grasses végétales, au grand dam des producteurs africains. Ces journées genevoises me firent toucher du doigt la pesanteur des grands-messes internationales et l'univers ubuesque de l'Onu.

Un matin, je stoppai net devant un écriteau annonçant, à l'entrée d'une grande salle, « Réunion des invisibles ». J'ouvris. Il n'y avait personne. Les invisibles étaient bel et bien en réunion. Cet absurde aurait ravi Macedonio Hernandez, l'ami de Borges qui, devant une assemblée déserte, disait qu'il y avait si peu de monde que même les absents n'auraient pu trouver de place.

Une nouvelle facette de mon métier m'apparut quand on me demanda de rendre compte d'un livre, *Riz et civilisation*, du géographe Pierre Gourou. Levé à 6 heures du matin, fonçant pour boucler ma page avant midi, déjeunant souvent au Bouillon Chartier rue du Faubourg-Montmartre (menus copieux, addition minuscule, cadre splendide de la Belle Époque), repartant l'après-midi à l'assaut des infos pour le lendemain, je tâchais de lire cette somme en fin de journée. En réalité, on n'arrêtait jamais d'être journaliste. Ce n'était pas un métier, c'était une passion, dévorante comme toutes les passions. Ainsi publiai-je ma première chronique sur un ouvrage savant, sous le titre « Le grain de vie est-il mortel ? ». Il s'agissait d'être sobre et imagé. « Manger se dit "manger le riz" en vietnamien, japonais, santali, laotien ou siamois », expliquait Pierre Gourou. Ce constat pour tout bagage, le géographe était parti pour un grand voyage à travers l'Asie des moussons et l'Afrique rizicole, à la recherche de la civilisation du riz. Je notai ce proverbe cambodgien : « Le corps seul rentre à la maison, l'esprit reste à la rizière entourer de soins le paddy. »

À *La Tribune* j'avais commencé d'apprendre mon métier, le fil des agences, le fil des jours, la camaraderie des petits matins, des montées d'adrénaline à l'approche du bouclage, le mot qui ne vient pas, l'interlocuteur qui ne rappelle pas, le stress, la cigarette des autres, les éclats de voix. Les papiers inspirés et les papiers ratés, ras du sol, mauvaise journée. Que d'angoisses matin après matin, de repentirs trop tardifs, non, trop tard, tu feras mieux demain. Demain était un autre jour. Combien de fois me servirait-on cette maxime fataliste. Oui, demain serait un autre jour. Je m'étais aguerri au rythme du quotidien du soir commencé tôt matin, quand la nuit ne s'est pas encore dissipée. J'avais laissé derrière moi les blocages qui me paralysaient parfois à la rédaction des *Nouvelles* et de *L'Événement*, quand il fallait se lancer dans de grands récits.

Dans un quotidien d'information, la rapidité primait, avec la clarté du propos. Il fallait surtout que le papier soit compréhensible, bien étayé, rendu à l'heure. Le reste n'était que littérature. Ce rythme m'avait désinhibé. On était là pour informer, pas pour écrire *La chartreuse de Parme* (« la sartreuse de charme », disait une consœur à propos de Simone de Beauvoir). Et si l'obstacle m'apparaissait soudain trop élevé, je songeais que tout cela ne pouvait être plus dur que gravir le Tourmalet à bicyclette.

En seize mois de *Tribune*, j'avais mesuré combien le monde était grand, et qu'il me faudrait du temps avant d'en faire le tour. Ma femme Christine et moi, nous avions eu Alexandra, puis Elsa. J'étais un père de famille heureux, qui rêvait de lointains. Il faudrait organiser ce grand écart. Devenues grandes, mes filles me diraient se souvenir surtout de mes valises sur le palier de l'appartement. Souvent, sur le chemin de l'aéroport, courant vers un avion qui m'emmènerait au diable, j'avais le cœur serré de les laisser. Pour combler le manque de mes départs à répétition, j'eus l'idée d'enregistrer *Le petit prince* sur une cassette qu'elles écouteraient le soir dans leur chambre. Ainsi, elles entendraient ma voix.

Le journalisme, c'était aussi du déchirement, que ne réparaient pas les poupées rapportées d'Afrique, les petites robes du Panamá, les chapeaux mexicains, les babouchkas de Moscou. C'était des vacances mordues, un peu abrégées, avec le plaisir égoïste et tenu secret de repartir à l'aventure, pourvu qu'on m'appelle, pourvu que je parte, n'importe où, l'essentiel n'était-il pas de partir ?

Mon prochain départ était cette fois inéluctable. *La Tribune* prit l'eau. Je fis mes bagages pour *Le Monde*, à trois cents mètres de là. Jamais je ne fis plus grand voyage.

6

VADE-MECUM

Quel était mon bagage? Pour avoir sérieusement commencé à étudier juste après le bac, ayant dépensé mes années d'adolescence dans le fol espoir d'un jour porter le maillot jaune, j'étais pris d'une boulimie de savoir propre à ceux qui n'ont pas assez travaillé à l'école. Journaliste à *La Tribune*, je m'étais inscrit au DEA d'économie sous la direction de Jean-Claude Casanova, avec Raymond Barre parmi les professeurs. Mais au bout d'un trimestre, le rythme du journal me fit lâcher prise. Je continuai à apprendre par moi-même tout ce qui pourrait servir à ma compréhension du monde, livres, journaux, dossiers spéciaux. C'était vaste, vertigineux, sans fin. D'autant que je ne me fixais aucune limite de genre, passant de l'histoire à l'économie, de la sociologie à la science, des essais savants à la littérature, avec comme fil rouge l'approfondissement — c'était le mot — de tout ce qui concernait les richesses du sol et du sous-sol, le bloc de charbon et d'acier de la révolution industrielle, les denrées de la colonisation, les énergies des Trente Glorieuses, derrière l'arbre du pétrole, la forêt du charbon — des Rocheuses à la minette lorraine —, du gaz naturel, du *yellow cake* d'uranium, carburant des centrales nucléaires.

Lorsque ma tête bouillonnait trop, je me ruais sur un roman même si j'avais mille autres choses à faire, à contretemps, juste pour décompresser, pour me donner cette liberté de ressourcer mon esprit, dans ce refuge que serait, chaque jour davantage pour moi, la littérature. Au milieu de ces lectures, Modiano, Gary ou Mauriac trouvaient leur place. Je lus et relus *Cent ans de solitude*, avec la sensation intense d'avoir vécu une autre vie sous le nom d'Aureliano Buendia, fabricant de petits poissons en or.

Dans ces années de formation, je me constituais de manière anarchique des notes de lecture sur des cahiers à spirale que je retrouve à présent. L'écriture est encore un peu scolaire. Cela sent son étudiant attardé, appliqué, désireux de ne pas lâcher trop vite la rampe du savoir prodigué par l'Université. Cela sent l'amour des mots, des images, le recours aux bons auteurs pour pallier les faiblesses, enrichir le vocabulaire, pour aider le regard à porter loin. Dans ces cahiers d'apprenti, je tombe sur plusieurs pages consacrées à André Siegfried. Rue Saint-Guillaume, notre professeur de sciences politiques Alain Lancelot le citait souvent. J'avais fini par me rendre à la bibliothèque de l'Institut, où je gardais une inscription et, tirant les longs tiroirs de bois blond coulissants, fouillant parmi les antiques fiches bristol chargées de références et d'un parfum indéfinissable — peut-être celui du temps —, je sortis mon butin de Siegfried, que j'engloutis en quelques semaines. Je n'avais pas tant retenu l'auteur du célèbre *Tableau politique de la France de l'Ouest sous la IIIe République*, usant avec génie de la géologie pour comprendre le vote des départements du seigle et de la châtaigne, que le voyageur, l'observateur, l'homme de savoir et de méthode.

Né en 1875, fils d'un cotonnier du Havre, il était réputé pour son enseignement, sa hauteur de vue, son style précis et concis, soucieux de « mettre partout le mot propre, avec un strict contrôle des adjectifs ». Éditorialiste au *Figaro*, membre de l'Académie française, il avait couru le monde dans sa jeunesse, rapportant dans ces livres des portraits saisissants de ses voyages. Je trouvai là non un maître à penser mais un maître à écrire, les formules lumineuses tombant sous sa plume comme des éclairs traçants. Les règles du travail formaient à ses yeux un triptyque : observer, classer, situer. Aveu troublant pour un professeur, stimulant pour un journaliste : il prétendait avoir acquis ses connaissances sur le monde contemporain moins par les livres que par la conversation.

Ses licences de droit et de lettres en poche, il avait entrepris un tour du monde par l'ouest, de l'Amérique du Nord à l'Australie puis retour par la Chine et l'Inde. Il en avait rapporté des ouvrages palpitants sur les États-Unis, la Grande-Bretagne, l'Asie, des livres chaleureux remplis de notations, de « choses vues », vivantes comme du Michelet. « L'antipathie analyse bien mais la sympathie seule comprend », écrivait-il comme pour justifier son besoin d'aller au plus près. « Ma méthode est celle d'un reporter », reconnaissait-il, ajoutant : « Je me suis souvent dit qu'une éducation occidentale complète devrait s'achever par un pèlerinage aux lieux où s'est formée notre civilisation. Du rocher de Prométhée à la soupente de Pasteur. Dans la ferme où Newton vit tomber la pomme au couvent où Colomb coucha la veille de son départ vers un monde nouveau. » Partir, encore et toujours, « utiliser tous ses sens », privilégier comme Kipling les voyages et les parfums, établir le dialogue entre Lesseps et Vasco de Gama.

Dans son cours de géographie économique dispensé en 1947-1948, m'avait frappé son sens de l'évocation à propos de l'Angleterre, « couleur de pierre, triste, sévère et grise », son climat humide. « Il faut un effort simplement pour y vivre. C'est le pays de la volonté, de l'énergie froide, de la résistance morale. » Brossant un tableau du Lancashire, Siegfried écrivait : « *a)* fumée, *b)* brouillard, *c)* nuit en plein jour, *d)* aucune grâce, *e)* tout pour le travail et l'industrie » — « *f)*, rien pour le reste », avait ajouté au crayon un étudiant anonyme. Le professeur voyait dans le rôle décisif des juifs sous Weimar (1918-1933) l'origine de l'antisémitisme de Hitler, tout en soulignant la conception pessimiste du monde des Allemands illustrée par leurs dimanches : « Pas de distraction individuelle, tout le monde défile, des jeunes aux vieux, impression un peu effrayante de horde. » La Méditerranée était à ses yeux une « mer mondiale » qu'ouvraient trois portes, Suez, Gibraltar, les Dardanelles. « Le soleil y est chaud et l'ombre froide. La mer et la montagne ne se quittent pas des yeux. La Méditerranée est une résistance au désert. »

Je glanais ces images avec délice, dans l'espoir d'améliorer mon style, mon pouvoir d'évocation en quelques phrases, puisqu'il ne s'agissait jamais, dans un journal, d'écrire au kilomètre. Au moins pourrais-je tenter d'écrire au sentiment. Tout en me méfiant des facilités. « L'Orient commence quand l'olivier finit », constatait encore Siegfried. « L'Inde, c'est moins loin dans l'espace que dans le temps. Elle contient toutes les richesses de l'esprit mais toutes les corruptions de la matière. »

Mon regard s'était aiguisé. À force de lire, je butinais dans les livres et les revues les savoirs de toutes sortes qui feraient mon miel de journaliste. Je le dispersais de manière pas toujours adroite dans les multiples piges que j'avais décrochées. Le style était encore trop riche, un peu tape-à-l'œil, truffé de citations édifiantes, comme si j'avais voulu en mettre plein la vue avec mes connaissances juste acquises. Mais cela plaisait tout de même car j'abordais des thèmes peu défrichés par mes confrères, et on me pardonnait cet excès d'écriture, cette légère enflure du verbe qui allait sans doute avec la jeunesse. Avant même d'entrer à *La Tribune*, grâce à mes amis d'*Investir* Michel Jaeger et Gérard Horny, j'avais accumulé assez de collaborations pour obtenir le sésame de la profession : ma carte de presse.

Un jour que je faisais la queue à Sciences Po pour retirer des feuilles d'examen, un étudiant devant moi, ouvrant son portefeuille, avait laissé paraître sa carte tricolore. J'en avais tremblé d'envie et de frustration. Intérieurement je fulminais, partagé entre la colère et l'abattement. Un étudiant de la rue Saint-Guillaume était journaliste et ce n'était pas moi! Ce soir-là, j'étais rentré chez moi décomposé, avec le sentiment d'avoir tout raté. Cette carte de presse, quand je la reçus au courrier en 1983, vint couronner mes efforts. Je voulais être journaliste. Je le voulais plus que tout. J'avais enfin sous mes yeux la preuve que le destin me souriait.

7

AUX ITALIENS

Rue des Italiens, le service économique était un monde en soi. Je garde le souvenir d'un long couloir étroit encombré d'armoires métalliques menaçant à tout instant de s'effondrer sous le poids du papier. Mais peut-être, évoquant là mon enfance du journalisme, ai-je agrandi chaque chose... Tout dans cet immeuble, étage après étage, n'était qu'échafaudage précaire surchargé de livres et de dossiers, de bureaux frisant l'apoplexie, de corbeilles à papier débordant des dépêches crachées dans un bruit de scie égoïne par de consciencieux téléscripteurs. Ma mémoire persiste : un long couloir percé de minuscules alvéoles défendues par des portes vitrées derrière lesquelles, lunettes d'écaille sur le nez, Paul Fabra tapait frénétiquement ses chroniques. Alain Vernholes, à quelques mètres, fourbissait ses questions pour passer sur le gril un ministre du Budget, pendant que François Renard, alias Goupil, imitait le Marsupilami en poussant son cri de guerre sur le yen (« ... est une hyène », *bis*).

Lorsqu'on sortait de l'ascenseur, posant le pied sur le lino marronnasse qui s'efforçait de briller sous des éclairages anémiques, on avait le choix : tout droit, le bureau du chef Bruno Dethomas, flanqué de François Simon (qui lui succéda), et de quelques assistantes, avec vieux rideaux gris bouffants, lampe de théâtre qu'on allumait en tirant sur une cordelette, gros fauteuils avachis, forêt de livres, de rapports et, comme pour une épreuve cycliste, deux panières bien en vue et plutôt mieux ordonnées que tout le reste, avec ces deux mots magiques : DÉPART, ARRIVÉE. L'info était une course.

Comme tous les journalistes, le chef disposait sur son bureau d'un bouton-poussoir capable de faire surgir, comme un diable de sa boîte, un garçon de bureau. De futurs journalistes du *Monde* débutèrent dans la noble institution comme garçons de bureau, serviteurs de luxe apportant fournitures, journaux, courrier, bons mots pêchés dans les étages. À l'Économie, le préposé François, qui deviendrait plus tard un très bon rédacteur, était une sorte de Scapin, avec ce qu'il fallait d'insolence et d'esprit pour faire oublier qu'on l'avait sonné et qu'il devait s'acquitter illico d'humbles tâches. À main droite du couloir, on passait le secteur Industrie et Finances, assez bruyant, surtout le vendredi après-midi, quand les tâcherons de la Bourse — que je rallierais bientôt — se collaient à la double page du week-end consacrée aux marchés de Paris, aux taux d'intérêt, aux changes et aux matières premières. Souvent rejoints alors par un François Renard sorti tout rouge de sa tanière excentrée, pan de chemise flottant, œil bleu ciel et sourire Gibbs, narrant comment, jeune stagiaire de l'Ena au Maroc, il avait jadis contrôlé quelques mères maquerelles en délicatesse avec l'autorité.

Une pièce plus loin, la documentation économique risquait alors carrément de vous ensevelir debout. La gardienne jalouse de ce temple dédié aux entreprises cotées, à leurs résultats et à leurs dirigeants, s'appelait Chantal Dunoyer, que notre Scapin avait rebaptisée « Dunoyau ». Vous lui demandiez un renseignement, elle vous apportait une encyclopédie avec force dossiers, sous-dossiers, annexes, recherches extérieures et *tutti quanti*. Le danger était de ne pas en sortir vivant et de périr d'indigestion sous la masse des infos qu'elle vous assénait.

Tout au bout du couloir de l'Économie, on entrait dans la légende. Là s'étendait à la verticale le gratte-ciel de la documentation générale du *Monde*. Une sorte de Manhattan du savoir journalistique, étant précisé que les silos de papier baptisés « compactus », au nombre d'une bonne dizaine, se déplaçaient au moyen de gros volants de semi-remorques situés à hauteur de poitrine. Pour décoller deux compactus l'un de l'autre, il fallait donc manœuvrer ces cerceaux d'acier, s'engouffrer dans une tranchée de 50 centimètres entre deux parois abruptes qui vous auraient écrasé d'un rien, en ayant d'abord pris soin de repérer la bonne lettre de la recherche. Les dossiers suspendus ressemblaient à d'étranges guirlandes, les unes très minces, d'autres ventrues, voire obèses. Le dossier de Gaulle était, disait-on, kilométrique.

Il suffisait de rechercher une personnalité de premier plan ou une grande affaire pour découvrir l'incroyable labeur de mémoire et de classement de la doc du *Monde*. Des kilos de papier, de coupures de presse, mais aussi de feuillets manuscrits (les notes de rédacteurs qui, dix ans, vingt ans auparavant, avaient assisté à une conférence de presse, récupéré des documents confidentiels, annoté des rapports). Chacun avait versé son obole à l'édification commune d'un précieux savoir maintenu par de grosses taches de colle semblables à du miel durci. C'était une mine émouvante : en la creusant, on retrouvait les maillons d'une chaîne humaine, les traces de journalistes qui avaient travaillé sur le même sujet que nous et dont nous étions les modestes successeurs à travers le temps. On tombait sur des papiers signés de rédacteurs aux noms oubliés qui, eux aussi pourtant, avaient servi *Le Monde*. Cela rendait humble. Les journalistes passaient. La star, c'était le journal. C'était *Le Monde* en gothique, il ne faudrait jamais l'oublier.

Soudain aussi reprenaient vie les grandes signatures, celles qui avaient laissé des entailles profondes dans les colonnes du temple, Robert Guilain, Jean Lacouture, Jean-Claude Guillebaud, Pierre Viansson-Ponté, ou celles de rédacteurs encore présents, comme Jean-Marc Theolleyre, qui portait la modestie dans son regard. Alors l'émotion demeurait intacte. Dans ces vieilles coupures épinglées comme des papillons sur de fines feuilles de papier pelure persistait le parfum tenace d'une aventure professionnelle sans pareille, la feuille de température de la planète dont *Le Monde* était la mémoire alors presque quinquagénaire.

Mais en ce printemps 1988 on m'avait attribué, à l'opposé de la doc, un petit réduit connu sous le nom de « bureau de Baby ». Était-ce en raison de mon jeune âge, ou de la taille layette de cet espace ? Je fus affranchi sans tarder : Yvonne Baby l'avait longuement occupé, et avait construit depuis ce modeste lieu un véritable magistère culturel. Je n'étais pas seul dans ce bureau 304, dont la fenêtre donnait sur la petite rue Taitbout dont on prononçait le *t* central et qui résonnait comme une exhortation —

T'es d'bout? Il est vrai qu'aux heures grises qui nous rassemblaient dès potron-minet, légèrement vacillants quand le sommeil manquait à l'appel, nos petites assemblées ressemblaient à des conciliabules de factieux soupesant au trébuchet des mots la gravité des situations, de l'Élysée à Washington, ou à la dernière mise en scène du Français.

Je partageais ce lieu tout en longueur avec un journaliste à la voix de stentor qui dirigeait le supplément Économie, le bilan du même nom, et s'était piqué d'intérêt pour les matières premières. Dans sa jeunesse à l'AFP, Michel Boyer avait pas mal bourlingué. Il portait trench-coat et chapeau de feutre, les yeux telles deux billes pétillant derrière de gros verres de myope qui lui donnaient le regard d'un personnage inquiétant croisé chez Hitchcock. Pour cacher la lèpre du mur, et par goût des ailleurs, Boyer avait punaisé une vaste carte du monde. Dès mon arrivée dans la confrérie, il s'était mis en tête de me le faire voir sous toutes ses coutures, et je lui dois quantité de reportages dans les pays de l'Est, au Maghreb et sous les galeries charbonnières des Rocheuses, voyages qu'il consignait par de petites têtes d'épingles colorées sur sa carte murale.

Notre bureau voisinait avec celui, nettement plus grand, du Social, où cohabitaient Michel Noblecourt, Guy Herzlich et Alain Lebaube. C'est ce lieu que nous investissions tôt matin pour la réunion de service, avant que le chef descende à la grand-messe du directeur, dans le bureau d'André Fontaine. Celui-ci m'avait fait passer un entretien d'embauche pour la forme. Enfoncé dans un fauteuil crapaud, j'avais pu observer le cartel noir et or surmonté de son ange coupeur de temps, et le regard bleu de Fontaine, le front barré par les soucis et les insomnies, le verbe clair et précis comme ses éditoriaux et ses livres éblouissants sur l'histoire de la guerre froide. Dans mon petit bureau 304, j'étais isolé de la rédaction du service. Je gagnais en calme et en possibilité de concentration pour écrire ce que je perdais en contact immédiat avec l'équipe. Aussi sortais-je plus souvent qu'à mon tour de mon cagibi pour partir à la découverte du Monde.

À cette époque, et le dire c'est déjà vieillir, tout nouvel arrivant était accueilli. Serge Marti jouait les cicérones. Il m'initia aux arcanes de l'immeuble, de l'étage directorial, où Pierre Drouin voisinait avec André Fontaine. Plus loin on trouvait le bureau surchargé de Daniel Vernet, papivore insatiable, qui communiquait avec la rédaction en chef, et le secrétariat de rédaction, lieu stratégique du *final cut*. C'était là en effet qu'un papier pouvait se retrouver en majesté ou au contraire ratiboisé à la tête du client pour cause de charabia, de longueur inacceptable, allez savoir. On prêtait à Raymond Barrillon, journaliste politique de premier ordre décédé peu auparavant, une saillie révélatrice des questions de place qui déjà se posaient, malgré une pagination généreuse. *Le Monde* était un journal dense et dodu d'une bonne quarantaine de pages, encore riche en publicité. La direction s'étant plainte de la longueur de certains articles, Barillon déclara un matin solennellement que pour sa part et dans son service la décision avait été prise de ne plus écrire de dernier paragraphe...

Serge Marti ne tarda pas à me faire découvrir le sous-sol du journal, auquel on accédait par un petit escalier de métal rappelant l'échelle de coupée d'un sous-marin. Là s'activaient les typos, qui saisissaient la copie dans une ambiance martiale où les cris des hommes le disputaient au vrombissement des machines. Vers midi, l'immeuble tremblait, les chaises ne tenaient plus en place, et à Paul Fabra qui s'étonnait un jour d'entendre si fort le métro, il fut répondu : « Cher Paul, c'est le journal qui roule. » Le chroniqueur avait honoré sa belle réputation d'étourdi.

Chaque service avait ses rites. Aux infos géné, on se faisait monter le petit déjeuner à 8 heures, café et croissants ; chaque journaliste payait à son tour pour l'équipe, avec rebelote pour l'apéritif (tradition partagée chaque midi autour de Jacques Amalric au service Étranger), et déjeuner collectif chez Nini, rue du Helder. À l'Économie, tandis que le chef descendait dans la fosse aux lions, on se réfugiait au bistrot du coin pour un deuxième ou un troisième café, croissants craquants, réconfort du groupe, le jour n'était toujours pas levé sauf aux prémices du printemps, avant que le passage à l'heure d'été nous ramène encore dans la nuit du matin.

Costumé-cravaté, Boyer n'avait pas l'esprit grégaire. Perçu comme un vieux misanthrope atrabilaire, il restait à lire pendant que je rejoignais cette confrérie du croissant. Nous étions à peu près toujours les mêmes, et le groupe s'amenuisait ou changeait au gré des reportages de tel ou tel. Les plus assidus étaient Véronique Maurus, la papesse de l'Opep, l'homme de la mer et des régions François Grosrichard, qu'on appelait « Bouboule » et qui rectifiait d'un sonore « monsieur Bouboule », Jacques Grall, Claude Sarraute, la spécialiste des dinosaures et des failles géologiques du quaternaire Yvonne Rebeyrolle, avec ses airs d'Agatha Christie, ses colliers à grosses perles, la fumée de sa cigarette lui plissant les yeux tandis qu'elle nous racontait les vies de Lucy dans la vallée du Rift. Venait aussi Josée Doyère (« dame Josée », annonçait respectueusement notre Scapin, ou « Josée Gruyère », quand il raillait), laquelle régnait sur le Logement après avoir été dans sa jeunesse la secrétaire personnelle d'Hubert Beuve-Méry. Je confiais ma copie plus souvent qu'à mon tour à cette relectrice hors pair, assuré que rien ne lui échapperait. Un petit monsieur ne quittant jamais son nœud papillon poursuivait l'immersion. Il s'appelait Jean Planchais et racontait comme personne l'histoire du journal, ses heures de gloire, les doutes du « patron », la fragilité des débuts, la bataille du triumvirat (Beuve, Funck-Brentano et Courtin), la crise du neutralisme, la mystification du rapport Fechteler, premier faux scoop du *Monde* remontant aux années 1950.

Un album aujourd'hui introuvable parut en 1989, à la veille du jour où le journal dut quitter cet immeuble. Je l'ouvre chaque fois avec émotion, tant le texte de Poirot-Delpech et les traits crayonnés de Nicolas Guilbert réveillent cet endroit singulier, ses habitants improbables que j'ai croisés pendant les quatre petites mais tellement intenses années, que j'allais y passer, sous la surveillance impavide d'une grosse horloge ainsi évoquée par Poirot : « Du boulevard, on ne voit qu'elle. Coincée au fond de sa ruelle, avec ses aiguilles dédorées et ses chiffres bleu faïence, on dirait un effet du hasard comme il s'en produit à la brocante : une pendule de cheminée entre les piles de livres des immeubles riverains. Le passant se demande quelle banque ou quelle compagnie d'assurance a ainsi échappé au cordeau du père Haussmann. Ou encore quelle gare désaffectée, d'où serait parti, pour ne jamais revenir, le dernier train de plaisir d'avant la Grande Guerre, plein de fêtards à canotier, de cousettes à tournures et d'envies de lilas, en voiture s'il vous plaît. »

À travers les croquis de Guilbert survit cet incroyable édifice de papier qu'était *Le Monde*. Voici le bureau d'Henri Tincq, notre envoyé papal permanent, cherchant son salut entre un code de droit canonique renversé car probablement renversant, un Annuario pontifico 1989 édité par la Città del Vaticano, une Bible dans sa version intégrale présentée par Pierre de Beaumont, le tout servant de remparts intimidants à un fatras de dossiers où surnageaient les noms de sainte Cécile et l'étiquette « Prague : la victoire du Forum civique ». Le bureau des correcteurs était, lui, gardé par une armoire fortifiée renfermant une armada de dictionnaires, Larousse, Robert, dicos de synonymes, épaulés par de solides atlas internationaux pour écrire sans erreur Libye (suivre l'ordre alphabétique, le *i* vient devant le *y*), ou Pékin devenu Bei Jing. La tanière des garçons de bureau valait le coup d'œil, avec sa corbeille débordant de paperasse, ses piles de journaux éventrées à même le sol, et surtout ce four étrange dans lequel arrivaient les tubes poussés par l'air comprimé, dans un sifflement d'asthmatique qui n'avait pas échappé à l'oreille de Poirot-Delpech. « Cet outil ne peut être utilisé que par du personnel qualifié », prévenait une étiquette, des fois que n'importe qui aurait voulu s'initier à cet art du cerf-volant en sous-sol. Le tubisme était affaire sérieuse qu'on se serait bien gardé d'appeler fumisme. »

De ce reportage à la mine, et comme au fond d'une mine, Nicolas Guilbert avait rapporté un butin de détails vrais, les fauteuils club du directeur et son épais cartable, le fax de Plantu crachant un dessin je suppose refusé (sous le titre « Après vingt-sept ans de prison, Mandela libéré », un petit bonhomme seul s'exclamait : « J'ai une petite envie de baiser ! »). Ou encore : les tourniquets de la doc, les dossiers suspendus où Baader (Andreas) voisinait avec Badinter (Robert) dans une singulière promiscuité, le tableau des mouvements des envoyés spéciaux de l'Étranger : Bresson à Berlin, Palast Hotel, 28/10-4/11, Telex 11 50 50, ch. 8080 ; Kauffmann à Prague, Hotel Parie, 19.42.12.2322051, ch. 318. Subtil au Luxembourg ; Vanhecke à São Paulo... le bureau de Jacques Amalric, l'étage supérieur de sa bibliothèque pavoisé de bouteilles d'alcool (vides), l'immense planisphère mural, et ces slogans scotchés près de la fenêtre :

À l'Est les SS-20 protègent les goulags
À l'Ouest les pacifistes protègent les SS-20

Derrière le fauteuil du visiteur, cette citation « Nous sommes tous des goys yiddishisés » attribuée à Edwy Plenel. Et sur la porte du bureau que partageaient à l'Étranger Claire Tréan, Jean-Claude Pomonti et Jean-Pierre Langellier, une enveloppe adressée à M. Jacques Amalrich, Fourbe Jésuite, le tout entre un « No sex please, we're busy » et l'annonce suggestive d'une « forte remontée des Bourses ».

On ne s'ennuyait pas dans ce canard austère. À preuve encore cet aphorisme facétieux bien en vue sur le bureau d'Alain Debove près du cendrier encore fumant : « Il n'y a pas que le tennis dans la vie. » À respirer cet air confiné des Italiens, c'est à se demander si le jeu ne consistait pas à constituer le plus bel amoncellement de papiers, non seulement contre les murs assiégés, mais à la place même du rédacteur, là où il était censé préserver un minimum d'espace vital pour ajouter son grain de sel, ses mots indispensables pour l'édition en cours, mais si dispensables dans la marche du temps, mots qui s'envolent et s'oublient sitôt l'encre séchée.

Au *Monde des livres*, le bureau de Nicole Zand relevait des invasions barbares. Nicole tenait la littérature étrangère, mais son repaire montrait l'inverse : c'est la littérature étrangère, envahissante, qui la tenait. Avec François Renard, Serge Marti était lui aussi passé maître dans l'art de la dissimulation derrière la paperasse. Mais si vous vous avisiez de leur demander une note, un rapport, ou même des chiffres griffonnés sur une feuille volante, vous constatiez qu'après quelque manutention hasardeuse qui transformait chaque pile en tour de Pise les intéressés exhumaient le document voulu dans un cri de triomphe.

Au rayon « papier », je n'oublie pas la salle des téléscripteurs crépitant sans cesse comme à la fin du film *Les hommes du président* d'Alan Pakula. J'ignore par quel hasard notre ami Sam, originaire du Togo, s'était retrouvé face à ces infatigables machines qu'il s'efforçait chaque matin de dompter. Il lui aurait fallu deux fois plus de doigts pour ne pas s'empêtrer dans cet amoncellement de fils chargés des nouvelles du monde, fils AFP, AP, Reuters, Tass et j'en passe, rubans sans fin d'infos brûlantes. Les dépêches portaient bien leur nom. Elles réclamaient l'urgence. On les retrouvait le matin sur le bureau de chaque chef, en bandes de 1 ou 2 mètres ou déjà taillées en pièces. Sam avait accompli son office, arraché, coupé, découpé, distribué enfin dans les services appropriés ces boas qui terminaient soit dans le journal, soit dans la corbeille à papier. Jusqu'au nouvel arrivage, crépitement, affolement, classement, acheminement.

Dans cette maison de papier couché, la verticalité consistait en de fiers stylos au garde-à-vous ou en boîtes de carton rigide, comme à la rubrique Police du tandem Plenel-Marion (Attentats divers, Attentats Hezbollah, Attentats Abdallah, Greenpeace, Ouvéa, Pechiney 1, Pechiney 2).

Cette image ravive un souvenir de cette époque lorsque, dans un bistrot broche des Italiens, j'aperçus trois hommes en gabardine, dont nos limiers Plenel et Marion, en vive discussion avec un comparse fagoté à l'identique. Les journalistes caméléons avaient pris les allures de leur source, et bien malin qui aurait pu les distinguer de celui qui sortait directement d'un Maigret. À cette époque, Edwy fumait de gros cigares et quand il tapait ses papiers dans l'urgence sur une bécane toujours trop lente, il lui fallait le secours de son assistante Françoise Lesimple pour rallumer la flamme de son barreau de chaise, lui ne lâchant pas son clavier ni des mains ni des yeux. Le coup de feu portait bien son nom.

J'étais trop jeune dans la maison pour avoir croisé le critique de théâtre Olivier Merlin, qui déambulait le matin en robe de chambre, sorti de sa cagna du rez-de-chaussée, où il dormait au retour du spectacle et surtout après avoir gratté de superbes papiers dans un style inimitable. Les Italiens avaient gardé la mémoire de ce Merlin l'enchanteur dans la nuit des boulevards, un passe-muraille magnifique, dont le souvenir nous hantait. Parmi les silhouettes de cette époque, je garde celle de Michel Tatu, expert en soviétologie, le col jamais fermé sur sa cravate entortillée, les yeux jamais complètement ouverts et pourtant si perçants quand il s'agissait d'analyser le moindre mouvement dans la nomenclature de l'URSS. Ne le quittait pas un homme au catogan prénommé Léon, qui veillait comme pas deux à la base de données Sovt créée par Tatu, un travail de fourmi que n'aurait pas dénié James Bond, pour savoir ce que la Glasnost (transparence) continuait de cacher.

Dans ce tour de la mémoire, on ne voit guère d'ordinateurs. Les premiers arrivèrent à la rédaction en chef, timidement, sur la pointe d'une flèche guidée par une souris. En 1989, une double révolution allait survenir : l'informatisation progressive de la rédaction et l'arrêt des rotatives des Italiens, qui laissèrent place aux énormes machines réputées ponctuelles puisque suisses, lancées dans notre nouvelle cathédrale industrielle d'Ivry. En quelques années, les rédacteurs du *Monde* passeraient de l'écrit à l'écran ; et la fabrication, de l'atelier de labeur souterrain à l'imprimerie moderne. Les temps changeaient à toute allure. Jetant un dernier coup d'œil à la borne-témoin que constitue notre album, je laisse derrière moi le perroquet auquel Beuve-Méry pendait un cintre. Perroquet aussi peu bavard que son maître. Cintre nu. Je laisse la grande salle du secrétariat de rédaction, attenante à la rédaction en chef, avec la liste des « SR » où dorment à jamais les noms associés à tant de discussions sur nos papiers, l'endroit où les couper (mais faut-il vraiment couper ?!), où les mettre en pages, sur la meilleure façon de les titrer. Je lis : Audusse, Batifoulier, Clessi, Desffontaines, Dejean. Je lis Giovenco, Guerrin, Henique, Lefebvre, Malaussena. Et Roger Provost, et Zim...

Noms d'abeilles, reines et ouvrières, dans ce qui constituait la seule vraie ruche du journal, un espace ouvert sur plusieurs mètres alors que partout ailleurs *Le Monde* était une succession d'alvéoles où le papier servait de double cloison. Je laisse le service Cartographie d'Evelyne Millereau et de Mireille Morfin, où finirent, ou plutôt se prolongèrent, tant de reportages (« J'étais là, puis je suis allé ici, vous suivez ? »), elles suivaient tant bien que mal, notaient, cherchaient le nom bizarre que j'épelais. Souvenir de leur écoute attentive, de leurs doigts remontant les planisphères, de leurs tréteaux, de leur rubafix, de leurs sièges amovibles. Je laisse la cantine et sa chaîne délimitant la file, le bureau du marketing, dont le directeur s'appelait Marx, avec collé sur la porte le slogan du moment : « *Le Monde*, le plaisir de savoir ».

L'imprimerie, j'y retourne une dernière fois pour vérifier que le crayon de Nicolas Guilbert décalque bien mes souvenirs. Oui, c'est bien ça, le méchant escalier en hélice pour descendre à l'atelier puis à la salle des machines. Le sol en métal cranté qui colle aux semelles. Le marbre et ses tables de montage, les folios sur leurs plaques comme les chiffres gagnants du tiercé. Les pages tendues comme des voiles dans le grand vent. La photogravure, la salle des bobines, son rail et ses plaques tournantes. Les lourdes machines de cuivre et d'acier, les encriers de la rotative, les encres de couleur et la goulotte où finissaient les chutes maculées. « L'encre bavait comme le sang des abattoirs », se souvenait Poirot décrivant « l'accouchement de ferraille », l'impression quotidienne menée par des ouvriers supérieurs armés de chiffon et arborant la fierté des premiers chauffeurs de locos.

À la sortie de la plieuse, le calme revenu, c'était la tombée de l'édition datée du lendemain. La course du temps gagné. Jusqu'au lendemain. Je n'avais pas connu les lingots de plomb fondus dans les linotypes mais c'était tout comme. Quand ces rotatives cessèrent de tourner, ce qui laissa un trou béant au milieu de nos journées — aucune secousse, aucun rassemblement de camionnettes et de side-cars à la sortie des Italiens —, il apparut que *Le Monde* venait d'entrer dans une ère qui correspondait, était-ce vraiment un hasard, à l'arrivée des écrans de l'informatique. Au même moment, sans un bruit, sauf celui, assourdi, des lettres sur les claviers en plastique, nos machines à écrire et leur buisson de lettres métalliques qu'une frappe convulsive faisait parfois s'enchevêtrer se turent. Ce fut tout.

Dans la transition, on nous avait équipés de machines à papier thermique qui laissaient apparaître l'équivalent d'une phrase sur un minuscule écran; ainsi pouvions-nous corriger erreurs et coquilles avant impression. Mais très vite nous fûmes initiés aux systèmes en réseau baptisés Zénith et Coyote. On nous prodigua d'homériques séances de formation. Je revois François Renard laissant tomber ses doigts de paysan sur les touches tactiles comme sur un piano-forte. « Le coyote est une hyène » fut son nouveau cri de ralliement. Insensiblement, nos colloques désordonnés et chaleureux se terminèrent en soliloques face à l'œil de l'écran, chacun avec son chacun, tendant la main à une souris plus souvent qu'à ses amis. Les dépêches arrivaient désormais sur un fil individuel accessible depuis notre terminal. On ne se levait plus, on échangeait moins de mots et d'idées spontanément, au coin d'une table, au détour d'un couloir. Il faudrait pour cela des réunions plutôt que des apartés impromptus.

Sans doute n'avions-nous pas conscience que ces moyens très modernes de communication ne favoriseraient guère les échanges entre nous. Que notre métier serait à jamais modifié par une technique qui nous servait tout en nous asservissant à ses règles et à ses codes. En douceur, sans bruit, sans éclats. Le chaud était devenu tiède, puis froid. Il apparut aussi que l'écriture s'uniformisa peu à peu, d'un service à l'autre, d'un journal à l'autre, comme si le contenant avait dicté sa forme au contenu. Qui l'eût cru ? Derrière le mécanisme de la grosse horloge du *Monde*, perché dans les combles de l'immeuble, au-dessus d'un incroyable lacis de fils et sous les dents de vieux engrenages, était collée cette étiquette rédigée à la main :

ATTENTION
Mécanisme de l'horloge
Très Fragile

Le toit du T majuscule et celui du F non moins majuscule étaient allongés comme des auvents, sans doute pour protéger du mieux qu'ils pouvaient notre temps qui s'écoulait. En effet, je n'aurais jamais imaginé, la première fois que je vis cet œil grand ouvert sur la petite rue des Italiens, que le temps du *Monde* était si fragile, si précaire, comme la suite ne cesserait de nous l'apprendre. Mais nous n'allions pas verser dans la tristesse ni dans la nostalgie, la modernité nous tendait les bras. Le plus beau journal était celui du lendemain, surtout si on me faisait l'honneur d'y accueillir ma prose. Au bout de quelques jours j'avais pris la mesure des lieux et des rites. J'avais noté l'exiguïté des toilettes, leur aspect rebutant, leur fonctionnement aussi improbable que celui de l'ascenseur. J'avais pris mes marques au réfectoire du sous-sol, où André Fontaine n'hésitait pas à déjeuner sur le pouce au milieu du personnel.

Le contrat qui me liait au *Monde* était clair : j'étais rédacteur spécialisé en économie, responsable de la Bourse et des matières premières. Bruno Dethomas l'avait promis : je quitterais la corbeille dès que l'occasion se présenterait, mais pas avant deux ou trois années. D'ici là, je pourrais effectuer de temps à autre des reportages en Afrique. D'emblée mon poste s'inscrivit dans la singularité, le monde des plus riches et le monde des plus pauvres. Il y aurait les yuppies et l'Éthiopie.

8

SOUS LES LAMBRIS

Je n'avais encore jamais mis les pieds à la Bourse de Paris. C'est François Renard qui m'y mena d'un pas alerte, comme on conduit un neveu de province à Guignol ou chez les dames, au choix... On traversa les boulevards, remonta une partie de la rue de Richelieu, où j'avais laissé *La Tribune*. Un passe nous permit d'accéder au palais de l'argent par un souterrain dérobé avant de surgir en pleine séance, dans un brouhaha indescriptible et sur un parquet luisant jonché de papiers. Ce jour-là ça baissait ferme. Renard le savait, qui arborait sa cravate verte. N'était-ce pas la couleur de l'espoir ? Il m'entraîna à l'étage dans une agence de presse spécialisée, La Cote bleue, où se retrouvaient tous les journalistes financiers, ceux de la presse écrite et le présentateur de Bourse du journal télévisé, celui qu'on apercevait sur le petit écran devant les grands tableaux de cotations débitant le palmarès des valeurs. Soudain Renard s'immobilisa devant un écran — un objet encore rare en 1988 — et poussa un cri : « La baisse au cul verdâtre ! » Et de m'expliquer que les actions en baisse étaient affublées d'une flèche verte.

Sitôt confirmée son intuition qui lui avait fait coulisser au col une cravate de la teinte fatale, il m'entraîna sur le plancher, coupant la foule des crieurs en bras de chemise, sachant précisément où le menaient ses pas. Il stoppa net devant un homme rondouillard en costume strict, l'air perplexe, les mains dans le dos, qui chuchotait plus qu'il ne parlait, ce qui rendait le dialogue difficile au milieu des ordres hurlés çà et là. Renard tendait l'oreille, demandait une précision, notait sur son petit carnet que je ne l'avais pas vu sortir, griffonnait trois mots à la diable, le fourrait dans sa poche. Cette gorge profonde s'appelait, dans les articles boursiers du *Monde*, la pythie du pilier Sud. On le consultait comme l'oracle, il appartenait à une grande banque de la place, et promenait sur la cote un air éternellement sceptique, agrémenté de quelques paroles pertinentes qui faisaient notre bonheur.

Car il fallait faire vite. *Le Monde* publiait deux éditions. Une première sans la Bourse. Une seconde, signalée sur l'oreille droite de la manchette par les mots, imprimés en gras, « Dernière édition, Bourse ». Cela signifiait qu'elle contenait un feuillet anonyme mais précieux qui donnait la tendance de l'ouverture du marché à 14 heures. À 13 h 30 pile, un coursier du journal garait son vélo devant la Bourse et venait récupérer dans une petite salle de presse la page manuscrite rédigée par le journaliste chargé de la séance. Une fois jeté dans le bain par François Renard, ce fut moi. C'est ainsi que pendant deux ans je fis ce même tour de piste, de La Cote bleue de Jean-Pierre Gaillard (future voix de France Info) au parquet de la Bourse et à son pilier Sud (sans m'interdire les autres), et sans négliger la salle confinée où l'on cotait l'or en lingot et en effigie de Napoléon, puis dans cette cagna où je grattais à toute allure mon papier avant l'arrivée du fameux cycliste.

Il fallait bien que dans cette histoire qui commençait au *Monde* il y eût un cycliste venu tout droit de mon adolescence. Je fus d'ailleurs troublé en apprenant que parmi les coursiers pédalants du journal figurait le fils de Jean Robic, l'ancien vainqueur du Tour de France 1947. La bonne humeur régnait dans ce local exigu que nous partagions avec la séancière de l'AFP Françoise Medgeysi, mon confrère du *Monde* André Dessot, authentique Russe d'origine malgré ses airs de major de l'armée des Indes, et un quasi-centenaire qu'on appelait « le gouverneur », qui lisait nos papiers avec attention et rappelait modestement son amitié hors d'âge avec Beuve-Méry. Ce n'était pas rien, ce petit texte à fournir chaque jour, sauf les fériés et carillonnés : ne pas le rendre à l'heure, ne pas le calligraphier correctement, c'est-à-dire lisiblement pour les typos, c'était risquer de mettre le journal en retard, de pénaliser la fameuse édition Bourse. À quoi tenait *Le Monde* !

Certaines fins de matinée, lorsque la situation semblait confuse sur le marché, lorsque mes interlocuteurs m'avaient causé plus longtemps qu'à l'accoutumée, ou que nous avions joué à cache-cache dans les travées, je voyais l'heure tourner avec inquiétude : veste rouge, cheveux gris, l'air affûté d'un coureur du Paris-Roubaix, le cycliste allait arriver et je n'aurais pas terminé. Deux ou trois fois il me sauva la mise, m'accordant quelques minutes de rallonge, retard coupable qu'il devait rattraper en appuyant plus dur sur les pédales pour voler jusqu'à l'imprimerie des Italiens...

Si je n'allais pas de gaieté de cœur au palais Brongniart, ayant dû limiter mes chères matières premières à la portion congrue d'une chronique hebdomadaire, je finis par prendre de l'intérêt à ces marchés volatils et bruyants qui m'initièrent au monde de l'entreprise à travers les introductions en Bourse puis les privatisations. L'heure était à la cohabitation. Le ministre de l'Économie Édouard Balladur ouvrit le bal en offrant au public 11 % du capital d'Elf-Aquitaine. On parlait beaucoup des petits porteurs et Plantu, lui, dessinait l'onctueux ministre dans une chaise à porteurs Louis XV. Le capitalisme populaire était en marche. À la nationalisation de vingt-huit grandes entreprises cotées en 1982 répondait le basculement vers le privé de soixante-cinq sociétés dont la valeur globale était estimée à 250 milliards de francs. Ce serait cinq fois le montant des offres publiques de vente qu'avait initiées en son temps le gouvernement Thatcher, sur un marché britannique cinq fois plus vaste.

Me revient le souvenir d'André Azoulay, futur conseiller du roi du Maroc, nous présentant l'opération Paribas, avec Catherine Deneuve en effigie. Pour me sentir dans le bain, il fallait que je comprenne les mécanismes et les enjeux boursiers. Puis, les maîtrisant de mon mieux, que je sois en mesure de les expliquer avec des mots simples. « Ce que l'on conçoit bien s'énonce clairement,/ Et les mots pour le dire arrivent aisément... »

Comme lorsque j'avais plongé dans le bain des matières premières, je diversifiai mes lectures, du plus technique (le système de formation des cours, la spéculation, le rôle des agents de change, qui perdaient avec la déréglementation Balladur leur monopole de négociation en Bourse hérité de l'Empire) jusqu'au plus accessible (je me ruai, délice et récompense, sur *L'argent* de

Zola, fasciné par ce monde de la Bourse du XIXe siècle bourgeois, le cynisme du héros Saccard, la perversité des feuilles de chou et des officines soufflant la ruine). Balzac n'était pas loin : un morceau de la comédie humaine se jouait dans ce grand théâtre, mélange d'idéologie libérale, de miroir aux alouettes, d'espoirs d'enrichissement à la portée de toutes les bourses. Si les zinzins, autrement dit les investisseurs institutionnels, étaient au premier rang de la fête, l'opération Saint-Gobain montra que les particuliers voulaient aussi en être.

Avec le surtitre étonnamment littéraire « Les clameurs de la hausse plus fortes que les cris de la rue », j'obtins ma première une du *Monde*. Mon papier était simplement titré « La Bourse de Paris au meilleur de sa forme ». Alors que les étudiants défilaient massivement contre la loi Devaquet sur le filtrage à l'Université, la cote atteignait un sommet historique. Les liquidités piaffaient au palais Brongniart. On se bousculait autour de la corbeille, qui traitait chaque jour le montant considérable de 2 milliards de francs. L'amnistie fiscale décidée par le gouvernement encourageait le rapatriement des capitaux étrangers avant le 31 décembre. La levée du contrôle des changes et des prix, le recul de l'inflation, l'abaissement de l'impôt sur les sociétés, tout cela contribuait à la consécration de l'argent roi sous les lambris de Brongniart. Si la cohabitation devait se terminer par un retour de la gauche — ce qui advint avec la réélection de François Mitterrand au printemps 1988 —, nul ne pouvait croire au mouvement inverse de renationalisation. La Bourse devenait populaire au-delà des clivages partisans. Les temps changeaient, et j'étais témoin de ces changements depuis l'étrange observatoire que constituait cette corbeille.

Les semaines passaient, assez semblables. J'écrivais chaque jour le bulletin boursier. Le vendredi, je rédigeais une revue hebdomadaire des marchés puis passais quelques coups de fil supplémentaires pour connaître le comportement de la Bourse de Lyon : il fallait nourrir notre édition Rhône-Alpes. Ensuite je m'attaquais à la matière première de la semaine, alternant le végétal et le minéral, les vils métaux et les métaux précieux, souscrivant volontiers à cette pointe d'humour : il n'y a pas que l'argent dans la vie, il y a l'or aussi... Les exercices boursiers étaient ingrats et répétitifs. Mais ils eurent pour vertu de me casser l'écriture. Je renonçai aux formules ronflantes pour gagner en sobriété, et sans doute en clarté. Mon péché mignon de la citation s'estompait. Je le réservais aux articles de fond, quand une métaphore bienvenue rendait le propos moins aride. Au quotidien, le compte-rendu de Bourse devait d'abord être précis, clair, dense, sans digression inutile. Il fallait chaque jour s'attacher aux raisons d'une hausse ou d'un repli. Ce n'était pas le lieu de l'impressionnisme ni du plaisir. J'appris cela dans mes classes boursières du *Monde* : un journaliste ne cherche pas son plaisir dans l'écriture. Ce dogme ne me donnait pas entière satisfaction, mais il avait sa vertu, en particulier une recherche de rigueur, la nécessité de préférer une bonne information à un bon mot.

Mon ambition fut sans cesse de conjuguer les deux : se montrer irréprochable sur le fond tout en restant plaisant sur la forme, c'est-à-dire vivant, alerte, tout sauf ennuyeux... *Le Monde* coûte son prix plus l'effort pour le lire », observait Beuve-Méry, à qui on prêtait cette injonction : « Faites chiant ! » En réalité, le mot était du patron du *Temps*, le journal des « maîtres des forges », interdit à la Libération pour faits de collaboration. Je renâclais à l'idée qu'écrire, ce n'était pas forcément bien écrire. À quoi servait la presse écrite si elle ne faisait pas de la langue une arme intelligente ?

UNE LEÇON DE JOURNALISME

Un matin d'octobre 1986, vers 8 heures, une dépêche annonça la démission brutale de Cheikh Yamani, le ministre saoudien du Pétrole, qui faisait la pluie et le beau temps à la tête de l'Opep. On relut l'annonce plusieurs fois. Pas de doute, l'affaire était sérieuse, officielle, et méritait sans plus attendre qu'on chamboule le journal. Ce jour-là j'avais pris place en face de Véronique Maurus, dont j'étais la doublure sur les questions d'énergie lorsqu'elle était en reportage ou en congés. Spécialiste reconnue des questions pétrolières, habituée aux marathons genevois des émirs, Véronique était une grande anxieuse. Son cendrier en témoignait. Je tremblais pour elle quand je découvris l'ampleur de la nouvelle. L'ordre pétrolier mondial venait de basculer. Le branle-bas de combat fut intense. Véronique s'installa derrière sa machine, la documentation lui fit porter des dossiers indispensables, qu'elle n'eut guère le temps de consulter. Elle avait trois petites heures devant elle pour écrire un grand portrait de Cheikh Yamani, un papier d'analyse stratégique sur l'Opep après Yamani, et pour finir la chandelle du Bulletin de l'étranger.

Dans un silence épais, on n'entendait que la frappe des caractères sur le ruban de la machine à écrire. Véronique Maurus écrivit sans faiblir une quinzaine de feuillets. Concerto pour un cheikh déchu. François Simon, qui avait remplacé Bruno Dethomas à la tête du service Économie, recueillait chaque page à sa sortie du chariot et relisait, crayon à la main. Il corrigeait des broutilles, des coquilles. Le reste était excellent, clair, intelligent, d'une densité exemplaire. Pas une phrase à couper : l'ensemble était maillé serré comme le pull-over d'un loup de mer. Chacun retenait son souffle. Après le portrait sorti tout droit de ses souvenirs, de sa connaissance profonde du Saoudien, Véronique s'attaqua à l'analyse de marché. La machine crépitait. De temps à autre son œil rencontrait la pendule, fichues aiguilles pressées, le temps ne suspendait pas son vol. Une cigarette aux lèvres, la fumée voilant son regard, elle était concentrée, seule au milieu de nous, seule dans son pétrin de pétrole. On se sentait impuissants. Elle seule possédait l'expertise. Tout d'un coup elle mobilisait des années de travail, de contacts, de séances interminables dans les suites de Genève où l'Opep, à mots feutrés, tenait tête aux pays occidentaux consommateurs d'or noir qui avaient dû encaisser deux chocs, en 1973 puis en 1979. Elle savait tout cela sur le bout des doigts, elle se souvenait, elle avait le sens du mot juste, dans la vitesse de sa frappe tombaient des formules heureuses et concises, pas de trou, pas d'angoisse de la page blanche, une mécanique bien huilée qui produisait de l'intelligence en temps réel. Bravo l'artiste.

Quand dans la dernière heure Véronique commença l'édito, le silence absolu gagna la pièce. Même sa machine se tut. Était-elle à sec ? Elle alluma une nouvelle cigarette. Se leva. Tournicota autour du bureau. Se rassit. Le bruit métallique reprit. Lentement d'abord. Quelques mots, un début. Puis plus vite. Trois feuillets supplémentaires, que François Simon continuait d'attraper fébrilement. Le téléphone sonna. La rédaction en chef voulait savoir où on en était avec l'édito. « Ça vient », fit notre chef. Ça venait, en effet. Ça se présentait bien, très bien même. Véronique finit dans les temps, et lorsque je découvris ses articles dans le journal de l'après-midi, je mesurai mon privilège. J'avais assisté à un moment rare, intense, magistral. Un moment de vérité, une quintessence de journalisme, l'incandescence du coup de feu. « Véro » nous avait bluffés. J'éprouvai un vif sentiment d'admiration. Une force d'émulation aussi. Je me posai cette question : saurais-je un jour relever pareil défi de l'actualité ? Ce fut une leçon inoubliable.

Progressivement mes articles trouvèrent le chemin de la une, et c'était chaque fois comme une décharge d'électricité. Arriver le matin, écrire à toute berzingue, et trouver au début de l'après-midi son nom sur la première page au bas d'un article léché jusqu'à la dernière seconde, il y avait là de quoi être heureux, tout simplement heureux! Cela devint une sorte de drogue : m'assurer régulièrement que mes écrits suscitaient assez d'intérêt pour mériter une si belle exposition. J'appréciais cette émulation, je vendais au mieux mes sujets au chef de service, je cravachais pour trouver des informations exclusives (sur la privatisation d'Elf, sur la réforme de la Bourse de Paris, sur la stratégie de Pechiney dans l'alu, sur la stratégie des Soviétiques sur le marché de l'or).

Loin de renoncer aux matières premières, je mettais en lumière leur dimension géopolitique. Comme dans ce papier paru à la une mi-août 1986, « L'or au plus haut depuis deux ans », après que le régime sud-africain régi par l'apartheid avait réagi aux risques de sanctions occidentales par la cessation de ses ventes de métaux précieux. Pourtant j'étouffais de ne plus quitter le quartier de la Bourse et des affaires.

Jusqu'à ce jour de janvier 1987 où Michel Boyer put enfoncer une petite épingle de couleur dans la carte de l'Éthiopie.

ÉTHIOPIE

J'arrivai un soir à Addis-Abeba en compagnie du professeur Alexandre Minkowski, le « mandarin aux pieds nus », et du docteur François Rémy, vice-président du comité français de l'Unicef. Sept millions d'Éthiopiens étaient au bord de la famine. L'absence de pluies et l'action de la guérilla qui tenait tête au régime marxiste-léniniste du colonel Mengistu rendaient très aléatoire la survie des populations du Nord, le Tigré, où nous partîmes dès le lendemain matin. J'étais partagé entre l'excitation du reportage et l'appréhension de ce que j'allais découvrir. Mes compagnons de voyage tenaient bien sûr à observer par eux-mêmes les pathologies qui sévissaient. C'est pourquoi nous entreprîmes une visite — éprouvante — à l'hôpital du Lion noir, où se concentraient, en quelques lits, les maux du tiers-monde (dysenterie, kwashiorkor, malaria).

J'étais soudain à des années-lumière de la Bourse et de ses marionnettes qui s'agitaient devant les soubresauts de Michelin ou d'Air liquide. Ce métier de journaliste était bien le plus fabuleux qui fût, le plus troublant aussi, offrant à qui voulait ouvrir les yeux toutes les facettes des sociétés humaines, du simple au complexe, du hideux au sublime. Dans une chambre de cet hôpital réservée aux orphelins, le directeur, désignant une fillette de trois ans, me lança : « *If you want, she's yours* », puis il tourna les talons sans attendre ma réponse. Je restai sans voix devant cette offre d'adoption lâchée au petit bonheur, au cas où. Qu'aurais-je fait de cette enfant ? Et comment prendre pareille décision, là, sur-le-champ ? M'avait-il testé ? Avait-il dit ça en l'air ? Je n'ai jamais oublié cet instant, le regard de la petite qui jetait son jouet exprès pour que je le ramasse.

On se retrouva sur la grande place de la Révolution, où s'élevait un immense Lénine en redingote, statue de bronze du communisme triomphant et tropical. C'était un Lénine alerte et ingambe, saisi dans le mouvement du marcheur tendu vers son but, veste au vent, front haut, décidé. Un de nos interlocuteurs éthiopiens, à voix basse comme s'il craignait d'être entendu, rectifia cette vision. « Ce n'est pas Lénine, c'est Johnnie Walker et il rentre à Londres »...

De ce premier grand reportage pour *Le Monde*, je rapportai une série de deux papiers, rédigés au plus près de ce que j'avais vu et compris, la tête farcie d'images, de témoignages, mes carnets remplis de débuts d'articles, de notations, d'informations glanées sans cesse du matin au soir. Le premier texte, je l'écrivis dans l'avion du retour, sur le dos du menu Air France, support incongru mais qui m'offrait une large et belle page blanche pour épancher mon stylo à bille. L'article paru rapidement, daté de Wukro, nord du Tigré, sous le titre « La faim ordinaire en Éthiopie ».

Il débutait par une scène étrange : au beau milieu de nulle part, dans un paysage désertique cerné de hauts plateaux, une fillette trempait son doigt dans un récipient violet de gentiane, suivie par sa mère et son frère. Seul le nourrisson blotti contre le dos maternel échappait à ce marquage animal. Ainsi étaient désignés les bénéficiaires de la distribution alimentaire que la Croix-Rouge avait commencée la veille à Wukro, l'un des points chauds de la rébellion tigréenne.

Sous le soleil de midi, ils étaient près de sept mille à attendre calmement, le regard tendu vers les sacs de farine empilés. Certains avaient marché des heures dans l'obscurité pour atteindre Wukro au petit matin. Ils avaient dévalé les hauts plateaux avec femmes et enfants, passé les lignes sous contrôle rebelle. Les plus jeunes enfants sanglotaient lorsqu'on les menait vers la toise. Avec des gestes de maquignon, un adulte repérait les infections des yeux et mesurait le tour des bras. On prêtait peu d'attention aux engins militaires qui passaient par intermittence, sans s'arrêter. Chacun se gardait d'aller au-delà du baobab en bordure de route : l'endroit était miné.

Sur cette plaine brûlée, coincée entre montagnes et falaises au milieu d'un paysage lunaire, une multiplication des pains se préparait. Cent vingt tonnes de céréales calmeraient pour un temps les angoisses des villageois. J'assistai à ce spectacle de la faim ordinaire en Éthiopie, qui n'était pas encore la famine et dans ce premier reportage, juste avec des mots, je tentai de plonger les lecteurs au cœur de cet univers hostile et désolé.

Nous avions rejoint le Tigré dans un petit appareil qui passait en rase-mottes par-dessus les sommets d'Abyssinie, les moteurs poussés en surrégime pour franchir chaque nouvel obstacle. Un appareil encore plus modeste, baptisé Pilatus, nous avait ensuite conduits dans ce site grandiose et désert où se déroulait la distribution alimentaire. L'avion ne possédait pas de portes pleines, seulement une structure métallique de sécurité qui lui donnait l'allure d'une libellule. L'arrière était lesté par quelques sacs de blé.

D'en haut, je voyais des grappes humaines impressionnantes, immobiles sur l'enclume d'une terre craquelée que le soleil assommait. Je photographiai ces fourmis qui étaient des femmes, des enfants, des vieillards. Une fois à terre, je m'étonnai de voir si peu d'hommes. On me répondit que les hommes se cachaient. Jamais ils ne seraient venus à découvert, surtout quand ils étaient encore solides. Ils craignaient trop d'être enrôlés de force dans l'armée. Le pilote me fit signe qu'on allait atterrir. « Mais où est la piste ? » demandai-je. Il sourit. Il n'y avait pas de piste, seulement cette terre brûlée où rien ne poussait, sauf les cailloux. Il connaissait l'endroit. L'appareil se faufila entre deux rangées de rochers. Nous étions arrivés.

Dans ce voyage nous accompagnait Stéphanie Holigan, une jeune photographe américaine qui n'avait vraiment pas froid aux yeux et que je regardais saisir au plus près des scènes poignantes, adressant à ses modèles involontaires de petits signes complices tout en marchant vers eux jusqu'à presque les toucher. Ils ne risquaient pas de s'échapper, hypnotisés par les rations alimentaires, et trop affaiblis pour s'enfuir. Je possédais aussi un appareil, beaucoup moins sophistiqué. Mais autant je n'avais pas hésité à prendre des vues aériennes, autant j'étais paralysé, une fois à terre, à hauteur d'homme, pour figer cette souffrance dans mon objectif. Plus tard j'apprendrais une règle énoncée par le grand photographe Capa que devait me révéler un autre grand de l'image, Marc Riboud : « Si la photo n'est pas bonne, disait Capa, c'est que tu n'es pas assez près. »

Stéphanie Holigan publia dans le magazine de l'Unicef de très fortes images qui en disaient long sur la détresse et la dignité de cette population. Elle avait eu raison de s'avancer au plus près, son appareil au bout des mains. De mon côté, je pris, mais à bonne distance, des enfants passant sous la toise, se prêtant aux examens rudimentaires qui pouvaient les sauver. Je photographiai aussi un vieillard biblique, décharné, au regard intense dans son habit de coton, avec une longue barbiche au vent, appuyé sur son bâton, un Moïse échappé du Sinaï et hantant le plateau de Danakil, 118 mètres sous le niveau de la mer Rouge, l'endroit le plus chaud du monde.

Dès notre arrivée à Addis-Abeba, on me réserva un sort particulier en qualité de journaliste. Deux soldats me conduisirent poliment mais fermement vers un véhicule, expliquant aux autres membres du groupe qu'ils se chargeraient de m'accompagner ensuite à l'hôtel. « C'est pour l'identité », me souffla un des deux hommes, le seul qui m'adressa la parole. Je ne faisais pas le fier quand le véhicule militaire s'arrêta en pleine ville devant l'échoppe d'un dentiste... On m'assit dans un fauteuil et, comme je commençais à protester, mon interlocuteur me fit signe de me calmer. Il s'agissait juste de me prendre en photo. Il désigna une cravate accrochée à un perroquet de bois et me pria de la passer à mon cou. Elle était non pas verte comme celle de Renard mais marron caca d'oie.

On me tira le portrait, quatre photomatons, deux qu'ils conservèrent pour leurs dossiers, deux qu'ils me donnèrent généreusement. Des clichés en noir et blanc, mal tirés, qui me donnaient dix ans de plus et me ramenaient aux années 1950... Ce double de moi-même semblait surgir d'un vieux film dont j'attendais le scénario. Ils me demandèrent le nom de mon journal, son tirage, pourquoi j'étais venu. Et ce fut tout. Je retrouvai les autres et leur contai ma mésaventure. Un délégué du gouvernement nous attendait avec le sourire des VoPos du *Sceptre d'Ottokar*. Le soir nous dînions d'une épaisse galette de tef, la céréale locale, que les Éthiopiens tapissaient de sauce et de viande s'ils en trouvaient. La sauce relevée trompait la faim. Plus ça piquait, moins on mangeait.

Nous fûmes reçus à l'ambassade de France. Les informations données par les diplomates étaient parcellaires et forcément de parti pris. À l'évidence, il fallait multiplier les regards, les sources, et surtout se rendre sur place pour tenter d'y voir clair sur la réalité de la situation, au-delà des préventions françaises légitimes à l'égard d'un régime qui placardait partout les effigies des « trois grâces » (Marx, Engels, Lénine) et prétendait faire le bonheur du peuple malgré lui, voire sans lui.

J'ai gardé la vision de ces gros avions Hercule qui assuraient la distribution des vivres pour contourner la rébellion. Celle-ci tenait l'arme alimentaire en bloquant les céréales dans le port de Massawa. J'essayais de percer les enjeux, d'en savoir plus sur cette politique de villagisation qui, sous couvert de sauver de la famine les populations du Nord, organisait un véritable exode vers le Sud, tuant ainsi dans l'œuf les germes de la contestation.

Des témoins me rapportèrent avoir vu là-bas des enfants portant, tatouée au front, la croix du Tigré. Dans les années terribles de la famine, près d'un million de paysans avaient ainsi été arrachés à leur sol natal — certains disaient « déportés » — dans des conditions inhumaines. Cent mille étaient morts, des bus entiers s'étaient remplis de cadavres. Des camps de la faim s'étaient constitués, foyers du choléra. Les organisations humanitaires luttaient contre leur reconstitution, d'où ces distributions alimentaires au milieu de nulle part, pour que les gens retournent chez eux. L'inquiétude était revenue depuis que les aménagements pour la villagisation avaient repris. Plus de sept mille personnes avaient pris la route du Sud. Pour des volontaires, ils étaient très encadrés. La sécheresse les chassait, l'armée les guidait.

À la sortie de Makalé, la capitale du Tigré, trente-deux mille croix blanches rappelaient qu'en 1984 la faim avait tué. Dans un *no man's land*, nous étions tombés sur un hôpital aux proportions démesurées construit avec les dons de la population italienne. Une absurdité au milieu de ce désert humain. Qui pouvait accéder à cet équipement ultramoderne ? Au moment où nous arrivions, un homme se présenta avec un enfant roulé dans une couverture. Minkowski regarda et ne cacha pas son désarroi. Le petit était mort. Son père marchait depuis plusieurs jours. Situation absurde, comme l'était la guéguerre que se livraient les ONG, chacune défendant son projet, chacune plantant son petit drapeau sans chercher à coordonner l'aide et les soins de façon efficace. Un grand-père aux poignets secs comme une peau de serpent m'avait avoué en italien qu'il était prêt à partir pour le Sud. « Je dis ça parce que j'ai faim. Si je mange je dirai que je ne pars plus. » Les paysans avaient mangé leurs semences, mangé leurs bêtes. Une invasion de criquets pèlerins s'était abattue sur les cultures, un terrifiant nuage de 10 kilomètres carrés que des épandages aériens avaient fini par dissoudre. Plus rien ne poussait. Éparpillée à travers la montagne, la population avait besoin d'aide.

Je n'étais pas encore chargé de la rubrique agricole qu'avaient marquée François-Henri de Virieu, Pierre-Marie Doutrelant ou Jacques Grall. Mais cette tragédie de la terre m'affecta profondément. Les Éthiopiens — du grec « visages brûlés » — subissaient comme une fatalité une famine par décennie, et ce depuis le IXe siècle. Aux coups de boutoir du soleil (l'office du tourisme proclamait de façon malheureuse qu'il brillait pendant treize mois, le calendrier comportant douze mois de trente jours et un autre de trois jours) s'ajoutaient la pression démographique et l'incroyable négligence avec laquelle les régimes successifs avaient traité le secteur rural. La famine de 1973, ignorée par le négus Hailé Sélassié, lui avait coûté son trône l'année suivante. Quant à Mengistu, malgré les réformes agraires et la redistribution des terres qui devait favoriser l'avènement du nouvel homme éthiopien, il avait échoué à développer une agriculture autosuffisante. Les prix étaient dissuasifs et les paysans s'arc-boutaient derrière la tradition pour rejeter les méthodes de culture dites modernes, préférant subsister ou mourir dans leurs nids d'aigle, perchés sur les plateaux, au point qu'il fallut parfois procéder à des largages de nourriture par hélicoptère pour tenter de les sauver.

Les déplacements forcés n'aboutirent qu'à des catastrophes humaines, outre qu'ils soustrayaient des sympathisants aux « bandits » de l'Érythrée (et du Tigré) qui menaient un combat pour l'indépendance depuis 1962 et privaient Addis-Abeba de ses accès vitaux à la mer Rouge. Les survivants, regroupés dans leurs nouveaux villages, ne trouvaient souvent ni eau, ni sanitaires, ni écoles. Cinq millions de radios distribuées par la Pologne crachaient en continu la pensée du régime et des chants asiatiques jusque dans les lieux les plus reculés. L'œuvre d'alphabétisation et d'éducation était fortement orientée.

Prenant à notre tour la route du Sud, ce fut pourtant un choc de découvrir soudain une nature luxuriante agrémentée de savane et traversée par les babouins. Tout semblait pousser tout à coup, dans une exubérance de la nature qui respirait enfin. Nous étions dans le Kaffa, le berceau du café éthiopien, le seul de variété arabica dans ce continent dédié au robusta. En quelques jours je m'étais familiarisé avec des noms nouveaux, le golfe d'Aden, Asmara, le Wollo et le Gondar, les montagnes du Shoa, où un groupe de paysans m'invita à tenir à pleines mains le timon d'un soc d'acier attelé à une paire de bœufs pour creuser un sillon dans le sol sec. J'en fus incapable. Je ne faisais pas le poids. Des mots résonnaient comme des poèmes de Rimbaud, l'Illubabor, Lalibela et ses églises troglodytes. Je marchais sur les pas du Corto Maltese des *Éthiopiques*, la couleur supplantant enfin le noir et le blanc.

La situation en Éthiopie était préoccupante. Elle n'était pas désespérée. Au contraire, l'espoir des gens rencontrés tout au long du chemin m'avait ébloui. Un espoir tenace, profond, une vitalité, une pulsion plus forte que la mort les poussaient à rire, à partager même quand ils ne possédaient rien. Ce rien, ils le donnaient aussi. Une sensation étrange s'empara de moi et je la retrouvai tant de fois lors de mes périples africains que je finis par m'y appesantir : l'Afrique — j'aurais dû dire les Afriques — ne ressemblait pas à ce qu'on écrivait à son sujet. Ses malheurs étaient nombreux. Ses tyrans étaient détestables, cyniques et sanguinaires. La force de sa population n'en était pas moins admirable. Elle avait inventé son mode de développement, qui échappait allègrement aux outils statistiques du FMI et de la Banque mondiale. Je me fis cette promesse, aussi naïve que présomptueuse, de ne jamais prêter ma plume à l'entreprise de dévalorisation qui consistait à tenir l'Afrique pour plus noire qu'elle n'était.

Aujourd'hui encore, l'Éthiopie reste mon véritable baptême du feu de journaliste. Je n'y courus aucun risque, sinon celui de me cogner à une vérité déconcertante et paradoxale : autant que du palu, il fallait se méfier des a priori et des clichés, toutes ces idées reçues dont la presse était le relais souvent complaisant. La vérité était dans la nuance. Elle n'était pas forcément spectaculaire. Elle était désarmante par sa complexité quand on aurait voulu tout simplifier, par commodité ou par paresse, pour aller vite, pour ne pas se poser trop de questions. Dire que l'Éthiopie était un enfer, c'était vrai, mais ce n'était pas que cela. Plus tard, dans *La porte des Larmes* marquant, avec Raymond Depardon, son retour vers l'Abyssinie, Guillebaud écrirait cette phrase qui m'habite encore : « L'Éthiopie n'avait décidément pas de chance avec la vérité. » Lors de mon voyage, l'Érythrée bataillait pour son indépendance. Elle finirait par la conquérir en 1993. Pour la première fois sur ce continent, une révolution de la faim fit naître une nation.

Cette incursion dans la corne de l'Afrique m'avait laissé plein de confusion. Je ne comprenais pas le jeu des Soviétiques, qui armaient le pouvoir central de Mengistu tout en finançant les rebelles de l'Érythrée, comme si la survivance du conflit avait été la vraie raison d'être des Russes en Éthiopie. Tant de cynisme me paraissait inconcevable. Une guerre sourde de presque trente ans se déroulait sous mes yeux mais je ne l'avais pas vraiment éprouvée, n'étaient quelques soldats qui vaquaient sur les routes avec l'air lointain du lieutenant Drogo arpentant le désert des Tartares. L'enjeu était plus loin, plus haut, pour défendre Massawa et Assab, les joyaux maritimes de l'Érythrée qui se refusaient à la convoitise d'Addis.

De retour à Paris, j'aidai le service Cartographie à établir une carte précise des lieux où je m'étais rendu. Pour illustrer mon reportage, Plantu avait tenu à glisser un dessin à l'intérieur des pages, un emplacement inhabituel pour lui qui illustrait la une. Mais le dessinateur-éditorialiste vedette du *Monde* retrouva sa verve féroce du temps où il travaillait pour *Croissance des jeunes nations*. On voyait un malheureux en loques sous le soleil, devant un militaire désignant un champ. Pas n'importe quel champ : les épis représentaient profusion de faucilles et de marteaux. « En tout cas, ça, ça pousse ! » s'écriait le soldat, goguenard.

Découvrant ce dessin, je revis des images tenaces du Shoa, nom aux étranges consonances, le toit de l'Éthiopie. Je revis ces femmes avançant d'un même pas sur un futur champ de patates, cassant les mottes de terre à coups de bâton. Je revis ces barrages de terre, modestes murailles de Chine construites à main d'hommes, de femmes et d'enfants sur 400 mètres de long et 10 de haut pour piéger les petites pluies de printemps, en attendant des goyaves, des piments, des oranges. Une véritable oasis avait surgi, qui abritait un demi-millier d'orphelins dont les parents avaient péri pendant la famine.

Je savais que je reviendrais dans ce pays. Qu'il ne me quitterait pas. Qu'il resterait ma borne-témoin pour tenter de rendre compte sans juger, d'écrire sans précipitation, de discerner le complexe sous le trop simple. Je percevais la limite de mon travail. Ce que j'avais vu, l'avais-je compris ?

Je retournai à la Bourse. Sous le pilier Sud, notre pythie me demanda si, comme lui, je revenais du ski. Nous avions le visage pareillement hâlé. Nous n'avions pas pris le même soleil.

11

CULTIVER SON JARDIN

Fin 1987, dix-huit mois à peine après mon arrivée au *Monde*, je succédai à Jacques Grall sur les questions agricoles et agro-alimentaires, tout en conservant les matières premières, que j'allais élargir au développement. Quelques reportages en Guinée et au Niger avaient accentué mon prisme africain. À Conakry, j'avais approché le sinistre camp Boirot où le dictateur défunt Sékou Touré avait fait torturer tant de ses opposants. À Niamey, j'avais pu toucher du doigt l'emprise de l'uranium sur l'économie du Niger et l'enjeu qu'il représentait pour l'industrie française. J'étais chaque fois revenu avec cette impression que l'Afrique se développait, mais si différemment de l'Occident que nous étions incapables de percevoir ce développement, de le mesurer, d'en reconnaître la singularité. Ce que nous appelions « retard » signalait seulement notre manque d'imagination, notre incapacité de considérer l'autre dans sa différence et notre entêtement à vouloir le ramener à tout prix dans notre orbite.

J'étais encore trop novice pour me lancer dans des analyses étayées sur ce qui n'était qu'une intuition. Je me contentais alors de choses vues, d'observations, de ces petits cailloux qu'on accumule comme autant de pièces à conviction et qui finissent par tracer un chemin de traverse, à l'écart des sentiers battus de la pensée dominante. « La frontière de l'Occident, c'est la raison », écrivait André Siegfried. J'avais noté cette phrase. Elle prenait tout son sens chaque fois que je retournais en Afrique. Une fois dépaysés sous les tropiques, nos modèles semblaient

92

soudain déboussolés. Je ruminais un article que j'écrirais seulement... quatre ans plus tard, sur ces fausses impressions de l'Afrique (sous le titre « L'Afrique et son économie mystère », où je mettrais en lumière, exemples à l'appui, la réticence de ce continent à entrer dans le processus d'accumulation propre au capitalisme).

En attendant, la condition paysanne supplanta dans mon esprit les péripéties boursières. J'avais couvert le krach d'octobre 1987, son lundi noir à Wall Street et l'effet de contagion sur toutes les places mondiales. Cela m'avait valu d'écrire mon premier bulletin de l'étranger sur la confusion planétaire née de la hausse des taux d'intérêt et de la volatilité des marchés. Après avoir relu ma copie, François Simon m'avait tendu ma prose en me souhaitant bonne chance. C'est ainsi que je me retrouvai dans le bureau d'André Fontaine, lequel ne m'avait jamais paru si vaste quand je dus le traverser, le pouls rapide, une légère sueur froide au front, la main mal assurée sur mes feuillets de catastrophe.

Le directeur me fit asseoir et s'abîma dans la lecture de mon texte. Il dévissa le capuchon de son stylo rouge, fit quelques annotations rapides puis me le rendit avec ce simple commentaire : « On peut dire que ça ne va pas fort. » L'économie, précisément, n'était pas son fort, ni le cœur de ses passions. Je ressortis soulagé en portant l'édito validé au rédacteur en chef.

Une autre vie commença au *Monde*, encore placée sous le signe du paradoxe. En Europe on ne parlait plus que de terres sans paysans quand ailleurs, au Brésil que je ne tarderais pas à découvrir, dépérissaient les paysans sans terre. Après l'immatérialité de l'argent fou, j'enfonçai mes pieds dans la glaise. J'adorais ça. Soucieux de me transmettre quelques contacts précieux, Jacques Grall me fit rencontrer deux personnages : le président de la FAO, Édouard Saouma, un Libanais à fort caractère et accent grumeleux, dont je brossai plus tard le portrait en « Oriental bizarre », et Bernard Thareau, ancien leader des travailleurs paysans, conseiller à l'agriculture du Parti socialiste, dont le visage avait été placardé en 1981 sur une grande affiche parmi ceux de quelques proches soutiens du candidat Mitterrand, dont le navigateur Alain Bombard et le vulcanologue Haroun Tazieff.

Le bureau de Bernard Thareau rue de Solferino, au siège du

PS, était un morceau de France profonde arraché aux quartiers bourgeois de la capitale. Il était 11 heures du matin quand il nous reçut à bras ouverts, proposant un verre de gamay ou un rhum. À cette heure-là, levé depuis l'aube, j'avais davantage faim que soif, et ce vin presque à jeun ne me disait rien. Jacques prit sagement un verre de gamay. Ma méconnaissance des alcools me joua un mauvais tour. Associant le rhum aux inoffensifs babas légers et sucrés de mon enfance, j'optai pour ce breuvage agricole qui me retourna la tête en un rien de temps. Ce fut mon premier contact avec la politique, le PS et l'agriculture.

Mon baptême du stress, je l'avais provoqué un matin de juin 1987. Dans le petit bureau 304 où j'avais pris mes marques en compagnie de Michel Boyer, j'avais accumulé une série de dépêches qui avaient fini par former un petit tas conséquent. Les prix des céréales ne cessaient de grimper au Chicago Board of Trade. Il était question aux États-Unis d'une sécheresse inattendue qui semblait prendre des proportions chaque jour plus inquiétantes. Une belle matinée s'annonçait. Boyer avait entrouvert la fenêtre pour dissiper la fumée de sa cigarette. On entendait le déchargement des bobines de papier vers l'atelier, accompagné des cris habituels, les grosses voix du Livre. Tout était calme. Son mégot écrasé, mon co-turne déchira une languette de papier d'Arménie, qu'il alluma, soucieux de recouvrir au plus vite l'odeur du tabac. Il savait que je ne fumais pas. Avant notre réunion, François Simon passa une tête. Il s'enquit de mes sujets. Je lui répondis tout de go que, sous réserve de vérifications, il se pourrait bien que les marchés des grains connaissent une flambée majeure. Il tendit l'oreille pendant que je lui lisais quelques dépêches tirées de mon précieux trésor. Dix minutes plus tard, après avoir obtenu de plus amples détails par un négociant dont je possédais le numéro de domicile — c'était une belle marque de la confiance qu'il avait en moi —, je pus confirmer la gravité de la situation succinctement décrite chez Reuters. François Simon se rendit comme chaque matin à la réunion du directeur. Quand il remonta, vers 8 h 15, il fila directement vers moi et s'écria : « Allez, à cheval, la sécheresse, c'est la une ! » La une ? Je restai pétrifié devant ma machine, et me mis à trembler de tout mon corps, au moins était-ce l'impression que j'avais.

Extérieurement, je gardai mon calme. Je venais de lire un ouvrage passionnant du professeur Jean-Paul Charvet, *La guerre du blé*, dans lequel il donnait des explications peu connues sur le « méridien des catastrophes ». Depuis des années, les cultures aux États-Unis ne cessaient de se déporter vers l'ouest, ce qui avait donné naissance à une nouvelle géographie du blé. La Wheat Belt du Sud avait gagné la partie orientale du Colorado, l'Oklahoma et le nord du Texas. Elle piquait vers les immensités vierges du Montana puis vers l'État de Washington, dans l'extrême nord-ouest, pour regarder de front les marchés asiatiques. « À l'occasion de ce glissement toujours plus accentué vers l'ouest, expliquait Charvet, le domaine de culture du blé s'est trouvé repoussé vers les milieux bioclimatiques de plus en plus marqués par la semi-aridité. Les précipitations deviennent de plus en plus faibles à mesure que l'on se rapproche des Rocheuses. Une partie de la production américaine se trouve ainsi réalisée à l'ouest du méridien 100, qui porte le nom de méridien des catastrophes. »

Dans cette période dominée par les excédents céréaliers et laitiers que le « milliardaire rouge » Jean-Baptiste Doumeng tentait de brader vers l'Union soviétique, les États-Unis commençaient à enregistrer les premières baisses de production liées au programme de gel des terres qui couvrait 30 millions d'hectares, l'équivalent des surfaces cultivées en Espagne et en France. Cette sécheresse qui menaçait vint affoler les pays consommateurs, tandis que Moscou, New Delhi et Pékin se portaient massivement à l'achat. Depuis l'embargo de Richard Nixon sur le soja en 1973 — à la suite de mauvaises récoltes intérieures laissant craindre la pénurie — puis celui de Jimmy Carter à destination de l'URSS après le coup de force soviétique en Afghanistan, le cours des céréales prenait une dimension économique et géopolitique sensible. Toutes ces données se télescopaient dans ma tête et j'avais moins de trois heures pour bâtir deux colonnes démarrant à la une, auxquelles je suggérai d'adjoindre une carte montrant lisiblement le méridien des catastrophes, qui traversait les États-Unis du nord au sud tel un rachis affublé d'une méchante scoliose.

Après deux coups de téléphone supplémentaires à des sources, je me lançai la peur au ventre, le tic-tac de l'horloge coincé quelque part dans l'estomac tel le crocodile de *Peter Pan*. Boyer se fit transparent. De temps à autre, François Simon venait discrètement aux nouvelles, de même qu'Alain Vernholes, qu'il appelait avec affection Verniole. J'avais encore à l'esprit la concentration de Véronique Maurus dans sa chevauchée pétrolière, cette assurance qui la faisait avancer, imperturbable, dévidant sans accroc sa bobine de mots assemblés à des idées. Je sentis la moiteur de mes doigts sur les touches de ma machine. Des débuts de phrase tournaient dans ma tête sans jamais se poser sur le papier vide que sa blancheur défendait, aurait dit Mallarmé. Je traversai un moment de panique en voyant que rien ne venait. Quelle mouche m'avait donc piqué de signaler ces mouvements céréaliers ? J'aurais dû m'abstenir, attendre la fin de la matinée puis préparer tranquillement un bon article pour le lendemain ! Mais non, il avait fallu que je me mette en avant, ou plutôt que je donne l'alerte, comme si le sort du monde, et désormais de la une du *Monde*, en dépendait...

À 9 heures je n'avais rien écrit. Je repris sans hâte mes notes et mes dépêches, comme si j'avais eu tout mon temps. Boyer avait ouvert grand la fenêtre avant de sortir, sentant la tension que sa présence, malgré lui, accentuait. Je démarrai comme une flèche, enfin. Si j'étais resté paralysé, c'est que je voulais tout à la fois. Je demandais trop aux phrases, à l'écriture, au journalisme. Je voulais donner à comprendre tout en attrapant le lecteur par le style, par une forme attrayante incitant à poursuivre la lecture au-delà des quelques paragraphes imprimés en première page, sur ce qu'on appelait la « tourne », où figurerait la suite du papier, renvoyée au folio 28 du chemin de fer. Qui irait jusque-là si l'attaque était rébarbative ?

Cette fois ce n'était pas un reportage avec de la couleur, avec de l'humain à montrer, à laisser s'exprimer. C'était des chiffres, de la géographie, de la *news analysis*, comme disaient les Anglo-Saxons, de l'information enrichie par de l'expertise. Bien sûr, toutes ces objections restaient informulées. Mais ma paralysie momentanée était faite de questions qui me laissaient impuissant. Ce fut aussi une leçon en forme de lapalissade : c'est en écrivant qu'on écrit. Au lieu de me torturer pour savoir comment j'allais me sortir de ce papier, je finis par l'écrire. Je verrais bien après ce qu'il faudrait préciser, améliorer ou couper.

J'ai gardé ce texte ainsi commencé :

> Est-ce le retour de la « boule de poussière » qui ravagea
> l'Amérique agricole au début des années 1930 et fit crever,
> sous la plume de Steinbeck, *Les raisins de la colère*? Chaque
> jour qui passe renforce les craintes des fermiers du Midwest.
> La Grande Prairie se pare des traits blanchâtres de la séche-
> resse. Les eaux du Mississippi ont atteint leur plus bas niveau
> jamais relevé depuis plus d'un siècle et les barges transportant
> les céréales sont immobilisées.

C'était parti, paragraphe après paragraphe, la confiance revint,
les idées se mirent en ordre, au point d'aller plus vite que mes
doigts, qui glissaient sur les touches et frappaient parfois la lettre
d'à côté — je tapais encore à deux doigts, c'est seulement avec
l'expérience que je parvins à en utiliser davantage, quatre, parfois
cinq.

Le journal n'était pas un lieu connu pour la chaleur des félicitations. Si on ne vous avait rien dit, c'est que c'était bien. Il se
trouvait toujours des anciens pour rappeler la phrase de Beuve-
Méry citant Péguy à propos de sa mère, modeste rempailleuse de
chaise, qui trouvait sa récompense dans l'accomplissement silencieux et anonyme du travail bien fait. Eh bien, c'était pareil de
l'article du jour : il était écrit, terminé, publié, quelle meilleure
récompense fallait-il ajouter? Sûrement pas des mots, qui en
diraient toujours trop, et plus qu'on ne pensait. François Simon
et Alain Vernholes me congratulèrent pourtant, avec simplicité.
J'avais eu chaud, oui. Mais j'avais franchi une nouvelle étape qui
me ferait gagner en assurance et en efficacité. La confiance en soi,
je savais qu'elle venait chaque fois qu'on écrivait un bon papier.
Je m'améliorais. J'étais loin d'avoir tout appris du métier.

À preuve l'explication de gravure dont me gratifia mon chef de
service quelques semaines plus tard. Une explication à sa manière,
bienveillante, pas un mot plus haut que l'autre, mais ferme et
pédagogique. J'avais à traiter de la privatisation du Crédit agricole
(le terme était « mutualisation »). Jacques Grall avait déjà écrit tout
le mal qu'il pensait d'une telle opération et je m'étais cru obligé
de renchérir de manière lapidaire, deux ou trois tons trop haut,
estimant à mon tour que c'était une mauvaise manière faite au

monde paysan que d'enclencher un mouvement qui ferait de la banque verte un établissement comme les autres, rivalisant avec les enseignes concurrentes établies dans les villes et tournant le dos à ses racines rurales. Le débat était ouvert. Pour autant, il n'appartenait pas au rubricard de l'agriculture de donner son avis au beau milieu d'un article présenté comme un compte-rendu informatif. J'avais enfreint les règles dialectiques du fait et du commentaire qu'il fallait se garder de mélanger dans un même papier.

François Simon, qui avait lu mon texte dès potron-minet, avait conscience de sa dimension polémique. « Viens que je t'attrape par le licol », me lança-t-il avec une rudesse feinte. Je le suivis dans son bureau. Il alla droit au but : « Ça, tu ne peux pas. » Il lut quelques phrases à voix haute, très peu charitables pour le gouvernement, en particulier pour l'ancien président de la FNSEA devenu ministre de l'Agriculture de Jacques Chirac, François Guillaume. Cela donnait un papier à charge, pas très bien écrit, trop démonstratif, de parti pris, bref un mauvais papier.

Simon était un chef attentif, modeste et rigoureux. Il avait longtemps dirigé les Sports, et se souvenait avec émotion des Jeux olympiques de 1972 à Munich où, après la prise en otages d'athlètes israéliens, et leur exécution par le commando palestinien Septembre noir, Jean Lacouture présent sur place écrivit sous ses yeux de superbes papiers, profonds, réactifs et informés, ceux qui donnaient au *Monde* ses lettres de noblesse et renforçaient le lien de confiance avec ses lecteurs. J'avais commis un péché de jeunesse. François Simon m'aida à le réparer. De mon texte il avait fait deux articles. L'un purement factuel, débarrassé de sa bile et de ses humeurs. L'autre dédié au commentaire, à charge pour moi de développer mes arguments et de les équilibrer pour gagner en hauteur de vue. Je retins la leçon : l'honnêteté intellectuelle, la résistance à ses penchants ou à ses travers, la réflexion plutôt que le réflexe.

Paysan de la plume, j'étais entré dans les travaux et les jours. Je labourais un champ de compétences qui n'avait cessé de s'agrandir, du local au mondial. Je mesurais chaque matin ma chance d'être titulaire de rubriques aussi riches que l'Agriculture, les Matières premières et le Développement. Auxquelles on ajouta allègrement l'Industrie agro-alimentaire et celle du négoce, puis la Filière bois et papier. Le regard qu'on attendait de moi était à la dimension du journal : international. J'alternais avec bonheur les reportages sur la sécheresse dans le Lot-et-Garonne et les voyages en Éthiopie, aux sources du Nil, je suivais avec passion les bûcherons dans les montagnes de l'Ariège et les planteurs de canne à sucre du Brésil. Des tourbières du Glennfiddich en Écosse, sans doute hantées par le monstre du Loch Ness, je m'envolais pour Rome, où se tenaient les grandes sessions de la FAO, pressé de connaître l'état des cultures sur l'ensemble de la planète. Un jour à Vevey pour interviewer le patron de Nestlé, un autre en Aquitaine auprès des producteurs de tabac dont les feuilles séchant en plein air ressemblaient à de grosses chauves-souris. C'était une vie rêvée, les sens toujours en alerte, toujours en route, à la rencontre des gens, dans un va-et-vient permanent qui nourrissait mon insatiable curiosité.

Ce monde-là foisonnait de fortes personnalités, paysans d'antan ou chefs d'entreprise modernes, syndicalistes hauts en couleur comme cet Alexis Gourvennec, roi du cochon et de l'artichaut, dont le titre de gloire était la prise de la sous-préfecture de Morlaix en 1961 à la tête d'une noria de tracteurs. Ou ce grand diable d'Edgard Pisani, qui ne cessa jamais de vibrer pour l'agriculture depuis qu'il en avait été ministre sous de Gaulle. Ou l'homme au pull-over rouge, René Dumont, passé du productivisme de l'ingénieur agro à l'écologie militante, et Jean-Baptiste Doumeng, sa voix de rocaille, son œil de maquignon au foirail, ses ruses et son langage vert, sa géopolitique du ventre entre l'Europe, Moscou et Cuba. Tant d'autres encore, paysans anonymes de Lozère ou du Sine-Saloum, modestes cultivateurs du Mexique serrant dans leurs mains jointes des poignées de maïs translucide comme s'ils avaient tenu des pièces d'or, Touaregs sédentarisés sur les bords du Niger et applaudissant la levée du riz fluvial, me recevant à dormir dans leur grande tente et me tendant au réveil une timbale de lait de chèvre, responsables de kolkhozes fiers de leurs récoltes et arrosant l'abondance en levant jusqu'à plus soif leurs verres de cognac de Crimée.

Je voulais tout connaître, tout comprendre, dans une boulimie qui me donnait le tournis. Le journalisme était une permanente leçon de choses. En plongeant à corps perdu dans l'univers paysan, je mesurai combien je touchais là davantage qu'un secteur de l'économie : un invariant de l'humanité qui la menait depuis dix mille ans sous toutes les latitudes, de la houe à la moissonneuse-batteuse. Cultiver, récolter, élever, sélectionner les semences et les espèces animales, partout ces gestes relevaient d'un instinct vital qui remplissait les ventres tout en dessinant les paysages au point de donner à chaque pays son visage, voire, comme l'avait écrit Braudel, son identité. Lorsque me furent confiés ces dossiers, le monde agricole était traumatisé par les programmes européens de gel des terres destiné à dégonfler les surplus qui s'accumulaient dans les silos et les frigos communautaires. Pour les paysans qui, depuis les « jours sans » de la Seconde Guerre mondiale, avaient entonné avec ferveur l'hymne à la productivité des Trente Glorieuses, le coup était rude. D'autant que montaient les critiques virulentes de l'écologie mettant en cause les pesticides et les insecticides, toute cette chimie qui polluait la terre et empoisonnait les nappes phréatiques.

Les exploitants agricoles, dont le poids ne cessait de diminuer, se sentaient acculés, accusés, incompris. Leurs syndicats renvoyaient des arguments simplistes : pourquoi nous contraindre à produire moins quand ailleurs, dans les pays pauvres, on crève de faim ? À l'idée de devenir des « jardiniers de la nature », les paysans voyaient rouge ! Je produis, donc je suis, telle était leur devise. Céréaliers, maïsiculteurs, éleveurs porcins, producteurs de lait, tous grondaient, les campagnes étaient en ébullition, et quand ce n'était pas les prix qui s'effondraient, les quotas qu'on imposait, c'est la sécheresse qui menaçait, ou les intempéries qui s'abattaient sur cette « usine sans toit » que représentait l'agriculture française.

Entre le rat des villes et le rat des champs, la guerre serait déclarée pour peu que des manifestations paysannes bloquent les routes du week-end et qu'on rappelle le montant des subventions versées par Bruxelles sous l'égide de la politique agricole commune. La Beauce ne comptait plus la moindre haie, les coquelicots, ces mauvaises herbes, en avaient été éradiqués. L'assaut des champs par d'énormes engins à moteur devenait inquiétant. Comme le poids de l'industrie chimique. Comme le taux de suicide chez les exploitants surendettés. La suspicion grandissait autour de la nourriture. L'aliment était un médicament. Mais s'il devenait un poison? La France paysanne faisait sa mue dans la douleur; c'était un spectacle poignant et fascinant, que la crise de la vache folle ferait bientôt virer au drame.

À l'orée des années 1990, je courais sans cesse pour raconter tous ces mondes qui se télescopaient. J'étais un chaudron en permanente ébullition, une sorte de graphomane qui, non content de remplir les colonnes de son journal, noircissait des pages et des pages dans la perspective d'écrire des ouvrages que je voulais palpitants. En 1988, je publiai simultanément mes deux premiers livres, *Les années folles des matières premières*, un bref manuel de vulgarisation économique sur les produits de base, et *Le festin de la terre*, un grand récit sur la mythologie et la géopolitique des *commodities*, du café au nickel, de la vanille au platine. Une fois les deux pieds dans l'agriculture, je rédigeai *La France en friche*, un essai impertinent sur l'incohérence des politiques agricoles et le danger qu'aurait à affronter notre pays s'il coupait ses racines en orchestrant la disparition de la paysannerie.

À cette époque pas mal de journalistes du *Monde* se lançaient dans l'écriture de livres qui prolongeaient leur travail quotidien. André Fontaine lui-même avait donné l'exemple avec ses ouvrages de référence sur l'histoire de la guerre froide, et ses essais aux titres marquants, *La France au bois dormant* ou *Un seul lit pour deux rêves*. Son prédécesseur Jacques Fauvet avait beaucoup publié sur la IVe République. Nul ne trouva anormal, au contraire, que je m'engage sur cette voie éditoriale. Les enquêtes faisaient la courte échelle aux livres, et les livres conféraient à leur auteur un surcroît de sérieux et de réputation qui rejaillissait sur le journal.

J'ai gardé le souvenir chaleureux d'une longue discussion avec Jean-Paul Huchon dans son bureau de Matignon, par une soirée d'hiver, tisonnant les braises d'une cheminée, tandis que le Premier ministre Michel Rocard, passionné d'agriculture, venait se mêler à la conversation. Riches échanges aussi avec Jacques Delors — qui rappelait son attachement à l'écrivain Henri Calet —, avec les responsables agricoles de l'époque, Raymond Lacombe et son accent de l'Aveyron charriant les *r* et qui ne connaissait que le tutoiement, ou Michel Teyssedou, le leader du Centre national des jeunes agriculteurs, que j'étais allé visiter dans les profondeurs du Cantal avant qu'il me reçoive au siège parisien de

101

son organisation, dans l'ancien immeuble de Stavisky, devant un âtre rempli de fausses bûches.

Mais c'est Henri Mendras qui m'ouvrit le mieux le regard et fut un accélérateur de compréhension, de ces interlocuteurs privilégiés qui vous rendent plus intelligent sans vouloir vous embrigader, en un mot qui vous laissent libre. Il lui avait fallu pas mal de toupet pour publier dans la France de 1967, encore bercée par ses rythmes campagnards, un livre au titre prophétique, *La fin des paysans*. Henri Mendras, qui ne se départait jamais d'un sourire et d'un nœud papillon de bon aloi, était un Jeune-Turc de la sociologie, grandi sous l'aile de Raymond Aron et de Bertrand de Jouvenel. Ce dernier lui avait même ouvert ses « Études Futuribles » pour publier ce qui était, à l'origine, le fruit d'une thèse de doctorat.

Après une année passée à Chicago, en 1950, le jeune Mendras était revenu auréolé d'un certain savoir-faire : il avait rencontré des paysans en Amérique. Ses bons professeurs l'avaient un peu plaisanté : s'il était capable de trouver des culs-terreux au fin fond des États-Unis, alors il était l'homme qui défricherait un sujet neuf sur lequel peu se risquaient, car considéré comme passéiste, la sociologie rurale.

Que rapporta ce trublion de Mendras ? La vérité. Une vérité qu'il avait trouvée non pas en caressant la boule de cristal mais en écoutant les témoignages de paysans devenus bon gré mal gré des agriculteurs. Nourri de lectures historiques et d'observations *in situ*, Henri Mendras observait une « révolution agricole ». Cette petite phrase ferait mouche d'emblée : « L'agriculture, à son tour, "s'industrialise" et la paysannerie française est tuée, avec cent cinquante ans de retard, par la civilisation qu'on appelle industrielle. »

Chassant l'anachronisme et les idées reçues à propos d'un ordre prétendument immuable des champs qui aurait préservé la France dans la paix des clochers, Mendras dressait ce simple constat, inacceptable à la ville comme à la campagne : « L'âme paysanne éternelle meurt sous nos yeux en même temps que le domaine familial et patriarcal fondé sur une polyculture vivrière. C'est le dernier combat de la société industrielle contre le dernier carré de la civilisation traditionnelle. » Et de cerner encore au plus près son sujet : « L'étude que nous entreprenons n'est donc pas simplement celle d'une nouvelle révolution agricole, mais celle de la disparition de la civilisation paysanne traditionnelle, élément constitutif fondamental de la civilisation occidentale et du christianisme, et de son remplacement par la nouvelle civilisation technicienne. »

Au terme de quinze années d'enquêtes, Mendras posait crûment la question : « Que sera un monde sans paysans ? » Il n'est pas certain que ce livre fut lu par le monde agricole, ni même par ses dirigeants. La Fédération nationale des syndicats d'exploitants agricoles (FNSEA), qui dominait la profession, n'entretenait aucune relation avec le sociologue. S'il y eut débat, il resta souterrain. C'est seulement avec le temps que l'ouvrage de Mendras allait révéler sa justesse.

Dans une heureuse formulation, le chercheur opérait le distinguo entre la paysannerie, vécue comme un état, et l'agriculture, perçue comme un métier. La cellule familiale attachée à l'exploitation, l'autarcie, le monde clos de la ferme, la vision abstraite et lointaine d'un quelconque marché mondial, tout cela éclatait avec l'irruption des deux progrès majeurs de l'après-guerre : la motorisation et la chimie, mères des hauts rendements. Face au changement, les hommes de la terre réagissaient avec humeur, voire hostilité. Lorsque le pâle maïs américain vint supplanter le « grand roux basque », nombreux furent ceux qui fustigèrent cette variété (« Il a mauvaise mine, comme les gens des villes ») : elle réclamait semences, engrais et désherbants, à la différence du grain rustique, bien jaune et d'aspect joufflu. Cette nouvelle culture signifiait l'entrée dans un nouveau monde, plus complexe, moins autonome.

Pour lever un maïs hybride, il fallait acquérir des moyens de production modernes, des machines, des semoirs. En un mot, il fallait le plus souvent s'endetter pour produire la récolte à venir. Auparavant, les paysans cultivaient le grand roux basque pour nourrir le cochon et tirer fierté du bel animal engraissé au grain. Cet univers se suffisait à lui-même, et l'idée d'emprunt lui était étrangère. La sagesse terrienne conseillait de ne jamais devenir le « domestique de son prêt » ni le « fermier du percepteur ». Le maïs hybride annonçait une tout autre logique : l'exploitant, une fois lié à la banque, devait intensifier sa production. La polyculture

103

s'estompait au profit d'une monoculture répétitive, maïs sur maïs. Il n'était plus question de farcir le cuir d'un beau cochon mais d'écouler la production sur un marché afin de rentrer dans ses fonds. Bien sûr, le revenu à l'hectare doublait, voire triplait dès lors qu'on substituait le « nain jaune » au blé.

« Mais, dites-moi, monsieur, qu'est-ce que c'est qu'un paysan qui ne produit pas son pain ? » demandait l'un d'eux à Henri Mendras. Et l'homme de la terre s'indignait de voir le blé, qui nourrit les hommes, rapporter moins que le maïs, destiné à la panse des animaux. Comme cela semblait aventureux d'introduire une nouveauté ! Et pourtant. Au milieu des années 1960, les paysans auscultés par le sociologue étaient pour la plupart devenus des chefs d'entreprise. Quant aux « petits », ils étaient sur le point de disparaître, faute de s'être lancés, d'avoir suivi le progrès. Mendras annonçait la fin des paysans, non parce qu'il la croyait imminente, mais parce qu'elle était là, devant lui, irréfutable. Les principaux intéressés lui en voulurent de l'écrire. Parle-t-on de corde dans la maison d'un pendu ? Mendras n'avait pas seulement écrit un livre. Il avait tendu aux paysans un miroir duquel ils rechignaient à s'approcher, de peur de se reconnaître.

Forcément, je voulais écrire des choses aussi importantes que Mendras. Forcément ! Habité par mon sujet, je confondais sans doute un peu le journalisme et la sociologie, sans doute aussi, tellement séduit par la pensée de Mendras, cherchais-je inconsciemment à vérifier ce qu'il disait, à accompagner par mes articles la fin des paysans. En m'engageant dans la rédaction de *La France en friche*, je mis les bouchées doubles pour comprendre cette nation terrienne qui cédait la place à une industrie agricole dépourvue de mémoire et de racines, fonçant vers la rentabilité comme une fin en soi, une fin tout court.

Étais-je objectif ? Non ! Je m'efforçais d'être honnête. Je tâchais chaque fois de développer pour le lecteur une problématique, d'assembler des faits, de les mettre en perspective, de trouver les bonnes infos, les bons chiffres. Je creusais mon sillon d'encre avec énergie pour donner à voir l'autre côté des choses, c'est-à-dire les contradictions, les fausses notes, tout ce qui obligeait les acteurs à s'expliquer, pour offrir aux lecteurs la vision la plus intelligible possible d'un monde qui se voulait libre mais restait fortement subventionné, dont le poids politique excédait l'importance démographique, qui polluait (les sols et les eaux) en même temps qu'il produisait. Une grande moisson sur les Champs-Élysées, la publication des revenus des agriculteurs ou des prévisions de récoltes de la FAO, les congrès de la FNSEA ou du Centre national des jeunes agriculteurs (portés par le slogan « Quand ton fils a grandi, fais-en ton frère »), les fréquents épisodes de sécheresse des années 1989 et 1990, la publication d'un *Atlas de la France rurale* ou le Salon de l'agriculture de la porte de Versailles, tout m'était prétexte à auscultation de cette population attachante, complexe, dépassée par cette modernité qu'elle souhaitait sans l'assumer, déstabilisée par les crises à répétition et par l'ouverture à l'Est qui se profilait dans les entrées massives de denrées à travers les frontières poreuses de l'Europe. Sans compter les inégalités qui faisaient qu'un céréalier prospère d'Ile-de-France percevait en moyenne vingt fois plus d'aides publiques qu'un modeste éleveur du Limousin.

Le goût qui me restait dans la bouche, à écrire sur ces thèmes si sensibles, me renvoyait aux villages de mon enfance, aux séjours familiaux à Barbezieux, et aussi aux petites gens de la Creuse que je rencontrais, l'été, en vacances. Rubricard voué à l'agriculture, je tâchais d'en signaler les enjeux, qui se comptaient en hommes plus qu'en tonnes.

Dans cette période je louais souvent des autos pour sillonner les campagnes. Je m'annonçais la veille. Souvenir de la terre noire de la Limagne, ou tout aussi noire de l'Essonne, en novembre, dans son halo de brume, attendant la betterave et le blé, territoires infinis. Souvenir des paysages accidentés du Cantal, des parcelles exiguës, des troupeaux à flanc de coteau. Petits ou gros, les agriculteurs m'attendaient en se demandant à quoi pouvait ressembler un journaliste du *Monde*. Rassurés par mon apparence décontractée — j'arrivais en jean et blouson —, par ma jeunesse, ils commençaient toujours par raconter leur attachement à la terre, par exhiber leurs racines.

À leurs yeux, la géologie était d'abord une généalogie. Ils connaissaient le sol comme un membre éminent de leur famille, dans son intimité, et pareil pour le vent, la pluie, les saisons, la lune, les climats. Ils se vivaient en résistants, en derniers des Mohicans. Il fallait en prendre et en laisser, mais les échanges révélaient chaque fois une grande profondeur. L'accueil était simple, un peu réservé au début, puis rapidement familier. La chaleur montait avec le rouge qui descendait (« Là où le vin entre, le secret sort »). Les langues se déliaient. Je connus bien des paysans très doués pour refaire le monde avec leurs mots. Mendras m'avait mis l'eau et plus encore à la bouche. Ce fut un festin de roi.

12

DE NOTRE ENVOYÉ SPÉCIAL

Ces années furent d'une richesse insoupçonnée pour le jeune journaliste que j'étais, affamé de savoir, bouillonnant et fiévreux, un peu brouillon, ne sachant pas toujours où donner de la tête, la perdant un peu parfois, désordonné, indiscipliné, laissant à désirer côté rigueur. Je me dispersais, je me dissipais. Mais n'était-ce pas propre à ce métier que d'aller au gré du vent, fidèle à la consigne de Paul Morand, qui distinguait les personnes avec des meubles de celles avec des valises ? *Le Monde* était ma maison et j'en partais chaque matin pour glaner mon butin d'informations à publier au plus vite. Je prenais des trains, je prenais des autos, je prenais des avions. Et si je marchais, je marchais vite. J'étais moi aussi un homme pressé. Ça tombait bien : le journal l'était, par définition.

Je n'avais guère la tête à m'occuper des soubresauts internes à la rédaction. La succession d'André Fontaine ne m'intéressait pas. Que les rédacteurs soient tenus de voter pour choisir leur directeur, je le savais. Il serait bien temps. J'étais d'abord à l'affût des bons sujets et ne refusais jamais une occasion de voir du pays. J'étais journaliste au *Monde*, que dis-je ? j'étais reporter à *Tout l'univers*, je prenais mon passeport pour une encyclopédie portative.

Jacques Amalric l'avait remarqué. Chef du service International, il régnait sur une équipe dévouée qui communiait chaque midi autour de lui, un verre à la main, après la « tombée ». Dans ce théâtre d'ombres je discerne la silhouette ronde de Jean Gueyras, qu'on appelait Kir, celle tout en finesse de Claire Tréan. La voix nasillarde de Michel Tatu, qui connaissait mieux que personne la kremlinologie. L'air toujours rigolard de José-Alain Fralon, dont on disait, quand il annonçait un papier : « Fralon f'ra court. » Amalric était du genre bourru, une sorte de faux ours qui savait sortir les griffes face à ses ennemis jurés ou faire preuve au contraire d'une incroyable tendresse. Avec moi, ce fut d'emblée amical. Ancien correspondant aux États-Unis puis en Union soviétique, il vouait aux Russes une haine tenace et irrémédiable. Quand Bernard Guetta, en poste à Moscou, soutenait la perestroïka de Gorbatchev, Amalric prenait sur lui pour ne pas lui doucher son enthousiasme, tout en pensant que ces Soviétiques étaient d'incurables staliniens. On disait que lorsqu'il prenait la plume, c'était pour dire le contraire de Guetta. Peut-être.

Je fus surpris qu'un jour il me demande de m'envoler fissa au Panamá remplacer au pied levé notre correspondant en Amérique latine Bertrand de la Grange, blessé lors d'un reportage. Je ne parlais pas l'espagnol ? Aucune importance ! J'étais disponible, volontaire, c'était l'essentiel. Je me débrouillerais bien avec l'anglais. Je partis pour Panamá City enquêter sur la Légion d'honneur française qu'arborait sur sa poitrine le général Noriega. Je partis pour le Viêt Nam encouragé par Jean-Claude Pomonti, dont j'avais lu tant de papiers sur les guerres d'Indochine, en particulier ce reportage éblouissant qui lui avait valu le prix Albert-Londres. Je partis pour Moscou avec la bénédiction du service Étranger, à la rencontre des babouchkas qui accueillaient à contrecoeur la privatisation des terres annoncées par « Gorby ». Images inoubliables de la place Rouge un dimanche après-midi, la majesté du Kremlin, l'immense visage de Lénine, les superbes façades du grand magasin Goum, ces jeunes qui me demandaient non pas l'heure mais ma montre Swatch et, le lendemain, les étals vides des bouchers au marché, la pénurie, la course des Moscovites vers ces coins de rue où on trouvait de délicieux petits poissons grillés à condition d'arriver à temps.

Je partis encore pour le Mexique, la Colombie, Madagascar, l'Afrique du Sud, le Maroc et la Tunisie. L'aventure n'en était qu'à son commencement. Au bureau 304, Michel Boyer avait acheté une nouvelle boîte d'épingles à tête colorée. Souvent, revenant de déjeuner, il posait sans un mot sur mon bureau une pochette de chez Del Duca qui renfermait un livre. Il n'avait rien dit quand, à sa question de savoir si j'avais déjà lu Gracq, j'avais répondu non. Julien Gracq, sous le nom de Louis Poirier, avait été son professeur de géographie au lycée Claude-Bernard, en 1951, l'année où l'écrivain refusa le prix que l'académie Goncourt lui décernait. Il lui avait dédicacé son célèbre *Rivage des Syrtes*, comme à tous ses élèves, à la fin de l'année. « À mon élève Boyer », avait sobrement écrit le maître. Ledit Boyer m'offrit un *Rivage* tout neuf, non massicoté — c'était, de même que la couverture blanche et luisante, la marque de fabrique de l'éditeur, José Corti. Il y avait ajouté un coupe-papier à la lame argentée.

Lorsque je préparais un voyage, il dénichait un livre pour éclairer ma route. *La marche de Radetzky* quand je partis pour la Hongrie. *Cent ans de solitude* quand je fis mes bagages pour la Colombie. *Les enfants de l'Arbat* quand je gagnai Moscou. Les romans de Blondin pour tout le temps, pour « Un jour nous prendrons des trains qui partent », pour « Je suis resté au seuil de moi-même car à l'intérieur il fait trop sombre ». Boyer était un être mélancolique qui cachait son désespoir derrière une fausse froideur et de gauches élans. Certains jours nous n'échangions pas trois mots. D'autres fois il se livrait, me racontait ses reportages d'autrefois, en Islande ou en Algérie, quand il se sentait encore vivant, quand il écrivait encore.

Des années auparavant il avait cassé sa plume. Il avait tant lu, tant admiré, Bodard, Kessel et d'autres, qu'il s'en était trouvé paralysé. Il plaçait désormais l'écriture si haut qu'elle lui était devenue inaccessible. Sans doute même, comme une femme, l'avait-elle quitté. Sans prévenir. Sans appel. Je me souviens de sa souffrance, un matin, quand il dut rédiger par surprise un bulletin de l'étranger. Ses joues s'étaient soudain colorées, son visage blême et chiffonné avait tourné au bistre. Deux gommettes d'enfant s'y étaient collées. Il s'en était sorti en pétunant comme un démon, c'était son expression. « Soyez Camus ou rien », me lâcha-t-il un jour de sa voix de théâtre. Il en avait de bonnes ! J'essayais seulement d'être moi-même. À sa manière, il m'y aida.

Sa grande affaire, c'était *Le Monde de l'Économie* et aussi le bilan annuel, qu'il portait avec une autorité discrète. Son plus grand plaisir était de commander chaque année un papier aux correspondants à l'étranger, qui ne manquaient jamais de venir le saluer lorsqu'ils passaient à Paris. Ainsi je vis débouler dans notre réduit du 304 l'envoyé permanent à Jérusalem Patrice Claude, sa tignasse blanchie avant l'heure, la grande carcasse du correspondant à Rio Charles Vanhecke, habits clairs et dégaine à la Montand, Bernard Guetta, la lippe gourmande, le front de petit taureau, débordant d'une énergie farouche qui le conduirait à briguer la fonction de directeur lors de la succession compliquée d'André Fontaine. Souvenir encore de Jacques de Barrin, qui avait tenu le poste de Nairobi, et de Francis Cornu, qui avait successivement occupé les bureaux de Jérusalem et de Londres, où il conservait un casque israélien trouvé dans le Golan. C'est ainsi que je me familiarisai avec certaines figures du service Étranger, que Jacques Amalric semblait hypnotiser par son charisme.

SUR LES NOUVELLES FRONTIÈRES DU BRÉSIL

Dans cette période, notre ancien correspondant à Pékin Manuel Lucbert monta avec Marin Karmitz une filiale de production de programmes audiovisuels, LMK-Images. Passer de l'écrit à l'écran, le défi était de taille, tant l'austérité du *Monde* ne le prédisposait pas à investir ce territoire. Un heureux hasard se présenta en la personne de Noël Mamère qui pilotait alors sur Antenne 2 l'émission « Résistances » consacrée aux droits de l'homme. Le futur député écologiste souhaitait illustrer mon livre *Le festin de la terre* par plusieurs reportages au Brésil. C'est ainsi que LMK put tourner ses premières images. Je m'étais retrouvé un matin de 1988 à Brasilia avec une équipe de TV Globo et un agronome français pour réaliser deux sujets. L'un sur les planteurs de canne à sucre qui se ruinaient la santé dans la région de Recife, où j'interviewai, dans sa petite église de Caninda, Dom Helder Camara. Je n'ai pas oublié son regard clair, ses yeux aux cernes creusés, sa voix péremptoire et douce à la fois me disant, dans un français rugueux : « Notre pays a aboli l'esclavage voilà un siècle, mais je pourrais vous montrer des gens qui vivent encore comme des esclaves. »

Je les rencontrai quelques heures plus tard, installés dans des boxes si bas de plafond qu'on y tenait à peine debout. Quand ils manifestaient, racontaient-ils, leur interlocuteur était la bouche d'un fusil, celui du propriétaire. Et c'était pareil pour ces paysans sans terre que je trouvai le long d'exploitations de dizaines de milliers d'hectares, les côtes saillant de la poitrine, parqués sur des surfaces dérisoires en bord de route, derrière les barbelés de fazendas gigantesques. Eux aussi, comme le baudet de la fable, connaîtraient du bâton et des armes à feu s'ils se risquaient à tondre plus large que leur langue. Au Brésil, la misère avait la peau blanche, les yeux bleus. Dans le Mato Grosso, sur les nouvelles frontières agricoles de ce pays-continent, des industriels de São Paulo achetaient des milliers d'hectares pour le prix de quelques paquets de cigarettes. Puis ils livraient ces étendues infinies à la voracité du soja. C'était soudain le règne de la monoculture. Les sols se dégradaient à toute allure. Les griffes d'érosion lacéraient la terre, qui bientôt mettrait tout le monde à la porte. Le dieu soja célébré au Chicago Board of Trade rapportait beaucoup d'argent à court terme. Et, à long terme, avait dit Keynes, nous serions tous morts.

AFRIQUE(S)

Je replonge dans ces reportages qui furent chaque fois comme de courtes vies. Des vies intenses, vécues tous sens dehors, dont me restent plus de vingt ans après des visages, des lieux, des odeurs, des couleurs, des photos parfois, le goût de la nourriture, le souvenir des arrivées, des départs, la fébrilité de chaque instant : vite trouver un contact, puis un autre, vite trouver matière à écrire, forcer la chance, la rencontre inespérée, vite trouver la ligne disponible pour dicter quelques feuillets puis se remettre en chasse. De cette course subsistent des articles oubliés. Le papier a pâli, les caractères ont passé, leur actualité n'est plus, mais ils sont de quoi je suis à jamais tissé, je suis ces fibres et cette encre engloutis dans de vieux numéros du *Monde*. Par où, par quoi commencer ?

À cet instant je roule sur la route surchauffée de la Casamance. Où serai-je tout à l'heure ? Des panneaux publicitaires pour une marque de voitures russes disent : « Avec Lada, vous y seriez déjà. » Le soleil écrase l'habitacle de notre auto sans clim. Nous fonçons vers Ziguinchor, région de l'arachide. Tout à l'heure, ça sentira la cacahuète à plein nez. Mais là, maintenant, la route développe son ruban interminable ponctué au loin de mirages argentés, comme si la mer venait à notre rencontre. Sur les bas-côtés, des enfants debout tendent des sacs en plastique transparent remplis d'eau. Je rêve de cette eau fraîche que le chauffeur me déconseille. Amibes garanties. Nous poursuivons toujours tout droit. Je passerai ma première vraie nuit d'Afrique dans un baraquement infesté de gerboises qui pillent les stocks de mil. Dans la journée on traversa le fleuve Gambie et je fus sidéré, regardant une carte routière, de voir ce doigt enfoncé dans la bouche du Sénégal.

Pourquoi étais-je là ? Pour suivre une opération humanitaire de l'association Afrique verte. À quelques dizaines de kilomètres de distance, dans le sud du pays, on mourait de faim ici faute de stocks, on croulait là sous les excédents, qui pourrissaient ou servaient de repas aux animaux chapardeurs. Il s'agissait de créer des routes pour relier ces villages, et un système signalant l'état des récoltes pour faciliter les échanges et empêcher les situations dramatiques, les « poches de famine ». C'était juste ça. Comment sauver des vies qui ne valaient pas cher ? L'ordinateur au secours de l'ignorance. Le rôle de l'information dans sa plus simple expression : dire à ceux qui manquaient de tout que près d'eux s'abîmait le blé salvateur.

De ce premier contact avec le Sénégal, j'ai gardé de vives sensations, l'odeur d'iode et d'arachide sitôt ouvertes les portes de l'avion, la moiteur poivrée de la nuit qui tout d'un coup vous colle à la chemise, le marché aux poissons sur le sable, les quartiers plongés dans l'obscurité à la tombée du jour, les hommes et les enfants juchés par grappes sur leurs mobylettes sans lumière, ceux qui marchent on ne sait où, chemise sortie du pantalon, le long des voies ferrées. Les Africains voient-ils la nuit ? Je respire le parfum du bois brûlé à l'heure du dîner sur les trottoirs de Rufisque. Je revois l'allure altière de ces femmes dignes qui semblaient porter toute l'Afrique sur leur tête. Des ribambelles d'enfants, de fillettes et de garçons, beaux, graciles, curieux.

Tout finit par se mélanger. C'est à Conakry que j'ai vu extraire sous les yeux de Lansana Conté, successeur de Sékou Touré, la cent millionième tonne de bauxite de Guinée. Une matière première stratégique pour produire l'aluminium, que l'Union soviétique dérobait sans vergogne à ses alliés, en échange d'une aide fraternelle tels ces chasse-neige qui pourrissaient sous le Tropique. C'est à Conakry que je rencontrai Jean-Baptiste Placca, reporter à *Jeune Afrique*. Entre deux chansons de Brassens qu'il connaissait par cœur — *Les trompettes de la renommée, Une jolie fleur (dans une peau de vache)* — entonnées lors de nos marches nocturnes dans les rues de la capitale guinéenne, mon confrère togolais me raconta ses moments passés dans les geôles d'Eyadema, et comment l'Est était devenu colon du Sud, en pillant par exemple cette bauxite rouge. Parfois, des trains chargés du précieux minerai déraillaient en pleine ligne droite, signe qu'ils étaient chargés au-delà du raisonnable par les Soviétiques. La liste était longue des « éléphants blancs » de Moscou sous les tropiques. Le barrage d'Assouan, la quatrième pyramide d'Égypte, élevée en 1956 à l'ombre du chapeau de paille de Khrouchtchev. Les monumentaux hôtels Cosmos du Congo et aussi de Conakry. Le stade de vingt-cinq mille places en plein Bamako. Les centres culturels poussiéreux offerts par l'URSS, où jaunissaient des vues couleurs de la place Rouge et de Gorbatchev au crâne débarrassé de ses taches lie-de-vin. Des hommes désargentés venus du froid, suant à grosses gouttes, fuyant les contacts et se livrant à de menus trafics, à la grande surprise des Africains, comme de vulgaires petits Blancs. Quand elle s'exportait, l'Union soviétique montrait une caricature d'elle-même.

Nous parlions passionnément, Jean-Baptiste et moi, de cette Afrique sous influence. Qui était si belle, à l'image des minuscules statuettes en stéatite de Kissi, ou pierre à savon, qu'il me fit acheter sur un marché de Conakry et qui, des années plus tard, s'effritèrent entre mes doigts comme la bauxite entre ceux des Soviétiques. Ces sculptures étaient douces, tout en rondeur, magnifiques œuvres d'art, délicates et fragiles. Longtemps elles accompagnèrent mon travail, accroupies sur un coin de mon bureau. En les regardant, je me souvenais de Jean-Baptiste et de sa drôle de réponse quand je lui demandais : « Comment ça va ? » et qu'il disait de sa voix malicieuse : « Ça va un peu. »

Où suis-je maintenant ? Devant les pyramides de poissons séchés à l'entrée de Mopti, au Mali. Sur la route du Paris-Dakar, sous une tente de nomades près de Tombouctou, à l'heure où la timbale de lait caillé passe de main en main avant le verre de thé brûlant. Les Touaregs aimaient la course. Eux-mêmes organisaient des compétitions de chevaux et de chameaux. Pourtant ce rallye les effrayait. « Si c'est une fête, disaient-ils, il faut la regarder de loin. » Au Mali, pays de coutumes, l'adage voulait que l'autochtone soit l'esclave de son étranger. Mais les concurrents passaient si vite sous leurs casques et leurs carrosseries, comment faire connaissance ? Le Dakar, c'était une petite récolte d'argent pour la population, trois fois rien. Que pouvaient faire les mécanos du coin quand ils soulevaient un capot bourré de haute technologie ? Une petite récolte, avec la mort qui rôdait autour, et ces pilotes inconscients qui vidangeaient leurs bolides dans les seuls points d'eau potable des kilomètres à la ronde. D'autres images affluent encore. Les énormes hippopotames du musée en plein air de Niamey, et ceux, intrépides, se laissant porter comme des sous-marins dans le courant du Nil, au milieu de ce château d'eau de l'Afrique qu'était la vallée éthiopienne du Tana-Beles. Ou les lémuriens dans la nuit malgache, au cœur de la forêt primaire.

Madagascar. Ce mot a chamboulé mon enfance. Il cognait comme un caillou qui fait éclater une vitre. Une fois l'an nous recevions un gros paquet avec des timbres très colorés représentant des danseuses à demi nues parées de plumes somptueuses. C'était écrit « Malagasy » ou « République malgache ». Je commençai une collection de timbres avec ces merveilles exotiques expédiées par mon grand-père maternel, qui avait quitté femme et enfants pour s'installer sur cette grande île. Vingt ans de sa vie, jusqu'au milieu des années 1970, ce paysan chasseur s'était reconverti en transporteur de grumes et de café à Antsirabé. Ses colis étaient remplis de ces litchis à la peau rugueuse qui n'avaient pas encore envahi les marchés français. Il expédiait aussi de la vanille, un ananas, et quelques photos où on le voyait poser fièrement en marcel, bras croisés devant une noria de camions, parmi les chauffeurs malgaches fiers comme Artaban. Sur d'autres clichés il apparaissait fusil à l'épaule, un énorme crocodile à ses pieds. Il y avait de quoi frapper l'imagination d'un enfant de six ans. C'était décidé. Un jour j'irais à Madagascar, je m'enfoncerais dans la jungle. Ses courriers parlaient de Tamatave, de Diégo-Suarez, de Fort-Dauphin. J'irais.

Au printemps 1990, le journal m'envoya humer le climat politique de l'île « rouge ». Mitterrand devait s'y arrêter à la mi-juin au terme d'un voyage dans l'océan Indien. Ce serait la première visite d'un chef d'État à Madagascar depuis son indépendance (1960). J'allais enfin découvrir le « paradis » de mon lointain grand-père. Je connaîtrais enfin le pays des litchis et de ces danseuses aux étoffes chatoyantes qui figuraient sur les cartes postales de « là-bas ». Le marxisme était passé par là, avec ses profs de maths chinois et ses livres scolaires en russe, dont les publicités placardées sur les murs lépreux vantaient les qualités majeures : « clarté, logique, efficacité ». La honte nationale se racontait en peu de mots : dans ce pays de cocagne où tout poussait pour peu qu'on y mette un peu de peine et de graine, la récolte de riz ne suffisait plus à nourrir toutes les bouches ! Madagascar avait faim et il fallait importer l'or blanc, preuve d'une gabegie sans nom. Oh, bien sûr, c'était magnifique, Tananarive, ses escarpements qui rappelaient Addis-Abeba, les palais de la reine, tout là-haut, les pierres précieuses sur les marchés, les émeraudes véritables qu'il fallait savoir reconnaître à leur léger nuage enfermé dans la pierre translucide. Ou encore le miroir des rizières, le vert tendre des pousses, les reflets de l'eau plate dans le soleil.

Mais la première vision de Tana, c'était ces enfants des rues efflanqués et sales, pieds nus, tendant la main, crevant la faim. Ils étaient des milliers à quémander, livrés à eux-mêmes. La grande île connaissait un déclin sans précédent et, si l'heure était au libéralisme — on jetait Mao, Castro et Kim Il-sung par-dessus bord —, c'était à la mode chinoise, verrouillage politique à la clé. Madagascar était encore gouvernée par Didier Ratsiraka. Militaire, capitaine de corvette formé à Brest, il avait été réélu pour la troisième fois un an plus tôt, ouvrant les vannes du multipartisme et levant la censure de la presse pour s'attirer les faveurs du peuple.

Un dimanche matin, très tôt, dans la chambre de mon hôtel au bord du lac de Tananarive, je fus réveillé par des voix qui s'égosillaient à travers des haut-parleurs. Il n'était pas 6 heures. Me précipitant à la fenêtre, j'aperçus des maillots de couleur à travers la végétation. Je n'en croyais pas mes yeux : on venait de donner le départ d'une course cycliste. Je m'habillai en hâte et descendis assister à ce spectacle inattendu. Alors un profond malaise me gagna. Près du public massé derrière les barrières métalliques je vis s'approcher des militaires d'un côté, des manifestants de l'autre, brandissant des banderoles hostiles au régime.

L'affrontement fut bref et intense. Je fus emporté par la foule affolée qui se dispersait dans tous les sens tandis que des jets de grenades recouvraient les abords du lac d'une épaisse fumée. Des coups de feu éclatèrent. Une onde de panique se propagea, des cris montèrent. On releva trois morts et une quinzaine de blessés. Que se passait-il ? Au même instant, à la radio nationale, l'émission religieuse dominicale fut interrompue par un commando armé de treize hommes. Le message prononcé par une inconnue était explicite : « Le régime Ratsiraka a été renversé. » La mystérieuse voix demandait à un général en retraite de former un gouvernement provisoire. Je venais d'assister à une tentative de coup d'État. Toute la journée je tâchai de mesurer la gravité des événements. L'affaire n'alla pas très loin et, pendant que les militaires arraisonnaient les insurgés, la nouvelle se répandit que Ratsiraka dormait.

Mais avant que tout rentre dans l'ordre, il s'écoula de longues heures pendant lesquelles le pays fut isolé du monde, les communications ayant été coupées. Des patrouilles sillonnaient les rues, la radio nationale diffusait un programme ininterrompu de musique. Des pillards avaient brûlé quelques voitures, brisé des vitrines de magasins. Cela ne ressemblait pas à un putsch. Il fallait tout de même en avoir le cœur net. Je me souvenais de l'histoire de Jean Huteau, qui dirigeait le bureau de l'AFP à Cuba au moment de la crise des fusées. Le jour où la guerre froide risqua d'entrer en ébullition, où le monde avait manqué de chavirer, le journaliste avait cherché partout dans La Havane son chien en cavale. Le sort de la planète n'était pas en jeu à Madagascar, et je n'avais aucun cabot à retrouver. Je souriais seulement en pensant à cette anecdote, le télescopage de la grande Histoire avec l'intime, le banal.

Le soir, je rédigeai un article sur le papier à en-tête de l'hôtel. Je m'étais installé à une table, dehors, quand une bourrasque emporta mes pages dans la nuit. Je me revois courant après ces feuilles vraiment volantes, que je récupérai intactes après un sprint. L'une d'elles fut plus difficile à attraper. Le vent l'entraînait toujours plus loin et elle jouait les filles de l'air sous un faisceau d'étoiles. Elle se posa enfin et je pus regagner ma table sous l'œil amusé de quelques badauds. Vers 1 heure du matin, les lignes internationales furent enfin rétablies. Je savais qu'à cette heure-là je pourrais joindre une sténo au journal.

C'était toujours un réconfort, ces voix de la nuit, ces voix sans visages, qu'on ne connaissait pas mais qui recueillaient consciencieusement nos articles, veillant à l'orthographe des noms propres, à la ponctuation, et donnant leur avis sur l'article si on le sollicitait. Leur coquetterie était de ne pas dire leur nom ni de se présenter lorsqu'il nous arrivait de les croiser au journal, quand elles prenaient leur service à 20 heures. On finissait par reconnaître leur timbre, leurs intonations, et c'était un petit jeu de savoir s'il s'agissait de telle ou telle, Hélène ou Geneviève. Les émotions de cette journée particulière furent sans lendemain. C'était une convulsion de plus, dont *Le Monde* rendit compte sous le titre « Madagascar : coup d'État manqué. Un commando s'est brièvement emparé de la radio ».

Dès le lendemain je forçai la porte du Premier ministre Victor Ramahatra, qui arborait sur son bureau *Les frontières du management*, de Peter Drucker, là où le *Petit livre rouge* du président Ratsiraka devait trôner encore peu de temps auparavant. Après le rouge opaque, l'heure était à la transparence. Et si on évoquait le marxisme du chef de l'État, c'était pour l'atténuer aussitôt : un marin qui avait navigué sur le *Jeanne-d'Arc*, le navire-école de l'armée française, ne pouvait sérieusement songer à la révolution.

Dans la soirée, il fut de nouveau question du *Jeanne-d'Arc* avec le président lui-même. Je m'étais fait conduire dans son palais, situé à une dizaine de kilomètres de la capitale. Il ressemblait à une grosse pâtisserie à la crème dont on aurait oublié de retirer l'emballage. La facture était coréenne, la finition française, la froideur universelle. Après la fouille de rigueur, je fus reçu dans le grand salon. Nous étions seuls, l'espace était immense. Les paupières lourdes, le teint pâle, Ratsiraka n'éluda aucune question. Il était calme, ne parlait pas très fort, mais avec l'assurance de l'homme qui marche dans la bonne direction. « Vers l'avenir radieux », disait-il au premier degré. L'ère était au libéralisme, aux privatisations, ces recettes que l'économie mondiale mettait à toutes les sauces en appliquant les préceptes de Milton Friedman et de ses Chicago Boys. Sa vision des marchés déréglementés avait triomphé en Grande-Bretagne avec Mme Thatcher, aux États-Unis avec Ronald Reagan. La récente chute du communisme obligeait le marxisme tropical à verser de l'eau dans son vinaigre.

Le président avait des chagrins sur le cœur. Et il me raconta que, sorti major de l'École navale, il fut classé second parce que noir. Il n'avait pas digéré non plus qu'à l'époque de l'apartheid, faisant escale à Durban, en Afrique du Sud, toujours à bord du *Jeanne-d'Arc*, il fût interdit de débarquement à cause de sa couleur de peau. Est-ce pour cela qu'il était devenu rouge? Ces blessures, Ratsiraka les cachait. Ce soir-là il les montra un peu. Ce n'était pas à écrire. C'était pour tenter d'expliquer son lien douloureux avec la France, qu'il aimait tout en la tenant à distance. Moins cependant que les États-Unis, dont il se méfiait. « Certains ont vu ici, dans ce palais, des Cubains, des Chinois et une garde prétorienne coréenne. On affabule. J'ai pu lire dans *Newsweek* qu'il existait une base militaire à Diégo-Suarez! Évidemment les Américains le croient. Ils ne savent pas où se trouve Madagascar, mais ils le croient! »

Peu après, je m'envolai pour Diégo-Suarez. Jean-Pierre Langellier, successeur d'Amalric à l'Étranger, m'avait sollicité pour la rubrique « Loin des capitales ». Il s'agissait de montrer les pays autrement, à travers des lieux que les feux de l'actualité éclairaient rarement. J'espérais aussi trouver là quelques traces de mon grand-père. Je fis chou blanc mais ne regrettai pas mon incursion à l'extrême nord de l'île. La Légion étrangère et la marine avaient quitté la rade en 1972. Des bateaux, on n'en voyait plus guère à Diégo. Les militaires partis, restaient des ombres. L'épave d'un torpilleur anglais coulé pendant la Seconde Guerre mondiale, au temps où

Madagascar, comme la plupart des colonies françaises, s'activait pour Vichy. Le IIIe Reich n'eut-il pas le projet, finalement avorté, d'exiler tous les juifs d'Europe sur la grande île?

Fantôme aquatique, la silhouette déchiquetée d'un sous-marin de poche japonais servait de promontoire aux enfants nageurs. Chaque année une délégation nippone déposait sur la mer une couronne de fleurs. La ville se rêvait en île indépendante, loin de Tananarive. Elle vivait au rythme lent des thoniers qui rouillaient leur coque dans les courants de l'océan et venaient vider leur cale.

Je repartis par un avion qui marqua une escale à mi-distance avec Tana. Où était-ce? On nous fit descendre. Chacun fut pesé sur une grosse balance. Puis on remonta à bord. Au bout de quelques minutes, on entendit des bruits sourds dans le ventre de l'avion. On chargeait de lourdes caisses de vanille. En fonction du poids global des passagers, restait de la place pour cette gousse, qui emplit de son parfum tout l'habitacle. Je le respire encore, merveilleuse orchidée qui raconte notre enfance et celle de cette virgule de l'Afrique. C'est seulement trois ans plus tard, retournant à Madagascar, que je trouvai enfin un témoin de la vie de mon grand-père à Antsirabé. « Ah, le vieux Jean! Oui, pan-pan! » me lança-t-il, se remémorant les parties de chasse qu'ils faisaient ensemble. Ratsiraka avait quitté le pouvoir, remplacé par un certain Albert Zafy, affublé d'un chapeau de paille et jouant les « monsieur Propre ». L'île n'avait cessé de dégringoler. Elle appartenait désormais au groupe des pays les moins avancés, les plus pauvres de la planète.

Peu à peu, reportage après reportage, je rassemblais les pièces d'un puzzle économique et géopolitique qui ne disait pas encore son nom. J'assistais non pas à la fin de l'Histoire, mais à l'irruption du rouleau compresseur libéral conduit par des forces dépourvues d'imagination, nourri au carburant des privatisations, des licenciements massifs de fonctionnaires, des coupes sombres dans les dépenses d'éducation et de santé. Le tiers-monde se peuplait d'une génération spontanée de chefs d'entreprise, anciens apparatchiks, artisans des changements de la dernière heure, une fois constatés les ultimes sursauts du communisme et de ses épigones. La crise de la dette, les plans d'ajustement structurel, les opérations de sauvetage du dollar, au Louvre et au Plaza de New York, tout cela campait le décor du moment.

Si je discernais les taches du léopard, je ne voyais pas encore l'animal en entier prendre forme sous mes yeux. Je manquais de recul, de vision d'ensemble. Le terrain était une loupe indispensable, pas une mise en perspective. Il me faudrait encore bien des enquêtes, bien des lectures, bien des rencontres pour comprendre l'époque dans laquelle nous étions entrés et qui préfigurait la mondialisation. Il existait encore un Nord et un Sud, un Est et un Ouest. Le tiers-monde restait une réalité criante, enfermé dans la malédiction des matières premières qui s'énonçait par une règle simple : deux pays pauvres sur trois dépendaient de deux ou trois produits pour les deux tiers au moins de leurs recettes d'exportation.

Les accords de stabilisation des prix périclitaient les uns après les autres. Le cynisme de Washington était à son comble, qui refusait de soutenir les cours du café colombien mais dépensait des fortunes dans la lutte contre les narcotrafiquants, refusant de voir que la coca poussait sur les ruines du sous-développement, là où les pays riches refusaient de payer à son juste prix l'arabica, l'étain ou le sucre de canne. Nous vivions une nouvelle ère du commerce triangulaire. La dette des États pauvres, en pesant sur chaque habitant et sur ses enfants sur plusieurs générations, tenait lieu d'esclavage à vie.

UN ENFER À MEXICO

Je m'étais engagé dans ce métier avec un capital d'enthousiasme et, sûrement, de naïveté romantique, considérant le voyage au loin comme une fin en soi, au moins comme la preuve existentielle et tangible que j'étais devenu journaliste. Cette candeur qui me faisait courir l'aventure les yeux écarquillés se lestait maintenant d'autre chose, que je peinais à définir. Une forme de gravité. Les reportages qui m'attendaient encore n'avaient rien de léger. Un an après le tremblement de terre de Mexico, je me retrouvai sur place, avec en tête le reportage de Bruno Frappat. Il avait décrit l'effondrement des buildings comme des combats d'armoires normandes, le désarroi humain, la dignité des populations qui auraient pu inspirer le *If* de Kipling :

> Si tu peux voir détruit l'ouvrage de ta vie
> Et sans dire un seul mot te mettre à rebâtir.

La profondeur du regard ajusté à la précision de la plume avait donné à ce drame une existence tangible. Frappat ne s'était pas mis le moins du monde en avant. Il avait trouvé les mots, le ton, cette alchimie qui fait qu'un papier est grand. Sous le titre « Un enfer à Mexico », je racontais plus modestement le terrain vague de Chalco, quatre cent mille familles entassées dans cette banlieue sans eau potable, sans toit sur leur tête, parmi les chiens errants, les chiens crevés, les mères guère plus grandes que leurs fillettes de douze ans, les *niños de la calle*, ces enfants des rues dont j'étais familier depuis Tananarive. Ceux-là avaient la peau claire et marchaient sous des parapluies aux baleines cassées. Le président Salinas avait passé une nuit ici, Jean-Paul II lui-même s'était déplacé, mais le Christ s'était arrêté avant Chalco. Et puis montaient quelques notes d'espoir. L'électricité était arrivée au bout de quinze longues années d'obscurité.

Un autre voyage au Mexique m'avait conduit au cœur de ce libéralisme bon teint qui s'épanouissait le long du Rio Grande. À Mexico, on m'avait cité, sourire aux lèvres, le mot du dictateur Porfirio Díaz : « Pauvre Mexique, si loin de Dieu, si près des États-Unis. » L'ancien président López Portillo avait vu juste en soulignant combien il était inconfortable de « partager le lit d'un éléphant ». Mais cette fois mes interlocuteurs mexicains avaient des étoiles dans les yeux quand ils évoquaient le grand accord de libre-échange qu'ils signeraient bientôt avec les États-Unis. L'équipe au pouvoir rêvait d'un vaste marché commun qui, par ricochets jusqu'au Canada, s'étendrait d'Anchorage à Acapulco. Au nom de l'orthodoxie économique et monétaire, ils abdiqueraient un peu de leur souveraineté, deviendraient la cinquante et unième étoile de la bannière américaine, donneraient tout son sens à la chute de l'ange de l'indépendance, lors du tremblement de terre de 1958.

La pauvreté explosait chez les déracinés de Mexico, le quart-monde du tiers-monde. Un pas-grand-chose absent des grands agrégats que surveillaient avec fièvre les économistes. Si le diable avait ouvert une succursale terrestre, il aurait exposé ses grils au soleil de Chalco, sur les pourtours de son lac insalubre, où pourrissait une décharge humaine.

COULEURS DU VIÊT NAM

Quelques semaines après ces incursions sur les terres de Zapata, je me retrouvai sous le soleil pâle de Hanoi, après une nuit blanche dans le vieil hôtel Tong Nat à suivre la course effrénée des rats dans les couloirs. Le Viêt Nam à son tour sortait de son isolement et tournait le dos aux maîtres soviétiques et chinois. J'accompagnais le ministre de l'Agriculture Henri Nallet, chargé par Mitterrand de renouer des relations diplomatiques avec ce pays en plein renouveau. Après un bref séjour à Vientiane, au Laos (image de ces bonzes tranquilles dans leurs robes safran, s'abritant du soleil sous de noires ombrelles), nous avions volé jusqu'à Hanoi à bord d'un avion d'Air Vietnam qui expédiait dans l'habitacle une buée épaisse très inquiétante.

Les Occidentaux et le Japon mettaient fin à des années de quarantaine imposée au pays des rizières encore coupé en deux. D'abord les frimas de Hanoi, la capitale désargentée, en perpétuelle reconstruction. Hanoi avec ses cyclistes fantomatiques roulant sur les boyaux bosselés de la banlieue, vêtus d'une pauvre étoffe, le crâne dissimulé sous le traditionnel chapeau circonflexe en paille de riz, menant dangereusement leurs lourds vélos d'acier chargés de meubles et de chaises, de cochons vifs et de hottes en bambou remplies de briques ; se faufilant sur le pont Paul-Doumer, une tour Eiffel couchée sur le fleuve Rouge, entre les charrettes à buffles débordant de tuiles. Et Hô Chi Minh-Ville, l'ancienne Saigon, toute pimpante, vrombissante, dans un concert animé de cyclo-pousses et de motos nippones qui imposaient leur loi aux automobiles.

Juchées sur leurs bicyclettes racées, les femmes jouaient les coquettes avec leurs gants de toile à la Greta Garbo remontés jusqu'à la saignée du coude, et leurs chapeaux à auvent qui les protégeaient du soleil. Le Viêt Nam réunifié en 1975 restait double, mais une seule idée l'obsédait : l'ouverture, volontiers formulée en japonais, en sud-coréen, en australien, en thaïlandais, dans la langue de Hongkong et de Singapour, en attendant les signaux qui viendraient d'Espagne, d'Italie ou de France.

Le VIᵉ congrès du Parti communiste avait décidé la libéralisation économique en 1986. À présent elle battait son plein. Il suffisait de se rendre dans l'ex-rue Catinat, le quartier français d'antan, pour découvrir une profusion d'appareils photo et de montres de luxe, de vidéos JVC, Philips ou Sony, que s'arrachaient les plus aisés pour échapper au cinéma officiel et saisir les mentalités occidentales. L'heure était à l'ouverture d'urgence, la Thaïlande et le Japon en tête de file, la France loin derrière, qui espérait revenir. Bien des États adoptaient la devise de Bismarck « L'inimitié s'arrête au champagne, c'est-à-dire au commerce ». L'ancienne Saigon rêvait de l'Amérique plus que de Paris. Dans la rue on était interpellés par des « Hello! » sauf quand on était pris pour des Russes.

MOSCOU ET LE CIEL D'UKRAINE

De vrais Russes, j'allais en approcher pour de bon ce printemps 1989, alors que Mikhaïl Gorbatchev houspillait les cadres du Parti en leur reprochant d'appliquer « mollement » les réformes économiques de la perestroïka. Dans les campagnes en particulier, les résistances à l'approche libérale étaient encore nombreuses, la population préférant la sécurité illusoire des structures collectives à l'audace incertaine des initiatives privées. Boyer, une épingle entre les doigts, m'avait chargé d'aller y voir de plus près. À trois heures de voiture de Kiev, je m'étais rendu au kolkhoze baptisé « Quarantième anniversaire de la révolution d'Octobre ». Tout un programme. Bien encadré par des membres du Parti, escorté par un jeune interprète tiré à quatre épingles, j'avais été conduit dans la chaumière cossue d'une aimable et vieille babouchka. La privatisation des terres, dernière lubie du nouveau maître du Kremlin, la laissait de marbre.

« Louer quelques hectares, mais pour quoi faire ? demandait-elle.

Autrefois on travaillait jour et nuit. Il fallait rentrer des champs à pied. Aujourd'hui je suis chez moi à 6 heures du soir. Nous étions des moujiks. Nous vivons comme des nobles ! Les gens ne veulent pas redevenir des esclaves. S'ils reprennent les terres en charge, ils ne pourront bénéficier des techniques industrielles de la ferme collective. On a proposé à des agriculteurs de prendre à leur compte un troupeau de vaches, ils ont refusé ! » Par la fenêtre le ciel d'Ukraine menaçait. Une violente tempête avait soufflé la veille, couchant les blés, brisant net des branches d'érables et de bouleaux. La terre noire, coiffée d'un halo de brume, ne donnait pas à la campagne les traits éclatants qu'aimait Tolstoï.

Entre ses murs damassés, notre babouchka avait peut-être rêvé jadis d'une propriété individuelle ou, qui sait ?, de s'enrichir. Mais un demi-siècle après la liquidation sanglante des paysans, la sécurité l'emportait sur l'audace. On ne savait jamais ce que le ciel ou le pouvoir réservait. En grattant le Russe, on trouvait moins un paysan, comme disait le proverbe, qu'un fonctionnaire de la terre. Les campagnes riches méritaient bien le nom de « Vendée de la perestroïka » que leur donnaient des intellectuels moscovites. Mais la vapeur là aussi allait s'inverser. Un cadre agricole du Parti communiste me jura qu'à la fin du XXe siècle l'URSS n'achèterait plus de céréales à l'étranger. Il disait vrai : la Russie ne tarda pas à redevenir exportatrice net de grain. « Un paysan russe met beaucoup de temps pour atteler les chevaux, mais ensuite il va très vite. Aujourd'hui, on attelle les chevaux », m'avait dit le bonhomme dans son langage imagé.

En réalité, le sens de la propriété individuelle revenait dans les terminaisons nerveuses des Russes. Jusqu'à la Sibérie occidentale et des « montagnes d'or » loin dans l'Altaï, aux confins de l'Union soviétique, de la Chine et de la Mongolie. J'y arrivai un jour d'été en compagnie de Serge Varsano, le patron du groupe de négoce Sucres et Denrées, qui m'avait proposé de l'accompagner dans ce voyage exploratoire. C'était la première fois que je quittais la France à bord d'un jet privé, où s'inscrivaient sur de petits téléviseurs la carte du parcours et notre progression. Ce qui semble à présent banal ne l'était pas alors, pas plus que se poser sur l'aéroport de Moscou aussi aisément que garer sa voiture. Maurice Varsano, le père de Serge, avait fait des affaires avec Cuba au début de l'embargo américain, dans les années 1960. Serge Varsano, lui, éva-luait les possibilités d'ouverture à ces vallées et collines qui rappe-laient la Suisse. Une Suisse très excentrée, dont on avait survolé chaque anfractuosité, les montagnes gelées, les glaciers en hermine avec, à leur pied, couleur émeraude, des lacs immobiles.

Nous avions poursuivi en jet jusqu'en Altaï avant d'être trans-férés à l'intérieur d'un énorme hélicoptère de l'Aeroflot, dont le moteur assourdissant faisait trembler la carcasse et tous nos membres. Les activités les plus inattendues se développaient, comme le commerce des cornes de daim. On nous fit une démons-tration. L'animal était piégé dans un enclos de bois. Un torchon lui tombait sur les yeux. Le museau se laissait ligoter. La scie grin-çait sur la corne et déjà la lame se couvrait de sang. Restaient deux orifices béants et rougeâtres qu'une main furtive saupoudrait de sel. Le daim s'enfuyait à toutes pattes quand il ne mourait pas de douleur. Tout était dur ici, le climat, les hommes, tout.

On était entrés dans une salle de travail. Sous l'œil absent d'un Lénine verni, nos hôtes avaient débouché quelques bouteilles de soda avant de se lancer dans un inventaire à la Prévert. Ils pouvaient fournir du sucre, du miel, du tournesol, enfin, si l'usine était remise en état, de la viande et des peaux. Ils rêvaient de développer le tou-risme, d'attirer le chaland avec les boues de l'Altaï excellentes contre les rhumatismes. Ils rêvaient de fabriques de chaussures en cuir, d'hôtels, de campings, de bases de vacances, d'installations pour préparer les sportifs de haut niveau. Ils voulaient pratiquer des échanges d'étudiants, envoyer leurs jeunes dans les écoles françaises de management. Ils voulaient déplacer les montagnes de l'Altaï.

On nous avait conduits ensuite dans une usine fantôme aussi vieille que le communisme : elle datait de 1914 et n'était plus que rouille et cloaque. Le chemin serait long, le financement était hypothétique, mais c'était établi : même en Sibérie soufflait le libéralisme.

UN PRINTEMPS À VARSOVIE

Je n'étais pas au bout de mes surprises car, peu après, en novembre 1989, envoyé spécial en Pologne, j'entrai dans ce même tourbillon libéral qui semblait tourner toutes les têtes qui n'étaient pas tombées avec la chute programmée du communisme. J'ai gardé trace de ma première journée à Varsovie, à midi, l'heure critique du déjeuner. L'envolée des prix alimentaires avait littéralement dissous les files d'attente, les fameuses queues de l'Est, sauf pour le vin hongrois ou la vodka nationale. La plaquette de beurre était passée de 200 à 4 000 zlotys. La viande et le lait ou le fromage valaient plus cher qu'une place à l'Opéra. Les poires du pays coûtaient plus que les pamplemousses du Pacifique. Les clients entraient dans les magasins, un sac à la main, ressortaient sans rien acheter, sous l'œil d'épiciers affolés : qu'allaient-ils faire du beurre invendu qui s'accumulait ?

L'intrusion de l'économie de marché était violente. Un air de lambada s'échappait d'une mini-caravane où s'entassaient cassettes et magnétophones. La Pologne vivait son quart d'heure latino-américain, avec son inflation à trois chiffres, ses milliards de dollars de dette, ses bananes tigrées de Colombie, bien sûr inabordables, et cette équipe du FMI qui, depuis plusieurs semaines, goûtait l'automne varsovien. Solidarnosc au pouvoir tentait de casser l'inflation pendant que les anciens nomenclaturistes créaient au sein des sociétés d'État de curieuses sociétés anonymes aux activités obscures mais fructueuses.

J'ai gardé de ce séjour marquant le souvenir de Waldemar Kuczynski, le conseiller fétiche du Premier ministre Tadeusz Mazowiecki. Au milieu de son immense bureau, qu'il parcourait en claudiquant, trace d'une ancienne polio, il semblait perdu. À la fenêtre il avisait une statue d'un héros du communisme. « Eux quarante-cinq ans, nous quarante-cinq jours », lançait-il, pensif, conscient de la charge qui incombait au nouveau pouvoir, dans une économie délabrée. À Varsovie on ne mangeait pas mais au moins on respirait. Le conseiller Kuczynski se plaignait de maux de tête après des heures de réunion avec des représentants des coopératives, structures héritées de l'ancien régime et qui bloquaient tout le système de circulation des biens alimentaires. « Ce mouvement qui rassemble quinze millions de personnes est une énorme pathologie héritée de la période stalinienne, déplorait-il. C'est un secteur non compétitif et immobile, qui a sécrété une bureaucratie reposant sur quinze millions d'âmes mortes, comme chez Gogol. »

Son rêve ressemblait étrangement à celui que j'avais entendu en espagnol ou en vietnamien : instaurer l'économie de marché, privatiser les sociétés publiques, ouvrir le pays sur le commerce avec l'Ouest en faisant du zloty une monnaie convertible, encourager l'essor des petites entreprises et des joint-ventures, proscrire les subventions, contrôler les salaires. Marquée par la dette et la pénurie, l'économie était incapable de passer « de l'ère du colis à celle du marché obligataire », s'inquiétait le journal phare *Gazeta Wyborcza* fondé par l'ancien opposant Adam Michnik, et auquel *Le Monde* avait offert une rotative pour l'aider à voir le jour, en avril 1989.

Les habits neufs voulus par la Pologne faisaient craquer aux coutures le gouvernement Mazowiecki. Ce n'était pas une sinécure de populariser l'idée d'austérité sous les couleurs de Solidarnosc, pendant qu'à quelques centaines de kilomètres de là les « piverts » attaquaient le Mur de la honte et que les files ininterrompues de Trabant acquises pour un millier d'ostmarks le véhicule quittaient Berlin-Est sur une partition de Rostropovitch. C'était une gageure pour cette Pologne encore étatisée à 90 % d'instaurer la transition démocratique sur fond de privations et de privatisations. Le licenciement pour raison économique allait remplacer le licenciement pour motif politique. Une drôle d'heure de vérité sonnait à la pendule de l'histoire polonaise, où la compétence et la rentabilité primeraient sur la loyauté envers le pouvoir. Lorsque je quittai Varsovie, mon interprète, Yourek, me demanda tous mes dollars. « Au *Monde* tu es riche, tu peux payer », m'avait-il dit droit dans les yeux. Je n'avais pas protesté.

UNE VISION FURTIVE DE MANDELA
À PRETORIA

Les bouleversements à l'Est ne m'avaient pas éloigné de l'Afrique. C'est ainsi qu'en septembre 1991 je m'envolai pour Johannesburg avec le ministre de l'Industrie et du Commerce extérieur Dominique Strauss-Kahn. À la différence du communisme soviétique, l'apartheid n'avait pas encore dit son dernier mot. Certes, Mandela était libre et l'ANC se préparait à gouverner, mais la France maintenait encore l'embargo charbonnier sur l'Afrique du Sud décidé en 1985 par le gouvernement Fabius. Pour renouer prudemment avec Pretoria, Paris envoyait ainsi son ministre accompagné d'une importante délégation de chefs d'entreprise. Ce fut une déception pour les autorités sud-africaines, qui auraient préféré un ministre des Affaires étrangères, comme l'avaient fait d'autres pays fraîchement réconciliés. Mais la France adressait un message clair : le rapprochement se ferait d'abord sur le terrain économique.

Nous étions une poignée de journalistes à accompagner celui qu'on n'appelait pas encore DSK. Dans l'avion de l'aller, il nous avait tenu un long discours sur l'enjeu que représentait ce marché pour nos industries minières et agroalimentaires, pour le TGV, Airbus, les télécoms ou l'immobilier à travers la construction de logements sociaux. Le ministre était confiant quant à l'accueil qu'il recevrait, flanqué de ces patrons venus humer l'air de l'après-apartheid et qui déjà traçaient des plans sur la comète noire qu'incarnait Mandela.

Ce fut un immense moment d'émotion lorsque, lors d'une cérémonie officielle à Pretoria, nous vîmes soudain apparaître le leader historique de la lutte contre l'apartheid, Nelson Mandela en personne, souriant, radieux, aérien, comme flottant dans ses habits légers. C'était un homme libre depuis moins de dix-huit mois. Quelques flashes crépitèrent, vite interrompus. Mandela avait les yeux très fragiles, tant d'années d'obscurité, trop d'années de lumière violente, il ne supportait pas ces éclairs. L'ANC n'était plus interdite, il en était le président, avec pour bras droit son secrétaire général Cyril Ramaphosa, qu'on disait promis à une destinée présidentielle. C'est ce dernier que l'ambassade de France à Pretoria avait invité pour un dîner-débat le soir même, devant la délégation venue de Paris. Sous des dehors conviviaux et policés, ce fut la douche froide. Alors que le dîner avait commencé dans une atmosphère détendue autour de Dominique Strauss-Kahn et de l'ambassadrice de France, Cyril Ramaphosa se leva pour dire ces quelques mots : « Vos investissements pourraient perturber le processus en cours dans notre pays. Attendez notre signal. » Sans ambiguïté, dans cette période de transition, l'homme fort de l'ANC envoyait les investisseurs aux pelotes. L'avertissement était clair : leur présence était sympathique mais prématurée. Il faudrait que l'apartheid soit mort et bien mort avant que soit envisagée la moindre coopération économique.

Quelques heures plus tôt, devant la chambre de commerce d'Afrique du Sud, le ministre français de l'Industrie avait incité ses invités à renforcer leur position dans ce pays prometteur. Et voilà qu'on leur demandait à présent de patienter. Le malaise fut palpable. Le directeur de cabinet de DSK, assis près de moi, laissa tomber son cigarillo dans son assiette. On trouva des circonlocutions pour dire que tout cela n'était que pur jeu de rôle. N'était-ce pas Nelson Mandela en personne qui demandait à la France de maintenir son embargo hautement symbolique sur le charbon ?

Dans son intervention, Cyril Ramaphosa avait rappelé la condition des Noirs en Afrique du Sud, privés des richesses et des terres. Il parla de sa maison natale à Soweto, un modeste logement de deux pièces, de la dramatique pénurie d'habitations, de cette famille endeuillée qui ne put ensevelir son enfant dans la terre ancestrale puisqu'elle appartenait aux Blancs depuis le *land Act* de 1913. À contre-courant du libéralisme en voie de se mondialiser, il prônait la nationalisation de l'eau et de l'électricité. Le jeune leader de l'ANC voulait décarteliser les grands conglomérats miniers, l'Anglo-American, l'Anglo Val, qui contrôlaient tout de l'activité du sous-sol, de l'industrie et de la banque en Afrique du Sud. Dans ce moment crucial, l'économie était exsangue. Le pays avait souffert des sanctions technologiques et financières de la communauté internationale. La croissance était négative, le chômage à deux chiffres et l'inflation plus forte encore, presque la moitié de la population vivait au-dessous du seuil de pauvreté. Le rattrapage social en faveur des Noirs était encore une utopie. « Vous êtes le pays économiquement le plus important d'Afrique, nous sommes le pays historiquement le plus important en Afrique », avait plaidé Strauss-Kahn. Poliment écouté, il n'avait pas été entendu.

Huit ans après mon premier reportage sur ce continent (en Côte d'Ivoire), la découverte de sa partie australe était une révélation. En compagnie de Lionel Zinsou, métis malien dirigeant de BSN (futur Danone), j'avais visité Soweto, observé avec surprise ses petites maisons proprettes, sa centrale à charbon crachant ses fumées noires dans le ghetto mais réservant son électricité à la capitale. J'avais réalisé que Soweto n'était pas seulement ce brasier permanent de violence que nous montraient les images de télévision. Toutes les classes sociales noires cohabitaient, des plus modestes aux plus aisées.

Si ce reportage était fructueux, c'est qu'il corrigeait ce que j'avais appris de cette « Afrique blanche » où l'or se refusait au Noir. Les richesses du Transvaal faisaient de cette région le golfe Persique des minerais les plus recherchés. Assis sur son tas de diamants sertissant la « cheminée bleue » de Kimberley, protégé par son armure de métaux précieux, le régime de Pretoria révoltait autant qu'il fascinait. Seule nation à avoir bâti sa fortune sur sa rente minière, l'Afrique du Sud disposait, associée à l'URSS, de la quasi-totalité des réserves de matières premières dites stratégiques, tels le platine ou le chrome.

Devant ce puzzle à deux pièces, l'Occident était longtemps resté perplexe. La géographie et la géologie limitaient sérieusement sa marge de manœuvre face à un pays qui pouvait retourner en sa faveur tout boycottage sérieux et menacer de paralysie des pans entiers de l'industrie mondiale. Ségrégation raciale ou pas, l'Afrique du Sud était un partenaire incontournable. Les histoires abondaient de trafics et de maquillages en tout genre qui permettaient à Pretoria d'exporter son acier, son charbon ou son uranium, ou au contraire d'importer du pétrole en provenance du Proche-Orient, malgré l'embargo décrété par les Nations unies en 1979. Combien de supertankers s'étaient mystérieusement évaporés au large du cap de Bonne-Espérance, tandis que les Sud-Africains, démunis d'or noir, mais aidés par Israël, constituaient avec ces cargaisons perdues des stocks évalués à trois ans de consommation dans les mines d'or abandonnées du Transvaal ?

Avant même le mouvement de libéralisation observé dans le cône Sud de l'Afrique, l'Allemagne et la Grande-Bretagne s'étaient toujours montrées réticentes à l'application des représailles. Leurs entreprises participaient au financement de nouveaux projets industriels. De nombreuses firmes européennes multipliaient les missions et autres voyages d'étude dans le domaine des centrales nucléaires ou de l'informatique. Pretoria fournissait à Paris de l'uranium, des fruits, des alliages, des métaux précieux (platine, or, manganèse, fer, chrome), des crustacés et des poissons, du papier, des peaux brutes ou tannées, dont les peaux d'autruche destinées à la haute couture. La realpolitik pesait bon poids.

Seuls les États-Unis se situaient en retrait, tenus par leur opinion publique à ne pas s'engager dans l'économie sud-africaine aussi longtemps que les derniers signes de l'apartheid n'auraient pas disparu. Il en allait de la santé de certains titres boursiers ou de polices d'assurance, que les clubs d'investisseurs menaçaient de boycotter en cas de présence avérée dans le pays de l'apartheid.

Le bilan de ce premier déplacement officiel depuis 1975 d'un ministre français à Pretoria était mitigé. Sur le plan politique, M. Strauss-Kahn se félicitait d'avoir transmis aux autorités sud-africaines le message de la France (un parallélisme entre la levée des sanctions et l'avancée démocratique) et d'avoir marqué physiquement sa présence en compagnie de vingt-cinq chefs d'entreprise de haut niveau. Mais la France se présentait en Afrique du Sud l'arme au pied quand le ministre rêvait de reconquête. Et les articles des envoyés spéciaux au lendemain de la déclaration du leader de l'ANC mirent Strauss-Kahn en rage, au point qu'il ne nous adressa plus la parole jusqu'à la fin du voyage, prenant comme souffre-douleur une jeune journaliste de l'AFP, qu'il traita d'idiote et méprisa d'importance, ayant reçu par fax sa dépêche tombée la veille au soir. Il ne fut pas plus satisfait de nos papiers transmis par la même voie mais se garda de nous en faire ouvertement reproche. C'est sur notre consœur que tombèrent ses injustes foudres.

Nous avions eu notre content d'émotions. Y compris en descendant au fond d'une mine d'or à plus de 4 000 mètres sous terre. Nous avions pénétré, casqués et couverts de cirés jaunes, dans une sorte de monte-charge brinquebalant éclairé par une lampe-tempête. Un curieux filet d'eau ruisselait au plafond. Incroyable sensation de tomber comme une pierre dans les profondeurs du sous-sol. Après cette chute insensée, qui nous donna le vertige de l'apesanteur, la cabine s'était ouverte sur une obscurité totale, dans un bruit de tonnerre. Plusieurs mineurs attaquaient le front de taille, armés de marteaux-piqueurs qui semblaient ouvrir les entrailles de la veine. Et soudain, sous le halo éblouissant d'une torche, apparut le filon d'or semblable à un rayon de miel prisonnier de la roche noire.

13

DÉCEPTIONS TIERS-MONDISTES

Cela faisait maintenant près de dix ans que je me colletais avec les douleurs du Sud, guidé par mes passions africaines et ma quête de justice. J'étais devenu un jeune homme un peu moins jeune, un peu moins innocent, ne cherchant jamais l'héroïsme des théâtres de guerre, dépourvu du courage frisant l'inconscience des baroudeurs, cherchant surtout à voir le monde qui m'entourait en spectateur emporté par le hasard, bouchon flottant sur l'eau et me posant toujours plus de questions.

Lorsqu'on eut besoin de moi au Panamá, c'était pour enquêter sur une curieuse Légion d'honneur, un point rouge qui faisait tache sur l'uniforme du général Noriega, narco-trafiquant notoire, que les États-Unis essayaient de déloger à coups de fumigènes et de rock 'n' roll. Un matin, devant une église, deux hommes m'agressèrent. Machette dans le dos, le cou serré par l'un des assaillants, je fus délesté de mon appareil photo et de mes dollars. Les individus s'enfuirent et jetèrent mon portefeuille, vide à l'exception de ma carte de presse. J'en fus quitte pour une bonne frousse et poursuivis mon reportage.

« Tête d'ananas », comme on surnommait Noriega, n'était plus en odeur de sainteté à Washington. George Bush père, lorsqu'il dirigeait la CIA, l'avait souvent utilisé comme agent de renseignements sur le Nicaragua et Cuba. Mais c'en était bien fini de cette amitié compromettante, qu'une photo immortalisait pourtant dans le bureau de Noriega. Les GI's se massaient dans la zone du canal. On disait qu'un corbillard en bois blanc était arrivé à l'aéroport, envoyé par les barons du cartel de Medelín qui reprochaient à « Manuel » de manger à tous les râteliers.

C'est à Panamá que je pris conscience des ravages de la drogue. Après une nuit à Miami, capitale du blanchiment de l'argent sale, je me retrouvai devant les gratte-ciel de la ville moderne. Le pont des Amériques toisait le Pacifique. Les quartiers coloniaux trépidaient de bus multicolores et de chants d'églises aux portes grandes ouvertes. Pâques approchait. Sur la façade du Théâtre national, dans le Panamá colonial, se découpaient les moulages de Molière et de Shakespeare, de Wagner et de Rossini. J'aurais cherché en vain le vrai visage de Panamá, tant étaient nombreux les faux-semblants. Que pouvais-je attendre d'un pays où le canal n'était pas au niveau de la mer, où les meilleurs chapeaux venaient de l'Équateur, où le soleil se levait à l'ouest ?

Mieux valait se convaincre une bonne fois que Panamá épousait les formes d'un dollar grandeur nature, un dollar en forme de S paresseux qui faisait saliver deux océans et des milliers d'hommes d'affaires pêchant en eaux troubles. Voilà pourquoi cet État charnière d'Amérique centrale tirait son nom d'un dialecte indien signifiant « abondance de poissons », gros et gourmands de préférence. Le décor était splendide. De l'ambassade de France, on voyait l'océan à perte de vue. Le bleu du ciel se confondait avec le bleu de la mer, comme cousu à lui. De lourds cargos traçaient au loin les pointillés d'une ligne d'horizon.

Au service Étranger du *Monde*, on m'avait mis en contact avec Jacques Rummelhardt, l'ambassadeur de France. Mon visa était de trois jours mais le diplomate m'avait rassuré au téléphone : cette restriction concernait les journalistes américains. Sur place, je pourrais sans difficulté prolonger mon séjour, croyait-il. C'était compter sans la vision obtuse des services du général, qui ne voulurent rien entendre. Et sans la désorganisation du personnel de l'ambassade, complètement absorbé par un événement majeur, le passage à Panamá du *Jeanne-d'Arc*, le fameux navire-école sur lequel avait jadis navigué, entre autres, le président malgache Ratsiraka. En confidence, Jacques Rummelhardt m'avait appâté : « Venez, le général sera là pour la cérémonie en souvenir de nos compatriotes morts pour le canal. »

133

À l'heure prévue, j'avais fait la route jusqu'au cimetière où tant de Français reposaient.

« Jamais, dans aucun pays du monde, un si petit morceau de terre n'a gardé autant d'âmes françaises. » Le soleil tapait déjà fort, ce matin-là, quand le général Noriega commença sur une estrade acajou son discours à la mémoire des vingt mille ressortissants de l'Hexagone morts un siècle plus tôt, lors du creusement du canal de Panamá. Sur la colline du cimetière de Paraiso — le Paradis! — où reposaient les ouvriers français décimés par un moustique porteur de malaria, il régnait une atmosphère digne des romans de Graham Greene, un familier des lieux. Les dobermans de Noriega, militaires à bedaine et cou épais, se tenaient immobiles aux côtés des marins du *Jeanne-d'Arc*, retour d'Acapulco, sabre au clair ou mitrailleuse au pied.

Grand et droit dans son costume bleu, coiffé d'un panama crème à ruban noir, notre ambassadeur écoutait. « L'histoire de la construction du canal est faite de beaucoup de sang, de sueur et de larmes », poursuivait le chef des forces de défense, évoquant Ferdinand de Lesseps. Un instant plus tôt, le général n'avait pas bronché en entendant Jacques Rummelhardt évoquer « nos amis et alliés américains ». Manuel Antonio Noriega reconnaissait en la France une nation amie. À preuve, la fameuse Légion d'honneur qui égayait son uniforme, accrochée à sa poitrine en 1987, peu avant que les États-Unis accusent le général d'être impliqué dans le trafic de drogue. Celui-ci arborait avec fierté cette distinction inattendue.

J'espérais un aparté avec Noriega, juste quelques minutes. Mais ce fut impossible, il me tendit simplement la main, demandant avec contrariété si je n'étais pas, par hasard, un de ces journalistes yankees qui ne lâchaient pas ses basques. Je le détrompai en déclinant mon identité, ce qui fit naître un sourire sur son visage grêlé, mais le contact s'arrêta là, pour ma plus grande déception.

« Une Légion d'honneur! Mais en quel honneur? » s'indignait Ricardo Arias Calderon, le chef de file de la démocratie chrétienne, qui m'aida ensuite à obtenir un nouveau visa, après que j'eus fait chou blanc à l'état-major du général, au sommet d'un building moderne érigé avec l'argent de la drogue. J'étais resté coincé pendant deux heures entre deux militaires assis sur un canapé à regarder des mangas à la télévision, avant qu'ils ne m'invitent à repartir pour la France si je ne voulais pas être jeté en prison. Officiellement, la France présentait cette affaire de Légion d'honneur comme un banal échange de bons procédés. En 1986, le général Jean Saulnier, alors chef d'état-major de la présidence de la République, avait fait une halte à Panamá, au cours d'un voyage le menant de Papeete à Washington. Noriega s'était empressé de lui décerner sa plus haute décoration militaire. La machine administrative française, dans un élan de réciprocité, programma l'attribution d'une Légion d'honneur à « Manuel Antonio »...

« Il faut se demander quels sont les intérêts de la France à Panamá », me souffla Ricardo Arias Calderon dans son français parfait d'ancien étudiant de la Sorbonne. Il voyait dans l'explication officielle un bel échantillon de notre esprit cartésien, capable de trouver réponse à tout. Une certitude demeurait : depuis plus de vingt ans, les États-Unis interdisaient aux avions tricolores transportant de la matière radioactive pour Mururoa de survoler leur territoire. La France se repliait parfois sur un trajet Antilles-Mururoa de treize heures. Une durée limite qui interdisait aux appareils de se dérouter si le temps se gâtait. Le canal de Panamá, lui, offrait sécurité et rapidité. Et le pays du général fermait les yeux quand les navires transportant du matériel nucléaire français se présentaient à l'écluse de Gatún pour gravir les marches de l'eau jusqu'au Pacifique. Les bateaux étaient saufs. Mais l'honneur?

J'étais choqué par la connivence que semblait entretenir la France avec Noriega. De nombreuses banques installées à Panamá étaient spécialisées dans le lavage d'argent provenant de la vente de drogue colombienne. Les traces de la « blanche » se perdaient dans un écheveau de trafics, petits ou grands, qui faisaient depuis toujours de Panamá une capitale des services en tout genre, *pro mundi beneficio*. Fort de ces découvertes j'avais pris un petit train rouge à travers la forêt vierge, direction Colón, de l'autre côté, sur l'Atlantique. Impression inoubliable du train longeant le canal, écluse après écluse. Vision irréelle d'immenses navires semblant glisser au milieu des arbres géants, flamboyants et jacarandas, gravissant avec majesté les marches de l'eau.

Colón était d'abord une ville, jadis prospère, désormais ravagée par la délinquance et le passage des humeurs tropicales sur les immeubles décrépits. Encerclée de hauts murs, en prise directe avec le port de San Cristobal, la zone libre constituait un furoncle de richesse. Le dollar y régnait en maître. Mélangé à celui du pétrole ou du café, l'argent de la drogue se transformait en produits hi-fi, en vêtements et parfums.

C'est d'ici que partait la drogue vers les nouvelles plaques tournantes de l'Afrique, Lagos, Dakar, Cotonou. À mesure que la lutte contre le trafic s'intensifiait en Amérique centrale, le continent noir devenait une cible privilégiée. Je traversai l'Atlantique et constatai qu'en effet la drogue m'avait précédé. Ce fut ma grande enquête du début des années 1990. Une sorte de descente aux enfers dans ce continent que je croyais épargné par le fléau des narcos. Comme je me trompais. J'y trouvai aussi mes premières déceptions, moi qui croyais encore à la solidarité entre pays pauvres.

Mon équipée panaméenne m'avait mis la puce à l'oreille. Le trafic international se cherchait d'autres routes, des maillons faibles, moins bien contrôlés. De retour à Paris, j'étais entré en contact avec des policiers d'Interpol spécialisés dans la lutte contre les stupéfiants. Sous couvert de confidentialité, ils m'avaient remis des documents accablants, des rapports envoyés par leurs correspondants locaux, avec des tonnages, des provenances, des cartes portuaires, aériennes et routières montrant que l'Afrique était piquée de partout. Un aller-retour à Vienne, en Autriche, au siège de l'agence des Nations unies spécialisée dans le combat anti-narcos finit de m'ouvrir les yeux. Sur les cinquante États du continent, pas un seul n'échappait à cette catastrophe silencieuse. Après la sécheresse, la malnutrition, les épidémies, les guerres civiles, la déforestation et le sida, sur fond de dette et d'écroulement des prix des matières premières, l'Afrique « tombait » pour trafic de drogue.

L'homme qui m'affranchit était un policier français que je retrouvai à Libreville. Avec son physique à la Robert Redford et son étrange mallette qu'il ne quittait jamais, Didier Hardy semblait tout droit sorti d'un roman de William Boyd. Il passait pour un sorcier depuis qu'il avait intercepté à l'aéroport Léon-M'Ba un Nigérian en transit porteur de 11 kilos d'héroïne. En deux ans il avait formé trois mille douaniers dans vingt pays d'Afrique. Il connaissait la musique. Dans sa mallette, il cachait des échantillons de drogue sous toutes les formes possibles. Une véritable officine ambulante qui montrait l'ingéniosité des trafiquants pour écouler leur camelote, y compris maquillée en jolies savonnettes.

Très coopératif, il me raconta l'enchaînement des choses, les façades maritimes non surveillées, les salons d'honneur libres d'accès pour peu qu'on présente bien, le personnel d'aéroport toujours prêt à monnayer son silence contre un billet froissé, les chiens qui perdaient leur flair dans la moiteur tropicale, maltraités de surcroît par leurs maîtres africains. La réalité était là, implacable : l'Afrique trafiquait, consommait, blanchissait. L'argent sale s'infiltrait dans la zone franc et dans la zone dollar du Libéria, alimentait une économie maffieuse où se mélangeaient la narco-monnaie, les jetons de casino, les fuites de capitaux, les réseaux de prostitution, les pistes de l'ivoire et des armes, l'affairisme et les protections politiques.

Tant qu'on ne vivrait pas mieux sur ce continent, tant que la pauvreté et la frustration seraient le lot quotidien de la multitude, espérer mettre fin à cette dérive serait une idée d'Occidental rassasié. J'avais en mémoire ce passage des *Racines du ciel*, de Romain Gary : « Pour l'homme blanc, l'éléphant avait été pendant longtemps uniquement de l'ivoire et pour l'homme noir, il était uniquement de la viande, la plus abondante quantité de viande qu'un coup heureux de sagaie empoisonnée pût lui procurer. » Et l'Afrique avait encore faim.

J'avais établi un parcours d'enquête qui me conduisit du Gabon au Bénin, puis au Sénégal, au Mali, au Niger et enfin à Lagos au Nigeria. Lagos, la véritable plaque tournante où les policiers français, craignant pour ma sécurité, m'obligèrent à dormir à l'ambassade pour assurer ma surveillance. L'endroit était réputé dangereux, on y assassinait toutes les nuits, et en plein jour le supplice du pneu était monnaie courante. Pas le temps de dire ouf, une bouée de caoutchouc était passée au cou de la victime comme au jeu des anneaux, puis inondée d'essence. Une allumette craquait. Le malheureux flambait en quelques secondes. Une fois délivré des interminables goslos, ces embouteillages monstres que les marchands ambulants mettaient à profit pour écouler des cassettes

137

et du shampooing, je m'étais rendu sur le marché aux gris-gris. C'était un empilement de têtes de singes aux dents ébréchées, aux yeux morts, un foisonnement de caméléons, de chauves-souris, de pattes de lions et de peaux de serpents. Des témoins affirmaient y avoir vu exposées de la peau et des parties génitales humaines pour les usages rituels. On me parla de ces mains de gorilles qui servaient de cendriers dans certains cabinets médicaux américains. C'est là qu'on me mit en garde : surtout éviter la plage à la nuit tombée. C'était un des lieux les plus dangereux de Lagos. Les couteaux s'y ouvraient, des voix se taisaient pour toujours.

Un soir pourtant, accompagné d'une escorte, je m'y rendis, il fallait bien voir, tout de même. Sur le front de mer, je ne distinguai que des religieux, chérubins et séraphins, tout de blanc vêtus. Non loin de là, sur Allen Avenue, rebaptisée Cocaïne Avenue, les stupéfiants commençaient leur ronde de nuit. Sous la selle des bicyclettes, dans de confortables Mercedes, au fond de la poche de dealers. Les prix étaient de dix à vingt fois moins élevés que sur le trottoir new-yorkais.

Ce long reportage m'instruisit sur le cynisme des relations internationales. Il n'y avait de relations que d'intérêt et, comme l'avait dit de Gaulle, on comptait au concert des nations autant d'égoïsmes que de membres inscrits. À l'issue de cette enquête, j'étais en mesure d'établir un état des lieux préoccupant. L'Afrique sentait la poudre, les amphétamines, et les barbituriques importés en fraude de laboratoires occidentaux et est-européens. L'ère de la « géographie de la culpabilité » s'achevait, qui séparait le monde en deux camps, celui des producteurs au Sud, celui des consommateurs au Nord. Le transit par ce continent, à destination de l'Europe et des États-Unis, s'opérait, de source policière, dans des conditions de sûreté « quasi absolue ». Combien de doses cachait ce constat accablant ? Une tragédie silencieuse était en cours. Chaque nouveau trafic identifié déclenchait une consommation autochtone. L'Afrique était sur la même voie que le Pakistan, la Thaïlande et l'Europe, où la toxicomanie avait progressé de manière foudroyante en moins de vingt ans.

Ce fut une autre révélation de cette enquête : si l'Afrique connaissait une révolution verte, ce n'était pas dans le sens commun d'un accroissement des cultures vivrières. Au contraire, l'ivresse cannabique gagnait du terrain. Les signaux de fumée qui s'échappaient du continent noir ne relevaient pas de la magie rituelle et de l'habitude ancestrale, dans le respect d'une tradition douce et inoffensive de consommation de plantes hallucinogènes. Le cannabis prospérait sur l'effondrement de tout ce qui s'appelait richesses, café, cacao, coton, arachide, les fruits de la colonisation pourrissaient sur l'arbre des indépendances. Les seules cultures rentables étaient illicites, on les trouvait désormais en Centrafrique au milieu du riz et du sésame, au Cameroun dans les plantations de tabac et à proximité des léproseries, dans la région de Lambaréné, où survivait le souvenir du docteur Schweitzer, en Angola, au Congo, dans la forêt de Guinée.

Au moment de récapituler toutes mes trouvailles, je me remémorai la mallette du policier de Libreville Didier Hardy, le cannabis sous toutes ses formes, herbe, savonnettes, boulettes, résine. Pendant toutes ces années j'avais cru au développement de l'Afrique, à la solidarité des peuples les plus déshérités, et je mesurais combien le Sud était désuni. L'Amérique latine n'hésitait pas à enfoncer l'Afrique, comme aussi le Sud-Est asiatique.

Mais qu'avais-je compris? Ma vision n'était-elle pas soudain exagérément obscurcie? C'est sans doute pour en avoir le cœur net que, sans illusions, je me rendis au printemps 1992 à Cartagena de Indias, la ville natale de García Márquez, en Colombie, où se tenait une importante session de la Cnuced, la conférence des Nations unies pour le commerce et le développement. Le désintérêt des médias pour cette cause perdue sautait à la figure. J'éprouvai à nouveau la sensation qui m'avait gagné quelques années plus tôt lorsque j'étais entré au palais des Nations, à Genève, pour constater la fin des accords internationaux sur le cacao. C'est pourtant dans cette enceinte qu'était né l'espoir d'un monde plus juste, favorable aux pays pauvres, qui se verraient enfin accorder des prix rémunérateurs pour leurs matières premières.

Avec les années, l'espoir s'était changé en désillusion. Les termes de l'échange n'avaient cessé de se dégrader : il fallait toujours plus de café à un paysan d'Afrique ou d'Amérique du Sud pour s'acheter un tracteur importé d'Occident. Les pays du tiers-monde croulaient sous la dette, et sur ce terreau de misère prospérait la drogue. J'avais été sensible aux doctrines économiques du développement qui supposaient un réel volontarisme des nations riches. J'avais lu Samir Amin, Raúl Prebisch, José Furtado, j'avais appris leurs théories, fait un bout de chemin doctrinal avec eux, partageant leurs élans solidaires mis en slogan ou en équations, en monnaie-marchandise, en paniers de stabilisation, en stocks régulateurs, en altruisme. Je me souvenais de mes cours passionnés de droit international dans les amphis enfumés de Nanterre. Je croyais alors dur comme fer au Noei, le nouvel ordre économique international. Tout cela était devenu lettre morte, verbiage et poudre aux yeux. Seules avaient vaincu la violence et la pauvreté au Sud, l'indifférence au Nord.

Je me revois encore marchant dans Carthagène, assistant à l'enterrement sans bruit de ce qu'on appellerait bientôt « la décennie perdue pour le développement ». Cartagena de Indias comme si j'y étais. Un homme somnolait contre la tôle brûlante de sa Chevrolet cabossée. Des femmes étaient assises dans la pénombre d'un patio, on entendait à peine leurs murmures. L'eau coulait des terrasses par filets clairs. La lessive moussait sur les dalles de demeures cossues à larges balcons de bois, grand chic espagnol. Le vent transportait par bouffées chaudes l'odeur odieusement mêlée des fleurs et de l'urine. C'était un vent qui saoulait les pélicans avec des histoires à leur clouer le bec en plein vol : derrière le paseo de los Martires, au Centre des conventions, tout près du théâtre, dans cette « cité héroïque » libérée jadis par Simón Bolívar, des hommes en costume cherchaient l'esprit de Carthagène.

Vers midi, ils s'attablaient au Club des Pesca, commandaient des langoustes, laissaient tomber quelques propos désabusés sur le sous-développement, puis s'en retournaient vers les salles climatisées. Dans leurs yeux pétillait un peu du bleu des Caraïbes. Le soir venu, on les apercevait dans les rues ventées, un badge dansant sur le veston, la cravate comme une manche à air. Ils cherchaient toujours l'esprit de Carthagène, une sorte de réconciliation entre les pauvres et les riches. Inutile de presser le pas, l'affaire promettait de traîner en longueur. Alors ils se dirigeaient vers le cœur de la ville, par-delà les fortifications, vers ces brouettes où se morfondaient, énormes, des blocs de glace. Ils s'immobilisaient devant les charrettes de fruits, les ananas découpés en grosses rondelles, les mangues ouvertes, les marchands de sorbets, les beignets au caramel. Les fenêtres des maisons étaient pavoisées de fanions « Bienvenue à la Cnuced ».

La réconciliation entre le Nord et le Sud ? C'était une question trop sérieuse pour être discutée dans la rue par cette chaleur. L'espoir d'améliorer son quotidien était inscrit à la pliure des billets de tombola que vendaient ces femmes ratatinées sur leurs chaises basses. Le sort du tiers-monde serait un des enjeux majeurs du prochain siècle. Mais pourquoi les médias étaient-ils restés si loin de Carthagène, et aussi les grands de la planète ? Naguère, à la Cnuced, on voyait du beau monde, Salvador Allende, Indira Gandhi, Ernesto « Che » Guevara, qui dirigeait la délégation cubaine à Genève en 1964. Le Carthagène de mon souvenir se laisse oublier. Pour que tout se passe bien, il fallait que rien ne se passe. Un militaire désœuvré cuisait sous son casque, sa main serrait mollement une mitraillette. Carthagène armée jusqu'aux dents. Ce n'était pas si souvent qu'au pays de la drogue, des cartels de Medellín et de Cali, on accueillît une conférence internationale.

De jeunes garçons portaient, accrochées à l'épaule, des thermos de mauvais jus noir. L'arabica de qualité, le pur colombie, était réservé à l'exportation. Comme ces *esmeraldas* (émeraudes) ou ces bagues d'or fin qui partaient aux doigts des touristes une fois débitées leurs cartes de crédit sur la place de la Douane. Pierres, métaux précieux, charbon et pétrole, fruits exotiques et grains de café, sans oublier les œillets et les orchidées ni la satanée coca. Carthagène voulait rester à l'écart, en tête à tête avec le soleil et la mer, les seuls comparses qu'elle s'était choisis. On eût dit le Macondo de García Márquez. L'indépendance, c'était le début de la solitude. Sur ses quais écrasés de soleil, des bateaux de fortune déposaient leurs cargaisons de contreplaqués, de bananes tachées de brun, de voyageurs las et de parfums ensorcelés.

En Colombie se déployaient les paradoxes de la pauvreté. Le sol et le sous-sol regorgeaient de richesses. Les réserves en devises représentaient plus de dix mois d'achats à l'étranger dans ce pays où le quart de la population restait sous-alimentée, privée d'eau potable, accablée par le chômage. Malgré la guerre déclarée aux cartels, la drogue était omniprésente.

141

Je me souviens de ce reportage qui fut le dernier que je consacrai au développement. J'en garde un goût mitigé, le sucré des fruits et des petites crêpes au sirop d'érable qu'on me servait le matin, l'amer de la fausse insouciance qui masquait tant de drames humains dans une économie sous-tendue par la « farine », comme certains l'appelaient. La poudre blanche gangrenait le pays. Elle avait un avenir international. Déjà se dessinaient des routes entre la Colombie et l'Afrique pour gagner l'Europe. Il me semblait qu'aucun produit de base n'avait plus d'avenir que cette coke immaculée. Je me mis à prendre en grippe tous ces envoyés des nations partis en goguette à Carthagène, pendant que l'industrie du crime et du trafic prospérait sous leurs yeux sans qu'ils se donnent la peine de la regarder.

Jamais reportage ne m'était apparu aussi vain, réunion au sommet aussi inutile. J'étais déçu d'avoir assisté à la fin brutale d'un rêve qui m'avait bercé pendant tant d'années, la solidarité entre les peuples, la coopération Nord-Sud. Les pays du tiers-monde se livraient une bataille sans merci, la Malaisie rêvait de supplanter la Côte d'Ivoire sur le marché du cacao, le Chili s'en prenait à la Zambie sur le marché du cuivre, dans une indifférence abyssale.

Un après-midi, désertant les vaines péroraisons des délégations de la Cnuced, cessant d'attendre une énième motion qui ne venait pas car on s'écharpait sur un mot creux, j'avais filé à dix kilomètres de là, dans la mangrove. Un pêcheur m'avait emmené à travers cet immense miroir d'eau surchauffée, nous avions contourné des bouquets d'une étrange végétation, des arbres de moyenne hauteur aux branches torturées qui servaient d'abri à des espèces d'oiseaux rares et menacées, à l'image de ce que nous étions nous, les êtres humains inconscients et fiers de l'être.

Je rentrai à Paris abattu. À quoi bon ces voyages, me demandais-je, influencé par la lecture toute fraîche des *Tristes tropiques* de Lévi-Strauss et de cette affirmation qui sautait d'emblée à la gorge : « Je hais les voyages et les explorateurs. » Je savais pourtant qu'on ne pouvait réduire les pays du Sud à leurs malheurs, et l'Afrique à son sous-développement. Comment raisonnaient donc les experts de la Banque mondiale et du FMI, qui ne connaissaient que les thérapies de choc — plutôt des chocs sans thérapie — qui plongeaient les populations dans d'indicibles souffrances sans jamais prendre la peine de comprendre comment elles vivaient, ce qu'elles disaient, qui elles étaient, ce qu'elles voulaient.

Sous le titre « L'Afrique et son économie mystère », j'avais fini par écrire une analyse longtemps mûrie sur cette voie singulière du continent noir où l'on vendait les cigarettes à l'unité, où on élevait les enfants en commun dans la même cour, où le capitalisme fondé sur l'accumulation de richesses ne signifiait rien pour des peuples vivant au jour le jour et n'ayant d'autre horizon que le repas du soir. À force de lire les rapports qui, d'année en année, évaluaient le niveau de vie en Afrique, je sentais bien que quelque chose clochait dans ces colonnes de chiffres désespérantes où le revenu par habitant évalué à 1 dollar par jour travestissait la réalité. Il était partout question de recul de la production, de compression de l'épargne, de fuite des capitaux, de délabrement des infrastructures. Sans oublier les facteurs exogènes à l'économie, comme l'avancée des épidémies, le feu roulant des guérillas, et la famine, et les trafics. Autant de calamités qui auraient dû faire de l'Afrique un espace mort au monde, sans âme qui vive. Or il suffisait de s'aventurer entre Capricorne et Cancer pour recevoir au visage cette réalité d'une autre Afrique, vivante celle-là, gaie, entreprenante, où l'on disait avec humour que si la situation était toujours désespérée, elle n'était jamais grave.

De ce continent surgissaient des pépites humaines, cinéastes, musiciens, sportifs, mais aussi, surtout, ces hommes et femmes « sans feu ni lieu » qui inventaient leur survie au quotidien, échappant aux critères cartésiens du développement édifiés par l'homme blanc.

« Quelle certitude avons-nous que nos instruments à mesurer l'esprit donnent encore, dépaysés, des résultats satisfaisants ? » m'avait apostrophé Georges Balandier, l'auteur d'*Afrique ambiguë*. Ce doute valait pour l'approche économique de ce continent, où la statistique était une forme déguisée du mensonge. Vaine était la question de savoir si l'Afrique se développait, se sous-développait ou se trouvait en voie de développement. Que voulait dire un revenu par tête, sachant que les économies africaines étaient dominées par les activités dites informelles, où s'enchevêtraient transactions non monétaires, solidarités familiales et parole donnée,

143

sans trace écrite, sans droit de regard d'un État au reste mal acclimaté aux humeurs tropicales ?

Juger l'Afrique en déclin sans savoir apprécier ses vraies richesses relevait d'une ignorance ethnocentrique. Ce qu'on ne comprenait pas n'avait pas d'existence. Ce qu'on ne savait pas quantifier n'avait pas de valeur, pas de prix. Combien rapportait un geste de solidarité, le bien-être prodigué à un enfant, à un vieillard, à un handicapé, loin des hôpitaux inaccessibles ou inexistants, loin du système des maisons de retraite inimaginables dans ces sociétés du lien, où abandonner un ancien relevait du crime contre l'esprit ? L'Afrique avançait comme un train dans la nuit. On l'attendait sur le quai du développement, notion éminemment occidentale, en oubliant qu'elle n'avait jamais suivi les rails du capitalisme tempéré. L'idée d'accumulation du capital demeurait étrangère à un continent irréductible qui pratiquait depuis toujours le don et la dilapidation confinant à l'ostentation.

L'Afrique connaissait bien sûr la misère et l'instabilité, accumulait retards économiques et convulsions politiques. Mais elle vivait, et ce n'était pas là le moindre des mystères de ce continent. Le décalage entre ce que j'observais de la débrouille africaine et les certitudes froides du FMI me semblait créer malentendus et incompréhensions. Pour autant, il fallait trouver des solutions rapides et adaptées. Tout n'était que lenteur et langueur ! Ce que j'avais perdu en illusions, je l'avais gagné en capacité d'analyse pour traiter l'actualité sinistrée des pays du tiers-monde.

De retour au 304, je m'ouvris de mes impressions à Michel Boyer. Non pas que j'eusse été floué. Au moins n'avais-je pas vu tout le mal derrière le bien-fondé de ces actions qui allaient des interventions d'urgence aux politiques de développement, sous-tendues par de lénifiants discours sur l'instauration de la démocratie. Plantant de nouvelles épingles sur notre carte murale (Cotonou, Dakar, Carthagène des Indes), Boyer entendait mon pessimisme tout en le repoussant. « Transformez votre expérience en conscience ! » lançait-il, théâtral comme à son habitude, sans cesser de me vouvoyer ni de m'appeler par mon nom en entier : il trouvait les diminutifs vulgaires, et les prénoms familiers. Cabotin, il aimait citer cette phrase de Malraux : « Vivre, c'est transformer en conscience une expérience aussi large que possible », ou cette autre puisée dans *La Voie royale*, qu'il m'offrit un beau jour : « Les bordels somalis sont pleins de surprises. »

La vie au *Monde* aussi était pleine de surprises. J'étais en reportage quand la rédaction se réunit pour un séminaire à l'abbaye de Royaumont, où elle devait évoquer la succession d'André Fontaine. Un seul candidat était en lice : Daniel Vernet. Je fus associé à cette affaire dans des circonstances inattendues.

14

JOURNALISTE OU ÉCRIVAIN ?

Les absents ont toujours tort. Comment avais-je pu manquer ce rendez-vous ? Autant l'avouer, la vie interne du *Monde* me préoccupait peu. Ce que j'en avais perçu m'incitait à la distance. J'étais égoïste, individualiste. Comme la plupart des journalistes. Mon contrat avec la maison me semblait clair. Je ne refusais aucun travail. J'étais disponible pour partir à tout moment et j'assurais mes tours de permanence au sein du service économique, auquel je restais rattaché, même si mon champ d'intervention était allé en s'élargissant. Je ne briguais qu'une responsabilité, celle de bien tenir ma plume. La rédaction en chef me sollicitait de plus en plus souvent pour écrire les « enquêtes du jeudi », des textes d'une page qui débutaient en cheval de une, c'est-à-dire au milieu de la première page, sous les titres principaux de l'actualité.

Philippe Herreman, un grand ancien qui avait jadis traité des questions internationales, valorisait volontiers mes reportages. J'essayais de rendre intelligibles à un grand public mes fresques étrangères. Je revenais débordant de choses à raconter, d'images puissantes qu'il me fallait rapidement fondre dans de longs récits.

Aussi étais-je passé au travers de ce dimanche à Royaumont. *Le Monde* abordait un nouveau tournant. Peu avant mon arrivée, au bord de la faillite, il avait dû vendre le bijou de famille, le vieil immeuble de la rue des Italiens, puis faire massivement appel aux lecteurs et à leur porte-monnaie. En 1985, André Laurens avait été écarté de la direction. Sous la pression de la BNP, la banque du *Monde*, et aussi avec l'appui de Mitterrand à l'Élysée, André Fontaine lui avait succédé. Celui-ci était désormais atteint par la limite d'âge. Il fallait désigner son successeur pour janvier 1993. Daniel Vernet était le candidat naturel, désigné par le directeur en place, même si André Fontaine ne faisait guère de zèle pour le soutenir, et que l'habit de directeur ne semblait pas vraiment taillé pour ce journaliste solide mais sans charisme, disait-on.

Or il fallait de l'audace et du punch pour redresser *Le Monde*. Entre 1979 et 1989, la diffusion du journal avait reculé de quarante mille exemplaires, pour s'établir à quatre cent mille exemplaires. Les plus anciens avaient à l'esprit les difficultés des années 1981-1983, lorsque *Le Monde*, trop aligné sur la gauche de gouvernement et sur le PS, avait perdu quelque cent mille lecteurs. Il en avait regagné dans les années Fontaine, sans retrouver toutefois son audience antérieure. L'expérience d'un *Monde* en deux cahiers — le second commençant par l'économie, suivie de la culture et du sport —, avait déplu aux lecteurs et fut abandonnée : le conservatisme des lecteurs traditionnels semblait alors condamner cette politique d'éclatement de l'offre éditoriale.

Vers quelles eaux Daniel Vernet allait-il conduire *Le Monde*? Quelle serait sa stratégie de diversification, de suppléments? La maquette du journal devait-elle subir un toilettage ou une réforme en profondeur, et laquelle? Selon les témoins, Daniel Vernet avait prononcé un discours décevant. On lui reprochait de n'avoir pas présenté de programme ni de perspective engageante. Tout au plus avait-il décidé d'élargir la rédaction en chef avec Jean-Pierre Langellier, alors adjoint de Jacques Amalric à l'Étranger, Pierre Georges, alors chef des infos géné, avec Jean-Yves Lhomeau, chef adjoint du service politique... et moi ! Les articles publiés au lendemain de cette annonce indiquaient qu'à vingt-neuf ans j'incarnais, outre l'économie, la jeunesse. La nouvelle me saisit d'autant plus que Daniel Vernet ne m'en avait pas prévenu.

J'ai oublié les détails de cet épisode. Je me souviens seulement que dans cette phase-là, après le vote de la rédaction, Vernet ne rassembla pas les 60 % requis pour devenir directeur. Ce fut un après-midi puis une soirée lugubres où nous étions tous réunis à la Maison de la médecine, près des Invalides, dans une salle sans fenêtres, éclairée par des ampoules violentes qui rappelaient les poursuites de théâtre. Nous avions tous le visage grave dans cette atmosphère de psychodrame.

Jusqu'ici, je n'avais connu que de l'excitation, des personnages avenants et hauts en couleur. Cette fois nous étions gris et sombres, comme si chacun avait porté un masque morbide. Longtemps je gardai l'idée que la Maison de la médecine n'était pas le lieu où soigner un malade comme *Le Monde* et lorsque, peu après, André Fontaine convia la rédaction à une représentation du *Malade imaginaire* à la Comédie-Française, je me demandai si la séance fort douloureuse de cet « entre nous » n'était pas un mauvais rêve. La suite m'apprendrait que non, que nous savions mieux que quiconque nous déchirer, ne pas nous aimer, préférer le pire dans une attitude suicidaire.

Chaque rédacteur en chef pressenti y était allé de son mot devant un auditoire silencieux, de ce silence qui exprime l'indifférence, voire l'hostilité. Vernet m'avait conseillé de parler simplement, sans flafla. Lorsque ce fut mon tour, ébloui par ces lampes aveuglantes, je prononçai quelques mots pour me présenter et expliquer mon activité au journal. En me désignant dans son équipe, Daniel Vernet m'avait fait un cadeau empoisonné. Je n'avais guère envie de renoncer à ma vie d'aventure, et ce qu'il me proposait vaguement, m'occuper de la page Idées en liaison avec l'intelligentsia, ne correspondait guère à mes penchants du moment.

Dès le lendemain du séminaire de Dourdan, on me fit savoir, dans la rédaction, que vingt-neuf ans, c'était bien jeune pour un journaliste, arrivé de surcroît au *Monde* à peine trois ans auparavant. Et mon chef de service, par-dessus lequel je risquais de passer, l'avais-je prévenu? Bien sûr que non, puisque je n'avais pas été averti moi-même de cette soudaine et encore putative promotion. Décidément, ces affaires-là étaient bien compliquées, et lorsque Daniel Vernet fut écarté, je me sentis soulagé. Le conseil de la Société des rédacteurs se réunit aussitôt après le scrutin pour « consulter le candidat, examiner la situation et la marche à suivre ». Il n'y eut pas de second tour dans l'immédiat et on se retrouva hagards sur le trottoir, chacun rentrant chez soi sonné et dubitatif.

Sur le boulevard, cherchant ma route, je fus rejoint par Michel Boyer, qui me serra un bras d'une main ferme. Comme je grognais, il me raconta comment André Laurens avait été exécuté par quelques beaux esprits de la rédaction, quelques années plus tôt, en particulier par une journaliste à la voix métallique et aux paroles de Saint-Just, qui avait gagné après cette passe d'armes le surnom réfrigérant de « Tronçonnette ». Il évoqua aussi un épisode antérieur qui lui paraissait déjà lointain mais qui restait dans sa mémoire un traumatisme : une de ces séances collectives de flagellation dont *Le Monde* avait le secret, après l'élection de Claude Julien à la direction pour succéder à Jacques Fauvet, en 1981. La gauche du journal avait porté Julien au pouvoir contre Amalric, mais c'était une victoire à la Pyrrhus. Le nouvel élu avait, disait-on, préparé une « liste noire » de journalistes à licencier, et la rédaction, en état de choc, s'était réunie hors de Paris pour décider de la suite. L'assemblée tourna au réquisitoire contre Claude Julien, qui fut écarté, dans une ambiance de terreur, contraint de retourner au *Monde diplomatique*, qu'il dirigeait depuis 1973. Boyer se souvenait qu'une panne de courant était intervenue, plongeant la salle dans le noir, et c'est à la bougie, les ombres se déformant contre les murs, que fut scellé le sort de Julien dans une sorte de rite païen.

Son récit me glaça. Décidément, les grands-messes de cette rédaction tourmentée n'étaient guère engageantes. Je commençais à comprendre pourquoi Beuve-Méry appelait la Société des rédacteurs « le soviet ».

Le sort des directeurs du *Monde* avait de quoi effrayer. Beuve était sorti en butte à l'incompréhension de ses troupes et de son époque. Fauvet était sorti soutenu par seulement un carré de derniers fidèles. Laurens était sorti dans l'indifférence. Fontaine avait fait illusion jusqu'à la découverte des folies industrielles de l'imprimerie. Vernet devenait une cocotte en papier. À qui le tour ? Boyer me salua à la bouche du métro. Il m'encouragea à repartir en reportage. Il me glissa aussi qu'un jour je serais le patron du *Monde*, et je disparus en le prenant pour un fou.

Vernet fit une nouvelle tentative. Il représenta une autre équipe, en ticket avec Bruno Frappat. Je n'y figurais plus. Vernet ne m'avait pas prévenu quand il avait cité mon nom comme futur rédacteur en chef. Il ne me prévint pas davantage quand il décida de se passer de moi. Je trouvai le procédé inélégant et je le lui fis savoir. Je n'avais rien demandé, pourquoi me traiter ainsi ? J'étais l'idiot utile, celui qui avait fait le jeune de service dans le premier ticket, mais qu'il rejetait maintenant car trop jeune. Cela se régla sans heurt par un déjeuner où il me convia près du journal. Je passai l'éponge, il était déjà en assez grande difficulté. Après l'avoir emporté au forceps, il fut finalement désélu. Non par la rédaction mais par les actionnaires historiques dits « porteurs de parts A », parmi lesquels Étienne Descamps et Paul Delouvrier.

Passé cette humiliation, on vit ensuite éclore des candidatures nouvelles à la succession d'André Fontaine. Sollicité par la SRM, Jean Boissonnat fit un tour de piste. On cita le nom de Jean-Noël Jeanneney, indéfectible ami du journal. Et aussi de l'éditeur Claude Durand, dont le nom ferait plus tard trembler les murs, à la sortie du livre de Pierre Péan et Philippe Cohen, *La face cachée du « Monde »*. Jean-Marie Colombani se présenta avec Raymond Soubie comme numéro 2. Bernard Guetta fit acte de candidature et nous fumes peu à le soutenir : Philippe Boucher, Laurent Greilsamer et moi. « Parmi toutes les candidatures, déclarai-je, une seule me donne envie de me lever le matin, c'est celle de Guetta. » L'ancien correspondant à Moscou me sut gré de ma démarche, car il n'était guère populaire dans la rédaction, trop ambitieux pour les uns, trop brillant pour les autres, enfin toujours trop quelque chose. Il quitta le journal pour la direction de *L'Expansion* au lendemain de son échec. Je le regrettai, mais nos routes se croiseraient encore.

Dans cette campagne qui suivit l'échec de Vernet, j'eus la première occasion de rencontrer Colombani, dans un café proche du journal. Il s'était présenté sous un jour chaleureux, et je ne fus pas insensible à son charme, à sa voix douce, que démentait son œil froid. La séduction au service de l'ambition, c'était tout lui. J'appréciais ses prestations à l'émission politique de François-Henri de Virieu, « L'heure de vérité ». J'appréciais aussi ses papiers d'analyse politique qu'il veillait à publier chaque lundi ou presque à la une du *Monde*. Je connaissais son engagement personnel pour l'adoption, sa passion du cinéma. Autant de traits qui me le rendaient sympathique. Un rien me retenait pourtant de lui accorder toute ma confiance. Une gêne. Peut-être sa manière de ne jamais vous aborder en face. D'être silencieux quand j'aurais attendu qu'il parle, d'observer sans se livrer, comme s'il avait soupesé ce que je pouvais lui apporter. À l'évidence pas grand-chose, sinon une voix.

Le siège directorial échut à Jacques Lesourne, qui choisit Bruno Frappat comme directeur de la rédaction. Lesourne était un major de Polytechnique, ce qui semblait l'imposer pour résoudre nos difficultés financières. Vice-président de la Société des lecteurs, il avait été poussé par Alain Minc, alors président de cette instance née de la crise de 1985, lorsque *Le Monde* n'avait dû qu'à la générosité de ses lecteurs et aux subsides de la BNP, qui exigea la vente de son immeuble, de ne pas tomber en faillite. Dans les temps qui suivirent la prise de fonction de Lesourne, Minc commença le travail de sape et répandit son venin en ces termes : le cher professeur ne faisait pas l'affaire. Ainsi se noua l'alliance Minc-Colombani, chacun des deux hommes s'y voyant déjà, l'un comme patron de la superstructure économique, l'autre comme directeur de la publication.

Je n'assistai pas à cet exercice consommé de déstabilisation. Dès l'arrivée de Jacques Lesourne, j'avais pris la décision de quitter *Le Monde* et de solliciter une année sabbatique. Non pas par besoin de repos. Mais j'étais travaillé par un mal nouveau qui chaque jour gagnait un peu plus. Erik Arnoult, à qui j'avais adressé mon livre *Le festin de la terre*, m'avait poussé vers le roman. J'ignorais que l'ancien conseiller de Jean-Pierre Cot à la Coopération était aussi écrivain. Et, innocent que j'étais, j'étais tombé des nues lorsque, en septembre 1988, je vis son visage au milieu d'une publicité pour *L'exposition coloniale* d'un certain Erik Orsenna. C'était donc lui? Nos passions communes n'allaient cesser de s'entremêler, les matières premières — son Goncourt était une saga du caoutchouc —, l'Afrique, la littérature.

Écrire. Un journaliste pouvait-il être un écrivain? Au *Monde*, Boyer excepté, on me répondit que non. Bien sûr que non. Un rubricard des matières premières, un journaliste économique ne saurait être un écrivain; seulement, à la rigueur, un journaliste écrivant des romans de journaliste, donc très mauvais. Fort de ces encouragements, je m'étais lancé dans un début de roman,

151

quelques dizaines de pages arrachées au sommeil, aux voyages, pendant mon reportage au Panamá que la mésaventure du visa périmé avait failli compromettre, étant sommé de rester dans mon hôtel pendant quarante-huit heures en attendant que soit régularisée ma situation. Je m'étais donc mis à écrire ce qui serait mon premier roman. Au moins le croyais-je. De retour à Paris, j'adressai mes feuillets à Erik Arnoult-Orsenna. Il ne mit pas deux jours avant de se prononcer : ça n'allait pas. Vraiment pas. Il fallait tout recommencer, moins vite, beaucoup moins vite, croire à mon histoire, ne pas en dérouler trop d'un coup. « Je ne veux pas lire le journaliste, je veux lire l'écrivain ! » me lança-t-il comme un ordre, qu'il réitérerait peu après, goguenard et ferme : « Avec toi, je vais être très exigeant. »

Ces paroles me hantèrent des semaines durant. Lorsque j'écrivais mes reportages, je me demandais si je n'étais pas en train de dilapider les phrases d'un roman mort-né. J'étais décontenancé. Ce journalisme pour lequel je brûlais, était-ce de la littérature qui ne disait pas son nom ? Mais qu'allais-je entreprendre, moi qui ne brillais guère par mon imagination, sinon des romans personnels, nourris par ces interrogations sur mon identité qui me travaillaient depuis l'enfance ? Y avait-il un double fond à l'écriture, comme dans une mallette d'agent secret, le journalisme visible et, dessous, caché, le romanesque ?

Deux ans et demi plus tard, au printemps 1991, je finis par publier *Rochelle*, mon premier roman, fruit des encouragements pressants d'Erik Orsenna et des relectures de Claude Durand, qui, après pas mal de travail et de retravail sur le manuscrit, avait eu cette phrase libératoire : « Maintenant si on le touche on l'abîme »... Mais quel casse-tête, quel tumulte que ce premier livre écrit en dépit du bon sens, n'importe quand, soirs, week-ends, retour de reportages exaltés qui me laissaient sans force, l'esprit embrouillé, le fil une fois encore perdu. Je reprenais mes « Il était une fois » comme un courant discontinu, insatisfaisant.

J'aspirais à devenir grand reporter. Bruno Frappat refusa en objectant que l'économie avait besoin de moi. Quand je lui demandai une année de congé sans solde — que je devais prolonger par une autre année —, il ne s'y opposa pas. Nous eûmes à cette occasion un discours très franc sur le journalisme et la littérature, lui me poussant dans mes retranchements en me demandant ce que je souhaitais vraiment. Le savais-je moi-même ? Le besoin d'écrire me taraudait, bien que je fusse profondément imprégné de journalisme. Bruno Frappat, en me laissant « aller voir » du côté de l'écriture, se montra compréhensif, tout en doutant que je revienne un jour au *Monde*. Lui-même était traversé par instants des mêmes élans. Claude Roy l'avait incité à publier, admiratif qu'il était — comme nous tous — de sa plume. « Il écrit droit mais il pense de travers », persiflaient certains mauvais esprits du journal, toujours prompts à déglinguer le talent. En vérité, Frappat entretenait avec la langue une affinité si particulière qu'on reconnaissait entre mille son style et sa manière. Il était jusqu'au bout des ongles, qu'il n'avait pas longs, un vrai canardier, titre qu'on donnait aux drogués de l'information qui ne vibraient jamais tant que dans les minutes brûlantes du bouclage. Ces montées en température ravissaient Frappat.

Entre-temps, Erik Izraelewicz, venu de *L'Expansion* et de *La Tribune*, avait succédé à François Simon à la tête du service. Il avait donné un nouveau souffle, apporté sa manière rigolarde qui cachait sa timidité, mâchant sans cesse des morceaux de papier arrachés aux journaux qui lui tombaient sous la main. Le nouveau chef était un authentique papivore. Il organisait des séminaires de service avec un invité de marque. Le premier fut un jeune chef d'entreprise, Vincent Bolloré, que la presse spécialisée qualifiait alors de « petit prince du cash flow ». Celui qu'on surnommait « Izra » avait une grande culture financière et un goût pour l'entreprise que nous essayions de développer à travers un supplément lancé peu auparavant, *Le Monde des affaires*, sous la direction de Serge Marti et de Christine Mital.

Cette première équipe avait ensuite laissé la place à Annie Kahn et Didier Pourquery. Christine Mital, découragée par le peu d'ouverture de la rédaction au « business », était partie pour le *Nouvel Obs*. J'avais eu le plaisir de travailler pour elle. Comme elle ne sentait pas chez moi de réticence pour la micro-économie, les stratégies d'entreprise et les portraits de patron, elle me fit réaliser ma première enquête sur Bernard Tapie puis sur les magnats du cognac. Serge Marti avait pris le poste de correspondant à New York. Tout allait bien jusqu'à la lettre qu'Izra adressa au tandem Lesourne-Frappat, déplorant en termes assez nets leur manque d'ambition pour l'économie. La missive fut jugée déplacée par la nouvelle direction. Aussi un matin, à 7 h 30, lors de notre réunion habituelle, Bruno Frappat vint en personne annoncer sa décision : Izra était relevé de ses fonctions, son remplaçant serait nommé dans les meilleurs délais. Éric Le Boucher ? Michel Noble-court ? Ce fut Noblecourt, Frappat ayant jugé Le Boucher trop froid et hautain. Mais la scène avait été d'une extrême dureté. Je revois encore Izra blême, tendu, les gestes nerveux, les paroles hachées, sa colère et son émotion. J'avais souffert pour lui. L'ambiance avait soudain pris un sacré coup de froid.

Je quittai le journal au printemps de 1992. Je ne reparaîtrais que fin 1994, après avoir voté pour Jean-Marie Colombani à la direction du *Monde*. Entre-temps, j'écrivis mon deuxième roman, *Les éphémères*, et *L'homme de terre*, un essai sur l'agriculture. Avec Erik Orsenna et Christophe Guillemin je publiai *Besoin d'Afrique*, un livre manifeste contre l'afro-pessimisme qui dominait cette époque, affublant le continent de Senghor et de Mandela de tous les maux de la terre. Cette parenthèse fut cruciale : elle me permit d'y voir plus clair dans le partage des eaux entre le journalisme et la fiction. Je constatai ainsi que je ne pouvais travailler sur un roman plus d'une heure d'affilée, quand je passais de longues journées à écrire sur l'Afrique. Une demi-heure ou trois quarts d'heure suffisaient à me vider, comme si j'avais couru un marathon. Impossible de prolonger au-delà. Je prélevais les mots au fond de moi. En grattant le papier de mes romans, je grattais mes plaies, et ça faisait mal.

J'avais eu besoin de cette halte pour mesurer l'importance qu'allait revêtir la littérature dans ma vie, parce qu'elle serait pour longtemps, livre après livre, une exploration douloureuse de mes racines incertaines, un travail d'exhumation de secrets, de non-dits. Mes romans ne seraient pas autre chose, et je ne pouvais pas m'appesantir à plein temps au-dessus de ces gouffres qui me donnaient le vertige. Au bout de ces années, j'avais compris l'essentiel : j'étais un journaliste, j'étais sûrement l'écrivain de ma propre vie et de mes angoisses. Les deux pouvaient cohabiter à condition de se respecter. Le reporter vivait dans le bruit, l'écrivain dans le silence. Je n'ai plus jamais mélangé l'un et l'autre. Je repris sereinement mon métier au *Monde*, mes romans au coin de la tête, sans me presser, à leur rythme, au rythme de ma main, quand les articles fusaient désormais à la vitesse de l'ordinateur. J'avais trouvé le rythme. Il ne me quitta plus. C'est au cours de ces années de congé 1993-1994 que je rédigeai à la main une première version de *Korsakov* (paru en 2004) et de *Baisers de cinéma* (paru en 2007).

Fallait-il préférer le journalisme à la littérature ? Mes discussions avec Erik Orsenna m'aidèrent à y voir plus clair. En choisissant les matières premières, j'avais choisi sans le savoir de raconter l'inconscient du monde, sa trame essentielle mais souterraine, presque invisible. Tout objet était composé de matières premières, toute politique économique, toute diplomatie était secrètement indexée à un socle de pétrole, d'uranium ou de blé, de nickel, d'or ou de lithium. Ce travail, qui consistait à mettre dans la lumière le caché des choses, était une démarche de journaliste. Il ne laissait aucune place à l'imagination ni à l'invention. Il fallait patiemment ouvrir le livre du monde, le feuilleter, en rendre compte dans sa précision horlogère. Sentir les règles souterraines affleurant sous les dérangements de la planète, une sorte de grammaire explicative pour ne pas se fier à la paresse du hasard.

Erik m'offrait sa vision des choses aussi simplement. Le journalisme allait chercher le réel qu'on ne voyait pas. Et la plume était une clé, la meilleure pour ouvrir ces portes-là. Quant à la littérature, elle était en congé du réel. Ses soubassements, sa raison d'être ne relevaient pas des idées générales ou des systèmes philosophiques, encore moins de dossiers déjà instruits par l'actualité, le droit, l'économie ou la science à l'état pur et dur. Appartenant à l'ordre de l'hypothèse, elle reposait sur les « Il était une fois » qui n'avaient guère droit de cité dans le journalisme. Dans le chaudron de l'écrivain bouillonnaient trop d'ingrédients irréductibles à la matière. Ce partage des eaux, ou plutôt des encres, je le fis mien d'instinct.

C'est un coup de téléphone d'Edwy Plenel à mon domicile qui me « réveilla », comme on tire du sommeil un espion endormi. Nous étions à l'automne 1994. Colombani était devenu directeur du journal au début de l'année. Mon congé sans solde se poursuivait. « Où es-tu, que fais-tu ? Reviens ! » m'incita Plenel. Je retournai au *Monde* à la fin de l'année, quelques semaines avant le lancement de la nouvelle formule, en janvier 1995. Nous allions déjà quitter l'immeuble de la rue Falguière pour le quartier joyeux de Mouffetard, la rue Claude-Bernard. On y serait au printemps. Je n'avais pas suivi de près les épisodes précédents. Lesourne avait démissionné dans un climat délétère. Bruno Frappat était parti diriger *La Croix*, fatigué des batailles intestines, des complots de bons amis et des attaques *ad hominem*, lassé des migraines qu'il rapportait chaque soir chez lui quand des personnes intelligentes se transformaient en un collectif pathogène. Une nouvelle ère allait commencer sous l'égide du couple Colombani-Plenel, pour le meilleur et pour le pire.

15

LE NOUVEAU « MONDE » DE JMC

En moins de cinq ans, l'histoire s'était singulièrement accélérée. Rue Falguière, nous étions loin des Italiens, que nous avions quittés à l'automne 1990, un an à peine après la mort d'Hubert Beuve-Méry. Nous étions passés de la rive droite à la rive gauche, de la rive qui dépense à celle qui pense, disait-on, même si *Le Monde* ne pensait pas trop mal sur la rive droite, et dépensa d'importance sur le versant gauche de la Seine.

La page ne s'était pas tournée sans heurts ni tristesse. Josyane Savigneau m'avait offert une carte postale en noir et blanc qui montrait la façade de l'immeuble des Italiens côté rue Taitbout, là où se trouvaient la fenêtre de mon bureau et le planisphère indiquant la vocation du *Monde*. Une grande publicité montrait une jeune femme versant une grosse larme, avec les mots « Au revoir ». L'immeuble de notre histoire et de nos petits matins était devenu le siège du Pôle financier de l'instruction. Il faudrait imaginer Eva Joly dans le bureau de Beuve, cuisinant les grands patrons en délicatesse avec la justice... Après tout, l'esprit des lieux n'était pas trahi. Certes, nous n'étions pas des juges et encore moins des flics, mais *Le Monde* avait redoré son blason dans quelques enquêtes de haut vol — souvenir de l'affaire du *Rainbow Warrior* sortie par Edwy Plenel et Bertrand Le Gendre, qui avait redonné un coup de fouet aux ventes du journal.

Rue Falguière, notre horizon s'était allégé et modernisé, enrichi de verre et d'escalators, de moquette et d'informatique. On avait emménagé de plain-pied dans la transparence triomphante des années 1990 : immeuble tout en vitres et reflets aux structures galbées prises dans la chape aérienne d'un ancien garage du 15ᵉ arrondissement, ascenseurs aux parois diaphanes, puits de lumière, chromes et bleu électrique, vaste *open space* à tous les étages, seulement borné de plantes vertes pour assurer la libre circulation. Jamais nous n'avions eu autant d'espace, jamais nous ne fûmes si peu mobiles, hypnotisés par nos écrans, qui tenaient désormais lieu de pots de colle. La moquette, la chute des murs (c'était la mode : s'ils tombaient à Berlin et partout à l'Est, ils pouvaient bien s'escamoter chez nous), l'obligation de contrôler sa voix au téléphone, cette surveillance insidieuse des uns par les autres : le changement était rude. Passer sans transition d'un cagibi à un plateau ouvert pour quinze à vingt journalistes n'allait pas de soi. Comme certains souffrirent en silence ! Au point parfois d'exploser d'un bref coup de gueule s'ils peinaient à se concentrer. Guy Herzlich se dressa un jour, excédé, au beau milieu du service économique, pour crier son désarroi. À bout de nerfs, lui qui n'élevait jamais la voix, il réclama du silence, du silence !

Les premiers temps rue Falguière avaient été difficiles. Nous nous trouvions soudain orphelins d'un lieu familier. Où étaient nos Grands Boulevards, la librairie Del Duca, le café Gramont, la rue du Helder et la rue Taitbout qui résonnaient comme l'Ambert et l'Issoire des *Copains* de Jules Romains ? L'Opéra-Comique, les hautes façades de la BNP ou du Lyonnais ? Les brasseries où je découvrais tôt le matin des traders attablés devant un steak-frites et une bière, une fois achevée leur nuit devant leurs écrans branchés sur le marché de New York ? Déracinés, nous cherchions nos marques avec peine dans ce quartier de Falguière qui n'en était pas vraiment un, plutôt une zone excentrée entre les imposantes sculptures du musée Bourdelle et la gare Montparnasse.

Si l'extérieur nous semblait peu amène, nos affaires internes avaient tourné à la confusion. La succession d'André Fontaine avait connu un coup d'arrêt avec l'échec de Daniel Vernet. S'il savait compter, Jacques Lesourne ne fut hélas pas l'homme de la situation. *Le Monde* était un journal de journalistes, qui ne semblait tolérer que des journalistes à sa tête. Pour sa première réunion matinale de directeur, Lesourne s'était assis dans son fauteuil. Frappat avait dû discrètement le rappeler à l'ordre : cette réunion se tenait debout depuis 1944. Beuve, justifiait-on, avait fait ses armes dans la cavalerie, où les briefings se déroulaient de la sorte, sans doute par égard pour les chevaux dressés sur leurs pattes, et surtout pour que l'on ne s'éternise pas. L'étourderie du nouveau patron circula dans les étages, accompagnée de sarcasmes. Dans cette rédaction consanguine, Lesourne, quoi qu'il fît, ne pouvait être que rejeté.

Jean-Marie Colombani s'y employa avec méthode, bien que rédacteur en chef nommé par Bruno Frappat. Pour ses grandes manœuvres, il trouva l'appui inattendu de Plenel, dont on disait qu'il lui préparait ses sandwichs et ses discours. L'alliance contre nature du social-démocrate et du trotskiste se révéla très efficace. Colombani n'était pas un politique pour rien. Épaulé aussi par une société des rédacteurs à sa main, et par des syndicats acquis à sa cause, celui qu'on allait appeler JMC — initiales dont il signait ses éditos et frappait le tissu de ses chemises — conquit le pouvoir au *Monde* en mars 1994. Et c'est de ce pouvoir qu'avec Plenel il allait user pour séduire, puis pour frapper.

Au retour de mon congé sans solde, le paysage avait bien changé. Colombani, à peine élu, avait rappelé Noël-Jean Berge-roux, un ancien pilier du service politique passé à *L'Express*, pour en faire son directeur de la rédaction. Pourquoi Bergeroux? Obéissant à ses réflexes claniques, JMC estimait avoir une dette envers lui. Noël-Jean avait embauché JMC au *Monde*, en 1979. C'était lui aussi un politique, bon connaisseur des mœurs et des arcanes de la République. Il avait roulé sa bosse, acquis une expérience ailleurs qu'entre les colonnes grises du *Monde*. Autant d'atouts qui en faisaient l'homme idoine. Enfin, Bergeroux était drôle et rassurant, deux qualités précieuses pour un jeune directeur de quarante-sept ans connu pour être anxieux.

Colombani prépara aussi le retour de Philippe Labarde au poste, spécialement créé, de directeur de l'information. Déjà André Fontaine avait souhaité à maintes reprises faire revenir le « moustachu prodigue ». Labarde possédait un carnet d'adresses fourni dans le monde des affaires. C'était un tribun exceptionnel, qui vous prenait aux tripes quand il haranguait les troupes, déclenchant des tonnerres de Brest et des mille sabords. Plus d'une fois Labarde dut sauver la mise de Colombani à l'imprimerie, face aux ouvriers de la CGT. Le bonhomme en imposait par une autorité naturelle qui masquait ses failles les plus profondes : Labarde n'était pas sûr de lui et, plus il doutait, plus il donnait l'impression du contraire. Colombani inaugura de la sorte un système de fusibles qui marquerait ses années de direction : installer deux personnes qui ne s'entendaient pas dans des fonctions proches, afin de continuer à tirer les ficelles d'un pouvoir sans partage.

Était-ce florentin ou mitterrandien ou simplement de bonne politique ? Ce calcul se révéla humainement coûteux puisque derrière ce rideau de fumée — avec mésentente programmée entre Bergeroux et Labarde —, Plenel attendait son heure. Elle vint début 1995, pour le lancement de la nouvelle formule. Il s'agissait d'une véritable révolution éditoriale. Le journal s'était doté d'un chemin de fer stable (le déroulé préétabli des pages), d'une maquette digne de ce nom, d'une direction artistique imaginative et interventionniste combattant la culture du mot pour le mot afin de casser les longues colonnes grises. Une petite révolution était en marche, et les ventes seraient au rendez-vous.

De prime abord, le cockpit de cet ovni éditorial était impressionnant et périlleux. Seul Edwy eut le courage, l'ambition aussi, d'en prendre les manettes — Bergeroux, dévoré par le complexe des humbles, ne se voyait pas aux commandes d'un tel engin. Quant à Labarde, qui en avait les capacités intellectuelles, il se sentait physiquement et nerveusement trop fragile pour relever le défi. Encore Plenel dut-il compter avec Jean-François Fogel, l'éminence grise de Colombani. Fogel était un personnage haut en couleur bien que très pâle, buveur de thé insomniaque, drogué de presse, de nouveauté, de modernité, dont l'esprit tournait en continu pour trouver le journal idéal. Très cultivé, passionné de littérature, polyglotte, conseiller de journaux en Espagne et en Amérique latine, ancien de *Libération* et du *Point* doué d'une belle plume, mais avant tout homme libre de ses pensées et de ses mouvements, Fogel fut l'âme de cette réflexion, attachant et irritant à la fois, raide dans l'exécution, donnant l'impression de la suffisance pour mieux dissimuler son doute perpétuel, sa quête incessante de la perfection faite journal.

Après une période de bonne entente, Plenel et Fogel finirent par se combattre, chacun défendant sa vision de *la* formule. Fogel fourmillait d'idées, qu'il souffrait de ne pas voir appliquées comme il aurait voulu. Colombani prit ombrage de sa soif inextinguible d'indépendance, qui ne le reliait pas exclusivement au *Monde*, l'emmenant tantôt à Madrid, tantôt à New York ou à Santiago du Chili. En 2001, travaillé par Plenel, JMC écarta Fogel sans grand ménagement. Ce dernier migra dans l'univers numérique du *Monde.fr*, qu'il transforma peu ou prou en machine de guerre contre *Le Monde* papier aux côtés de Bruno Patino.

À l'automne 1994, j'avais fait connaissance avec Noël-Jean Bergeroux. Rond dehors et carré dedans, l'œil rempli de malice, c'était un homme jovial et direct, toujours de bonne humeur, arborant une éclatante chemise jaune et un de ces gilets noirs sans manches que porte le shérif dans *Chick Bill*. Puisque les chefs étaient désormais visibles dans leur bulle de verre, on pouvait observer le défilé des rédacteurs chez Bergeroux, qui régnait sur un grand plan de bataille chargé des noms de ses fantassins. Avec une patience d'ange bonhomme qui rêvait sans doute de voile et d'avions, ses deux passions, il composait ses équilibres subtils, choisissant qui migrerait de l'Économie vers la Politique, qui renforcerait l'Étranger, qui rejoindrait les reporters.

La nouvelle formule s'élaborait sans lui. De mystérieux conclaves se tenaient dans une salle fermée d'Ivry entre Philippe Labarde, Laurent Greilsamer, Michel Lefebvre, un secrétaire de rédaction (journaliste éditant la copie) transfuge de *La Tribune*, et Jean-François Fogel. Le soir, après ses brainstormings qui l'entraînaient très loin dans ses audaces réformatrices, la petite bande des quatre passait toutes ses esquisses au broyeur pour revenir le lendemain devant une page blanche, l'esprit frais, en architectes luttant contre les pesanteurs.

J'étais plein d'enthousiasme et d'énergie pour participer à cette relance frappée au coin de la créativité. On allait dépoussiérer notre vieux *Monde*. Il en avait besoin. Je n'en étais pas à prendre des initiatives ni à formuler des suggestions, mais j'attendais beaucoup de ce jeune élan. La direction avait présenté la nouvelle maquette confiée au studio graphique de Nathalie Baylaucq. Tout en élégance et en rythme, de la typo aux illustrations, cette maquette prit vie et consistance grâce à l'arrivée d'une véritable directrice artistique, Dominique Roynette, une femme de caractère qui savait en imposer pour définir l'identité visuelle du journal. Le secrétariat de rédaction, le SR, longtemps maître du *Monde*, dont il contrôlait *in fine* la copie, les emplacements et la longueur des papiers, ressortit amoindri de cette évolution.

Alors qu'il était naguère difficile, voire impossible, d'être élu directeur sans l'appui du SR, son poids politique diminua en même temps que s'imposaient à lui et à tous les règles strictes de la maquette : les longueurs standard, la relation du texte avec l'image, la force et la graisse des titres, une présentation du journal cohérente et constante d'un service à l'autre, des têtières sobres mais aussitôt repérables par l'œil, des filets gras ou maigres selon qu'ils séparaient des articles traitant ou non de sujets semblables, un usage codifié des accroches et des intertitres, une structure sur six colonnes en format berlinois, le format historique du *Monde* (42 × 54 cm). Une boîte à outils était mise à disposition avec un mode d'emploi très contraignant : clés, fenêtres et iconographies étaient prévues avec des polices et des encombrements précis et invariables.

De nouveaux modules virent le jour, comme le « Verbatim » offrant une citation de référence, le « Trois questions à... », un entretien express dont il était précisé qu'il ne devait pas être relu par la personne interviewée, ou encore le « ventre », à la une ou à l'intérieur du journal, constituant une histoire originale et inédite d'une centaine de lignes, décalé de la grande actualité. Le recours au dessin était lui aussi réglementé, la fantaisie relevant en revanche des seuls auteurs, nos trois mousquetaires, qui bien sûr se comptaient quatre : Plantu, Pancho, Pessin et Serguei.

Dans la rédaction on commença à se plaindre de la dictature de la maquette, de son manque de souplesse, de la prédominance de la forme sur le fond, de ces espaces préétablis qu'il fallait remplir au signe près à l'intérieur de cartons informatiques (à la longueur voulue, le carton passait au vert ; si on dépassait, il virait au rouge). En réalité, la nouvelle formule de 1995 apportait de la logique et de la clarté là où régnait une forme d'improvisation miraculeuse mais brouillonne, une marqueterie improbable terminée chaque fois au chausse-pied dans l'effervescence du bouclage. D'un jour sur l'autre, on ne reproduisait jamais tout à fait la même carcasse de journal, et ces variations tranchaient avec la rigueur, voire l'austérité, du *Monde* érigé sur ses colonnes grises. Situation curieuse, notre entreprise entièrement dédiée aux mots ne reposait sur aucune constitution écrite. *Le Monde* n'était pas gravé dans le marbre...

L'outil informatique permit un meilleur contrôle de la production. On gagna en rigueur formelle ce qu'on perdit en bric-à-brac surréaliste qui réunissait parfois des informations très dissemblables. Le chemin de fer, en ordonnant la place des rubriques et de la publicité, constitua un chambardement rationnel. Il consistait en des ouvertures de page pleine (International, Europe, Politique, Économie, Culture, Sport) sur un même sujet décliné en un article principal et un papier d'appui, l'ensemble scandé par un système de titraille très étudié, qui devait permettre en quelques minutes à peine de lire le journal à l'horizontale, par le biais de « chapôs » résumant l'essentiel. Ce système prenait le lecteur par la main. Il obligeait les rédacteurs et le SR à se creuser la tête pour ne pas donner l'impression de strates redondantes.

L'ensemble progressait en lisibilité et en élégance. C'était le but poursuivi. Dans la première partie du journal, consacrée à l'actualité chaude, la percée du visuel resta limitée. Notre culture du mot était trop forte pour qu'on ne réduise pas les cartes, les photos et les dessins à la portion congrue. Les rédacteurs tenaient l'image pour un bouche-trou et restaient persuadés qu'un article long valait mieux qu'une illustration. La photo se résumait à de misérables vignettes aux formats ridicules. La deuxième partie du *Monde* rénové, judicieusement nommée « Horizons » (au pluriel), accueillait en revanche des dessins et des photos de format plus significatif, de même les pages Culture et Sport.

Ainsi avait vu le jour un nouveau contrat de lecture fondé sur la clarté, la pédagogie et la précision, comme l'indiqua plus tard le premier « livre de style » établi par Laurent Greilsamer et Jean-François Fogel. « Deux principes s'imposent à tous, lisait-on dès l'introduction. *Le Monde* est didactique : les rédacteurs écartent les phrases ambiguës, les métaphores filées, les incises à répétition. *Le Monde* est précis : les rédacteurs sourcent leurs informations. Ils utilisent les mots justes, renoncent aux tournures vides et alambiquées. L'usage du conditionnel est restreint. » Suivaient un certain nombre de recommandations apparaissant comme des règles de base du journalisme : faire figurer l'information principale dès le premier paragraphe de l'article, écrire avec rigueur et distance en évitant l'usage répété du « on », adopter la forme affirmative de préférence à la forme négative, proscrire les rafales de subordonnées, renoncer au plaisir des citations latines non traduites ; *idem* pour les formules en anglais.

Tout était pensé pour faciliter la tâche du lecteur. Il s'agissait de donner à chaque article la meilleure chance d'être lu. Le pari fut gagné : l'agencement général de la maquette, son séquençage simple et aéré, la multiplication des portes d'entrée dans les pages, le grossissement des caractères spécialement dessinés pour *Le Monde*, jusqu'à la forme épurée du logo en gothique, tout cela plut aux lecteurs, de même que la création du poste de médiateur, garant du contrat de lecture entre le journal et ses fidèles. C'est à l'ancien directeur André Laurens que revint cette charge délicate entre marteau et enclume. L'avancée de la sortie du journal à 13 heures au lieu de 14 heures permit de réaliser de bien meilleures ventes à Paris dès lors que nous attrapions nos clients sur le chemin du déjeuner.

Colombani avait relevé avec succès ce premier défi : la diffusion augmenta de 6 % dès les premiers mois de cette nouvelle formule. Avec une ombre au tableau : on avait eu beau informatiser les process qui auraient dû rendre la confection du journal plus rapide, il fallut se lever encore plus tôt. Lorsque j'étais arrivé au *Monde*, en 1986, la réunion dans le bureau du directeur avait lieu à 8 heures, et le bouclage à midi, un temps précieux qui permettait de passer quelques coups de téléphone, d'obtenir des informations inédites et des réactions, d'apporter un véritable « plus » aux journaux du matin. Désormais on bouclerait à 11 heures, ce qui rétrécissait la marge de manœuvre de la rédaction en accroissant le poids de la pendule. La réunion debout fut logiquement avancée à 7 h 30. Ce n'était pas demain que les journalistes du *Monde* feraient la grasse matinée !

Nommé rédacteur en chef, gommant son passé sulfureux de trotskiste, Edwy Plenel était en pleine ascension. Cette formule explosive lui permit d'asseoir rapidement son pouvoir, même si

Bergeroux occupait encore le poste de directeur de la rédaction. Il s'effaça plus tard devant Plenel, en douceur, sans un bruit, et JMC laissa commettre ce petit meurtre entre amis. À l'origine, Colombani avait constitué une manière de « gouvernement d'ouverture » : autour de Bergeroux, outre les agitateurs d'idées Edwy Plenel et Philippe Labarde, figurait le tandem Robert Solé-Thomas Ferenczi. Déjà rédacteurs en chef dans l'équipe précédente, ils étaient chargés de piloter l'édition. L'équipe dirigeante comprenait aussi Danièle Heymann, première femme nommée à ce poste et transfuge de *L'Express*, l'opposant verne-tiste Luc Rozenzweig, et Laurent Greilsamer, qui avait été un proche de Bruno Frappat. Les tensions étaient perceptibles entre ces personnalités reliées par une longue histoire mais ne partageant guère une même vision du journal. Je me tenais loin de ce cénacle, heureux que Philippe Labarde soit revenu. Il avait rêvé de ce retour, trop peut-être, et nous aussi, ses enfants de *La Tribune*.

Hélas ce n'était plus vraiment le Labarde qu'on avait admiré. Il avait perdu de sa superbe et de ses audaces, de ses moyens aussi, même si Colombani l'avait élégamment invité à le remplacer pour une émission de « L'Heure de vérité ». Labarde était tourmenté, mal à son aise, comme intimidé de se retrouver dans ce journal qu'il avait tant aimé, tant critiqué. Il semblait n'avoir plus confiance en ses intuitions. Il ne cachait pas sa mauvaise humeur. Et ne voyait pas qu'il était devenu sans doute son propre handicap, doutant de ses qualités, de sa capacité d'être à la hauteur, de son talent. Il tenta de se retourner contre Colombani, allant même jusqu'à alerter plusieurs grands patrons de sa connaissance sur le danger que représentait JMC pour *Le Monde*.

Au bout d'une petite année, amer, il quitta le journal, et défini-tivement cette fois. J'en fus attristé. Mais l'aventure se poursuivait. Les pages « Horizons », grande nouveauté de la formule, avec de longues enquêtes largement illustrées par le dessin ou la photo, allaient marquer cette ère, et aussi une nouvelle et riche période de ma vie au journal.

Le service des grands reporters était dirigé par Pierre Georges, revenu avec son compère Jean-Yves Lhomeau de quelques années passées à *Libération*. Pierre était une figure du *Monde* au physique de Gaulois, et à la plume sergent-major assez souple pour lui permettre d'écrire chaque matin ses chroniques de dernière page, là où avant lui avait sévi Claude Sarraute, à tu et à toi avec la terre entière et interpellant son petit monde depuis ce qu'elle appelait son « placard à balais ». J'étais heureux de rejoindre cette équipe. Grand reporter ! Un journaliste pouvait-il rêver plus beau titre ? Pour moi qui avais déjà réalisé tant de reportages, c'était d'une certaine manière une forme de régularisation. J'avais pour modèles mes glorieux prédécesseurs, Jean-Claude Guillebaud et ses fameux 100 mètres de trottoir à Calcutta — l'un des articles d'une série culte de « Choses vues » en Inde —, Jean Lacouture courant le Moyen-Orient. Lacouture et Nasser. Lacouture et le rugby. Lacouture et la tauromachie.

Le groupe comptait une petite dizaine de journalistes, chacun avec son histoire, son talent, ses blessures, grand talent et grandes blessures, parfois. Je découvris rapidement que les reporters vivaient dans une insécurité qui confinait à la névrose. Ne plus dépendre d'une autorité bien définie, sinon la rédaction en chef, créait une sorte d'apesanteur. Le fil à plomb de la spécialité n'existait plus. Pas de rubrique attitrée, pas de portefeuille bien identifié avec une compétence reconnue. Dans ce journal de spécialistes, les généralistes souffraient de vertige. Ils étaient regardés avec un mélange de respect et d'envie, voire de jalousie, par le reste de la rédaction, qui les tenait pour des divas ne bougeant leur derrière que s'il y avait à la clé gloire et lumière. Les reporters n'étaient pas astreints aux mêmes horaires matinaux, ils écrivaient moins souvent, se voyaient attribuer les sujets les plus gratifiants, les gros coups de l'actualité, enquêtes au long cours, portraits de personnalités en vue, voyages lointains.

Cette situation privilégiée ne valait que par la qualité de plume prêtée aux reporters, en général des journalistes confirmés qui avaient fait leurs preuves dans des domaines spécialisés, de l'étranger à la politique, de l'économie aux infos géné. Pour eux qui œuvraient sans filet, seule les tenait la corde raide de l'improvisation. Leur valeur était indexée sur l'accueil réservé à leur dernier papier. S'il était bon, tout allait bien. S'il était moyen ou décevant, l'angoisse montait. Ils se sentaient jaugés, jugés. Au journal, le verbe consacré pour décrire ce malaise était « zou-

zouner ». Il s'appliquait aux reporters désœuvrés qui passaient plus de temps à broyer du noir et à manifester leur mal-être qu'à courir sur le terrain. Je rejoignis cette équipe attachante et disparate, où étaient réunis Agathe Logeart, Corine Lesnes, Annick Cojean, Dominique Le Guilledoux, José-Alain Fralon. Philippe Boggio était sur le départ, Daniel Schneidermann, dont le talent n'était pas encore dévoré par l'orgueil, allait commencer une belle carrière à la télévision. Plus tard nous rejoindraient Marion Van Renterghem, Michel Braudeau, Patrice Claude, et bien sûr Sylvie Kauffmann. Outre Pierre Georges, Jean-Yves Lhomeau, proche de JMC, animait notre groupe. Yves Heller, ancien reporter de guerre, traitait avec énergie la copie des grandes pages « Horizons ».

J'admirais les papiers de Le Guilledoux, qui devait obtenir le prix Albert-Londres pour ses reportages à Sarajevo. Garçon hyper-sensible, courageux, il avait rendu avec une justesse poignante la peur de la population sous les bombardements serbes. Je me souviens encore de ce texte où il décrivait le bruit des ailettes de bombes qui se rapprochaient, un bruit terrifiant que les réfugiés dans les caves percevaient comme l'annonce d'une mort certaine. Ce fracas d'ailettes était si bien rendu qu'il vous glaçait les os à sa seule évocation, on avait l'impression de l'entendre, on sentait la peur et l'impuissance des civils prisonniers de ce piège, on sentait la peur du reporter, sa solidarité, lui qui pourrait retourner bientôt vers un monde en paix. S'il m'arrivait toujours de partir à l'aventure, curieux du monde, l'odeur de la poudre me rebutait. J'admirais d'autant les confrères qui, au péril de leur vie, s'avançaient au plus près du danger.

J'entrepris une série d'enquêtes sur le sida, qui ravageait la jeunesse de nombreux pays d'Afrique. Pendant mes deux années d'absence, j'avais continué de me passionner pour ce continent. Avec Paul Bayzelon, expert au ministère de la Coopération, je dispensais un séminaire à Sciences Po sur les relations franco-africaines. Avec l'épidémie du sida ressurgissait la vision répulsive d'un ailleurs inquiétant, le fantasme d'un continent délétère où le berceau du monde se confondait avec son tombeau. Rwanda, sida. Ce terrible raccourci condamnait l'Afrique au jugement universel. Lieu de perdition d'une sous-humanité qui, par ses mœurs et ses fièvres, menaçait prétendument la race blanche. Que n'avait-on entendu, depuis l'émergence du sida, sur l'altérité africaine qui serait à la fois origine et cause !

Au cours de ce reportage de longue haleine qui m'avait mené du Gabon au Congo, du Bénin au Cameroun, un nom n'avait cessé d'enfler, qui n'avait rien à voir avec mon enquête. L'élection présidentielle qui se préparait en France laissait deviner l'éclatement du RPR entre fidèles de Jacques Chirac et partisans d'Édouard Balladur. Un homme était réputé jouer gros, rouler peut-être pour lui, à moins qu'il ne voulût manquer à Chirac afin de mieux servir Balladur. Il s'agissait de Charles Pasqua, dont la rumeur insistante, portée par force détails, prétendait qu'il « relevait les compteurs » en Afrique, ranimant des réseaux de « pompe à fric » pour obtenir des financements aussi précieux qu'occultes de la part de ses bons amis. Rentré à Paris, à peine écrits et publiés mes reportages sur les ravages du sida, je me mis à explorer les activités occultes du mystérieux M. Pasqua. J'ignorais que cette enquête me vaudrait ma première déconvenue de reporter, mon premier affrontement avec Edwy Plenel.

Pour l'heure, dans ces dernières semaines de l'année 1994, nous n'avions en tête que la nouvelle formule du journal. Prévue pour le 9 janvier, elle absorbait toute notre énergie. On avait beau avoir vu des maquettes, avoir reçu des briefings de Fogel, qui tentait d'insuffler l'esprit de ce *Monde* meilleur, comme l'appelait Colombani de préférence à un nouveau *Monde*, une certaine impatience régnait, mélange d'excitation et d'anxiété, avec des questionnements de toutes sortes : et si les papiers étaient trop courts ? et si les signatures n'étaient plus visibles avec le nouveau code typo et l'encrage moins gras ?

Quelques figures avaient disparu, prenant une retraite anticipée ou signifiant par leur décision de partir une certaine défiance vis-à-vis de la nouvelle direction. À l'Économie, Alain Vernholes avait plié bagage. Mon vieux compagnon Boyer s'était effacé sans un bruit, entrant dans un long hiver et me laissant le froid de son absence. Jacques Amalric avait rompu en douleur plus qu'en douceur pour rejoindre *Libération*. Depuis son échec dans la course au titre, Daniel Vernet occupait le poste de directeur des relations internationales, une fonction créée sur mesure pour lui et dont il devait se charger d'inventer le contenu. Après un long flottement, il redevint un pilier du service Étranger, toujours disponible pour une brève, un papier non signé comme pour un édito ou une grande analyse, quand il ne courait pas l'Europe pour y représenter *Le Monde*.

16

LA CORSE, L'AFRIQUE
ET CHARLES PASQUA

Dans les derniers jours de 1994, un ancien militant de la Cuncolta nationaliste fut assassiné en pleine rue à Bastia. Je ne connaissais rien au dossier corse quand on me demanda de partir d'urgence là-bas. J'eus tout juste le temps de me renseigner sur la situation de l'île de Beauté et je me retrouvai dans un avion pour Bastia, à la veille du jour de l'an. J'étais à mon hôtel depuis moins d'une heure quand le standard m'alerta : des membres locaux du FLNC voulaient me parler. Comment avaient-ils appris ma présence ? Je descendis, très troublé, et me retrouvai nez à nez avec des gaillards qui tenaient à me donner leur version des événements récents dans l'île. J'entendis une drôle de musique : selon eux il ne s'était pas passé grand-chose, il ne fallait surtout pas en tirer des conclusions hâtives sur l'état du mouvement nationaliste. Je me le tins pour dit, sans avoir su qui leur avait signalé qu'un journaliste du *Monde* avait été dépêché en Corse. Le lendemain matin, je louai une voiture et me rendis sur les lieux des obsèques de la victime.

La cérémonie se passait au cœur des montagnes entourant le village de Conca, près de Porto-Vecchio, dans un climat très lourd, sous un ciel bas auréolé d'une nappe de brouillard qui s'accrochait à la cime des sapins. Sur la route, je m'étais demandé avec appréhension quelle scène j'allais découvrir. Assister aux obsèques d'un inconnu assassiné me mettait mal à l'aise. J'allais tomber dans un chagrin privé; que pourrais-je écrire sur un tel événement sans passer pour un voyeur au regard forcément déplacé ? Me trottait à l'esprit une réflexion de Boyer sur les reportages à l'étranger. « Pour écrire sur un pays inconnu, il faut y rester ou trois jours ou trente ans », disait-il de son ton sentencieux. D'après lui, plus on s'immergeait et plus la complexité des choses s'imposait à nous au point de nous paralyser.

Trois jours, trente ans... je n'avais guère le choix. Il me faudrait comprendre vite, saisir la situation, la respirer, faire preuve d'intuition. C'était ma première mission à chaud depuis que j'appartenais à l'équipe des grands reporters.

Il m'apparut soudain que je n'avais plus aucune expérience, que je repartais de zéro et, quand je me présentai au milieu de la foule qui se recueillait dans une ambiance oppressante, j'ouvris grands les yeux et les oreilles, les sens à vif, comme si je voyais pour la première fois. Le spectacle allait me marquer. Je vis d'abord un petit bout de femme aux cheveux rouges, le visage livide et fier, une sorte de Môme Piaf. Justement, elle s'appelait Édith. Ce 31 décembre, et toute l'assistance sur son trente et un, femmes en noir, vieux endimanchés, elle conduisait son mari vers son ultime refuge. Accrochée au cercueil, sur le chemin du cimetière, elle ne cessait de crier : « Pourquoi ? Pourquoi ? » Était-ce l'écran végétal des hautes frondaisons, l'absence de vent, l'air immobile et froid ? Sa voix nette, forte et déchirante porta, comme sur une scène d'Opéra quand les chœurs se taisent et qu'il reste le ténor, seul dans toute sa puissance.

Je sursautai lorsque devant le caveau je vis la frêle silhouette forcer la main du curé pour qu'il ouvre le cercueil une dernière fois. Il s'exécuta. Elle se pencha, étreignit le corps inerte, le visage endormi. Cette fois le couvercle fut scellé. Les hommes entamèrent un chant funèbre, mais leurs voix mêlées ne purent couvrir les plaintes de la malheureuse. « Ces deux-là s'aimaient comme des fous. Ils n'avaient pas d'enfant et l'amour de l'un était tout entier dans l'autre », me confia plus tard le prêtre. Ivre de chagrin, seule malgré la foule, muette et si proche, elle répéta qu'elle n'était plus rien car il n'était plus là. Veuve à trente-sept ans de Franck Muzzi, un employé de banque sans haine et sans arme.

Ancien trésorier de la Cuncolta, la vitrine légale du FLNC-canal historique, Muzzi avait pris ses distances mais continuait de recevoir chez lui des membres du mouvement. Le 29 décembre, il était tombé sous les balles d'un tueur, en face de son domicile. Dans un ultime sursaut sa veuve se redressa et, se tournant vers ses proches, lança un cri où le désespoir semblait l'avoir cédé à la violence : « Je vous demande de me le venger ! » Cet ordre me glaça. La douleur l'aveuglait. Bien sûr, l'époque n'était plus vraiment aux vendettas familiales, ces lavages de sang pour l'honneur. Sur l'île de Beauté, les crimes étaient parfois politiques. Mon enquête sur place m'apprit qu'ils étaient le plus souvent crapuleux, avec des relents affairistes ou maffieux. Sous le para-pluie déchiré d'un nationalisme fratricide, on comptait peu de justiciers. Aucun des trente-neuf homicides commis cette année-là n'avait été élucidé. Je me posais cette question : la Corse avait-elle le secret du crime parfait ?

Dans un climat où alternaient violence et silence, l'impunité faisait loi. Au grand dam du comité Robert-Sozzi, dissident du nationalisme, qui accusait désormais ouvertement les coupables : « Ces meurtres sont possibles parce qu'un groupe armé s'arroge le droit, sous la protection de l'État français et de son ministre de l'Intérieur, d'éliminer les militants de la cause nationale dans la plus pure tradition du Sac. » Ces propos avaient été tenus publi-quement, sur la place Saint-Nicolas de Bastia, au matin du 30 décembre, par les responsables du comité. Parmi eux figurait Pantaléon Alessandri, quarante ans, un militant de toujours, qui rejetait l'omerta : « Je sais que je peux être tué, mais je n'ai pas peur. Maintenant, il faut parler. »

Étaient directement visés le FLNC-canal historique et la Cun-colta, qui toléraient un groupuscule de jeunes et de moins jeunes, dépourvus de formation politique mais fascinés par les armes. La cause nationaliste tombait entre les mains de bandes qui élimi-naient physiquement les militants gênants et les petits dealers menaçant et rackettant les commerçants apeurés au nom d'une idéologie dont ils ignoraient l'abc. « Ils arrivent en ville à huit, répartis dans deux autos qui se suivent, m'expliquait un témoin. Ils se ressemblent tous un peu. Les joues mal rasées, le parka large et ouvert, une dégaine à la Mad Max. » Ainsi décrits, ils rappe-laient étrangement ces nouveaux bandits que l'on voyait alors surgir au Japon, aux États-Unis, en Inde, au Libéria. Leur morale s'inspirait du modèle ninja ou Rambo dont regorgeaient les vidéoclubs. Culte du muscle et de la force, passion des armes à feu, qui était en Corse, avec la dévotion pour la Madone, une véritable religion. Si les nervis du nationalisme ignoraient la doctrine, ils lisaient assidûment la *Gazette des armes*.

Ceux qui les soutenaient à la Cuncolta évoquaient un droit de « légitime défense préventive ». Leur présence était la plaie des mouvements de libération. Elle était surtout le fruit de leur inconséquence. « Ces hommes de guerre, ce sont nos enfants », déploraient les plus lucides. Mais l'heure n'était pas au *mea culpa*. Après les assassinats qui ensanglantaient cette fin d'année, chacun cherchait des raisons. L'État français était montré du doigt. On s'interrogeait sur la stratégie de Charles Pasqua. Une certitude dérangeait : la balle qui avait tué Franck Muzzi provenait d'une arme encore jamais utilisée en Corse. Un fusil à lunette Remington 225. Le milieu règle ses comptes au P38 et les dealers étaient éliminés à la chevrotine. Les engins à vision nocturne existaient, mais ils n'avaient servi à aucun acte criminel. Alors ? Toutes ces observations ramenaient aux dissensions internes du nationalisme sur l'île.

En proie à la délinquance économique, qui dissuadait bien des investisseurs, la Corse vivait des subsides du gouvernement et de la commission de Bruxelles. On gonflait des troupeaux de bovins, quand on ne les inventait pas tout à fait, en vue de rafler les primes européennes à la vache allaitante ; des marchés de travaux publics étaient attribués sans appel d'offres, et l'île s'étiolait dans une empoisonnante consanguinité. Les malfrats s'en donnaient à cœur joie, qui coupaient ici les doigts d'une personne âgée pour lui voler sa bague, qui braquaient là un boucher pour 50 francs. Un employé des postes bastiais, installé devant sa télévision, venait de recevoir une balle dans la joue, tirée par un agresseur parvenu jusqu'à son salon. « Nous perdons nos valeurs, se lamentait un habitué du vieux port, et la police n'agit pas. »

Les villages mouraient, le maquis était abandonné aux chèvres et aux sangliers, les familles se dispersaient, les entreprises vivotaient, la drogue circulait. Une conduite d'échec semblait triompher. Des logiques de prédation, de sous-développement, d'implosion, voire d'autodestruction, des haines et des jalousies ressortaient. Sauf quand la Corse enterrait l'un des siens. Au cimetière de Conca, l'air vibrait de toutes les poignées de main et accolades silencieuses. Comme si la mort était ici un ciment plus fort que la vie. J'étais revenu bouleversé par ce drame, par la détresse de cette jeune veuve, par l'absurdité de cette violence. Mon reportage était paru à la une sous le titre « Les nouveaux bandits corses », dans l'édition du 3 janvier 1995, une édition particulière, qui portait à son oreille (le coin droit de la page) un cabochon rouge indiquant –1. Le lendemain, ce serait la nouvelle formule tant attendue.

Mon séjour corse n'avait fait qu'attiser ma curiosité pour Charles Pasqua et ses fameux réseaux africains. Que cherchait l'ancien patron des services d'ordre gaullistes blanchi sous le harnais de la politique, ministre de l'Intérieur du gouvernement Balladur, homme fort des Hauts-de-Seine rêvant d'une diplomatie toute personnelle qui aurait contrecarré en Afrique l'influence des États-Unis? Dans cette période, j'avais noué des liens amicaux avec Pierre Péan. Nous avions comme éditeur Claude Durand, le patron de Fayard, et des centres d'intérêt communs sur les « affaires africaines ». Nous avions eu de nombreuses occasions d'évoquer ces sujets. C'est naturellement qu'il se proposa de m'aider pour mener une enquête fouillée sur le terrain et auprès des interlocuteurs privilégiés de la Françafrique mêlés aux actions de Charles Pasqua.

L'enquête fut longue et compliquée. Pour la première fois de ma vie, il me sembla que j'étais surveillé, qu'on suivait mes faits et gestes, par exemple à Libreville, où une voiture ne cessa de me filer le train rendez-vous après rendez-vous, comme dans les bons vieux films d'espionnage. Cela m'amusa d'abord un peu. Cela m'amusa moins lorsque à mon retour un certain Hervé Gattegno, spécialiste de l'investigation, la morgue enveloppée dans la fumée de son gros cigare — par mimétisme avec Plenel —, me détailla par le menu qui j'avais vu au Gabon, pour mieux déconsidérer mon travail et me faire comprendre qu'il fallait laisser ce genre d'enquête aux vrais professionnels, dont il était tout à la fois le phénix et le paon.

Passant outre ses leçons, j'avais redoublé d'ardeur. Pas mal de portes s'étaient ouvertes grâce à Péan. Omar Bongo m'avait reçu, et aussi son ancien ministre des Finances devenu très critique,

Jean-Pierre Loumoumba. L'éminence grise du groupe Elf, André Tarallo, m'avait aussi accordé un long entretien, dans lequel il noya le poisson de sa voix douce et sous couvert de son regard bleu lagune, tout en me suggérant quelques pistes que j'explorai une fois en Afrique. À mesure que j'avançais, un écheveau se constituait, dont Charles Pasqua était le maître d'œuvre dissimulé sous de nombreux leurres. Il s'agissait donc de le démasquer.

Quelle était la fin, quels étaient les moyens ? Le ministre de Balladur poursuivait plusieurs chimères qui pouvaient se résumer à une soif d'influence davantage qu'à un appétit de pouvoir ou d'enrichissement personnel. Sans doute Charles Pasqua songea-t-il un temps à se présenter à l'élection présidentielle de 1995, lorsqu'il décida de ne plus croire aux chances de Jacques Chirac. Mais il abandonna cette ambition passagère pour la mettre durablement au service d'Édouard Balladur, qu'il devait servir, comme Nicolas Sarkozy, avec un zèle inébranlable. Or une élection de cette envergure supposait des moyens financiers importants, d'autant plus urgents à réunir que l'appareil gaulliste du RPR demeurait entre les mains de Chirac. Si bien que les réseaux africains furent rapidement réveillés afin de servir le nouveau champion de Pasqua. Cargaisons pétrolières, machines à sous et paris mutuels, arrangements électoraux pour être « agréable » à Omar Bongo et lui assurer son maintien au pouvoir, ventes d'armes et formations paramilitaires, tout semblait bon pour obtenir un « retour sur investissement » en provenance de l'Afrique francophone et pétrolière. Gabon et Cameroun pour l'essentiel, et aussi enclave angolaise du Cabinda, grâce à des réseaux corses, dont le ministre d'État savait user à merveille, comme de ses accointances avec le groupe Elf et son patron d'alors, Loïc Le Floch-Prigent.

À ces visées présidentielles s'ajoutait chez Pasqua une réelle ambition géopolitique : devenir le Fouché ou le Foccart de l'Afrique, établir des liens d'intérêt solides pour que le « village africain » reste tourné vers la France comme le tournesol vers le soleil. Sans jamais l'avouer, Pasqua cédait à la tentation de renouer avec une vision gaullienne du jeu africain. Il n'avait pas oublié la grande aventure de Jacques Foccart au Nigeria, dans les années 1960, lorsque la France organisait des ponts aériens depuis le Gabon et la Côte d'Ivoire pour défendre les Ibos du Biafra. Des coucous bourrés d'armes, un pied de nez aux anglophones d'Afrique. De Gaulle avait couvert les agissements de son conseiller spécial, et posé ainsi les jalons de ses réseaux de l'ombre entre Capricorne et Cancer.

Si Edwy n'était pas encore le patron de la rédaction, il avait déjà pris de l'ascendant pour tous les sujets sensibles. En menant cette enquête délicate, j'avais le sentiment de répondre aux aspirations du « Moustachu », comme il était surnommé : publier des informations exclusives susceptibles d'éclairer des aspects méconnus de la vie publique, « penser contre nous-mêmes », ainsi qu'il devait souvent le répéter en invoquant Charles Péguy, faire de l'investigation un fer de lance, jeter une lumière crue, voire cruelle, sur l'exercice de tous les pouvoirs, dès lors que nos affirmations étaient solidement étayées. Au bout du compte, j'écrivis en février l'équivalent de deux pleines pages consacrées à l'activisme africain de Pasqua. Mes conclusions étaient clairement exprimées, témoignages à l'appui, mais avec le maximum de prudence sur les points qui, de toute façon, ne feraient jamais l'objet de preuves dûment produites, comme des bordereaux de vente de cargaisons pétrolières pour le bénéfice de ses amis politiques.

Il apparaissait nettement que le ministre d'État avait favorisé l'activité des frères Felicciagi — surnommés les frères de la Côte — dans le secteur lucratif des machines à sous, des casinos ou des courses de chevaux. Que Pasqua avait su détourner au profit de son clan quelques revenus pétroliers indus avec la complicité d'André Tarallo et de quelques appuis dans la sphère des hydrocarbures. Qu'il avait envoyé des hommes du ministère de l'Intérieur trafiquer la réélection d'Omar Bongo en 1993. Que le conseil général des Hauts-de-Seine, par la société Sem 92, avait traité des opérations exclusives avec un entrepreneur libanais proche de Bongo, à des tarifs inappropriés.

J'affirmais aussi que l'ancien brigadier Daniel Léandri, âme damnée de Pasqua, autrement appelé « le berger », émargeait directement sur la liste des emplois fictifs d'Elf, ce qui en disait long sur les connivences pétrolières du ministre. J'apportais enfin quelques éléments éclairants sur la diplomatie parallèle de Charles Pasqua, ses courts-circuitages du quai d'Orsay, ses liens personnels avec plusieurs chefs d'État africains et leur entourage, Sassou-

Nguesso au Congo, Paul Biya au Cameroun, Dos Santos en Angola, et bien sûr Omar Bongo.

Naïvement, j'imaginais que Plenel sauterait sur mes papiers et les publierait sans traîner une fois faites les indispensables vérifications. Jean-Yves Lhomeau dirigeait désormais l'équipe des reporters. Il fut le premier lecteur de mon enquête et la transmit sans délai à Edwy. Le silence s'installa. Une semaine, puis deux. Un mois, puis deux. À cette époque, je n'avais pas accès à lui directement. Les liens hiérarchiques étaient clairs et je les respectais : mon référent était mon chef de service, à savoir Lhomeau. C'est auprès de lui que je me renseignais sur le sort de mon enquête. Je l'avais déposée dans une corbeille lisible sur notre système informatique interne, si bien que tout un chacun entrant dans le « frigo » des reporters pouvait prendre connaissance de mon travail en souffrance. Quelques confrères s'étonnaient qu'elle ne soit pas déjà publiée. Pierre Péan était convaincu que mon article ne paraîtrait jamais. Je ne voulais pas le croire. Je pris mon mal en patience, je savais Plenel surchargé de travail, il finirait bien par réagir, et puis, après tout, le risque d'être grillé par la concurrence était faible, voire nul, vu l'avance que j'avais prise sur le sujet. Mais je n'avais pas été habitué à pareil traitement. Il y avait longtemps que l'angoisse de savoir quand sortiraient mes articles m'avait quitté. Je l'avais bien sûr connue à mes débuts comme pigiste, rongeant mon frein quand un de mes papiers tardait à passer, au risque d'être chassé par une actualité jugée plus importante.

À la mi-février, une information me rendit espoir : Charles Pasqua ferait bientôt une visite officielle en Afrique, avec des étapes en Mauritanie, au Sénégal, en Côte d'Ivoire, au Gabon et au Cameroun. Cette fois le doute n'était plus possible : mon enquête tomberait à pic pour éclairer ce déplacement d'une lumière décapante. Ce fut tout le contraire, et ma déception fut immense. Pour la première fois depuis mon entrée au *Monde*, j'étais en désaccord avec une méthode qui consistait à ignorer mon travail, sans doute parce que je n'étais pas étiqueté journaliste d'investigation. Au moins avais-je enquêté sur le terrain et pris quelques risques, plus importants que celui d'entrer dans le cabinet d'un avocat pour se faire remettre des procès-verbaux et les recopier dans un article.

Je fus à deux doigts de partir. Ah, ils voulaient de l'investigation ! Mon enquête sur Pasqua, c'était quoi, à leurs yeux ? Je ne décolérais pas et me montrai plus pressant auprès de Lhomeau qui, sentant mon dépit, m'invita à voir directement Plenel. Ce que je fis. Plus aimablement que Gattegno, mais tout aussi fermé, Edwy relut avec moi les passages qui lui semblaient faibles ou litigieux, trop affirmatifs au regard des preuves que j'apportais. Plus nous avancions dans mon enquête, plus je sentais ses réticences. Qu'allait-il rester de ce travail s'il le vidait à ce point de sa substance ? Agacé, pressé par mon insistance, il finit par jeter : « Va voir Léandri. Il a voulu me "tuer". Il n'a pas réussi. Maintenant il me respecte. C'est l'homme de confiance de Pasqua depuis vingt-cinq ans. Si quelqu'un voulait assassiner Pasqua, il faudrait d'abord qu'il passe sur le corps de Léandri. »

Je saisis au vol la suggestion d'Edwy bien qu'elle me parût baroque. Allais-je me jeter dans la gueule du loup, donner à Léandri les fruits de mon enquête pour le laisser choisir ceux qui lui sembleraient assez mûrs pour parution ? Je n'aurais pas à me donner cette peine. Quand il me reçut place Beauvau, Daniel Léandri savait déjà tout. Aux questions qu'il me posa d'emblée, tantôt sur le mode de l'indignation, puis sur le mode de la menace voilée, et enfin sur un ton de connivence, prononçant mon patronyme (« Vous êtes un homme du Sud comme moi... »), je compris aussitôt : si mes articles n'avaient pas paru, il en avait eu copie. Tout au moins savait-il ce qu'ils contenaient. Ce fut si évident que j'en fus bouleversé. De retour au journal, je m'en ouvris à Lhomeau, qui m'opposa un démenti catégorique. Mais qu'en savait-il ? Mes articles étaient accessibles à tout un chacun dans notre fameux système Coyote. Rien n'empêchait quiconque d'en imprimer une version et de la transmettre à Léandri.

Les deux heures que je passai dans le bureau de l'ancien brigadier me laissèrent un goût détestable. Il nia tout, parfois même avant que je l'interroge, confortant mes soupçons qu'il savait ce que je savais. L'Afrique ? Il n'y était pas allé depuis dix-huit mois, disait-il. Faux. Salarié d'Elf, lui ? « Voyons, monsieur Fottorino ! » Je dus supprimer cette mention dans mon article. Deux ans plus tard, il fut l'un des premiers emplois fictifs, avec celui de son fils Marc, découverts dans le groupe pétrolier. Et j'avais dû barrer son nom ! Si j'avais été journaliste d'investigation, peut-être aurais-je pu le laisser. Et quand j'avançai devant Léandri que Pasqua pouvait tremper dans des affaires de jeu, il me coupa net : « Vous imaginez le ministre d'État — et il en avait plein la bouche, de son ministre d'État — se livrer à pareilles activités ? »

Il me fallut en rabattre pour parvenir à publier mon enquête. Colombani se garda bien de s'en mêler. Pasqua, c'était le pré carré de Plenel. N'était-il pas le chef de la Police, le pourvoyeur de scoops fumants ? Je n'avais pas mesuré combien, par mon enquête, j'avais dérangé un ordre des choses bien compris entre les enquêteurs spécialisés du *Monde* et le ministre de l'Intérieur. Des années plus tard, c'est Philippe Broussard, parti à *L'Express*, qui m'éclaira : Léandri avait été d'une aide précieuse pour *Le Monde*. Le mettre en difficulté avec son patron Pasqua n'était guère opportun. Je l'avais senti passer. L'investigation, oui, mais les investigateurs avaient leurs sources, qu'ils pouvaient être enclins à ménager. Mon enquête parut finalement sous la forme de deux articles, les 3 et 4 mars 1995, sous le titre anodin « Pasqua l'Africain », là où j'avais moi-même titré sur les réseaux africains de Charles Pasqua.

L'attaque de l'enquête avait été édulcorée, Plenel me forçant à utiliser de nombreux conditionnels, un temps que bannissait le « Livre de style ». Il fallait bien des exceptions. Je voulais tant que ce travail voie le jour que je m'inclinai en retirant les accusations les plus lourdes, ou en les atténuant pour les rendre inoffensives, d'aimables on-dit qui donnaient à Pasqua le rôle d'un parrain malgré lui, une enseigne dont se recommandaient les pires individus sans qu'il soit forcément au courant. Je voulus oublier vite cet épisode. Je m'étais approché trop près d'un univers qui, à l'évidence, n'était pas pour moi. Chacun à sa manière, Gattegno et Plenel, me l'avait signifié. Péan me réconforta. Il estimait que malgré les coupes et les inflexions — on ne parla pas de censure — beaucoup d'informations étaient passées sur les agissements de Pasqua, et c'était l'essentiel. Sans doute avait-il raison, mais j'avais une sensation d'irrespect et de violence voilée qui mit du temps à s'effacer.

Voici ce que devint la « première colonne » de cette enquête, suite aux incitations de Plenel, qui m'avait poussé à relativiser d'emblée les accusations portées contre Pasqua :

Charles Pasqua est à la mode en Afrique. Parce qu'on ne prête qu'aux riches, son nom est associé aux manœuvres les plus inattendues et même les plus folles. Certains croient voir la main du ministre de l'Intérieur français derrière les établissements ouest-africains de machines à sous, de jeu et autres paris mutuels. D'autres prétendent qu'il recevrait des cargaisons de pétrole en contrepartie de bons services rendus aux chefs d'État du golfe de Guinée, depuis le Cameroun jusqu'en Angola. « M. Pasqua est furieux après les Algériens car ils n'ont pas encore vendu les quantités de pétrole promises », observe un diplomate français, incapable cependant d'avancer la moindre trace de ces transactions. Autant de menées qui auraient pour but d'asseoir une diplomatie parallèle, comme le fit naguère Jacques Foccart auprès du général de Gaulle. Sous couvert d'anonymat, on affirme encore que la réélection du président gabonais Omar Bongo en décembre 1993 fut facilitée par le soutien actif d'hommes se disant proches de Charles Pasqua.

Parfaitement informé sur les interrogations concernant les activités africaines de M. Pasqua, Daniel Léandri n'en finit pas de démentir. « Désinformation, mensonge, affabulation », ces mots reviennent sans cesse dans sa bouche. « Charles Pasqua n'est jamais intervenu dans les jeux en Afrique. Les casinos sont le dernier de ses soucis. Au ministère, il refuse tout lien avec les milieux d'affaires. » À propos d'éventuels intérêts du ministre dans le pétrole, la réponse est cinglante : « Vous imaginez M. Pasqua prendre de l'argent dans des pays qui n'ont pas les moyens de payer leurs fonctionnaires ? D'autres le font, pas nous ! »

Contrairement à ce que lui prête le bouche-à-oreille dans le Tout-Paris africain, M. Léandri affirme n'avoir jamais travaillé pour Elf, ni occupé des bureaux à l'ancien siège de la compagnie pétrolière rue Nélaton.

J'avais ainsi dû pour commencer donner la parole à Daniel Léandri, de manière à atténuer voire à démentir d'emblée les résultats de ma propre enquête. Le ministre d'État se garda bien d'attaquer *Le Monde* et, cet épisode clos, la relation des enquêteurs du journal avec Pasqua continua de prospérer. Pour ma part, je ne cherchais guère à passer pour ce que je n'étais pas. L'investigation n'était pas ma spécialité. Pour autant, j'aurais préféré qu'on m'explique quels intérêts supérieurs du journal j'avais dérangés en enquêtant sur Pasqua.

C'est seulement huit ans plus tard, dans un contexte bien différent, et apaisé avec Edwy, que cette affaire revint comme un boomerang dans *La face cachée du « Monde »*. Un pressentiment me gagna : je ne retournerais plus jamais en Afrique pour *Le Monde*, de même qu'on ne me solliciterait plus pour aller en Corse après mon reportage à Bastia et mes attaques contre Pasqua et ses honorables correspondants sur le continent noir. Une association pour l'honneur du peuple corse me poursuivit en justice pour ces deux enquêtes. Elle fut déboutée, non sans que des coups de téléphone d'intimidation me soient passés par des inconnus qui demandaient, menaçants, si j'habitais bien à telle adresse, énonçant distinctement le nom et le numéro de ma rue.

17

PORTRAITS ET RENCONTRES

Dans ces premières années de la nouvelle formule, je fus mis à toutes les sauces. Cet emploi de « saute-dessus » me plaisait bien. Edwy Plenel défendait une thèse inhabituelle dans un journal dit de référence, dont la réputation reposait sur le savoir-faire pointu des rédacteurs spécialisés. D'après ce canardier, qui n'avait pas son pareil pour obtenir les papiers qu'il souhaitait, quitte à pressurer jusqu'à la corde les chefs de service, un journaliste était d'abord un généraliste. Espérait-il ainsi casser les vieilles baronnies du *Monde*, bousculer le magistère des rubricards et leurs habitudes ? Seule l'investigation était aux yeux d'Edwy un « domaine réservé », comme je l'avais appris à mes dépens. Pour le reste, il n'hésitait pas à confier aux reporters des sujets dont ils ignoraient tout, comptant sur la fraîcheur de leur regard pour renouveler les angles d'attaque. Cette approche me convenait : elle me permit de passer d'une enquête à une autre sans autre compétence que ma curiosité alliée aux hasards de l'actualité. Le journalisme devint pour moi cet enchaînement idéal : rencontrer, raconter, et recommencer.

C'est ainsi qu'à travers plusieurs portraits demandés par la rédaction en chef, les derniers jours de François Mitterrand à l'Élysée, les confessions du vieux communiste Charles Lederman ou celles d'une mère et de sa fille chômeuses à Lisieux, je continuai d'apprendre mon métier.

Ce fut un portrait particulier de Mitterrand ou plutôt le récit d'une fin de saison à l'Élysée, à la toute extrémité de son mandat, quand ses principaux collaborateurs, Hubert Védrine et Michel Charasse en tête, préparaient leurs cartons et nourrissaient l'espoir de laisser la place à un successeur socialiste. À mon grand regret, il fut impossible de rencontrer le président. Son état de santé s'était trop dégradé ; il devenait vain d'espérer un entretien, même court. Mais jamais absent ne fut plus présent que pendant les quelques après-midi où je hantai le palais.

À peine arrivé, j'avais dû essuyer quelques critiques sur *Le Monde*, en particulier sur nos articles médicaux, jugés infâmes, à propos de la santé du président. J'avais laissé passer l'orage et le climat s'était détendu. « Il faudra être très nuancé dans l'écriture », m'avait averti Colombani. Le nonce Védrine m'avait initié aux arcanes de la maison. Évoquant François Mitterrand, Anne Lauvergeon voulait le voir en Cincinnatus qui reviendrait à son sillon une fois le pouvoir évanoui. Le conseiller diplomatique Jean Lévy parlait d'une fin à la Visconti. Un sage de l'Antiquité, disait Védrine, « sans romantisme ni méli-mélo ». Tous s'employaient à témoigner de l'immense courage physique de Mitterrand, attaqué par la maladie mais jamais dominé par elle, malgré ces journées où, ployé sous la douleur, il restait dans ses appartements privés, communiquant seulement par téléphone avec ses fidèles.

C'était une fin de saison à l'Élysée, sans états d'âme ni mélancolie. La coïncidence de la fin d'un règne avec la fin d'un homme. Mitterrand menait cet « honorable combat » contre lui-même, d'où il tirait une énergie surhumaine. Il avait dû renoncer à nombre de ses plaisirs, aux longues promenades sur les quais, aux survols gourmands de la France campagnarde en hélicoptère, à tous ses élans de liberté sauvage qui lui conféraient ce don, faussement dilettante, de n'être jamais où on l'attendait. Mais il s'était rendu à l'exposition sur Carthage du Petit Palais, au Salon de printemps du quai Branly, à l'exposition Zoran Music. Et puis il voulait à sa manière témoigner par l'écriture. Pas sur toute sa vie, pas sur son long passage au pouvoir : d'autres s'en étaient chargés, avec ou contre son gré. Pierre Péan avec *Une jeunesse française* et la photo le montrant, jeune fonctionnaire de Vichy, en compagnie de Pétain; Jacques Attali à travers ses *Verbatim I* et *II*.

À l'Élysée, les cartons s'amoncelaient dans les bureaux. Dehors, on entendait le piétinement des gardes républicains, le ballet feutré des autos sur le gravier de la cour. Anne Lauvergeon avait sa place dans le privé mais elle ne voulait pas penser à l'après, comme tous ceux qui rejoindraient leurs corps d'origine, le conseil d'État, la préfectorale. Quelques jours plus tôt, au tout début de mai, le président avait soudain décidé d'aller saluer la mémoire d'un jeune Marocain assassiné l'année précédente à Paris, sur les quais, par des proches du FN. Il avait jeté à la Seine une poignée de muguet. Pour la première fois à l'Élysée, les choses allaient se passer normalement. La continuité de l'État serait assurée, quelle que soit la couleur politique du successeur. L'état d'esprit était d'agir « à l'américaine », lorsque les équipes du sortant travaillaient avec le nouvel élu.

Cette situation aussi était inédite pour les collaborateurs de Mitterrand. Avant eux, jamais les hommes du président n'avaient pu se préparer à la cérémonie des adieux. De Gaulle était parti en silence un jour de fâcherie avec les Français, en avril 1969. La maladie qui emporta brutalement Georges Pompidou prit son entourage au dépourvu. Deux fois Alain Poher assura l'intérim dans une maison vide. Et en 1981 Giscard était si sûr de sa réélection que son équipe déserta les lieux dans une ambiance empoisonnée, peu propice au passage de relais. Les socialistes n'avaient trouvé aucun dossier à se mettre sous la dent. Ils avaient à cœur d'accueillir dignement le successeur de Mitterrand. Ce fut Chirac.

LA LEÇON D'HISTOIRE
DE CHARLES LEDERMAN

Charles Lederman, je le rencontrai presque au soir de sa vie, à l'automne 1995, dans son appartement de l'île Saint-Louis, témoin de tant de combats. Il venait d'être évincé du groupe communiste du Sénat et pour lui c'était le début de sa fin. Sa main tremblait un peu, il s'était incliné en silence, fidèle lignard du PC. Avec ce vieil avocat, je m'étais soudain trouvé en présence de l'Histoire. Je l'aurais écouté des heures tant le fil de ses mots s'enroulait à toutes les convulsions du XXe siècle. Le communisme resta sa ligne de conduite et sa ligne de vie, même si la ligne l'avait souvent meurtri. À la Haute Assemblée composée de gens bien élevés et d'âge mûr, Lederman s'était parfois entendu interrompre aux cris de « À Moscou ! ». Alors, le petit homme rond, la voix haute et le verbe net, invitait ses détracteurs à comparer, vie contre vie, lequel d'entre eux avait le plus servi les libertés.

Né en 1913 dans le ghetto de Varsovie, il s'était retrouvé, enfant, à Paris, faubourg du Temple, avec son père qui avait fui le service militaire dans l'armée du tsar, et sa mère illettrée. La cour où il avait grandi grouillait d'ouvriers et d'artisans : un batteur d'or, un mécanicien, un chapelier, un tanneur. À l'âge de treize ans, le garçon s'engagea aux Jeunesses communistes. Il portait la chemise soviétique, la casquette étoilée. Il croyait à Lénine, rêvait des exploits de l'Armée rouge, du croiseur *Aurore*. Il serait aussi lauréat du concours général en thème latin. Bien des images avaient déjà modelé son esprit : la manifestation monstre de la place de la République après l'exécution de Sacco et de Vanzetti, en 1927, et la charge de la police à cheval ; les émeutes du 6 février 1934. Pendant la guerre, où, fait prisonnier à Dunkerque, il s'était échappé du stalag de Dortmund puis avait collaboré avec le secteur juif de la MOI (main-d'œuvre immigrée), il avait appris un jour de 1943 l'arrestation du réseau de résistants Manouchian.

Le Parti communiste avait-il livré ces hommes sous prétexte qu'ils étaient immigrés et juifs ? Lederman ne pouvait le croire. Pendant la guerre froide, il avait approuvé le procès dit des blouses blanches sous Staline. L'avocat Lederman ne voulait pas voir la charge antisémite sous l'accusation de trahison portée contre les médecins du Petit Père des peuples. « J'ai des regrets, répétait-il le jour de notre rencontre. Je n'ai pas fait ce que j'aurais dû faire. Ma femme, qui est née à Kiev, me répétait : "Des médecins juifs n'ont pas pu agir ainsi." Les choses étaient présentées de telle manière que j'y ai cru. »

Son histoire défilait, portée par sa voix passionnée : la défense de Jacques Duclos dans l'affaire dite des pigeons (le leader du PC était soupçonné d'espionnage pour le compte de l'Union soviétique, trois pigeons morts ayant été découverts sur la banquette de son auto...), la défense de militants algériens du FLN ; la vaine défense d'un militant communiste condamné à mort par la justice de Franco ; la réintégration de l'ouvrier Alain Clavaud à l'usine Dunlop de Montluçon, licencié en 1987 pour avoir raconté une nuit de travail à un journaliste de *L'Humanité*.

La politique restait en toile de fond de son engagement. Un soir de 1972, Georges Marchais avait téléphoné à l'avocat : « Je viendrai chez toi demain matin. » Le premier secrétaire du PCF s'était présenté comme convenu. Peu après, était arrivé Mitterrand. Dans une chambre de bonne au-dessus de l'appartement de Charles Lederman, les deux hommes avaient parachevé le Programme commun de la gauche. Quand Lederman mourut, moins de trois ans après notre unique rencontre, « des suites d'une longue maladie », c'est à moi qu'on demanda de rédiger sa nécrologie. Pour la première fois « j'enterrais » une personnalité dans le gris du *Monde*. Ce travail me troubla. Cela faisait donc aussi partie du métier, de donner une sépulture de papier à des êtres qu'on avait connus.

JOCELYNE ET JOCELYNE, LA LEÇON DE VIE DE DEUX CHÔMEUSES

Au début de 1996, une série de plans sociaux s'abattit sur les salariés dans nombre d'entreprises françaises. On dégraissait à tout-va et la fracture sociale ne cessait de s'agrandir. Après une enquête dans plusieurs firmes touchées par ces coupes, je cherchai à incarner ce fléau à travers des portraits de chômeurs. C'est ainsi que mes pas me menèrent à Lisieux, où je rencontrai deux femmes qui avaient tout essayé, en vain, pour trouver du travail. L'une s'appelait Jocelyne, elle avait quarante-cinq ans. L'autre avait vingt-huit ans et s'appelait aussi Jocelyne. Les deux femmes se connaissaient bien. L'une était la mère de l'autre. J'avais eu leurs coordonnées grâce à un organisme social qui tentait d'aider ces précaires de la crise, toujours entre petits boulots et stages de formation, toujours entre espoir et angoisse, légers d'argent et le cœur gros.

Dans mon souvenir, je les ai rencontrées une première fois au siège de cet organisme, à Lisieux. Puis je les ai emmenées en taxi jusqu'à la petite maison que Jocelyne la mère possédait dans la campagne, là où elles avaient encore le sentiment d'être quelqu'un, des êtres humains, pas comme en ville, où l'anonymat les broyait.

Jocelyne mère avait les yeux vert passé, une expression volontaire qui parcourait son visage où se lisaient les jours et les nuits sans repos. À quatorze ans, elle avait quitté l'école. L'année suivante, elle se mariait. Trois enfants étaient arrivés coup sur coup. Trois filles. En 1977, elle s'était retrouvée seule pour les élever. « J'étais faible, la vie m'a durcie », me confia-t-elle sans détour. Jocelyne était prête à faire n'importe quoi. Elle l'a fait. Femme de ménage, hôtesse de pressing, serveuse au rayon charcuterie-fromage d'un magasin Leclerc, assistante de maternelle, marchande de légumes, de fleurs. Puis elle avait passé un diplôme d'auxiliaire de vie. « C'est un métier qu'il faut apprendre, disait-elle. Un vieux, ce n'est pas un meuble. Et on va devenir vieux. » Elle avait poussé la porte des maisons de retraite, offrant ses services, son sourire, ses dimanches et fêtes.

L'autre Jocelyne avait les yeux vert intense, un joli minois soigneusement maquillé, « car le physique, ça compte beaucoup », disait-elle sans afféterie. Elle avait vendu des fripes dans le Sentier, des chocolats chez un traiteur. Elle avait tenu une caisse dans un supermarché, dans une cafétéria. À Paris, à Chamonix, en Suisse. Elle s'était passionnée pour l'imagerie médicale. À l'issue d'un stage en radiologie, on lui avait signifié que son niveau scolaire, un BEPC, était insuffisant pour qu'on la garde. Il aurait fallu reprendre des études. Mais comment pouvait-elle faire avec Stéphanie, sa fillette de cinq ans, qu'il fallait assumer sans mari ? Comment se déplacer sans auto ni permis de conduire, quand on habitait ici, à Château-Yvon, un village isolé à 10 kilomètres de Lisieux ?

Jocelyne et Jocelyne avaient bien des choses en commun. Soudées comme les doigts de la main, petites sœurs du chômage. Même prénom, même prison. « On attendait un garçon. Mon mari a été pris de court. À l'état civil, il a appelé notre fille comme moi... » En septembre 1995, elles avaient quitté le 20e arrondissement de Paris pour la Normandie. Avec toutes les maisons de retraite de la région, la mère espérait trouver facilement un travail. Mais il fallait du piston et elle n'en avait pas. D'ailleurs elle n'en voulait pas. Elle se disait de la vieille école et préférait qu'on la juge sur ses qualités. Sa fille, elle, aurait tout accepté, même avec du piston, tellement c'était dur.

À Château-Yvon, elles possédaient une maison sans luxe, en bordure de la grand-route. Le chauffage marchait au charbon. « On a 19 degrés et on rajoute un pull. » Le mobilier n'était pas de prime jeunesse. Mais, par la fenêtre, on apercevait des collines, des prairies, des cyprès et des chevaux. Une carte postale en cinémascope. L'impression de revivre et d'être quelqu'un pour les voisins. Tout était moins cher. Restait le point noir : l'emploi. La crise redoublait en pays d'Auge. Une grosse entreprise du bâtiment était en redressement judiciaire. L'abattoir de Lisieux aussi.

Dans le Calvados, près du tiers des jeunes de moins de vingt-cinq ans étaient sur le carreau. Wonder avait fermé, comme la majorité des sites industriels. Sauf Knorr-Dahl, le leader européen du freinage, « accélérateur économique de notre région », triomphait une publicité collée sur le flanc des autobus. Lisieux cachait sa misère sous les reliques de sainte Thérèse. Lisieux, capitale du tourisme furtif et du bois sculpté. Le textile, la tannerie, les toiles de lin, c'était fini. Les pommes à cidre et le calva ne faisaient plus de miracles. La souffrance du désœuvrement s'installait sans bruit. Pas de cris, peu de casse. C'en était même étonnant. Une sorte de résignation.

On parlait de ces chômeurs qui vivaient à l'envers, ouvrant un œil à midi et s'endormant avec la télé vers 3 heures du matin, après avoir zappé jusqu'au bout de leur angoisse. Et de leurs enfants nourris au café au lait, qu'on retrouvait à l'hôpital, soignés pour carence alimentaire. Absence des gamins à la cantine — les parents n'avaient plus l'argent pour payer —, retards matinaux à l'école — les parents ne se levaient plus pour réveiller leurs enfants et les aider à se préparer —, c'était le quotidien du chômage à Lisieux.

Jocelyne et Jocelyne avaient vécu des mois d'enfer. Elles avaient écrit des CV, envoyé des lettres, attendu ensemble, reçu toujours la même réponse : non. La mère avait mieux compris sa fille. Elle avait vu tous ses efforts vains pour trouver du travail. Deux ans plus tôt, la jeune femme était revenue vivre chez sa mère avec sa fillette. Et la mère avait eu le sentiment de redonner une seconde vie à sa fille, rassurée qu'elle puisse manger à sa faim, être au chaud.

Les deux Jocelyne tenaient bon. Elles veillaient à ne pas gaspiller l'électricité. Elles iraient « au bout des chaussures », parce que c'était comme ça. En relisant leur témoignage, je me demande comment elles ont traversé la crise, comment elles ont avancé dans la vie, et si la fillette a pu trouver sa place mieux que sa mère et que sa grand-mère, dans les mailles si lâches de l'économie mondialisée.

18

QUELQUES HOMMES DE TERRE

Des figures de choix peuplaient mon univers. Des êtres remarquables comme il en est de certains chiffres, impossibles à oublier. Défilent dans mon rêve éveillé Jean-Baptiste Doumeng, René Dumont, Edgard Pisani et Cheikh Hamidou Kane, ancien ministre de l'Industrie de Léopold Sédar Senghor, magnifique grand Peul paysan et écrivain. Tous différents, tous mus par une passion commune : la terre et ses fruits, l'échange et le partage.

LE RENDEZ-VOUS MANQUÉ
AVEC LE « MILLIARDAIRE ROUGE »

Jean-Baptiste Doumeng, dit aussi Baptistou, était l'homme des marchés à l'estomac, des grandes tractations souterraines entre Bruxelles et Moscou, celui qui décongestionnait l'Europe de ses trop-pleins alimentaires et offrait aux Russes — et même aux Soviétiques — leur beurre de Noël, sans que nul ne perde la face. Connaître le « milliardaire rouge » m'aurait comblé. Sa maladie rendit la rencontre impossible et je regrette encore ce rendez-vous manqué. Est-ce d'avoir tant lu sur ses exploits, d'avoir si souvent entendu parler de lui? Je garde la sensation étrange de l'avoir croisé pour de vrai. À sa mort, *Le Monde de l'économie* me commanda même une saga Doumeng, preuve sans doute que je pouvais faire « comme si »... Le temps était trop court pour que je me lance dans une chasse aux témoignages. Je m'étais plongé dans les centaines de « papiers » accumulés par le service de documentation. J'avais lu passionnément sa biographie, rédigée par le journaliste René Mauriès, et visionné un documentaire montrant Doumeng à la fin de sa vie, malade et amaigri, mais l'œil encore vif, la langue crue, poète et prophète, jamais à court d'arguments pour justifier ses coups fumants, ses audaces et ses bluffs. Ensuite, j'avais sacrifié à cet usage de papivore qui lit et relit ses confrères avant d'écrire à son tour un article. Le journalisme comme exercice de serpent qui se mord la queue. Humilité de « l'envoyé spécial aux archives », tenu d'écrire dans l'urgence un récit déjà connu, en y ajoutant au mieux sa patte personnelle...

Rouge de trogne et de cœur — il avait déjeuné avec Staline comme « un premier communiant avec le pape » —, Jean-Baptiste Doumeng aimait la terre et le communisme. C'est un précipité de cette double passion qui avait provoqué, en 1955, la naissance de la société Interagra sous l'égide d'un dieu du commerce empêtré dans la guerre froide. Avec son verbe haut et sa manie du « tope là », ses contacts privilégiés avec les chefs du Kremlin (Khrouchtchev puis, plus tard, Gorbatchev) ou du Berlaymont (l'ancien siège de la commission de Bruxelles), Doumeng fut l'homme d'une époque et d'un système, le mécano des échanges impossibles entre l'Est et l'Ouest, lorsque l'Union soviétique croulait sous le centralisme et l'Europe sous les excédents. Intermédiaire de génie, hâbleur ou grossier, précis ou affabulateur, roi du troc pour États désargentés, Doumeng était aussi un fusible. Il disparut avec l'étincelle qui mit le feu au communisme et fit tomber, pierre après pierre, le mur de Berlin.

Avant même de fonder sa compagnie, Jean-Baptiste Doumeng lorgnait sur Moscou, par penchant et aussi par intérêt. « Supposez qu'il y ait un marché sur la Lune, expliquait-il à René Mauriès, le premier qui s'y présentera réussira. L'URSS, à l'époque, c'était un peu la Lune. » Dès 1947, une longue et fructueuse coopération était née avec cet ailleurs. Amorcée avec le blé, elle allait s'élargir avec la viande, le lait et le beurre, sans oublier les pattes de mouche que Doumeng achetait en Chine pour la fabrication de faux cils féminins, ou encore les petites tortues du fleuve Amour pour le compte des Suédois et des oiseliers des quais de Seine. Reçu après son décès par son fils Michel, je me souviens encore de la photo agrandie de Baptistou qui trônait dans son bureau. Jamais image en noir et blanc ne montra homme si haut en couleur.

RENÉ DUMONT L'INDIGNÉ

René Dumont, je l'avais rencontré « en chair et en os », selon l'expression consacrée. Cela se passait dans les studios de RTL. Pendant que l'émission se préparait, il s'allongea soudain par terre de tout son long. On s'alarma. Était-il victime d'un malaise, ou pire? Il sourit en vieux cabotin, expliquant à la cantonade que c'était là sa façon de se concentrer. Au début des années 1990, l'âge de la retraite largement dépassé (il était né en 1904), René Dumont courait et criait encore. De l'Afrique, pour laquelle il demandait la démocratie, à l'Irak, où il dénonçait la guerre du déshonneur, il promenait sa haute silhouette enveloppée d'un éternel pull-over rouge — pour être mieux reconnu, avouait-il —, sa crinière neigeuse et son regard toujours vif.

René Dumont, ou comment la lutte pour le développement et la reconnaissance des pauvres s'était nourrie d'un combat permanent contre l'establishment. Avec un sens consommé de la provocation, qu'on lui pardonnait volontiers tant le bonhomme avait défendu de bonnes causes : la décolonisation, la paix, le devenir de la paysannerie aux abois et des déshérités de toutes les latitudes, l'inquiétude pour cette fichue planète menacée par la surnatalité et les atteintes multiples à l'environnement qui, selon lui, menaient l'humanité à sa perte.

Dans sa vie, René Dumont s'était beaucoup fâché. Contre les puissants qui lui demandaient conseil : Nehru, Senghor, Castro, Ben Bella, Bourguiba, Sékou Touré et bien d'autres de moindre acabit. « Le principe, c'est qu'il faut être avec les pauvres », ruminait le professeur, cultivant, non sans plaisir, l'art de déplaire. Il s'attaquait ici aux dictateurs affamant leurs peuples, aux dirigeants en costume-cravate, aux convives repus des banquets officiels, aux nomenclatures du tiers-monde. Là, il s'insurgeait contre les automobilistes, le Fonds monétaire international (« Une pharmacie portative universelle »), l'Amérique pilleuse de ressources naturelles, les nantis « qui sont tous des assassins ».

Jean-Paul Besset, qui fut rédacteur en chef au *Monde*, avait percé son modèle dans son livre *Une vie saisie par l'écologie* : « Dumont n'a pas prédit le pire par facilité dramatique ou par vertige millénariste, écrivait-il. Il a vu le pire. Et il l'a dit. » Ce socialiste humaniste avait toujours « une mauvaise nouvelle en réserve ». Titulaire en 1952 de la chaire d'agriculture comparée à l'Agro, René Dumont avait eu très tôt en lui la passion de la terre. Le premier combat de sa vie fut logiquement de lutter contre la faim sur le terrain (en Indochine, dès 1929), prodiguant conseils précis et critiques directes, tout en noircissant des centaines de carnets de notes qui deviendraient d'année en année des livres passionnés, riches de détails significatifs et d'annonces visionnaires, comme son fameux *L'Afrique noire est mal partie*, publié en 1963, ou encore *Cuba est-il socialiste ?* (1970) et *L'utopie ou la mort* (1973).

Nul avant lui n'avait si bien démontré la paupérisation du tiers-monde. Mais parce que la faim décimait encore plus sûrement que la mitraille, Dumont tarda à devenir « le plus rouge des verts ». Agronome productiviste, chantre de l'abondance au nom des affamés, il ne se convertit à l'écologie qu'en 1973, soudain conscient des risques inhérents à l'exploitation exagérée du sol et de la planète.

Il fut un moment happé par la politique, candidat écolo à la présidentielle de l'année suivante. On n'oublierait pas ce déjà vieux monsieur faisant campagne à bicyclette et buvant un verre d'eau à la télévision « avant que nous en manquions ».

Cassandre cabotin, pris entre l'espoir dans le progrès et la colère face à la bêtise humaine, il illumina de son crépuscule mes jeunes années de journaliste. Je mesure à présent la chance qui fut la mienne d'avoir pu le connaître. Qu'aurait-il pensé des dérèglements du climat, des dérives de la Côte d'Ivoire, de la faim qui frappe encore, au XXIe siècle ? Sans doute aurait-il mêlé sa haute silhouette au combat des indignés, muni de sa canne-siège et de son pull-over rouge comme étendard.

Edgard Pisani, lui, possédait un magnétisme hors pair, une force de conviction qui vous en imposait avec sa voix grave remontée des profondeurs. Relisant son ouvrage *Le vieil homme et la terre*, je retrouve cet esprit volontaire qui porte toujours beau et brille par l'allant d'une plume trempée dans l'eau vive de sa jeunesse. À ce jour, Edgard Pisani demeure le ministre de l'Agriculture par excellence, celui qui, près de cinquante ans après son départ de la rue de Varenne, continue à hanter les lieux.

La taille imposante de ce grand escogriffe n'est pas la seule raison de son immuable présence. D'autres lui ont succédé et on a oublié leurs noms. Lui est resté. Sa stature physique lui permettait certes de regarder le Général sans avoir à lever les yeux. On doute qu'il eût à les baisser, tant les deux hommes étaient en confiance pour tracer d'une même énergie le même sillon d'une agriculture alors dévastée. Mais ce qu'il y avait de plus élevé chez Pisani, c'était son analyse d'un monde qui jamais ne lui parut terre à terre. Lui, le citadin né en Tunisie, fut en 1947 le plus jeune préfet de France. Dépêché en Haute-Marne, il rencontra ce qu'il appelait la « conscience paysanne ».

D'abord, et il s'en réjouissait comme un enfant, le cher Edgard détenait le record de longévité à l'Agriculture, qui fut la passion d'une vie, une révélation aussi. De 1961 à 1964, il fit de ce ministère son champ de bataille, menant de pair la course à la modernisation et le respect, autant que faire se pouvait, d'une paysannerie familiale, à visage humain, masculin et si possible féminin. Ce fut l'âge d'or d'une espérance : il s'agissait de nourrir la France. Il n'était pas encore question d'excédents, de stocks ingérables, de budgets agricoles démentiels.

Pour voyager, Pisani préférait l'hélicoptère à l'avion. Il demandait au pilote de voler le plus bas possible, et là, il apprenait la France agricole, révisait son Braudel et son Vidal de La Blache. Il se targuait même de deviner l'âge du couple qui occupait les fermes entrevues à travers sa bulle à hélice. « Les jeunes femmes en sont la cause », a-t-il écrit, et on devine le sourire épanoui dans la barbe. Une ferme propre, une cour aménagée, des fleurs, des volets repeints : c'était à ses yeux experts le signe que l'agriculteur et sa compagne étaient de la nouvelle génération, celle qui accordait plus d'importance à son habitat que les anciens.

Comme Edgard Pisani se montrait le plus souvent infaillible pour identifier « de haut » cette France qu'on n'appelait pas « d'en bas », et surtout la « Bretagne profonde », où il se livra maintes fois à cette expérience aérienne, sa réputation fut fort grande : de sorcier plus que de ministre. En ce temps-là, il organisait tous les deux mois une veillée au coin du feu avec tous les acteurs de l'agriculture, jeunes — et moins jeunes — syndicalistes paysans, fonctionnaires, profs et industriels. Ensemble ils inventaient la « cogestion » de la politique agricole, en toute liberté « de pensée et de propos ». Ils inventaient une « révolution silencieuse » dont j'étais le témoin passionné, avec le sentiment que j'avais raté quelque chose, né un peu trop tard dans un monde un peu trop vieux...

CHEIKH HAMIDOU KANE
ET SES VACHES « HIGH VOLTAGE »

Un soir que j'arrivais à Dakar pour une conférence de la zone franc, un jeune Sénégalais répondant au nom d'Hamidou Sall m'accueillit à l'aéroport en compagnie d'Erik Orsenna et de Christophe Guillemin devenu patron de l'Onudi, une agence des Nations unies spécialisée dans le développement industriel Nord-Sud. Cet homme souriant et enthousiaste, la tête farcie de poésie, proposa de nous emmener chez son oncle. Je lui demandai qui était cet oncle. Il répondit « Monsieur Cheikh Hamidou Kane ». Je lui fis répéter. Était-ce bien l'auteur de ce livre majeur paru en 1961 chez 10/18 sous la houlette de Christian Bourgois, et que j'avais lu passionnément quelques semaines plus tôt, *L'aventure ambiguë* ? « C'est bien lui, c'est mon oncle ! » répondit joyeusement Hamidou Sall, heureux de constater que nous connaissions ce sage de l'Afrique alors âgé de soixante-sept ans.

Peu après nous nous retrouvâmes dans son bureau, un lieu indéfinissable, où semblaient vivre en harmonie plusieurs mondes. Une fois les présentations faites, et servi un jus rouge de bissap d'une légèreté angélique, sa voix chantante nous berça, nous transporta, nous conduisit non pas au cœur des ténèbres, mais vers les clairs-obscurs d'une Afrique soudain révélée dans la complexité de ses liens avec l'Occident. « Je ne suis écrivain qu'à titre accessoire », commença-t-il.

Il avait la peau noire et les cheveux blancs, d'une blancheur tombée de ces hivers canadiens qu'il avait connus jadis, temps de neige et d'exil, à moins qu'elle ne fût venue, immaculée, de toutes les pages auxquelles sa main s'était frottée dans l'exercice improbable que représentait à ses yeux depuis et pour toujours l'acte d'écrire. Issu d'une vieille famille peule née les pieds dans le fleuve Sénégal, baigné de culture coranique, élevé dans sa langue maternelle, le pulaar, qu'aucun alphabet latin n'était encore venu apprivoiser, Cheikh Hamidou Kane appartenait à l'Afrique. Il incarnait une culture « nomade, orale et musulmane, frottée d'animisme », des valeurs communes à tous les Peuls d'Afrique de l'Ouest et de la bande soudano-sahélienne. Il était un parmi les siens. L'aventure de sa vie allait le transformer en « un qui souffre de n'être pas deux ». Ce serait le contact avec la France, avec sa langue qui charme, avec la philosophie des Lumières apprise en Sorbonne. Nègre blanchi avant l'âge par la culture du colonisateur, Cheikh Hamidou Kane venait de rencontrer l'ambiguïté, une compagne qui ne le quitterait plus. Il l'avait donc acceptée.

Je ne trouvai que l'épaisseur du parchemin entre le vieux sage assis devant nous et Samba Diallo, le héros déchiré de *L'aventure ambiguë*. Pour l'enfant prodige assoiffé de connaissances, la famille avait tenu conseil sous l'autorité de la tante tutélaire, appelée la « Grande Royale », celle par qui le destin allait basculer. L'affaire était grave : le jeune Hamidou Kane, alias Samba Diallo, devait-il être inscrit à l'école des Blancs ? « Ce qu'il va apprendre vaut-il ce qu'il va oublier ? » Question essentielle, qui m'avait littéralement soulevé quand j'avais découvert ce roman.

On décida que oui, l'aventure valait d'être vécue, jusqu'au bout. Samba Diallo pénétra la culture française par ce qu'elle avait de meilleur : la philosophie, le progrès, la tolérance, l'ouverture d'esprit, les affinités avec l'universel, une idée du droit qui ramenait à l'homme. L'homme qui, en Afrique, pour peu que sa peau fût sombre, était un sujet, c'est-à-dire assujetti.

Cheikh Hamidou Kane n'allait pas laisser son héros s'affranchir à si bon compte. Il lui mit dans les jambes un personnage tout d'une pièce, un tirailleur sénégalais, analphabète et impulsif, un qui avait connu l'Europe au paroxysme de sa folie meurtrière, un qui s'était battu dans les tranchées, en première ligne, un membre de cette « force noire à consommer avant l'hiver », selon le mot de Clemenceau. Baptisé « le Fou » par le romancier, le tirailleur avait échappé comme par miracle à la boucherie de 1914. Et, de retour au pays, il avait opposé à la francophilie de Samba Diallo le démenti du sang versé. L'Afrique, hurlait-il, devait se tenir loin, très loin de cet Occident meurtrier. À la fin de *L'aventure ambiguë*, Cheikh Hamidou Kane exposait Samba Diallo au couteau du Fou. L'ambiguïté était-elle levée ?

J'avais interrogé l'auteur. C'était incroyable de l'avoir là, devant mes yeux, vivant, tellement vivant, déroulant de sa voix d'ébène, je veux dire grave et rieuse à la fois, le ruban de sa pensée. « Je voulais seulement montrer que ce voyage est difficile », observa simplement Cheikh Hamidou Kane. Difficile, mais pas impossible. Après avoir occupé des postes ministériels sous les présidences de Senghor puis d'Abdou Diouf, l'auteur de *L'aventure ambiguë* avait voulu demeurer ce qu'il n'avait cessé d'être : un Peul du fleuve, un éleveur traumatisé par le manque de lait et de viande qui frappait encore le Sénégal. Au cours des dernières années, retiré de la vie politique, il avait créé un joint-venture avec une société américaine produisant des embryons de vaches. Démarche surprenante d'un Samba Diallo qui n'était pas mort : pour rester lui-même, un pasteur avec son troupeau, Cheikh Hamidou Kane s'était allié avec la modernité la plus avancée : le transfert de technologie, l'implantation d'embryons de vaches américaines sur le maigre cheptel de son pays. C'était toute la leçon de son aventure, prendre chez l'autre ce qu'il savait faire de mieux pour y trouver la condition de sa propre survie. Requérir la génétique étrangère pour mieux s'affirmer comme un Peul du fleuve, et le rester. Les posters de ces vaches High Voltage accrochés aux murs de son bureau, à Dakar, témoignaient de cet enracinement paradoxal. Étions-nous si loin de l'écriture ? Elle était là, au contraire, qui innervait toute la vie de Cheikh Hamidou Kane et le reliait au monde, comme une religion (au sens de *religare*, créer un lien).

L'œuvre de Cheikh Hamidou Kane était la synthèse tremblante des origines chaotiques de l'Afrique, le Noir et le Blanc, la langue du fleuve et celle de la côte, les séquelles d'une colonisation française ici, britannique là, la coexistence d'une modernité voulue et d'une tradition aussi vitale que pesante. « Au banquet de l'Universel, qu'apportons-nous, nous autres Africains ? » se demandait cet ancien ministre du Sénégal, persuadé qu'au même titre que l'art des masques ou le sens inné du rythme, l'homme noir existait par ce qu'il écrit, et parce qu'il écrit. Une écriture de consolation qui répondait à la plainte du romancier congolais Tchicaya U Tamsi, aujourd'hui disparu, quand il disait : « Je suis homme, je suis nègre, pourquoi cela prend-il le sens d'une déception ? »

Dans sa demi-retraite, Cheikh Hamidou Kane continuait à sa manière d'inventer un nouvel homme africain, un homme décomplexé, guéri du sentiment de perte hérité de la traite et de la colonisation, un homme qui croyait à son histoire. Comme un romancier. Était-il présent à Dakar, lorsque Nicolas Sarkozy, longtemps après notre entretien, affirma que l'Afrique n'était pas entrée dans l'Histoire ? J'aurais aimé être là, dans la nuit du Sénégal, envoyé très spécial dans l'âme du grand Peul.

19

AVENTURES INDUSTRIELLES

Une des forces de la nouvelle formule de 1995 fut de constituer un grand service Entreprises, dirigé par Éric Le Boucher et Claire Blandin. La macro-économie était un point fort historique du *Monde*, avec les signatures de Pierre Drouin, d'Alain Vernholes, de Paul Fabra, sans oublier Gilbert Mathieu, un homme de convictions, que Jacques Fauvet avait nommé chef du service économique en 1969 pour succéder à Drouin. François Simon, qui fut plus tard son adjoint, a gardé une admiration vivace pour ce « grand militant PSU et, par la suite, socialiste, qui trahissait ses préférences par le choix des sujets plus que par ses écrits ». Militant catholique, il était très connu dans sa paroisse du 13ᵉ arrondissement, une paroisse très ouverte à l'époque conciliaire. « C'était un travailleur inlassable, se souvient François Simon, avec une très grande réputation sur la place. De l'aveu d'un des adjoints du commissaire au Plan, Raymond Barre s'en méfiait quand il préparait une intervention, rayant des passages en s'exclamant : « Mathieu va encore faire des remarques ! » C'est que Mathieu potassait ses dossiers et venait porter la contradiction aux ministres des Finances, chiffres à l'appui, méthode dont surent user plus tard Alain Vernholes et Paul Fabra.

Mais si *Le Monde* brillait sur le terrain de la « macro », il avait toujours négligé l'univers de l'entreprise, y voyant sans doute un espace trop anecdotique et pas très noble — l'argent toujours... — par opposition à la politique économique et à ses grands agrégats, le budget, la monnaie, le commerce extérieur ou la dette. Une ambition de 1995 fut de réhabiliter l'entreprise dans nos colonies. Le tandem Le Boucher - Blandin était tout indiqué pour réussir cette percée, et les pages Entreprises reflétèrent l'intérêt renouvelé du *Monde* en la matière. De jeunes journalistes avaient été recrutés sur l'industrie et la finance. Ce sang neuf permit de relancer la machine sur ses deux jambes, la micro trouvant enfin sa place à côté de la macro.

Dans l'équipe des reporters, mes états de service m'incitaient naturellement à suivre l'économie. Le Boucher, Blandin et moi, nous imaginâmes une série d'été sur le berceau d'un certain nombre de grandes firmes françaises, tant agricoles que minières, industrielles et financières. À leurs yeux, il était important de raconter l'entreprise autrement, par des sagas qui amèneraient les lecteurs à se familiariser avec quelques étendards du capitalisme. Ce serait une histoire des commencements, là où dans la fièvre ou la violence, le génie et la ruse, était né le progrès, ou une certaine idée de la civilisation industrielle. Mais le temps pressait. Nous étions déjà au printemps, et il faudrait se lancer en juillet! Je venais d'en finir avec mes enquêtes sur de Villiers et sur l'Élysée quand cette grosse commande m'échut. Je la saisis avec une immense excitation, seulement préoccupé par le temps : serais-je en mesure de boucler une vingtaine d'histoires, en me rendant chaque fois sur place? Et combien en aurai-je terminé lorsque paraîtrait la première, afin d'avoir quelques papiers d'avance?

J'aimais trop ce genre de défi pour me défiler. À force de gratter au quotidien, ma plume s'était déliée. Je ne la tournais plus sept fois sur ma copie avant de me lancer. Une mécanique s'était installée en moi, j'écrivais vite dès que j'avais le carburant nécessaire, c'est-à-dire des informations frappantes et une bonne phrase d'accroche. J'établis ainsi une liste de nombreux fleurons : le château Yquem, les Grands Moulins de Paris, les sucres Béghin-Say, la banque Rivaud et ses plantations malaises d'hévéas, la société Le Nickel en Nouvelle-Calédonie, Creusot-Loire et son marteau-pilon, emblème de la révolution industrielle, les sources Perrier, les usines Peugeot de Sochaux, Michelin à Clermont-Ferrand, la compagnie de l'Orient-Express, Elf à travers le gaz de Lacq, Latécoère et l'aventure de l'Aéropostale, Chanel rue Cambon, la magie du Printemps, ou encore les Chantiers de l'Atlantique. Ces plongées d'un monde à l'autre correspondaient bien à mon tempérament éclectique. Il y aurait des histoires et des mythes, de l'imprévu et de l'audace, et ainsi se dessinerait par petites touches un visage épique et sensible de l'économie française.

J'allais ramasser mille impressions, collecter mille détails, faire une razzia de documents historiques, d'archives photocopiées, de plaquettes et d'anciennes coupures de presse, pour raconter au mieux ce qui avait forcément été raconté avant moi. Il fallait accepter cet aspect du journalisme : on était rarement le premier sur un sujet, rarement le dernier. L'ambition était bien sûr de l'épuiser pour un bon bout de temps. Notre activité était celle d'un serpent qui se mord la queue : on lisait ce que d'autres avaient écrit puis on écrivait à notre tour, sachant qu'on serait lus pour inspirer d'autres articles... Aucun papier n'était jamais définitif. Nous n'étions pas des universitaires gravant un savoir dans le marbre. Ce n'était que du journalisme, oui, mais c'était toute notre vie et toute notre vie semblait dépendre du prochain article qu'on allait publier !

Cet été-là, je nageai en pleine légende. Je confortai mon goût pour l'économie réelle et concrète, prenant conscience des atouts de l'industrie française, de sa diversité, de son histoire, avec cet enchaînement d'inventions, d'audaces, de hasards, de tragédies parfois. Ce fut un voyage dans la mécanique, la recherche, l'esthétique, le perfectionnisme de créateurs, d'ingénieurs, d'amoureux de l'avenir mariant l'esprit à la matière. Je découvris la passion et la patience mêlées, le labeur et le luxe, les fulgurances du génie et la pesanteur des jours, la folie des paris, la fièvre des découvertes, le tout semé de courage, de ruse, de violence aussi. Se succédèrent des figures de pionniers capables, à leurs risques et périls, de percer les voies du progrès, à la recherche de la puissance, du bien, de la beauté, pour l'intime comme pour l'universel. Que de méfiances vaincues avant que ces géants ne dominent leur époque pour l'avoir d'intuition précédée, et d'obstination.

Le temps ainsi étalonné donnait à ces entreprises leur véritable dimension, la durée qui dépasse l'échelle humaine pour lui offrir ce que les hommes recherchent en vain : une manière d'immortalité. Et c'est dans cette profondeur du temps que je m'étais plongé, donnant à mon métier fait d'immédiateté une épaisseur nouvelle qui ravit mon goût très personnel pour les retours aux sources, pour la quête des origines. Cette expérience changea mon regard sur le monde industriel. Je pris conscience que rien ne naissait de rien, qu'un substrat de savoir et d'énergie avait jeté les bases de notre économie, que le regard historique éclairait le présent d'une lumière irremplaçable.

J'ai gardé de cet été 1995 un souvenir intact et brûlant, rempli de merveilleuses découvertes que je m'efforçais chaque fois de transmettre à vif dans les textes que je rédigeais à la hâte, reporter en goguette. Je ne fus jamais si heureux dans ce métier qu'à partir nez au vent, un carnet et un stylo pour tout viatique, dans cet exercice de curiosité pour « flâneur salarié », selon le mot du grand reporter d'autrefois Henri Béraud. Ce n'était pas du travail, c'était un privilège que m'offrait *Le Monde*. Comme était précieuse cette liberté, et grand le journal qui l'octroyait !

Mon périple commença paisiblement sur les bords de Seine, quai de la Gare, dans une forteresse de béton armé à présent disparue, qui abritait les Grands Moulins de Paris fondés par Ernest Vilgrain en 1921. C'était un monstre sans roue ni ailes qui écrasait son millier de tonnes de céréales par jour, il fallait ça au ventre de Paris. Jamais structure industrielle si imposante ne s'était implantée au cœur d'une ville. Puis je me rendis à Lacq, en Béarn, sur les lieux du premier rêve énergétique français que portaient haut encore les torchères en flammes. Tels d'étranges piverts, les pompes à balancier semblaient picorer le sous-sol pour l'éternité. Le 19 décembre 1951, au pays de l'espadrille et du béret, une gigantesque éruption de gaz sulfuré avait changé les champs de maïs en paysages du Far West, avec forages et derricks. Il fallut cinquante-trois jours pour éteindre le puits. Le gaz apporta la prospérité, la curiosité, la pollution.

C'est à Lacq et sur les hauteurs de Mourenx que la France gaullienne se mit à envoyer par Caravelle ses plus illustres visiteurs : le couple Khrouchtchev, Kossyguine et Gromyko, ou Moïse Tschombé, l'homme de l'indépendance katangaise, ou Hailé Sélassié, le roi des rois, les yeux pétillant devant les flammes dansantes.

Le lendemain je me retrouvai à Toulouse, dans un hôtel d'angle en brique rose, avec ses deux ailes déployées en hommage immobile aux prestigieux pensionnaires des années 1920 : Mermoz, Guillaumet, Daurat et Saint-Exupéry, ceux de l'Aéropostale. C'était l'hôtel du Grand-Balcon, immortalisé par le cinéaste Henri Decoin. On m'y donna la chambre de Saint-Ex, avec vue sur le Capitole. Les hommes de chez Latécoère avaient fait du Grand-Balcon leur havre de paix avant leurs périlleuses envolées. « On écrit tous les jours, on décollera tous les jours », avait décidé l'ancien chef d'escadrille Didier Daurat. Sous les hangars de Montaudran, Latécoère récitait son chapelet d'escales : Alicante, le cap Juby, Villa Cisneros, Saint-Louis du Sénégal. Tout avait commencé avec ce jeune centralien, Pierre-Georges Latécoère, qui avait imaginé des ailes d'albatros et rêvait de piloter ses rêves. « J'ai refait tous les calculs, lança-t-il à la veille de l'aventure. Notre idée est irréalisable. Il ne reste qu'une chose à faire : la réaliser. » Il construisit les fameux Breguet XIV et le Laté 26 qui mena Mermoz de Toulouse à Saint-Louis du Sénégal. Viendraient des monstres de 23 tonnes mus par des moteurs Hispano-Suiza : les Croix-du-Sud. C'est à bord d'un de ces grands hydravions que Mermoz s'abîma en mer. Dans le hall de l'hôtel qui gardait les traces de cette grandeur, les murs parlaient. Un portrait de Mermoz tiré au Studio Harcourt voisinait avec un Breguet XIV embourbé à Alicante, tracté par deux bœufs attelés.

De Toulouse je remontai vers Yquem où m'attendait le comte Alexandre de Lur-Saluces, sixième du nom. Lui aussi était un aventurier dans son genre. Au marasme du sauternais, il avait opposé son remède rigoriste : pas de surproduction ni d'abaissement du vin, mais un maintien farouche de la tradition, patiente et exigeante, quitte à renoncer à des millésimes trop faibles, 1972, 1974, 1992, les éclipses du soleil des Lur-Saluces. Ces années-là, me confia le comte Alexandre sur la terrasse du château d'où on devinait, en contrebas, le fleuve Ciron pourvoyeur de brouillards matinaux tendres au raisin, ces années-là il n'y eut pas d'Yquem. Comme elle était impressionnante, cette obstination d'Alexandre de Lur-Saluces, dans ces temps de productivisme, de ne pas tirer davantage qu'un verre de vin par pied de vigne. Il voulait du 20 degrés d'alcool ou rien. Yquem était une page manuscrite, une page d'écriture, à même la terre ferme, avec ses pleins et ses déliés, surtout ses déliés : des doigts féminins avaient épampré, effeuillé comme on biffe les mots en trop, laissant juste l'essence à la grande lumière. Un rosier ponctuait l'extrêmité de chaque rang de vigne, point rouge à la ligne, car par sa fragilité légendaire, le rosier sentinelle aurait succombé le premier en cas de maladie. La phrase de Mauriac vibrait dans l'air immobile : « Les étés d'autrefois brûlent dans les bouteilles d'Yquem. »

Après la douce ivresse de ces flammes dorées, l'eau des sources de Vergèze fut des plus bénéfiques. La source Perrier était la propriété du groupe Nestlé, dont j'avais naguère interviewé le patron suisse à Vevey. D'abord connue sous le nom des Bouillens, ou « bouillants », l'eau courait sous un épais manteau d'argile et se frayait un passage à travers les sables filtrants du quaternaire. Les marnes la protégeaient des souillures, les cristaux lui donnaient la transparence fluide du verre. Depuis l'Antiquité, elle surgissait à l'air libre aux portes de Nîmes, dans la petite commune de Vergèze. Et c'était prodige que d'admirer cette eau qui « bouillait » à 15 degrés, chargée de gaz naturel d'origine volcanique venu des sources chaudes de Balaruc.

Ce périple automobile et ferroviaire, parfois aérien, je le menai à allure soutenue pendant un été torride. Le premier volet serait finalement publié le 25 juillet dans les pages Entreprises du journal. Chaque soir je relisais mes notes, consultais la documentation obtenue sur place, et c'était parti pour jeter sur le papier mes plus fortes impressions en déroulant deux fils, celui de la géographie et celui de l'histoire, tout en réservant chaque fois un espace à l'actualité des firmes visitées. C'est ainsi qu'un matin je me retrouvai au Creusot, en arrêt devant l'imposant marteau-pilon désormais planté telle une petite tour Eiffel à l'entrée de la ville, symbole cyclopéen d'une métallurgie tellurique qui avait fait la grandeur et la fortune des aciers français. Sous une cathédrale de métal, dans le fracas des gigantesques machines, des hommes démoulèrent sous mes yeux, tel un gâteau géant, une pièce d'acier de plusieurs tonnes. On aurait cru un feu sacré que l'homme, éternel Prométhée, aurait volé au dieu forgeron. Dans les archives de la maison, on me sortit la fiche de travail d'un jeune Chinois âgé de seize ans et neuf mois, manœuvre au laminoir pendant trois semaines en 1921 et « doué d'une assez bonne capacité ». Il s'appelait Deng Xiaoping.

Le tourbillon se poursuivit dans la « Vendée nucléaire » de la Cogema, chez Peugeot, à Saint-Nazaire, dans les plaines betteravières de Ferdinand Béghin, avant de m'envoler pour la Nouvelle-Calédonie puis la Malaisie. Que d'images me reviennent s'il m'arrive de relire ces reportages. En Vendée, je ne m'attendais pas à entrer dans l'ère atomique. Après les moulins donquichottesques et leurs ailes gaufrées, après les clochers démesurés et le château de Barbe-Bleue, un simple panneau annonçait : L'ÉCARPIÈRE, URANIUM. Dans les années 1950, toutes sortes de gens étaient venus « s'embaucher dans l'uranium », garçons-coiffeurs, ouvriers de la chaussure et du textile, pâtissiers, cultivateurs trop heureux de trouver un nouveau métier à l'heure où la mécanisation décimait déjà les familles nombreuses de la campagne. Certains pour une journée, regardant le fond du trou sans un mot et repartant la peur aux tripes. Mais la plupart restèrent, fascinés. Le muscadet aidant, on murmurait qu'il aurait suffi d'une pierre d'uranium grosse comme un sucre pour chauffer sa cuisine pendant cent ans ! Lorsque je me présentai un après-midi surchauffé, le site était silencieux depuis 1991, semblable à un gros animal marin échoué. L'uranium et sa poussière radioactive n'étaient plus que souvenirs.

À Saint-Nazaire, les Chantiers de l'Atlantique étaient tout auréolés de leur dernier succès : la livraison à un armateur norvégien du *Legend-of-the-Seas*, que suivrait un an plus tard son jumeau le *Splendor-of-the-Seas*. Une nouvelle génération de paquebots de croisière pouvant accueillir deux mille passagers. Qui aurait cru qu'un jour d'avril 1864 l'*Impératrice-Eugénie*, premier paquebot transatlantique du chantier de Penhoët — on disait Pinhouette —, aurait descendu gravement les marches de l'eau ? On avait graissé la coque de suif mais çà et là s'allumaient de brefs incendies provoqués par le frottement intense du métal contre les coulisses en bois. Au début du XIXᵉ siècle, ce village du bord de Loire comptait peu de marins. Seulement des pilotes adroits qui savaient de père en fils guider les gros bateaux sur l'estuaire capricieux. Ils savaient tout de l'évolution des bancs de sable, selon les marées ou les degrés du soleil. Ils se transmettaient leurs découvertes par le biais de lourds manuscrits portant les secrets attachés au lit mouvant du fleuve. Mais pour rien au monde ils n'auraient vogué au-delà, vers les lignes menaçantes où la mer rejoignait le ciel.

Saint-Nazaire éprouva longtemps cette émotion singulière devant les paquebots sortis de ses cales inclinées. La ville les aimait d'autant mieux qu'elle les voyait s'éloigner sans envie ni regret. L'essor avait commencé avec l'ambition industrielle des frères Isaac et Émile Pereire, tous deux nourris de la pensée progressiste de Saint-Simon. Ces champions du rail se firent les hérauts des traversées transatlantiques. Saint-Nazaire passa de l'âge du bois, de la chaloupe et des chalands à l'âge du fer, pour modeler les rois des mers.

L'après-midi de juillet où j'avançais en dégoulinant de sueur vers les immenses formes de radoub creusées, je me représentais les gigantesques navires qui avaient vu le jour ici, à la verticale du Soleil, dans cette étuve dont les parois de granit emprisonnaient l'ombre des riveurs, des traceurs de coques, de tous ces artisans qui gravaient leur nom en minuscule sur la ligne de flottaison des bateaux promis aux horizons lointains. Je songeais au *Georges-Philippar* qui brûla au large d'Aden avec à son bord Albert Londres. Au *Normandie* éventré dans le port de New York en février 1942. Ou à la folle fuite du cuirassé *Jean-Bart*, deux ans plus tôt, dans l'obscurité, sans compas, sous le feu de l'aviation allemande. Il avait échappé à ses poursuivants. Mais pas Saint-Nazaire, que rasèrent des bombes incendiaires.

Pour ma part c'est dans un océan de betteraves que je me retrouvai peu après, au milieu des plaines du Nord jadis empire de Ferdinand Béghin, maître des sucres, qu'il fabriquait dans sa raffinerie de Thumeries. En 1995, l'ombre de « monsieur Ferdinand » planait encore dans cette ferme dite de l'An I. En rachetant la maison Say, Béghin était devenu le premier groupe sucrier d'Europe. Revisitant cette brillante histoire, je tombai sur les traces de Louis Malle, qui n'était autre que le neveu de Ferdinand Béghin. Dans son film *Au revoir les enfants*, le cinéaste s'était fait le messager de la mémoire familiale, plaçant dans la bouche de la mère du héros les mots de sa propre mère : « Vous savez, je n'ai rien contre les Juifs. Au contraire. Sauf ce Léon Blum, bien entendu. Il mérite d'être pendu. » À Thumeries, ville natale de

Louis Malle et des sucreries Béghin, le Front populaire avait été impopulaire. Le raffinage du sucre était un spectacle édifiant. Il fallait avoir l'estomac bien accroché pour voir le jus de betteraves et ses impuretés passés au « noir animal », un charbon d'os aux propriétés spongieuses. La chaux et les squelettes animaux permettaient au sucre de blanchir.

Du sucre, il n'en fallait sûrement pas dans le réservoir des Peugeot que je découvris peu après à Sochaux, sous les griffes du lion. C'était encore par une de ces journées de canicule, une vision solaire au pied des usines, les rayons ricochant sur les toits de scarabée des petites autos toutes neuves et sagement alignées. Encore faillit-il ne jamais exister le moindre véhicule de cette marque. Un houleux conseil de famille de 1896 dans la demeure des bords du Doubs avait mal tourné : les héritiers d'Hans Peugeot, agriculteur de son état et producteur de poix pour la cordonnerie, ne croyaient pas à l'automobile. Leurs produits fétiches s'appelaient armatures de crinolines, lames de scie, pince-nez, tondeuses à chevaux de l'armée, moulins à poivre et à café ou Grand Bi. Seul Armand Peugeot s'obstinait à développer cette invention bruyante et coûteuse. On sait ce qu'il advint.

À l'usine des Carmes de Clermont, le siège historique de Michelin, je fus familiarisé avec les ingrédients du succès. On m'expliqua le rôle de la recherche illustré par l'embauche d'un ingénieur chimiste chez Michelin dès 1893, un véritable tournant qui marqua l'entrée de cette industrie dans la science et dans le culte du secret. Je découvris la sculpture des pneumatiques en M, symbole de l'esprit d'entreprise. Je découvris le sens et les pesanteurs du paternalisme et de la discipline, les tâches chronométrées des temps modernes, taylorisme auvergnat empreint de raideur — nonobstant le caoutchouc — sur fond d'œuvres sociales, écoles, sport, cliniques, patronages. Sur fond aussi d'expansion : à Turin près de Fiat, à Londres et au cœur des plantations brésiliennes d'hévéas, avant l'essor de l'Indochine.

Ce reportage fut une leçon d'innovation. On m'initia aux tests « à mort » des pneus sur des tremplins à douze pistes éprouvant l'endurance de la gomme, à la « cage à mouches » des pneus métalliques qui annonçaient le radial. Avec fierté mais sans hausser la voix, on me glissa aussi que les Allemands n'avaient jamais pu entrer à l'usine des Carmes.

C'est tout imprégné de ces récits héroïques que je m'envolai pour la Malaisie, sur les plantations du groupe Rivaud, spécialisé dans la banque, l'assurance, l'immobilier et l'aéronautique, mais aussi dans l'agriculture tropicale. Cette région escarpée où les rideaux de végétation s'ouvraient sur la veine brune de la rivière Sélangor, un jeune Charentais l'avait découverte en 1905. Il s'appelait Henri Fauconnier et partait à l'assaut de la jungle malaise pour y planter des hévéas. Le monde allait manquer de latex, il ne le savait pas encore. Le futur prix Goncourt 1930 (pour l'envoûtant *Malaisie*) écrivit : « Commençait le domaine immense du mystère. Et même autour de moi, dans le froissement des palmes et des battements des feuilles que nul vent ne touche, dans une sorte d'agitation sourde aussi subtile que la circulation du sang sous la peau, je découvrais des mirages plus troublants que ceux du désert. »

Lors de mon passage, ce lieu était rendu depuis longtemps à son état naturel, mais il fallait l'imaginer empli de milliers de travailleurs chinois et de Tamouls venus de Madras, avec parfois, enroulé au fond d'un panier, un cobra mangeur de rats. La malaria éclaircissait les rangs. La traite des hévéas commençait une fois les coolies instruits à l'art de la saignée : éviter les coups brutaux dans les troncs, qui provoquaient des hématomes et blessaient les arbres ; prélever une bande d'écorce, inciser en V les vaisseaux affleurant pour recueillir goutte à goutte le latex blanc. Avant le lever du soleil, l'écoulement était le plus fluide. Vision spectrale des hommes et des femmes déambulant à travers les rangées d'hévéas, lame en main, lampe au front. Là s'était jouée une partie clé de la révolution industrielle, la première fièvre du caoutchouc liée à la frénésie automobile des débuts du XXᵉ siècle.

De Malaisie je m'étais envolé pour la Nouvelle-Calédonie, où m'attendait, béant, le trou immense de Thio, une mine de nickel à ciel ouvert dans l'aveuglante lumière du Pacifique. Le « métal du diable » ou Old Nick — ainsi nommé car très difficile à extraire — était un sauveur : il durcissait les aciers, renforçait les cuirasses des navires, blindait leurs coques, devenait monnaie frappée ou objet de luxe. Fascinant décor de Thio, survolé d'abord en hélicoptère, puis arpenté en auto et enfin à pied : vision d'une montagne rouge détourée à mains d'hommes, hérissée de termitières et de pyramides, creusée d'amphithéâtres. Civilisation de cailloux et de rocs, où chaque pierre à vif était le jalon de ces vies humaines qui voulurent défier les temps géologiques. Vision aussi de la fonderie de Nouméa, lingots de nickel incandescents, comme des langues de feu crachées par la gueule des fours.

De retour à Paris, alors que la publication de la série était déjà bien entamée, je fonçai aux ateliers de l'Ourcq, sur les bords du canal Saint-Martin, où dormait l'Orient-Express. Reconnaissable à sa livrée bleu nuit, il avait dispersé ses wagons sur le mikado des voies de garage, démonté comme un jouet d'enfant. Je poussai la porte de la voiture-salon « Flèche d'or », où, sur les parois lambrissées de bois rouge cubain dansaient les naïades en pâte de verre modelées par René Lalique. Dans ce huis clos protégé du monde, il arrivait encore que des hommes d'affaires signent des contrats très secrets. Mes doigts s'attardaient sur les lambris en loupe et ronce d'acajou, comme sûrement ceux des premiers passagers, en 1883, quittant ce même train désormais classé Monument historique, un monument sur roues, destination Constantinople.

De l'Ourcq le voyage était rapide en métro, mais plus secoué qu'en wagon-lit, pour rallier l'embarcadère Saint-Lazare où s'élevait l'immeuble du Printemps avec ses dômes couverts d'écailles de poisson, une cathédrale de métal dédiée au dieu commerce. C'était un temps où les femmes rêvaient et les hommes, certains d'entre eux, s'employaient à vivre des rêves des femmes. La remontée dans le temps m'amena aux années 1865 lorsque, sur les boulevards dont Haussmann avait achevé la percée, une pièce de théâtre s'était taillé un vif succès populaire. Elle s'appelait *Au Printemps*. Le nommé Jules Jalouzot la choisit comme enseigne pour y célébrer le « bonheur des dames ». L'affirmation du fer dans les charpentes ferait couler autant d'encre que, plus tard, les tuyaux de Beaubourg.

J'avais achevé mon périple sur l'autre rive, au 31 rue Cambon, dans l'appartement baroque de Coco Chanel, situé au-dessus de sa boutique. Elle qui n'aimait que le noir et le dépouillé, comment avait-elle pu vivre dans ce lieu surchargé d'objets délirants et de couleurs violentes ? À quelques pas, trois mille ouvrières s'activaient dans ses ateliers. Le *Harper's Bazaar,* une publication américaine, avait été le premier à publier un de ses dessins, à imprimer son nom, Coco Chanel, et ce dès 1916. La grande demoiselle était entrée en couture pour démoder ce qu'elle n'aimait pas. Sûre de gagner la guerre de la séduction.

Cette série parut dans les pages Économie du journal entre fin juillet et les premiers jours de septembre 1995. Elle m'avait procuré une joie intense, celle de découvrir et de transmettre. « *Le Monde,* le plaisir de savoir », proclamait le slogan de l'époque. Jamais il ne m'avait paru sonner aussi juste.

20

TOUCHE-À-TOUT

J'étais devenu une sorte de touche-à-tout passant d'une enquête à une autre sans autre lien que le fil capricieux de l'actualité. En 1996, outre le suivi du pape Jean-Paul II en France et la crise dite de la vache folle, c'est la situation en Algérie et ses répercussions sur le sol français qui marquèrent mon travail de reporter. Pour les dix ans de l'association Coup de Soleil, j'avais rassemblé dans un livre anniversaire plus de soixante-dix témoignages de personnalités originaires de « là-bas », sous le titre *Paroles du Maghreb en France*. Mes origines empruntant à la fois au Maroc et à la Tunisie, je m'étais senti familier de ces artistes, écrivains, musiciens, comédiens, humoristes, ou de ces intellectuels qui avaient quitté leur Algérie natale. Certains n'y vivaient plus qu'en pointillé, sous la menace de « barbus » bien décidés à leur faire payer de leur vie leur liberté de parole et de pensée.

J'avais connu Rachid Mimouni, que le GIA poursuivait de sa folle vindicte. Exilé entre Tanger et Paris, Rachid avait fini par se laisser mourir d'une hépatite qu'il avait pris soin de ne pas soigner. Comment pouvait-il résister quand sa famille était sans cesse menacée, ses enfants surveillés. Ainsi, l'auteur fêté de *L'honneur de la tribu* et d'*Une peine à vivre*, de *La malédiction* et de *De la barbarie en général et de l'intégrisme en particulier*, titres ô combien lourds de sens, avait-il échappé au « grand sourire », ce coup de poignard qui tranchait le cou d'une oreille à l'autre. Rachid était publié chez Stock, comme je l'étais en ce temps-là. Il était d'une grande douceur mais facilement fermé à double tour, sombre et taciturne, muré dans ses souffrances. Quand il voulait échapper à sa lourde surveillance policière, il me demandait une virée nocturne dans ma vieille Ford Escort avec notre attachée de presse, Chantal Lapicque, décédée peu après lui. Il se fondait dans les lumières de Paris et je le sentais soudain détendu. Soupirant d'aise, étonnamment bavard, il plaisantait. Sa mort à Cochin m'avait bouleversé. Je l'avais à peine reconnu dans son cercueil, colosse devenu minuscule sous la capuche de son burnous blanc. À leur manière les islamistes l'avaient eu.

LES MOINES DE L'ATLAS

À cette époque la fièvre d'extrême droite avait gagné la France. Le délit de faciès, vieille passion nationale, refaisait surface. Nos marelles à trois sous reprenaient, marabout et bout de ficelle, Maghrébin donc islamiste, islamiste donc terroriste. L'Histoire s'était remise à bégayer. La station Saint-Michel au lieu de la rue de Rennes, les portraits-robots de Khaled Kelkal au lieu de ceux des frères Abdallah. Aussi étais-je sensibilisé aux maux du Maghreb lorsque le responsable de la rubrique « Religion », Henri Tincq, me demanda en renfort pour enquêter sur les moines de Tibhirine qui venaient d'être exécutés après avoir été enlevés presque deux mois plus tôt.

Un vendredi de mai 1996, je sautai dans un train pour assister à la messe dite et chantée en l'honneur des religieux à la cathédrale Saint-Maurice d'Angers. J'allais passer là des heures intenses, que prolongea un court séjour à l'abbaye de Bellefontaine, d'où étaient partis plusieurs moines de Tibhirine. À l'église il ne manquait rien. Ni la ferveur, ni le recueillement, ni l'espoir d'une vie éternelle matérialisé en sept bougies allumées, sept flammes dansantes, fragiles comme les moines assassinés. Dom Étienne Baudry, prieur de l'abbaye, s'était avancé au plus près des fidèles. Trois des sept victimes avaient été ses compagnons de prière et d'existence monastique, au tout début des années 1980. Il les avait vus grandir dans la foi, il avait senti s'affirmer leur vœu d'un ailleurs, au sein d'une communauté plus petite, plus pauvre.

Dans l'auto qui nous ramenait à l'abbaye, Dom Étienne s'émerveilla de cette messe si simple, impromptue, de ces sept bougies qui brillaient désormais « d'une autre lumière ». Il était déjà tard quand nous arrivâmes. Après une nuit très courte, je me mis en quête de tous les éléments qui me permettraient de raconter l'histoire de ces trois mages venus de Bellefontaine. Michel, Bruno et Célestin. Trois frères devant Dieu et que tout séparait. Leur caractère, leur histoire. Tout. Michel était entré le premier en 1980. Bruno, l'année suivante. Et Célestin, en 1983. Trois frères qui ne savaient pas encore combien ils se ressemblaient.

Michel était humble, timide jusqu'à l'effacement. Il n'avait pas l'élocution facile. Il ne voyait de lui-même que ses limites. À l'abbaye, on ne tarda pas à reconnaître un homme de Dieu, épris de pauvreté, de simplicité. Un être habité. Au physique, c'était le curé de campagne de Bernanos. Long et fragile, délicat, de ceux qui souffrent sans se plaindre et tendent leur main à qui veut la prendre. Au mental, il appartenait plutôt à l'univers de Giraudoux, un personnage d'avant le péché originel, celui qui, face au mal, dit : « Je suis prêt. »

Bruno n'était rien de tout cela. Pendant quatorze ans, il avait été le supérieur du collège Saint-Charles de Thouars, dans les Deux-Sèvres. C'était un professeur de lettres. Calme, posé, réfléchi, scrupuleux. Il parlait bien mais préférait le silence. À l'hôtellerie, on le trouva un peu raide. C'est qu'il était le fils d'un militaire de carrière. L'ordre, il savait. Bruno n'aimait pas l'imprévu, ni la fantaisie. Mais il était toujours à l'écoute, en attente. À la recherche de quelque chose, peut-être de sa propre histoire.

Quant à Célestin, ancien éducateur de rue, il connaissait tous les marginaux de Nantes, tous les toxicos, les prostituées, les gamins cassés, les couche-dehors. Dans le diocèse, on s'était demandé ce qu'un prêtre aussi bouillant allait faire à la Trappe. Supporterait-il le calme, le silence, la clôture ? Pour cet admirateur du père Guy Gilbert, la rue était aussi son église. Mais, à partir de 1976, il avait pointé sa grande gueule à l'abbaye. Il tenait à effectuer des retraites de trois jours, pour se vider du tumulte quotidien et retrouver des forces dans la prière, des forces et autre chose, une voie, un appel.

Les trois novices prirent leur place à part entière. Pour eux commençait une vie monastique, intense et vraie. Leur vocation était assez tardive (ils avaient alors entre quarante et cinquante-cinq ans). Elle était forte, très forte, malgré les doutes qui s'insinuaient parfois. Mais qui ne doutait pas? Le maître des novices s'appelait le père Étienne. Plus tard, il deviendrait Dom Étienne, père abbé, père prieur. Jour après jour, il regardait ses trois moines. Aspiraient-ils à autre chose, à plus de silence, à plus de partage? C'est en tout cas ce qu'on dirait après. Après l'année 1984, la fameuse année, l'année de l'appel, l'année de l'éveil, l'année de l'Algérie.

Jusqu'ici, les trois frères avaient progressé dans leur condition de moine. Une progression sans histoires. Un dépouillement singulier, où l'être de chair s'effaçait devant les exigences de l'esprit. En février, les trappistes de Bellefontaine avaient accueilli l'abbé Levent, du diocèse de Nantes, pour une causerie. Il parla de l'Algérie, des immigrés maghrébins, de leurs difficultés. Le frère Michel but ses paroles. Il n'exprima rien de son trouble. Ni le frère Bruno. Ni le frère Célestin. Fin mars, ce fut à l'abbé Pyré de plancher. Ancien vicaire général de Constantine, lui aussi évoqua l'Algérie, et plus précisément cette maigre communauté de trappistes perchée sur l'Atlas, menacée de disparition à cause de ses faibles moyens. À cause surtout du manque d'hommes.

À cette époque, ils n'étaient plus que trois autour de Dom Christian, le supérieur de Notre-Dame-de-l'Atlas, à l'abbaye de Tibhirine. L'Atlas, Tibhirine, l'Algérie. Ces mots claquèrent au cœur des trois frères comme un ordre; un ordre de mission. Le petit monastère était un legs de l'Algérie française. En 1963, abandonné par la métropole, mal vu par le FLN, il avait officiellement été rayé de la carte. Le père abbé avait signé un matin l'avis de fermeture. Mais le soir même il était mort. On n'entendit plus parler de ce papier. Le monastère, lui, survécut grâce à Dom Christian. Un passionné de Dieu, un amoureux de l'islam, du Coran. Dans les années 1970, il était allé à Rome apprendre l'arabe. Il avait rencontré un jeune prêtre, le futur père Étienne, de Bellefontaine. Le charisme de Dom Christian sauva Notre-Dame-de-l'Atlas.

En 1984, cependant, la communauté fut de nouveau en péril. Le monastère d'Aiguebelle, dans la Drôme, pouvait décider à tout moment de rappeler les frères isolés d'Algérie. Dom Christian ne l'aurait pas supporté. Il était persuadé qu'il fallait rester coûte que coûte sur cette terre, par solidarité avec un peuple aux abois. Dom Christian trouva une issue : les moines votèrent pour donner à Tibhirine un statut de prieuré. C'était plus modeste qu'un monastère. Mais, au moins, ils ne dépendraient plus d'Aiguebelle. Ils seraient libres de leurs mouvements. C'est-à-dire de leur enracinement. « À ce moment-là, ils sont passés de la survie à la vie », se souvenait Dom Étienne. Des images lui revenaient. C'était une semaine d'avril 1984. Ils étaient venus le voir, chacun son tour, pour se délivrer d'une confidence. Frère Michel, frère Bruno, Frère Célestin. Aucun des trois n'aurait confié aux autres son intention. Les trois frères, pourtant, vibraient du même appel : ils voulaient rejoindre au plus vite Notre-Dame-de-l'Atlas. « Je n'avais aucune raison de douter de l'appel du Seigneur en chacun, m'expliqua le père Étienne. On était devant Dieu qui se manifestait. » Ces trois-là appartenaient au Ciel, mais pas à Bellefontaine.

Ils quitteraient la douce verdure, la majestueuse église du XIIe siècle, ce rassurant passé. Ils quitteraient le cloître aux lumières diaphanes, son cimetière protégé au beau milieu du jardin, où dormaient, au chaud de la terre, sous de minuscules croix blanches, plusieurs générations de moines. Ils iraient porter leur âme en islam, à Tibhirine, auprès de Dom Christian, l'ami de jeunesse du père Étienne. Bellefontaine envoyait trois moines à l'Atlas, trois mages qui avaient trouvé leur étoile dans un halo de Lune, une Lune découpée en croissant. Tibhirine vivrait. Ici commençait le mystère, la révélation du destin quand il perd le masque du hasard. Et c'est ce destin qu'il me serait donné de raconter.

J'étais fasciné par cette histoire, par ces existences enchevêtrées, d'abord si différentes, qui avaient fini par se rejoindre sur une même ligne d'horizon. Mes interlocuteurs m'avaient choisi comme scribe de leur récit, qui fourmillait de coïncidences, de signes cachés, qu'ils avaient exhumés à mon attention, me fournissant force détails. Ils devaient sentir ma curiosité. Quelque chose leur disait que j'allais restituer ces parcours de croyants au plus près de leur vérité. Car dans la vie des trois hommes, l'Algérie veillait de longue main. Elle avait coulé dans leur sang bien avant que leur sang n'y coulât.

Le frère Michel avait commencé sa prêtrise au Prado de Lyon.

Ouvrier fraiseur, il avait été envoyé à Marseille. Des années durant, il s'était mêlé aux travailleurs maghrébins, à leurs souffrances, à leurs espoirs d'une vie meilleure. L'Algérie le fascinait. « Il n'osait pas se trouver lui-même, me confia le père Étienne. Le Seigneur l'avait déjà choisi. » Né au Viêt Nam, le frère Bruno avait vécu une partie de son enfance en Algérie, où l'une de ses sœurs était enterrée. Un morceau de son histoire reposait là. Tibhirine était une sorte de rendez-vous. Le frère Célestin ne s'en ouvrait jamais : il avait été soldat en Algérie, pendant la guerre. Contre l'avis de ses supérieurs, il avait même soigné un combattant du FLN gravement blessé. Des années plus tard, le fils de cet homme le retrouva, à Bellefontaine. Il voulait rencontrer ce prêtre qui avait sauvé un ennemi. « Lorsqu'ils sont arrivés chez nous, nos trois frères n'avaient pas même l'intuition qu'ils partiraient un jour pour l'Algérie, tentait de se convaincre Dom Étienne. Ils n'ont en rien fui la vie monastique. Mais c'est à Notre-Dame-de-l'Atlas qu'ils ont connu l'épanouissement, l'équilibre, la grâce. »

Les départs s'échelonnèrent entre 1984 et 1989. Michel et Bruno d'abord, Célestin ensuite. Puis, Bruno revint trois ans à Bellefontaine, avant de s'installer à Tibhirine. « Mon seul but, disait-il, est de mettre la prière de Jésus en cette terre, selon l'esprit du père de Foucauld. » Le frère Michel s'improvisa cuisinier. Dom Étienne s'inquiétait de sa fragilité physique. À tort. L'ancien ouvrier fraiseur avait trouvé son milieu ; il était au plus près de l'Évangile, sans grand livre, sans glose. « C'est lui qui incarnait le plus le penchant monastique », reconnaissait l'ancien maître des novices. Le rayonnement du frère Célestin ne fut troublé que par la première incursion du GIA au monastère, à Noël 1993 : le moine dut subir peu après six pontages coronariens. Pendant sa convalescence à Bellefontaine, on entendait ses pas nerveux résonner dans le cloître. Il ne tenait pas en place, parlait sans cesse, piaffait de retourner en Algérie. Il repartit pour Tibhirine, comme pour dire : « Je suis là » au moment de l'enlèvement.

Dom Étienne ne regrettait pas d'avoir laissé partir ces trois frères. Leur vérité les attendait dans l'Atlas. Il en était convaincu : le Seigneur, en les choisissant avec quatre autres moines, avait formé une communauté unique, inexistante au répertoire, pour témoigner. Le frère Michel, le frère Bruno et le frère Célestin se devaient d'être là. Et sans doute étaient-ils prêts. Dom Étienne doutait des hommes quand ils devenaient fous de haine, doutait encore un peu de la mort de ses frères, mais il ne doutait pas du Seigneur. « Je cherche un sens à ce drame, continuait-il en cherchant les mots dans les profondeurs de sa foi. Je comprends une chose : il n'existe pas d'autre sécurité que Dieu lui-même. C'est ça : la force ne repose qu'en Dieu. » Le père Samuel, père hôtelier, avait en tête une phrase de Jésus, qu'il me souffla avant mon départ : « Ma vie, nul ne la prend. C'est moi qui la donne. »

DANS LE SILLAGE DU PAPE

Hasard de l'actualité ? Cette année 1996 fut placée sous le signe de la religion. Il me revint de suivre plusieurs déplacements du pape Jean-Paul II lors de son voyage en France fin septembre, d'abord en Vendée puis, avec Annick Cojean et Henri Tincq, sur la grande base militaire de Reims, où fut célébrée une messe monstre au milieu du « peuple de Dieu », des « tradis » collet monté aux fidèles d'horizons divers et modestes. La polémique battait son plein : le saint-père, déjà très affaibli, la voix lasse, presque inaudible, venait célébrer l'anniversaire du baptême de Clovis. La France commençait-elle, à ses yeux, au roi franc ? Les craintes de récupération par le Front national étaient à leur comble, mais il n'en fut rien.

En Vendée, le pape était littéralement tombé du ciel, à bord d'un hélicoptère de l'armée qui avait percé la grisaille. L'appareil s'était posé sur les pelouses d'une congrégation chauffée à blanc, prêtres sous leurs capuches, religieuses sur leurs pliants, petites vieilles au nez rougi de froid, enfants des collèges aux cheveux trempés. Aussitôt Jean-Paul II avait gagné sa papamobile aux enjoliveurs dorés, et il avait traversé la campagne vendéenne en pèlerin tout de rouge capé pour gagner la basilique résonnant d'alléluias. J'avais retrouvé le père Baudry, de Bellefontaine, attristé devant la faiblesse du pape. C'était un spectacle confondant, la ferveur de cette foule, qu'il salua de dessous son parapluie blanc, après la messe, au moment de repartir vers le ciel. Les pales de l'hélico tournaient. Bientôt ne resterait plus qu'une apparition.

Une petite fille avait été choisie parmi tant d'autres pour offrir des fleurs au saint-père. Elle s'était approchée, avait tendu son bouquet. En retour elle avait reçu de la main divine un chapelet. Elle n'avait pas su comment exprimer son émotion et l'hélicoptère s'était envolé. Les enfants qui avaient tant attendu le pape jouaient à présent à se poursuivre sans assister au départ. Toute la foi était dans cette image, ces enfants qui jouaient et cette fillette qui ne savait pas comment dire.

FLAMMES ET ORIFLAMMES

Les moines et le pape occupèrent pas mal de mon temps. Mais, reprenant mes carnets et mes reportages, je réalise combien cette période fut riche d'événements variés et souvent spectaculaires, quoique moins consistants pour l'esprit : souvenir d'un après-midi de mai passé devant la façade du Crédit lyonnais qui brûlait, boulevard des Italiens, si près de notre ancienne « maison ». Le feu, né dans la salle des marchés, s'était propagé dans les étages, sans aucune cloison pour l'arrêter. Les pompiers avaient fait tout leur possible mais le vieil immeuble haussmannien fut dévasté avec ses précieuses archives. Souvenir aussi de l'incendie qui éclata en novembre dans le tunnel sous la Manche. Vision d'une rame de wagons à claire-voie sortie du feu avec un camion littéralement fondu et son chargement d'ananas d'une singulière couleur ébène.

Dois-je parler de flammes ou d'oriflammes dans le regard des militants du FN et de leur leader Jean-Marie Le Pen, que je suivis une matinée le 1er mai, de la statue de Jeanne d'Arc où ils s'étaient rassemblés jusqu'à la place de l'Opéra, que les bannières frontistes ramenaient au temps de l'Occupation ? J'en avais entendu de belles, dans le cortège qui s'était ébranlé derrière une Jeanne d'Arc boulotte juchée sur son cheval et flanquée de ses hallebardiers. Des messieurs endimanchés se plaignaient de l'Église (« Ce qu'on y entend n'a plus rien à voir avec la foi : on y parle de droits de l'homme »), se plaignaient de l'abbé Pierre (« Il faudrait le piquer. Il finira dans sa baignoire »), se plaignaient de Mgr Lustiger (« Un juif... Il a compris que c'était pas la bonne religion »).

Suivaient les mères de famille, les jeunes corbeaux (bottes noires, blousons noirs, lunettes noires), les jeunes bien mis comme des premiers de la classe, nuque dégagée, foulard blanc et loden. Le répertoire des slogans semblait inépuisable, qui s'enchaînaient comme les psaumes d'une messe chantée. L'air se remplissait de « Israël assassin, Amérique complice! » (une femme, en aparté, disait : « Ah! Pas étonnant, avec tous ces juifs qu'ils ont en Amérique »). Puis vint le quart d'heure anti-immigrés, avec cette affiche collée sur une camionnette : « Je paie, tu paies, ils touchent. » Un « Pendez Mandela » obtint un gros succès auprès des plus jeunes.

Quelques semaines plus tard, autre manif, autre climat : militants des droits de l'homme, intellectuels et anciens dissidents s'étaient groupés devant l'ambassade de Russie pour dénoncer les massacres en Tchétchénie. Les habitués du square Debussy du temps où ils réclamaient la libération d'Andreï Sakharov s'en prenaient au silence et à l'indifférence de l'Occident, une semaine avant l'élection présidentielle russe. Des banderoles écrites en français et en alphabet cyrillique en appelaient au sursaut face au pire qui se profilait. L'appel était signé par Edgar Morin, Alain Finkielkraut, Pascal Bruckner. Dans le square, ce jour-là, André Glucksmann donnait de la voix, accompagné par Pierre Daix, Noëlle Châtelet, Romain Goupil. C'était le lot du reporter, un jour à suivre l'extrême droite, un autre la gauche intellectuelle, ou encore des manifestations de cheminots au cri de «Tous ensemble, tous ensemble, ouais, ouais »...

LE VISAGE DE MAÎTRE LÉVY

Mes carnets portent encore la trace de reportages à Belfort où j'avais à démêler une sombre affaire judiciaire autour du groupe informatique Gigastorage, qu'on accusait d'avoir détourné des fonds publics au lieu de créer les deux cent soixante-dix emplois promis après la fermeture de la société Bull. Malgré le soutien de Jean-Pierre Chevènement, le président du conseil général du Territoire de Belfort, Christian Proust, avait été incarcéré, et la capitale locale était en émoi. Avec mes confrères j'attendais le verdict depuis le début de la soirée sur les marches du palais de justice de

Belfort. Il était presque 11 heures du soir quand le visage de Me Thierry Lévy s'était découpé dans la nuit. Un visage tout en angles vifs, d'une pâleur lunaire.

J'ai gardé en mémoire sa silhouette effilée, son œil en planète sartrienne et sa voix blanche pour dire qu'après treize heures de comparution son client mis en examen avait été placé sous mandat de dépôt. Le juge d'instruction considérait que Gigastorage, lancée par l'investisseur américano-bulgare Bisser Dimitrov, était une coquille vide abritant des transferts de fonds douteux.

Ce dossier révélait avant l'heure les dérèglements liés à la mondialisation et aux lois sauvages du marché. Jean-Pierre Chevènement m'avait reçu, ébranlé par l'ampleur qu'avait prise l'affaire et affecté de voir un élu aussi probe que M. Proust « mis au trou », comme il disait avec une rage froide, dénonçant une véritable erreur judiciaire. Tout avait basculé quand Bisser Dimitrov, voulant répondre à une commande imprévue, avait fait venir une cinquantaine d'ouvriers et de techniciens malais sans papiers. Il espérait pouvoir régulariser leur situation sur place. Au lieu de cela, ils avaient été refoulés. Puis tout s'était précipité : un rapport du groupe Tracfin, dépendant du ministère de l'Économie, avait signalé un important transfert de fonds de Gigastorage Belfort vers sa filiale californienne de Los Gatos. Bisser Dimitrov avait été incarcéré.

L'enquête avait fait apparaître un personnage digne de John Le Carré comme en produiraient encore beaucoup les anciens pays communistes. Des Malais en situation irrégulière, un Bulgare chassé par le régime communiste de Todor Jivkov et devenu « résident privilégié » aux États-Unis, des escroqueries et des abus de biens sociaux sur fond de chômage, le coup était rude. Belfort était soudain projetée avec pertes et fracas dans l'économie-monde, un système de création de richesses dominé par les capitaux flottants, les investisseurs sans frontière, à la nationalité incertaine, les technologies les plus pointues de la Silicon Valley manipulées par les mains les plus fines de l'ancien Empire malais, et non par la main-d'œuvre locale. Les élus belfortains avaient vu en Dimitrov une chance pour enrayer l'hémorragie de l'emploi et réussir la reconversion du site industriel abandonné par Bull.

De ce reportage, j'ai gardé aussi quelques images fortes : le monumental *Lion de Belfort* sculpté dans un bloc de grès rose par Bartholdi, emblème de la résistance de la ville face aux Prussiens sous la haute main du colonel Denfert-Rochereau; le chemin montant vers la citadelle et baptisé « allée de l'Option » — une plaque bleue rendait hommage à ces Alsaciens qui, au lendemain de la défaite de Sedan, en 1870, avaient choisi d'être français. L'histoire toujours, au chevet du présent.

Cet été-là, je revins d'ailleurs sur mes pas de conteur de l'économie en m'attachant à des produits ou des objets emblématiques des vacances, de la pellicule Kodachrome au Guide bleu, de la carte Michelin au transat, chaise pliante pour bonheur immobile, au sac à dos Lafuma, à la Samsonite, la « valise des chercheurs d'or ». Sans oublier le « second couteau » Opinel, le bleuet Campingaz ou les feux d'artifice Ruggieri.

VOYAGE AU CENTRE DU CERVEAU

Si je gardais encore quelques attaches avec mes anciens sujets de prédilection, l'agriculture, l'Afrique, Jean-Marie Colombani m'attira résolument vers de nouveaux horizons. C'est ainsi que pour la première fois je pénétrai dans l'univers scientifique à l'occasion de deux enquêtes qui me demandèrent chacune de longues semaines de recherches, de voyages, de lectures et de rencontres : la première sur le sujet controversé de la mémoire de l'eau, la seconde sur le fonctionnement du cerveau humain. Ce voyage au centre du cortex fut une passionnante leçon de choses. Les plus grands spécialistes éclairèrent ma lanterne, en France, en Grande-Bretagne et aux États-Unis. Je revins changé de ce reportage sur l'objet le plus complexe de l'univers, 1 330 grammes de matière grise qui résumaient l'histoire de l'humanité, ses passions et ses doutes.

Je devins très calé sur le siège des émotions et de la pensée, apprenant les aires du langage et de la mémoire, m'émerveillant devant la capacité cérébrale à toujours s'adapter grâce à une incomparable plasticité. Ma première incursion dans l'univers des chercheurs, à travers la mémoire de l'eau, m'avait pourtant rendu sceptique sur leur ouverture d'esprit.

21

SOUVENIRS DE LA MÉMOIRE
DE L'EAU

L'affaire de la mémoire de l'eau commença par l'annonce à grand fracas, six colonnes à la une du *Monde*, en 1988, d'une découverte majeure qui devait ébranler les bases de la biologie moléculaire. Elle était le fait d'un chercheur de génie, Jacques Benveniste, selon qui une molécule hautement diluée pouvait garder son principe actif. La découverte, si c'en avait été une, aurait donné un grand coup de tonnerre dans le ciel pur et parfait de la science, c'est-à-dire de la raison. Il pouvait donc exister une action de la molécule sans la molécule, comme se dessinait dans l'air du pays des merveilles d'Alice le sourire d'un chat sans chat?

C'eût été trop simple. On n'était pas chez Lewis Carroll et les scientifiques établis ne pouvaient laisser accréditer pareille fadaise qui aurait ruiné rien de moins que les fondements consolidés siècle après siècle, génération après génération de chercheurs, de la prééminence moléculaire.

L'enjeu était considérable : toute la politique publique de recherche, toute la stratégie des laboratoires pharmaceutiques reposaient sur la biologie moléculaire. S'il n'était plus besoin de molécules et que les hautes dilutions parvenaient au même résultat, c'en était fini de pans entiers de l'industrie du médicament, exception faite de l'homéopathie. Benveniste ne put réitérer dans les règles ses expériences et il fut mis au ban de ses pairs, à l'issue d'un véritable western, lui jouant le rôle de l'homme à abattre, la communauté scientifique jouant celui des justiciers, avec des méthodes souvent peu recommandables.

En donnant une large publicité à ce qu'on nomma la « mémoire de l'eau », *Le Monde* s'était avancé imprudemment, ce qui avait déclenché une vive polémique qui le coupa des tenants de la « rationalité » dans les institutions comme Pasteur ou l'académie de médecine. C'est pourquoi lorsque, courant 1997, le journal publia une tribune très critique de Jacques Benveniste sur les faiblesses de la recherche française et le nombre, qu'il jugeait indigent, de ses prix Nobel, la communauté scientifique s'offusqua de voir *Le Monde* ouvrir ses colonnes à celui qui passait désormais pour un charlatan.

Un matin, Colombani vit débarquer dans son bureau, allure de colosse et démarche chaloupée, le prix Nobel de physique Georges Charpak. Le bonhomme n'était pas de bonne humeur. *Le Monde* allait-il continuer de se déconsidérer en relayant les élucubrations incantatoires d'un Benveniste animé par sa seule rancœur d'avoir été démasqué comme un imposteur ? L'affaire était sérieuse et sans que je comprenne bien pourquoi — sinon que j'aimais raconter des histoires et me colleter avec les grandes entreprises de vulgarisation sur des terrains jugés ardus comme l'économie — c'est à moi que revint de plonger dans ce bain passionnel.

Dès mon premier rendez-vous avec Benveniste, dans son appartement de la rue de la Gaîté, je compris que ce ne serait pas une partie de plaisir, tant le chercheur était à fleur de peau, insultant la terre entière, en particulier ses pairs, et défendant *mordicus* sa découverte en prétendant qu'on ne l'avait jamais mis dans les bonnes conditions pour la reproduire. Le lendemain j'étais dans son préfabriqué Algeco de Clamart, là où il continuait de mener ses expériences dans des conditions plus que rudimentaires, après avoir été écarté de l'Inserm. Il travaillait avec une poignée de fidèles pour prouver l'efficacité des hautes dilutions, à travers de curieuses expériences. Ainsi lorsqu'il injecta ce qu'il appelait de l'eau naïve, c'est-à-dire désionisée, dans le péritoine d'une souris posée sur une paillasse. La souris continua de gambader comme si de rien n'était. Puis Benveniste, impérial dans sa blouse blanche, versa un peu de la même eau dans un tube de plastique clos et le fixa près de son ordinateur.

Dans son disque dur, il avait enregistré les ondes électromagnétiques de plusieurs molécules comme le valium. Benveniste considérait en effet l'eau comme une bande magnétique liquide, capable de recevoir un message moléculaire et de l'imprimer. Pendant vingt minutes, par l'intermédiaire de sa souris, il joua ainsi à l'eau naïve la partition du valium, à l'image d'un orchestre jouant Mozart sur un CD. Le délai écoulé, il réinjecta le liquide dans le péritoine de la souris, qui, après quelques embardées, tomba raide endormie. J'étais comme deux ronds de flan.

Lorsque Georges Charpak me reçut chez lui rue de Poissy, à deux pas de la Seine, sa crinière de vieux lion en bataille et son regard bleu acier semblant me soulever, il mit mon illusion en charpie. Il avait pourtant accueilli avec un esprit d'ouverture les travaux de Benveniste, le conviant même à réaliser ses expériences au sein de l'École de physique et de chimie. « Si tout cela est vrai, avait-il dit en plaisantant, il s'agit de la plus grande découverte depuis Newton et il faudra rebaptiser le quai Anatole-France (où siégeait le CNRS) quai Jacques-Benveniste. » Mais le soir de notre rencontre Charpak ne riait plus. Les expérimentations du chercheur de Clamart, dans un climat de doute et de conspiration, n'avaient pas été probantes, tant les possibilités de fraude dans le protocole étaient multiples. Charpak considérait que Benveniste s'était moqué de lui et avait abusé de sa confiance.

M'ayant accueilli dans sa salle à manger, il attrapa une salière et un poivrier en verre. « Benveniste prétend que l'activité passe d'ici à là ! Chaque soir le magicien du bateau *Metamorphosis*, sur la Seine, près de chez moi, vous donne une ficelle à couper. Après un tour de passe-passe, la ficelle est de nouveau entière. Il y a un truc. C'est pareil avec Benveniste. Je suis arrivé à la conclusion qu'il est entouré de véritables truands. Aucun laboratoire ne retrouve ses résultats », s'emportait cet esprit libre de la science qui aurait sans aucun doute aimé voir triompher l'originalité, à condition qu'elle ne fût pas entachée du soupçon le plus grave : la fraude.

Charpak m'écouta raconter le test de la souris endormie. « Une fraude ! répéta-t-il. Demandez à piquer la souris vous-même, me conseilla le prix Nobel. Benveniste peut très bien la toucher au foie et lui administrer une dose létale rien qu'avec de l'eau.

Faites analyser les seringues, rien ne l'empêche d'y introduire un produit. » La confiance ne régnait pas.

Au moins Charpak avait-il accepté le contact avec le chercheur. Ce n'était pas le cas d'un autre Nobel, François Jacob, qui se contenta d'emprunter mon bloc-notes pour tracer deux lignes. Une en forme de ressort. Une droite. « C'est simple, me lança Jacob. Ce type est fou. La preuve ? Ses expériences devraient aboutir à des réactions comme ceci [il désigna la ligne en ressort]. Or il dit obtenir cela [il désigna la ligne droite]. C'est la preuve qu'il est fou. Il est impossible d'avoir une discussion scientifique avec Jacques Benveniste. Au revoir, monsieur. » L'entretien n'avait guère duré plus de dix minutes. Plus j'avançais dans cette passionnante enquête, plus je sentais l'extrême violence de ce qui se jouait, un combat de David contre Goliath, même si David semblait par moments avoir perdu la raison, à force d'être attaqué et moqué.

Le littéraire que j'étais d'abord se trouvait confronté à une question essentielle : qu'est-ce que la vérité, et, plus précisément, qu'est-ce que la vérité scientifique ? Benveniste était-il un nouveau Pasteur, victime de l'incompréhension et du rejet virulent des siens tant que son « vaccin » resterait sujet à caution ? Il m'apparut que la vérité scientifique était avant tout ce que pensait la majorité des scientifiques à un instant T, quitte à ce que cette vérité évolue si l'ensemble de la communauté se rendait à l'évidence que le vrai était ailleurs.

En attendant, Benveniste était vraiment l'homme à abattre et, lorsque je fis sa connaissance, il était rien de moins qu'écrasé, fatigué, déprimé, lâché par ses ultimes soutiens. S'agissait-il d'un imposteur rejeté avec raison par son milieu ? Je rencontrai des dizaines de chercheurs de tous horizons, détracteurs ou au contraire anciens proches et même très proches admirateurs de son esprit et de son courage. Rarement enquête me passionna autant. Il s'agissait non pas d'établir si Benveniste avait raison ou tort, j'en aurais été bien incapable, mais de raconter ce véritable roman de mœurs dans l'univers scientifique, en étudiant de près les acteurs du drame, à commencer par Benveniste lui-même, qui passait en ce début 1997 pour un imposteur. Un jugement bien sûr très injuste, à la mesure du danger qu'il représentait pour l'ordre établi, pour les budgets votés en faveur de la biologie moléculaire.

Quand il succomba d'une crise cardiaque au cours d'une opération, en 2004, je ne pus m'empêcher de penser que son cœur n'avait pas résisté à tant de vilenies, qu'il avait sans doute fini par susciter du fait de son caractère devenu exécrable, doublé d'une paranoïa somme toute compréhensible, devant toutes les portes qui s'étaient refermées.

Pour mener mon enquête, je retournai à la source de la mémoire de l'eau, un fameux article paru le 30 juin 1988 dans la célèbre revue britannique *Nature*, sous la plume de Benveniste et de douze autres chercheurs. Que de pages rébarbatives dus-je avaler pour connaître au moins les enjeux du sujet ! Puis je m'intéressai au parcours singulier de mon « client », qui dirigeait à l'époque de ses travaux l'unité 200 de l'Inserm à Clamart, spécialisée dans l'immunopharmacologie de l'allergie et de l'inflammation. Trois laboratoires étrangers confirmaient leur extraordinaire conclusion : l'eau pouvait transmettre une information biologique spécifique et produire un effet moléculaire en l'absence de molécule.

« Tout se passe, affirmait Benveniste, comme si l'eau se souvenait d'avoir vu la molécule. » La presse garda une image : la mémoire de l'eau. Le plus universel des liquides, symbole de vie, de baptême et de pureté, se retrouva ainsi doté d'une conscience. L'eau gardait-elle la trace et le principe actif de ce qui n'existait plus ? Lorsque *Nature* se résolut à publier le texte de Jacques Benveniste — la version initiale avait été rédigée deux ans plus tôt —, son rédacteur en chef, John Maddox, l'avait accompagné d'une réserve éditoriale sous le titre « Quand croire à l'incroyable ». À ses yeux, une telle fissure dans le noyau des connaissances supposait de « se demander avec plus de soin qu'à l'accoutumée si l'observation n'était pas incorrecte ».

Le professeur au Collège de France et à l'Institut Pasteur Jean-Pierre Changeux, que je rencontrerais plus tard à l'occasion de ma passionnante enquête sur le cerveau, m'écrivit que, « compte tenu de [ses] responsabilités comme président du Comité consultatif national d'éthique, [il était] tenu à un devoir de réserve au sujet de l'affaire Benveniste et de la mémoire de l'eau ». Il lança cette pierre dans notre jardin : « Vous savez certainement le rôle qu'a joué *Le Monde* dans la promotion de cette affaire. Je pense que le devoir de rectification incombe, d'abord, aux journalistes eux-mêmes. »

Insensiblement le débat avait glissé. Il était moins question de l'effet, prouvé ou non, des hautes dilutions, que de savoir si Jacques Benveniste était fou, paranoïaque ou mégalomane. Le discours en vogue consistait à dire qu'il avait été un grand scientifique, mais qu'il avait « perdu les pédales » faute de n'avoir pas reçu le prix Nobel, ni reproduit ses expériences, ni élucidé son propre système expérimental. Par ses récentes recherches il se serait définitivement placé hors de la science. Le biologiste Jacques Testard, lui, croyait que la mémoire de l'eau était un artefact, un biais d'observation. Mais il se montrait scandalisé par l'attitude « non scientifique » de la recherche officielle à l'égard du docteur Benveniste. « Ce serait tellement énorme s'il avait raison qu'il est anormal de ne pas l'aider. On ne cherche qu'à montrer la faille. »

À l'image de Cyrano, Jacques Benveniste était « seul de son parti ». Son soutien moral, il le trouvait du côté des sociologues comme Edgar Morin ou Jean Baudrillard. Jean-Claude Carrière se rangea lui aussi aux côtés de Benveniste, tout en soulignant son incompétence sur le fond. « La science dit : ce n'est pas vrai parce que c'est impossible. Pour moi, ce qui surgit de nouveau vient des marges, défendait le scénariste de Buñuel. Comme dans les tableaux de la Renaissance, où le centre est la figure imposée. Les peintres plaçaient leur inventivité sur les franges de la toile. Et puis, je suis attiré par le prestige de l'hérétique. »

Le mot était bien choisi. Depuis le début, cette histoire ressemblait à un procès en sorcellerie. « La mémoire de l'eau est-elle le verset satanique de la science? », se demandait Michel Schiff, un chercheur qui avait longtemps travaillé avec Jacques Benveniste. L'affaire était devenue passionnelle. Il y avait celui qui y croyait face à ceux qui n'y croyaient pas. Les réactions furent violentes, disproportionnées, à la mesure ou plutôt à la démesure des bouleversements annoncés par Benveniste. « Le changement de mode de pensée n'est pas moins grand que lorsqu'on est passé avec la Terre de la platitude à la rotondité, écrivait-il dans *Le Monde* du 30 juin 1988. La procédure s'apparente à celle qui ferait agiter dans la Seine, au Pont-Neuf, la clé d'une automobile, puis recueillir au Havre quelques gouttes d'eau pour faire démarrer la même auto. »

Jacques Benveniste rêvait alors de pouvoir un jour « à partir de l'information passant sous le Pont-Neuf, pêcher un poisson électromagnétique sans arêtes ». L'image avait enchanté François Mitterrand, qui avait vu là une réconciliation de la science et de la poésie. Deux questions subsistaient pourtant, entières : Benveniste avait-il prouvé ses dires, et l'avait-on écouté ?

Avant l'affaire, c'était un chercheur reconnu et établi. Il avait déjà publié quatre articles dans la revue *Nature*. On lui devait une découverte fondamentale dans le domaine des allergies. Fils d'un médecin de quartier, bachelier à quinze ans, interne des hôpitaux, brillant, hâbleur, un peu frimeur, Jacques Benveniste avait bifurqué vers la recherche en 1969, l'année de son départ pour San Diego, en Californie. Son travail lui valut la médaille d'argent du CNRS, une distinction majeure. Le Science Citation Index, une source indiscutable, écrivait que treize de ses articles étaient mentionnés plus de cent fois et considérés comme des classiques. Ses recherches figuraient au deuxième rang des textes les plus cités dans toute l'histoire des comptes-rendus de l'Académie des sciences.

Toutes ces références éclairaient singulièrement la tempête qui se préparait. Jacques Benveniste n'était pas le premier venu. Son pedigree avait de quoi faire pâlir plus d'un chercheur. Engagé à gauche, il avait aussi été le « monsieur Médicaments » de Jean-Pierre Chevènement, entre 1981 et 1983, quand celui-ci était ministre de la Recherche. Il était enfin membre du conseil scientifique de l'Inserm. Ce qu'il disait avait du poids. La riposte fut en conséquence. Derrière le savoir se cachait l'enjeu du pouvoir.

En 1982, une équipe américaine reçut le prix Nobel pour des travaux voisins de ceux du docteur Benveniste. Ses proches affirmèrent qu'il en avait conçu de l'amertume, que la mémoire de l'eau était son joker pour décrocher la récompense suprême. Quand je lui posai la question, il démentit avec humeur. À vingt ans, Jacques Benveniste se voyait coureur automobile. Il disputa des compétitions à Montlhéry. On lui proposa de devenir pilote de rallye. Il préféra une autre voie, aussi périlleuse. « Les hautes dilutions me procurent le même frisson que la ligne droite de Montlhéry », disait-il sans rire. Impatient, peut-être trop, il rêvait qu'un phénomène porte son nom. Un homme blessé, un homme pressé. Et, après le 30 juin 1988, un homme traqué.

Aux premiers jours de juillet, cette année-là, *Nature* dépêcha à Clamart une commission d'enquête venant vérifier l'expérience du docteur Benveniste. L'initiative surprit. Pourquoi cette démarche alors que l'article avait paru? N'aurait-il pas fallu trancher avant? La composition de ce « comité de vigilance » suscita l'étonnement. Deux curieux personnages accompagnaient le rédacteur en chef de *Nature* : Walter Stewart, un expert en fraude scientifique, et l'illusionniste américain James Randi, connu pour avoir démasqué Uri Geller, l'homme qui tordait les petites cuillères à distance.

Dans le numéro de *Nature* du 28 juillet, ce fut l'hallali. Sous le titre « Haute dilution, une illusion », John Maddox exécuta le chercheur français : « Nous avons conscience de former un groupe hétéroclite, mais, sur la base de notre expérience, nous sommes certains que la manière dont ont été conduites les expérimentations rapportées à l'U 200 de l'Inserm n'autorise pas les conclusions avancées. » Le verdict fut sans appel : « L'hypothèse selon laquelle l'eau pourrait être marquée par le souvenir de solutés y ayant transité est aussi fantastique qu'inutile. »

Le trio d'inspecteurs voulait trouver une fraude. Il resta sur sa faim. La faiblesse, si elle était avérée, se trouvait ailleurs. Moins dans la manipulation que dans l'écriture des chiffres. Mais la cause était entendue : faute de tricherie, l'erreur suffirait à classer la mémoire de l'eau au rayon des idées inutiles. La méthode suivie par John Maddox et ses comparses discrédita *Nature*. Leurs conclusions discréditèrent Jacques Benveniste. Mais, en se mettant dans son tort, la revue britannique ne donna pas *a contrario* raison au chercheur français. Le rapport assassin de *Nature* déclencha la colère ou l'ironie de la science officielle. On parla de magie noire.

Un an après la parution du papier, le climat était devenu empoisonné. Une commission de l'Inserm estima que les travaux du chercheur « nuisaient [à l'Institut] et plus généralement à l'image de la communauté scientifique française ». Le patron de l'Inserm, Philippe Lazar, s'opposa, malgré les pressions, au non-renouvellement temporaire du docteur Benveniste à son poste. l'U 200 fut prolongée jusqu'à son terme normal du 30 juillet 1992. Mais le chercheur fut sommé de renoncer à s'exprimer sur la mémoire de l'eau « en dehors des revues de haut niveau ».

Au cours des années 1990, Benveniste poursuivit ses expériences avec les fameux tests sur les ondes électromagnétiques transmises à l'eau dite naïve. Il s'agissait cette fois non pas d'endormir des souris mais de réactiver des cœurs de cobayes ayant tout l'air de gros litchis épluchés. Après lui avoir tendu la main, Georges Charpak, comme il me le signifia sans ambages, finit par rompre toute relation dans une lettre terrible où on pouvait lire : « Il n'y a aucun intérêt à donner l'illusion que vous entreprenez des expériences rigoureuses à l'École de physique et de chimie. Je vous demande donc de ne jamais mentionner une collaboration quelconque avec mon équipe. »

Benveniste accusa le coup. Il adressa une longue réponse au prix Nobel de physique, lui reprochant son « ton méprisant ». Ses termes étaient ceux d'un homme blessé. « Aucune fraude n'a pu être mise en évidence. Aucun artefact crédible n'a été proposé depuis dix ans, à l'opposé de ce qui est advenu dans toutes les controverses scientifiques passées. Oserai-je vous rappeler que le "simple bon sens" avait conduit à admettre que le Soleil tournait autour de la Terre, que les rayons X, le plus lourd que l'air, la voix enregistrée, le laser, etc., étaient des mystifications ? Le même bon sens autorisait les théoriciens les plus éminents à nier l'existence des bactéries ou que rapprocher deux bouts de métal puisse tuer des milliers de personnes en quelques secondes ? » D'après Benveniste, Georges Charpak n'aurait pas cru une seconde à l'aviation s'il avait assisté à l'envol cahotant de l'Antoinette de Blériot.

Devant ce qui tournait au délire de persécution doublé de mégalomanie, le patron de l'Inserm répliqua au chercheur : « L'Inserm n'est pas adapté au management des génies. Tu ne peux pas avoir raison contre 99 % de la science. » À quoi Benveniste répondait : « Autant décider des résultats de la recherche par référendum. Scientifiquement, je sais que j'ai gagné. » Par ses excès et son entêtement, Benveniste lassa ses amis et perdit ses plus proches collaborateurs. On ne traitait pas impunément l'Académie des sciences de « club provincial » et Georges Charpak de « descendant de l'Olympe » sans finir aux enfers. On ne moquait pas « l'Union rationaliste » (Pasteur et le Collège de France) sans encourir ses foudres.

En moins d'une décennie, le brillant chercheur que ses travaux sur l'inflammation plaçaient sur la liste des nobélisables était entré dans la chapelle mal famée du charlatanisme, remâchant son honneur perdu et son terrible isolement.

À l'issue de mon enquête, trois doubles pages du *Monde* assorties de schémas explicatifs sur ses expériences de transfert électromagnétiques, le chercheur fut une nouvelle fois ébranlé. D'abord car, objectivité oblige, je n'avais pas pris son parti, soulignant qu'il n'avait pas prouvé ses affirmations selon les règles scientifiques admises. En donnant la parole à ses détracteurs sans hurler avec les loups, j'avais forcément remué en lui des blessures profondes. Il était en revanche satisfait, soulagé même, d'avoir pu parler sans entrave : je lui avais permis d'exprimer à la fois le mode et le sens de ses recherches, et aussi toute la rancœur qu'il nourrissait à l'endroit des scientifiques qui l'avaient rejeté.

Les lecteurs furent très nombreux à réagir par écrit, les uns pour condamner *Le Monde* d'accorder une telle publicité au « charlatan » Benveniste, les autres pour soutenir ce chercheur courageux qu'ils comparaient à Galilée. Certains se disaient choqués de lire ce « roman de mœurs » dans le milieu scientifique, qu'ils croyaient protégé par un esprit de neutralité, et découvrant ses turpitudes, ses bassesses et ses jalousies insoupçonnées. Des courriers s'indignaient devant l'acharnement de ses pairs sur Benveniste, ou regrettaient son refus de se plier à leur jugement.

Ce fut pour moi une rencontre marquante, douloureuse et fascinante à la fois. Si l'intuition est un excès de vitesse de l'intelligence, alors Benveniste était d'une intelligence exceptionnelle, hélas entravée par un ego aveuglant. Son sens de l'humour avait tourné au vinaigre.

Devenu chroniqueur de la dernière page du *Monde*, j'avais à sa mort salué cet homme qui avait fini dilué par sa propre formule de la mémoire de l'eau. Il dérangeait tant qu'on lui avait infligé le pire : le mépris précédant l'oubli. Mais ce qu'il ne fallait pas oublier, c'était la manière grotesque dont il avait été traité. Quel chercheur digne de respect aurait accepté la présence d'un illu-

231

sionniste dans son laboratoire pour vérifier des expériences ? D'après Benveniste, ces hommes de science qui réfutaient la mémoire de l'eau croyaient donc, en écoutant un CD de Pavarotti, que le ténor était glissé à l'intérieur de la galette, puisque sa voix ne pouvait être mémorisée par le disque.

Avec ses énormes défauts, ses dérapages mal contrôlés de bolide de la science, il était un ouvreur d'horizons. C'est ainsi qu'en 2007, à Lugano, près de vingt ans après le funeste article de *Nature*, une conférence du professeur Luc Montagnier amorça un début de réhabilitation. Le codécouvreur du sida rendit un hommage vibrant à son collègue Jacques Benveniste, appelant à la création d'un institut de recherche pluridisciplinaire sur l'eau, en particulier sur la communication entre biomolécules par émission et réception d'ondes électromagnétiques. Précisément le terrain d'investigation de Benveniste.

Le 8 décembre 2010, je reçus un courrier de Luc Montagnier à en-tête de la Fondation mondiale Recherche et prévention sida. Il m'écrivait ceci : « Je suis devenu proche des concepts défendus par Jacques Benveniste sur la base d'expériences inattaquables et qui sont à la fois importantes pour les théories physiques de la structure de l'eau et pour leurs applications médicales. Je serais donc heureux de vous rencontrer pour vous exposer les faits et espère à nouveau compter sur une relation objective du *Monde* sur ce mouvement scientifique crucial. » Comme il aurait été soulagé, Jacques Benveniste, devant cet hommage hélas posthume à ses travaux. Je repensai à la chute de ma longue enquête controversée : « Reste aussi l'hypothèse que tout cela soit vrai. »

22

AFRIQUE DERNIÈRE

Cette même année 1997, je renouai une dernière fois avec mes amours africaines. Le fil s'était distendu avec ma première passion de journaliste née des matières premières et de mon goût pour l'aventure, qu'à tort ou à raison je plaçais sur la carte du continent noir désormais plantée de dizaines d'épingles tels des confettis colorés sur la tête massive d'un éléphant. Michel Boyer avait quitté le journal, emportant avec lui son vague à l'âme et son humour corrosif, comme quand il m'annonçait tout de go, tôt le matin, de sa voix caverneuse et sans appel : « Je vais sauter dans le premier train et aller buter un notable en province. » Avant son départ il s'était un temps rasé la tête, ce qui laissait apparaître sous la peau fine de son crâne un occiput prononcé. Certains s'étaient inquiétés : était-il malade ? suivait-il un traitement ? Pas le moins du monde. Il avait engagé par son sommet déjà éclairci une entreprise de dépouillement qui allait le mener avec les années vers une solitude extrême.

Dans cette période, je remarquai qu'on me confiait deux types de missions. Les papiers délicats destinés à rabibocher le journal avec des institutions ou des personnalités qu'il s'était mises à dos (l'Élysée sur la fin de Mitterrand, la communauté scientifique, Roland Dumas, que *Le Monde* avait durement attaqué, lui consacrant pas moins de cinquante-sept manchettes lors de ses démêlés judiciaires, entre Elf et l'affaire des frégates). Ou alors les feuilletons au long cours, les *big pictures*, comme on disait dans la presse anglo-saxonne, ramassant dans un ample récit un pan de l'Histoire contemporaine.

C'est ainsi que je repris mon fil africain, alors que le continent était agité de soubresauts dramatiques, du Zaïre, le futur Congo, aux Grands Lacs. La commande était précise : raconter les liaisons dangereuses entre la France et l'Afrique, un demi-siècle après le discours prononcé par de Gaulle à Brazzaville, qui annonçait à mots couverts la décolonisation. Mais Paris n'avait jamais réussi à couper avec son ex-Empire, entretenant avec l'Afrique des relations passionnelles, parfois conflictuelles, dominées par le clientélisme et l'affairisme, comme je l'avais déjà constaté au cours de mon enquête sur les menées de Charles Pasqua.

Cette fois ce ne fut pas un reportage de terrain mais une étude de l'Histoire à travers ses témoins et leurs écrits, ajoutant à mes connaissances sur l'Afrique — sur les Afriques — le savoir des acteurs directs, leurs témoignages, leurs accusations parfois. Comme j'avais plongé dans la mémoire de l'eau, comme je plongerais bientôt dans l'univers du cerveau, ce fut une ultime plongée dans cette Afrique compliquée par son lien incestueux avec la France, laquelle, dans un excès de soi-même, voulait faire du continent noir et de ses habitants ses semblables après en avoir fait ses sujets. Dans ce jeu de miroirs et de reflets déformants, je tâchai de mettre en lumière ce travers de la France coloniale qui n'aimait l'Afrique qu'à proportion de ce qu'elle lui ressemblait, niant l'identité propre des peuples africains, niant aussi leur capacité à entrer eux-mêmes dans une Histoire singulière, comme un certain discours de Nicolas Sarkozy à Dakar, bien des années plus tard, le montrerait encore.

Entre la France et l'Afrique, c'était une histoire de famille déchirée, avec brouilles et retrouvailles, espoirs déçus, amours contrariées. Près de quarante ans après l'ultime *Marseillaise*, une fois repliée la dernière bannière tricolore, le couple Françafrique n'en finissait plus de se séparer, parce que c'était la France, parce que c'était l'Afrique.

À la différence des anciennes colonies britanniques, qui avaient seulement gardé avec leur métropole des liens d'affaires (« Trade, not aid »), sur fond d'habeas corpus — les Anglais n'auraient pas eu l'idée que les Africains leur ressemblent —, la France gardait sa mémoire en usufruit pour demeurer une moyenne puissance ou, plutôt, une « moyenne impuissance », selon le mot que soufflait avec esprit l'ancien ambassadeur Guy Georgy, que je fréquentais à cette époque. Heureux colonisés de Sa Très Gracieuse Majesté qui ne connurent pas d'états d'âme au départ des Britanniques en habit sergent-major et casque en bois de sureau. Messieurs les Anglais ne cherchaient qu'à se faire respecter. Les Français sous les tropiques, eux, voulaient de surcroît être aimés. La chicotte n'allait pas sans le missel, ni la Déclaration des droits de l'homme sans « nos ancêtres les Gaulois », que serinèrent des générations d'écoliers à peau noire sous le tablier rose ou bleu.

La France avait maintenu l'Afrique dans son champ, un pré carré où nulle autre puissance étrangère ne devait se sentir chez elle, puisque là-bas, à Abidjan, Dakar, Cotonou, Libreville, circulaient les mêmes mots, les mêmes autos, les mêmes hommes et les mêmes idées, puisque là-bas, indépendance ou non, c'était encore un peu, beaucoup, passionnément, la France.

Donc une histoire d'amour, d'intérêts aussi, où l'ampleur des affaires attestait la profondeur du sentiment. Dans l'album de famille rôdait la haute silhouette d'un général étoilé qui, un jour de 1940, consacra Brazzaville capitale de la France libre. Des liens de parenté indéfectibles, noués au prix du sang versé. Valeureux tirailleurs sénégalais (venus en réalité de tout l'Ouest africain), dont Clemenceau, déjà, avait arrêté le destin en bleu-blanc-rouge à liséré de deuil : « La force noire à consommer avant l'hiver », avait décidé le Tigre, comptant sur l'effet de surprise des « nègres Banania » surgissant des tranchées et craignant les effets du froid sur leurs organismes solaires. Ces combattants avaient fait la France, et chaque soldat décoré pouvait espérer voir surgir une autre Afrique, une Afrique libérée du « Oui, mon commandant ! » que n'avait pas oublié le truculent Amadou Hampâté Bâ.

De guerre en guerre, et d'après-guerre en après-guerre, l'Afrique était peu ou prou devenue la France. On admettait que la Méditerranée coulait au milieu de l'Empire comme la Seine au cœur de Paris. À aucun moment, dans son allocution de Brazzaville du 30 janvier 1944, le général de Gaulle n'évoqua l'émancipation future des colonies. Après vingt-trois ans de politique africaine à droite, François Mitterrand prit la plume de l'Histoire en 1981. Le nouveau chef de l'État se voulait en terrain connu. Mais que savait-il de cette Afrique éprise de changement, lui qui n'aspirait qu'à la continuité, pour le meilleur et pour l'empire ? C'est ainsi qu'il écarta son ministre de la Coopération Jean-Pierre Cot, après la bronca de plusieurs chefs d'État africains. Cot voulait « décoloniser la coopération » pour l'ouvrir à l'ensemble du continent, lusophone et anglophone. Cot voulait moraliser, assainir, normaliser le lien entre la France et l'Afrique. Il fut congédié.

Mitterrand se fit beaucoup prier, à La Baule, pour inciter ses homologues africains à plus de démocratie. Et c'est au Rwanda que la France se montra bien faible face au *Hutu power* génocidaire. La complaisance est-elle allée jusqu'à la complicité, ou l'ignorance jusqu'à l'inconscience ? Des premières ripostes aux attaques du Front patriotique rwandais (FPR), en octobre 1990, aux massacres terriblement méthodiques de Tutsis, au lendemain de l'assassinat du président Juvénal Habyarimana, le 6 avril 1994, Paris encourageait le pouvoir hutu, Paris était averti des exactions, recueillait les déclarations indignées ou apeurées des témoins du drame. Mais, comme ces statuettes aux trois singes accolés, la France ne voyait rien, n'entendait rien, ne disait rien.

Rarement sa politique africaine avait paru aussi double, aussi trouble que dans cette région des Grands Lacs où, la suite le prouva, elle perdit sa crédibilité. La diplomatie française aurait-elle pesé aussi peu dans l'après-Mobutu si le drapeau tricolore ne s'était trouvé mêlé au sang du peuple rwandais ? À La Baule, en juin 1990, le président Habyarimana avait feint de ne pas comprendre l'appel à la démocratie.

Restait à regarder l'Histoire en face. Il faudrait du temps. « Sur l'affaire du Rwanda, on a dit des abominations, que la France avait armé un régime qui préparait un génocide ! Personnellement, je trouve que ce sont les seules critiques inadmissibles sur la politique étrangère de Mitterrand. S'il y avait une critique à lui faire, ce serait de ne pas avoir été assez conservateur, d'avoir jeté dans la poudrière rwandaise l'étincelle de La Baule. » Ainsi s'exprimait Hubert Védrine, devenu ministre des Affaires étrangères de Lionel Jospin, dans la revue *Le Débat*.

En 2004, la parution, aux Éditions Les Arènes, du livre de Patrick de Saint-Exupéry *L'inavouable* répandit le malaise, y compris dans la rédaction africaine du *Monde*, qui rechigna à en rendre compte. Le journal avait entériné la vision fausse et facile d'un double génocide qui dédouanait la diplomatie française, gauche et droite confondues. Saint-Ex avait vu le contraire. À l'époque correspondant du *Figaro* à Moscou, il avait assisté au drame rwandais dix ans plus tôt. Il avait vu non pas des, mais un génocide. Le reporter avait suivi l'injonction d'Albert Londres : sa plume, il la portait dans la plaie. « Génocide », le mot revenait tout le temps dans *L'inavouable*. Saint-Exupéry avait vu. Il voyait encore. « Je ne suis pas un phraseur, la réalité me borne », écrivait-il. C'était une drôle de musique. Cela commençait par une indignation, le jour où le Premier ministre Dominique de Villepin avait évoqué « les génocides » rwandais. Comme si les crimes des Tutsis étaient comparables à ceux des Hutus. Comme s'il n'y avait eu en somme qu'un simple et indistinct « combat de Nègres » dans un tunnel entre ces « sauvages » d'Africains. Prétendre qu'ils s'entre-tuaient Noirs contre Noirs, sans une fausse note blanche, c'était commode quand il s'agissait de minimiser les responsabilités françaises.

Saint-Exupéry n'avait pas vu cela. Pas du tout. Alors il le racontait et on le suivait dans sa voiture « quelque part, là-bas, il y a longtemps », un été, il faisait chaud, « c'était le temps du génocide ». Dans son minibus Volkswagen à la moleskine râpée, il avait installé un Villepin imaginaire. Il l'emmenait, et nous avec lui, au bout de l'horreur. On verrait des cadavres et des cadavres, et un officier français en larmes d'avoir prêté la main au massacre. Il faisait des comptes qui ne plaisaient pas à nos diplomates. Mais s'agissait-il de plaire ? Car la France, affirmait-il, arma et forma les tueurs. Et la France les protégea.

J'aurais aimé qu'une voix officielle réponde à ce livre, que *Le Monde* clarifie sa position. Par goût de la vérité, si ce goût-là n'avait pas passé. Ce fut le silence. À l'époque du génocide rwandais, j'avais écrit un roman en quelques jours, comme si les personnages m'avaient tiré par la manche et avaient refusé de me lâcher avant que j'aie raconté l'histoire qu'ils me soufflaient. Jamais je ne devais revivre pareille fulgurance. Claude Durand publia ce texte dans son énergie première, dans sa vitesse. Je ne savais pas que ce *Cœur d'Afrique* marquerait mes adieux à l'Afrique, au grand reportage, à l'aventure.

Un jeune reporter, mon double à l'évidence, était envoyé dans un pays imaginaire, le Bangara, et mettait en lumière des massacres de la population chrétienne, sous couvert de famine, par le pouvoir central musulman. Le reporter cherchait la vérité, luttait contre le scepticisme de son rédacteur en chef, transpirait à grosses gouttes pour écrire ses articles sur un mini-ordinateur récalcitrant, dont l'écran soudain se vidait des mots péniblement tapés. Je ne devais plus retourner en Afrique comme envoyé spécial du *Monde*. Après ma longue enquête sur le cerveau humain, je fus nommé par Edwy Plenel rédacteur en chef chargé du service des reporters. Pierre Georges et Jean-Yves Lhomeau avaient été aspirés à la direction de la rédaction, aussitôt désignés comme les serre-livres de Plenel, occupant l'un sa gauche, l'autre sa droite, lors de nos réunions quotidiennes. Pour moi une nouvelle ère s'ouvrait, ma première véritable incursion au sein de la machine du *Monde*, là où on mettait les mains dans le cambouis.

DEUXIÈME PARTIE

DANS LE VENTRE
DU NAVIRE

1

RÉDACTEUR EN CHEF

Printemps 1998, printemps 2003. Cinq années de grande intensité professionnelle commencèrent, de ma prise de fonction à la tête des pages « Horizons-Enquêtes » à la parution du Péan-Cohen, qui allait diffuser son poison lent dans la rédaction, et abattre l'une après l'autre les têtes du triumvirat gouvernant *Le Monde* : Edwy Plenel, Jean-Marie Colombani puis Alain Minc. Mais en 1998, l'ambiance était encore sereine et constructive. Pour la première fois depuis mon entrée au journal, mon nom figura dans l'ours, qu'on appelait aussi le « grizzly », ce placard auquel je n'avais guère prêté attention jusqu'ici, mais que les scrutateurs du pouvoir déchiffraient avec soin pour y déceler l'évolution douce ou sismique des rapports de forces, qui y entrait et à quel rang, qui en sortait...

L'organigramme de direction était assez clair. Jean-Marie Colombani présidait le groupe et dirigeait le journal. Dominique Alduy était directrice générale, Noël-Jean Bergeroux directeur général adjoint. Edwy Plenel dirigeait la rédaction, entouré de ses deux serre-livres. Robert Solé avait succédé à André Laurens comme médiateur, Thomas Ferenczi était parti comme correspondant à Bruxelles. Jean-Paul Besset, un fidèle d'Edwy, ancien de la Ligue communiste révolutionnaire et transfuge du cabinet de Laurent Fabius quand celui-ci était à Matignon, appartenait à la rédaction en chef centrale, ainsi que Laurent Greilsamer et Michel Kajman. Les chefs de service, dont j'étais désormais, avaient le titre de rédacteur en chef : au-delà de leurs propres pages, ils se devaient de penser le journal dans son intégralité. Alain Frachon dirigeait l'International, Éric Le Boucher l'Économie, Patrick Jarreau la Politique, Emmanuel de Roux la Culture.

Nul n'était vraiment préparé à diriger une équipe, à commander ses pairs. Il fallait être légitime à leurs yeux, savoir défendre son espace contre les appétits des voisins toujours prompts à vous piquer une page sous prétexte d'infos considérables et qui ne pouvaient pas attendre. J'échappais par bonheur à ces batailles souvent âpres et tendues : les pages « Horizons » constituaient un sanctuaire recherché. Il s'agissait, dans la formule de 1995, d'y publier des enquêtes décalées de l'actualité, laquelle occupait la partie dite chaude du journal. Avant la montée en puissance d'Internet à compter des années 2000, et sous l'impulsion quotidienne de Plenel, *Le Monde* menait la guerre du scoop, de l'information exclusive, du suivi de l'actu même très factuelle, au risque parfois de lasser le lecteur en feuilletonant certains sujets jour après jour.

Le journal plaisait ainsi, très scandé, effervescent, offrant au lecteur la possibilité de se poser dans l'espace « Horizons », où les grandes pages consacrées au débat côtoyaient les enquêtes, les reportages et les portraits qui relevaient de mon magistère. L'été, mes pages accueillaient les grandes séries qui permettaient aux plumes les plus prolixes — et les plus douées — de s'exprimer sur de longues distances. Je garde le souvenir des feuilletons de Jean-Claude Guillebaud sur les croisades ou la Russie, d'Henri Tincq sur les héros du christianisme, de Catherine Vincent sur l'aventure de l'embryon, de Véronique Maurus sur les grandes utopies, d'Annick Cojean sur les vétérans du D-Day ou sur les héros anonymes de photos devenues célèbres, la fillette effrayée et nue d'Hiroshima, la pasionaria de Mai 68. Ou encore les délicieuses séries de Michel Braudeau sur les animaux migrateurs, avec le fameux papillon monarque, sur les excentriques ou les grands cafés d'Europe.

Rapidement une lutte s'engagea avec Edwy, qui cherchait à annexer l'espace « Horizons » aux sujets d'actualité, quand l'esprit de la nouvelle formule de 1995 soufflait dans le sens du magazine au quotidien, c'est-à-dire ne publiait d'enquêtes qu'en écho avec l'actualité, mais dont les angles permettaient un traitement inattendu. « Horizons » devait apporter des surprises là où l'actualité n'en réservait pas, de la légèreté face à la lourdeur du quotidien. Il m'appartenait aussi, anticipant sur les parutions des éditeurs, de détecter les livres qui pourraient faire événement.

C'est ainsi qu'en 1999 je tombai sur le texte d'un auteur inconnu, Véronique Vasseur, médecin-chef à la Santé, qui racontait la terrible condition sanitaire et psychologique des prisonniers. La double page d'extraits que je publiai déclencha un débat si vif que la fameuse prison, interdite à la visite depuis des années, fut ouverte aux journalistes. Il s'agissait de présenter à la presse une réalité moins dramatique que celle qu'exposait le docteur Vasseur.

Une tâche délicate consistait encore à accueillir des plumes extérieures à la rédaction sans trop la mettre en pétard, et ce ne fut jamais aisé pour moi de justifier auprès d'elle qu'à la demande pressante d'Edwy soutenu par Colombani je publie des enquêtes fleuves de BHL en Algérie, au Kosovo ou sur le théâtre de conflits oubliés d'Afrique ou d'Asie. Ma relation avec l'écrivain-philosophe fut cordiale, servie par des textes le plus souvent bien écrits et intéressants. Ce n'était pas facile à admettre, tant l'ego du personnage encombrait ses écrits au point de les brouiller. Dans les pages « Horizons », je publiai aussi, outre BHL, des portraits bien troussés de Philippe Labro ou encore d'anciennes plumes du *Monde* des années 1980 : Dominique Pouchin, qui revint sur ses terrains d'antan (le Portugal, le Liban) ; Bernard Guetta, qui écrivit sur l'Algérie après que Laurent Greilsamer eut plaidé son retour en grâce auprès de Plenel, puis Plenel auprès de Colombani.

Mais la lune de miel fut éphémère : un imbroglio avec le service Étranger du journal et l'annonce de l'arrivée de Guetta comme chroniqueur à *L'Express* rompit, cette fois définitivement, son lien avec *Le Monde*. Bien plus tard, je ferais collaborer Jonatan Littell, pour de grands reportages sur l'Afrique et la Géorgie, publiés dans le Magazine. J'attirerais comme chroniqueurs des personnalités aussi talentueuses et diverses que Tahar Ben Jelloun, Nancy Huston, Michel Onfray ou Yves Simon, ainsi que des économistes aux analyses pénétrantes, Nicolas Baverez, Jean Pisani-Ferry, Philippe Askenazy.

Dans ma nouvelle vie, je dus me plier à une discipline que je n'avais plus connue depuis mes années de rubricard : venir chaque jour à des heures de bureau, participer aux réunions, toujours trop nombreuses et toujours trop longues. Comme chef, je devais veiller à la cohésion d'un groupe hétéroclite de reporters, chacun avec son histoire, son talent, ses centres d'intérêt. Je connaissais les angoisses que créaient le désœuvrement entre deux coups de feu, la sensation de flottement quand on n'était plus spécialiste de rien mais obligé de se tenir prêt à partir à tout moment. Certains reporters trouvaient toujours un os à ronger, d'autres attendaient que l'impulsion vienne de moi, de Plenel, ou tout simplement de l'actualité.

Chaque lundi nous passions une bonne heure à chercher ensemble des sujets : j'arrivais avec une liste de propositions qui étaient discutées, acceptées, rejetées. Les reporters étaient rétifs aux figures imposées mais mal à l'aise en apesanteur. Diriger ce pool consistait à stimuler les journalistes et à relire les pages avec attention. Cela prenait du temps de discuter avec les auteurs, en amont, pour choisir avec eux l'angle de leur papier, puis, une fois la copie rendue, de l'améliorer, de clarifier certains passages, de couper souvent — écrire trop long était un péché mignon répandu —, enfin de trouver un bon titre, une accroche incitative. Il fallait aussi convaincre les journalistes de lâcher leurs papiers à temps et de ne pas « peigner la girafe », c'est-à-dire les garder pour eux inutilement. Ce travail était d'abord altruiste : la mission consistait à faire briller le journal à travers ces pages « Horizons » qui tenaient lieu de phare, gratifiantes pour leurs auteurs par leur mise en scène spectaculaire. Toute la rédaction rêvait de publier dans cet espace et une partie ingrate de ma tâche consistait à dire non aux propositions, conscient que toutes les écritures n'étaient pas adaptées à ce grand format.

Je n'écrivais plus désormais que par procuration. J'avais cassé ma plume et me trouvais bien ainsi. Il n'était pas question de rivaliser avec les membres de l'équipe que je dirigeais en imposant mes textes. J'arrivai à satiété d'écriture une fois que j'eus rédigé une cinquantaine de pages « Horizons » sur des sujets tellement variés. C'est l'esprit tranquille que j'avais accepté cette position en retrait, maître d'ouvrage plongé dans la machine sans éprouver le besoin d'apposer sa signature. Pour la première fois depuis que j'exerçais mon métier, je me découvris un goût pour l'action collective que je n'aurais pas soupçonné quelques années plus tôt, lorsque je m'étais jeté dans le reportage à corps et cœur perdus.

Au cours de nos réunions de rédaction en chef, je ne tardai pas à percevoir les tensions entre Plenel et certains hiérarques, en particulier avec le chef du service France, Patrick Jarreau. Les deux hommes ne s'estimaient pas, et je me souviens d'une séance particulièrement douloureuse où Edwy déclencha un véritable orage sur Jarreau, lui reprochant des choix éditoriaux qu'il jugeait inadmissibles. Avait-il raison ou non ? Je fus tellement saisi par cette violence verbale que j'en oubliai le motif. Seule cette colère m'est restée. Sans que j'en aie eu conscience sur le moment, Plenel, avec la complicité passive de Colombani, avait entrepris de déstabiliser ce service phare du *Monde*.

Jarreau fut écarté au profit d'Anne-Line Roccati, une journaliste venue du magazine *L'Européen*, qu'avait lancé sans succès Christine Ockrent avec le soutien du journal. Très au fait des arts plastiques, Roccati avait aussi dirigé *Le Monde de l'éducation*. Ce fut une surprise de voir cette néophyte de la chose politique, malgré un passage à *L'Humanité* et au *Parisien*, remplacer un Jarreau dont nul ne pouvait contester le sérieux ni la compétence.

Cette « décapitation » de Jarreau, envoyé comme correspondant à Washington — il fallait bien mettre un océan entre Edwy, Colombani et lui —, fut le début d'une hémorragie. Gérard Courtois refusa le poste et quitta le service Politique, suivi par celles qu'on appela les « grandes brûlées », Pascale Robert Diard, Ariane Chemin et Raphaëlle Bacqué, qui rejoignirent le service Société. Pour épauler Anne-Line Rocatti, la direction choisit de nommer Hervé Gattegno. Un an plus tard, comme on l'avait subodoré d'emblée, l'investigateur fétiche d'Edwy avait pris les commandes du service Politique. Était-ce là l'intention finale : promouvoir Gattegno une fois que Roccati aurait explosé en vol ? Le calcul fut en tout cas malheureux. Dix ans plus tard, ce service souffrait encore des grandes purges du début des années 2000, quand le traitement de la politique avait pris un tour très polémique.

Les attaques répétées contre Roland Dumas, la manchette « La faute de Dominique Strauss-Kahn » (sur l'affaire de la Mnef qui obligea DSK à démissionner du gouvernement Jospin et qui se solda par une relaxe), la publication de la cassette Méry dénonçant les pratiques inavouables du système chiraquien, ou certains gros titres agressifs sur Jacques Toubon, Alain Juppé et d'autres, avec pour point d'orgue les graves accusations qui se révélèrent infondées contre Dominique Baudis dans l'affaire Alègre, tout cela donna du *Monde* une image belliqueuse et désagréable, avec à la clé, parfois, de cuisants démentis. Le journal s'était lancé dans la chasse à l'homme, distribuant les bons et les mauvais points, portant ici l'estocade, montrant là une étonnante indulgence (ah, le « coup de foudre amical » de Plenel pour Villepin)...

La campagne « Je lave plus blanc », loin de se cantonner au champ politique, se déployait tous azimuts. Lorsque Éric Le Boucher et Sylvain Cypel furent chargés de relever Alain Frachon à l'International, Colombani et Plenel souhaitant faire sauter ce qu'on appelait le « bunker » de l'étranger pour y introduire une culture moins marquée par la diplomatie et les guerres, c'est à l'ancien trotskiste Laurent Mauduit que fut confié le service économique. Le mot d'ordre était simple : Faire trembler le CAC 40.

Le mal empira. Les pages économiques, axées en 1995 sur l'entreprise, se firent surtout l'écho, sous couvert de la sacro-sainte investigation, des travers de ses dirigeants. Au point d'oublier que l'économie française et mondiale reposait d'abord sur un secteur privé inventif, créateur d'emplois, de concepts et de produits nouveaux, un secteur bâtissant des stratégies qu'un journal comme *Le Monde* se devait d'expliquer à ses lecteurs. *Le Monde* n'aimait pas les patrons — sauf quelques dirigeants amis — et mettait un point d'honneur à les esquinter. S'il était utile et sain de bousculer l'ordre établi, de critiquer les dérives du capitalisme et de ses acteurs, réduire l'économie à cette vision caricaturale était à l'évidence une impasse. On fonça dedans tout droit.

2

À VÉLO SUR LES ROUTES
DU « MIDI LIBRE »

Début 2001, je partis respirer un autre air en disputant l'épreuve cycliste du *Midi libre,* un événement sportif prestigieux dont *Le Monde* avait hérité en prenant le contrôle de cette publication régionale. Edwy n'était pas chaud pour que je m'engage dans cette aventure. Il ne m'avait pas nommé rédacteur en chef pour que je disparaisse dans la nature ! Ses réticences étaient légitimes, appuyées de surcroît par le service des sports du journal, qui se demandait bien ce que j'allais faire dans cette galère. D'autant que *Le Monde* était en pointe dans la dénonciation du dopage. N'allais-je pas cautionner les pratiques les plus discutables en côtoyant des coureurs professionnels ?

Mon but était autre. Il n'était pas question de porter un jugement moral sur ces sportifs de haut niveau, encore moins de chercher à les piéger. Je souhaitais témoigner à vélo de la condition des champions cyclistes, partager leurs efforts, vivre une expérience de l'intérieur et la raconter au fil des étapes. Si des irrégularités se produisaient, nous les dénoncerions sans états d'âme. La compétition était prévue pour le printemps. Il me fallut vaincre les résistances internes au *Monde* puis emporter l'adhésion des autorités cyclistes internationales avant de pouvoir m'aligner enfin dans cette épreuve, où je pus côtoyer quelques « géants de la route », en particulier Laurent Jalabert. Au préalable j'avais levé les malentendus au journal, soutenu par Colombani, qui voyait là un défi original. Edwy s'était rangé à son avis et se rendit même sur le parcours d'une étape, du côté de Pézenas.

247

Mon entrée en scène dans cette course n'était pas le fruit d'un total hasard. L'année précédente, *Le Monde*, ayant racheté les journaux du Midi, s'était *de facto* trouvé propriétaire et organisateur de ce prestigieux prix cycliste dont le palmarès comptait les plus illustres champions, Eddy Merckx, Luis Ocaña, Raymond Poulidor, Miguel Induráin, ou encore Laurent Jalabert et Lance Armstrong. Un matin avait surgi dans mon bureau Gérard Morax, l'ancien patron de la régie publicitaire du *Monde* devenu conseiller de la direction sur le dossier du *Midi libre*. Ayant appris ma passion de jeunesse, il me sollicita pour imaginer un traitement original de cette épreuve. Morax était un homme épatant qui, pour avoir tant de fois manqué la perdre, croquait la vie avec ardeur. Cycliste acharné, il tenait le vélo pour son sauveur. C'était une bonne raison pour nous entendre. Il y en eut tant d'autres. Un jour il m'offrit le dernier poème de Jorge Luis Borges, « Instants », qui ne quittait pas sa sacoche. Je retrouve ces quelques vers de vieillesse, dont certains ont contesté qu'ils soient de Borges, mais dont le charme continue d'opérer en moi :

> Si je pouvais vivre une nouvelle fois ma vie
> J'essaierais d'y commettre plus d'erreurs,
> (...)
> Je m'exposerais à plus de risques,
> Je ferais plus de voyages,
> Je contemplerais plus de crépuscules,
> J'escaladerais plus de montagnes
> (...)
> Et je jouerais davantage avec les enfants,
> Si j'avais encore une vie devant moi

Morax me mit en contact avec l'équipe professionnelle de la Française des jeux, dirigée par le double vainqueur de Paris-Roubaix, Marc Madiot, réputé pour ses positions intransigeantes contre le dopage. C'était parti.

Une certaine effervescence avait fini par gagner la rédaction à mesure que mon projet se concrétisait. Dominique Roynette m'avait dessiné un maillot aux couleurs du *Monde* et du *Midi libre*, orange et rouge floqué de lettres gothiques. Je parcourus plusieurs milliers de kilomètres sur le vélo super léger que me prêta (avant de me l'offrir) le sprinter Jimmy Casper. Je sacrifiai aux tests d'effort indispensables — j'avais deux fois vingt ans... — à la Clinique du sport, sous la surveillance du médecin du Tour, Gérard Porte. Je préparai ma tête et mes jambes à passer chaque jour sept heures sur une bécane avant de rédiger, le soir, sur mon ordinateur portable, ma seconde bécane, un article d'une page racontant les péripéties et les impressions de la journée.

J'avais aménagé mon temps pour continuer d'éditer les pages « Enquêtes » tout en me livrant à mon entraînement. Souvenir de journées de janvier minutées : le matin préparant la copie du correspondant sur l'échec de discussions à Camp David, déjeuner rapide à la cafétéria à 11 h 30, présentation des pages « Proche-Orient » à midi, course à pied à 13 heures dans les allées du Jardin des Plantes, avec montée en boucle de la « côte » du labyrinthe. Plus tard, au sortir de l'hiver, à peine les pages terminées, je fonçais, à vélo cette fois, vers l'anneau de Vincennes. J'enchaînais trois ou quatre heures de tourniquet, mon portable en poche en cas d'urgence. Le mois précédant l'épreuve, je m'étais ensuite consacré entièrement au vélo.

Ce fut un moment merveilleux, et une fois de plus j'étais reconnaissant au *Monde* de me permettre de vivre si intensément un rêve de gosse, pédaler aux côtés de ces athlètes, recueillir leurs confidences, franchir avec les attardés du gruppetto les sommets des Cévennes avant de filer vers le mont Saint-Clair à Sète. En plus de Morax, j'avais trouvé un allié en Noël-Jean Bergeroux, qui dirigeait désormais le groupe *Midi libre*. Sans doute, comme beaucoup, pensait-il que j'avais un petit vélo dans la tête. Mais il mesura ma détermination à ne pas ridiculiser le journal, comme certains le craignaient. « Il aura l'air malin s'il abandonne dès la première étape ! » persiflaient les Cassandre. Bergeroux savait que je jetterais toutes mes forces dans la bataille pour rallier les lignes d'arrivée puis pour rédiger ma copie sans coincer. Épaulé dans la voiture suiveuse par mon confrère José-Alain Fralon, que je baptisai « reporter d'eau », je m'étais lancé dans cette aventure donquichottesque sans trop écouter les rabat-joie.

Le voyage fut difficile, épuisant même, l'effort parfois à la limite du supportable, dans les murs de Mende, à l'arrivée de la cinquième étape, où le vainqueur fut placé illico sous assistance respiratoire. L'honneur était sauf, et ma joie immense : j'étais parvenu à bon port, avec sept kilos de moins mais une moisson extraordinaire de souvenirs, d'images, de moments inoubliables. Les lecteurs étrangers au monde de la course cycliste trouvèrent dans mes récits quelques clés de compréhension du cyclisme moderne. Il m'arrive aujourd'hui de rencontrer des supporters me demandant : « C'est bien vous qui avez couru le Tour de France ? » Je les détrompe à peine : ce *Midi libre* fut aussi intense que la Grande Boucle !

3

LE CHOC DU 11 SEPTEMBRE

La chance m'avait souri, même si je l'avais un peu forcée. Après les attentats du 11 septembre 2001, il n'aurait pas été question que je m'engage dans une telle chevauchée cycliste. Ce jour-là, le photographe Gérard Rondeau se promenait tranquillement à travers les étages du journal. Il prenait des images de la rédaction pour un supplément de présentation du *Monde*. Il immortalisa la scène d'hallucination où nous sommes une vingtaine de journalistes à écouter Edwy Plenel lors de la réunion exceptionnelle qui se tint à la fin de l'après-midi. Tous sous le choc, blêmes, les yeux écarquillés, incrédules, le noir et blanc renforçant nos traits creusés et la sensation de catastrophe. Je participais à une mobilisation que je n'avais jamais connue auparavant au journal. Même les soirées d'élection présidentielle n'étaient pas si intenses, pas si colorées d'un mélange d'excitation, de fatigue nerveuse et d'inquiétude. Nous étions chargés d'expliquer le réel et le réel était soudain devenu irréel. « Nous sommes tous américains », écrivit Colombani dans un éditorial qui marqua les esprits.

Sylvie Kauffmann venait de rentrer de New York. Elle devint mon adjointe aux pages « Horizons », et c'est ensemble que, semaine après semaine, nous construisîmes des suppléments spéciaux, qui sur Al Qaida, qui sur l'Afghanistan, son relief, ses ethnies, le Pakistan, Guantanamo, les nouvelles formes de terrorisme, et tant d'autres sujets fournis par cet événement d'exception. Au total, épaulés par Laurent Greilsamer, Sylvain Cypel et le service Étranger, nous pûmes concocter à chaud plus de cinquante numéros de huit pages, richement illustrés, infographiés et cartographiés.

J'ai aussi conservé le trente-deux-pages spécial titré « Ces 100 jours qui ont ébranlé le monde », supplément à l'édition du 14 décembre 2001. Du choc du World Trade Center à la chute de Kandahar, tout est consigné de l'attaque, de la riposte, de la chute du régime des talibans, grâce au meilleur des articles réalisés pendant trois mois par une rédaction en alerte. Je l'examine aujourd'hui et retrouve intacte l'électricité qui parcourait notre collectivité. Rémy Ourdan à Kaboul et à Bagram, Françoise Chipaux à Islamabad, Patrick Jarreau à Washington, Éric Leser à New York, rejoint par Sylvie Kauffmann, Jean-Pierre Langellier à Londres, où il suivit Tony Blair en « chef de guerre » de Bush. Ils s'étaient mis à deux, Véronique Maurus et Marc Roche, pour livrer le portrait le plus riche possible d'Oussama Ben Laden, « créature de la CIA » devenue « islamiste forcené ».

À Paris, nous orchestrâmes au mieux ce mouvement d'une ampleur inconnue, dans une quête incessante d'informations et aussi de sens : pourquoi un événement aussi incroyable était-il survenu, et quelles seraient ses conséquences sur l'ordre du monde ? Nous étions conscients d'une réalité nouvelle : le XXe siècle venait vraiment de commencer, avec ses guerres sans visage, ses conflits asymétriques plaçant les grandes puissances dans la mire de groupes aussi minuscules que déterminés.

Lorsque le 11 septembre nous procura moins de matière, nous continuâmes sur notre lancée, ayant observé que les lecteurs étaient friands de cette offre éditoriale pédagogique sur un thème choisi dans l'actualité brûlante. Chaque fois ce fut une leçon d'optimisme, cette capacité du *Monde* à répondre présent des jours et des jours d'affilée, des semaines et des mois, pour répondre à la curiosité de son public, que stimulaient des événements hors norme.

4

HOMMAGES FUNÈBRES

Pour moi, je l'ai dit, c'en était fini de l'écriture. Je fis de rares exceptions à travers quelques portraits de personnalités qu'on me demanda souvent dans l'urgence : Roland Dumas aux prises avec les juges de la brigade financière, le maréchal Mobutu juste après son décès, et Éric Tabarly au lendemain de sa noyade, ou encore Jane Birkin à l'occasion des dix ans de la disparition de Serge Gainsbourg.

Pourquoi Roland Dumas ? Sans doute fallait-il trouver une plume neutre, qui n'avait jamais écrit sur le flamboyant et retors président du Conseil constitutionnel, que *Le Monde* poursuivait de sa vindicte depuis des années. Dans le cas de Mobutu et de Tabarly, ce fut chaque fois le fruit du hasard : parce que j'étais là et que les spécialistes n'étaient pas là. Le scénario était habituel : le directeur de la rédaction ou un de ses adjoints vous appelait, la voix doucereuse, tu comprends, il n'y a personne pour s'y coller, tu feras ça très bien, etc. On se retrouvait ainsi désigné volontaire pour une page qui n'attendrait pas, il fallait presque avoir fini avant d'avoir commencé.

Je n'avais jamais approché Mobutu mais la documentation du journal, ma connaissance de l'Afrique et quelques coups de fil me permirent de m'exécuter en hâte. C'était ça aussi, le journalisme, et peut-être ça surtout : se débrouiller avec les moyens du bord, construire un récit intelligible et complet avec des matériaux hétéroclites qu'il fallait mettre en forme au plus vite, en se pliant au rythme de l'actualité. On devait satisfaire une envie de lecture en temps et en heure. Le timing, c'était le cœur battant du quotidien. « *Time is everything* », disaient les patrons de journaux anglo-saxons, pour signifier que le meilleur article est celui qui vient à son heure, lorsque l'appétit de lecture est à son comble. Je lus en hâte des récits sur Mobutu, interrogeai des spécialistes, tombai sur des photos du jeune sergent assoiffé de pouvoir qu'il avait été, avec ses lunettes cerclées de métal et sa raie nettement marquée sur le côté pour singer le roi des Belges Baudouin Ier.

Quant à Tabarly, que je connaissais encore moins que Mobutu, et en l'absence de notre spécialiste de la voile Gérard Albouy, j'eus la chance pour éclairer « l'idole des houles » d'être reçu illico par ses amis l'éditeur Jacques Arthaud et sa fille Florence, la fameuse louve des mers, dans une maison superbement isolée proche de la Maison de la radio, hors du temps et loin du bruit, un après-midi tranquille de juin 1998.

Jane Birkin, je l'avais convaincue un jour de me confier ses souvenirs de Serge. Et c'est le fil de ces conversations que j'avais fini par nouer.

La trace de ces approches — par définition je ne rencontrai ni Mobutu ni Tabarly ; Roland Dumas non plus, dont je retraçai le parcours à travers de nombreux témoignages — s'est incrustée en moi. Les journalistes sont tissés des mots qu'ils ont écrits, même s'ils les ont pour la plupart oubliés. C'est une trame fugace, parfois plus précise quand l'imagination a été frappée, ou qu'il reste des articles imprimés pour réveiller le souvenir.

De Roland Dumas je garde forcément à l'esprit l'itinéraire d'un enfant marqué à vie par l'assassinat du père par la Gestapo, le manque d'argent au foyer, l'amour d'une mère trop tôt partie. Mais c'est avec les Arthaud père et fille puis surtout avec Jane Birkin que j'éprouvai les émotions les plus intenses, les plus durables, celles qui donnent au métier de journaliste cette richesse irremplaçable née d'une rencontre, d'un moment passé ensemble, quelques heures de la vie de chacun qui vous plongent dans une intimité délicieuse autant que dangereuse : l'empathie risque d'abolir la distance qu'il faudra redonner avec la plume pour ne pas tomber dans la connivence, tout en conservant la chair de la conversation, des confidences, de l'abandon que vous offrent en confiance vos interlocuteurs.

C'est cependant dans l'île Saint-Louis que je menai l'enquête la plus étrange de ma vie de reporter : une jeune Bénédicte, qu'un incendie avait jetée hors de chez elle, avait disparu et personne ne l'avait plus jamais revue. Pensant à ces portraits brossés au fil de la plume, Tabarly, Gainsbourg ou la mystérieuse Bénédicte, je réalise que j'écrivis dans cette période sur les morts et les disparus davantage que sur les vivants.

TABARLY PAR FLORENCE ARTHAUD

Entre Jacques et Florence Arthaud flottait le souvenir d'Éric Tabarly. Lui parlait du marin disparu par rafales. Les mots de Tabarly, il les avait imprimés noir sur blanc. Cent soixante-dix mille exemplaires du journal de bord du premier homme à avoir brisé la suprématie des Anglais sur l'eau, sous le titre *Victoire en solitaire. Atlantique 1964.* Florence, elle, n'avait pas le verbe délié de son père. Tabarly, elle en parlait d'abord avec des silences. Jacques ressuscitait le jeune marin de cette époque-là qui venait d'entamer la construction de *Pen-Duick II.* Il avait une jambe cassée et cherchait toujours de l'argent. Sur la couverture en couleurs de ce premier ouvrage apparaissait Tabarly aux commandes de *Pen-Duick*, avec sa barbe de vingt jours et des embruns, son pull qui grattait au cou, ce regard à faire reculer les vagues.

L'éditeur me révéla un Tabarly méconnu, pas le muet triste qu'on croyait, mais un gars qui aimait rire, recherchait la gaieté de Kersauson et chantait des chansons de marins. Le navigateur ne s'était pas attaché à son voilier et c'est ainsi que la mer l'avait pris.

Le Tabarly d'hier grimpait au sommet du mât, les jambes en équerre, rêvait de bateaux et, loin des calculs d'ordinateurs, emplissait d'hypothèses son esprit inventif. Entre *Pen-Duick* et Éric Tabarly, ce fut une longue histoire d'amour commencée dès l'enfance. Pen Duick, la petite mésange à tête noire, la mésange apprivoisée qui s'était changée en oiseau migrateur par la volonté d'un navigateur sans pareil. *Pen-Duick*, qui avait bercé ses rêves de petit garçon, le cotre franc de son père, sur lequel il naviguait pendant ses grandes vacances. L'âge venant, Éric Tabarly était revenu à ses premières amours, le *Pen-Duick* paternel qu'il menait en promenade ou en régate avec le sentiment d'avoir bouclé sa boucle, d'être rentré au nid de sa mésange. Nid d'où il tomba. Le marin, disait la sagesse des navigateurs, doit donner une main au bateau et garder une main pour lui.

Tabarly, dans ses dernières années, avait offert ses deux mains et pas mal de son cœur à ce vieux *Pen-Duick* pour le conduire au port de ses cent ans. Florence Arthaud se souvenait d'une anecdote : « Éric était allé dans un cimetière à bateaux, près de Saint-Guénolé, pour tailler les nouveaux mâts de *Pen-Duick*. » L'image était saisissante de ce marin comblé, se frayant un passage parmi les voiliers morts, une herminette à la taille, prélevant sur les carcasses fantômes le bois d'une résurrection. Tabarly avait signé avec la mer un pacte de restitution : tout lui rendre, à commencer par la vie, après avoir tant reçu, à commencer par la liberté, la liberté d'aller et venir dans le bleu irisé, hérissé souvent, des cartes marines. Traversées épiques où le sol de *Pen-Duick* tremblait comme manège de foire, lui interdisant de calculer à loisir des « droites de soleil » sous sa coupole de Plexiglas baptisée astro-dôme.

Sûrement Tabarly parlait-il aux marsouins et s'attachait-il aux oiseaux perdus qui, en pleine mer, atterrissaient en catastrophe sur le pont du voilier — ainsi le sandpiper du cap Cod, ailes cendrées, ventre blanc et long de pattes, qu'il « hébergea » en 1964. « Je m'étais souvent demandé quelle impression je ressentirais en perdant de vue la terre au début de la traversée, écrivait-il alors. Je suis fixé maintenant : je ne ressens rien. » Tabarly appartenait à la mer. Elle était sa famille et son berceau. Peut-être aussi, par force, son tombeau.

GAINSBOURG PAR BIRKIN

C'est un autre cercueil qui flottait dans le regard de Jane Birkin quand je commençai en sa compagnie de longues discussions, questions courtes, suivies de longues, très longues réponses, derrière la porte d'un grand appartement du 6ᵉ arrondissement défendu par une plaque insolite : ATTENTION, CHAT BIZARRE.

Pour la première fois de ma vie de journaliste, il me fut difficile de ne pas me laisser séduire. Le personnage était attachant, envoûtant même, avec sur le bout du nez ses demi-lunes de « petite vieille », le tutoiement immédiat balayant toutes les règles élémentaires de la distance. Nous passâmes plusieurs après-midi à parler d'elle, de Serge Gainsbourg, mais aussi de ses parents.

Plusieurs fois elle me montra le film en noir et blanc de leur mariage, les larmes affleurant sans jamais couler, mouillant juste la surface de ses yeux bleus comme la mer la coque de *Pen-Duick*. Un mariage de l'année 1944, filmé par les « actualités » de l'époque. Un homme s'avançait, grand, mince, élégant, un œil aveuglé par une pièce de cuir noir : son père, David, ancien héros de la Seconde Guerre mondiale, qui avait débarqué en France pour la Libération. Il épousait, superbe dans sa robe blanche, Judy Campbell, alors *leading lady* au théâtre, chanteuse adulée de l'Angleterre des années de guerre. Ils se marièrent tout sourire. Étaient présents des représentants de la famille Churchill, un officier du MI5, le service britannique d'espionnage, dont dépendait le père de Jane. « À sa mort, me dit-elle, je me suis passé ces images en boucle, ils se mariaient et se remariaient, ça ne finissait jamais. »

Je revois son regard de petite fille extasiée pendant qu'elle contemplait une nouvelle fois ces visages évanouis, si vivants. « Ma mère refusait des rôles avec Peter O'Toole sous prétexte qu'il y avait un gros mot dans les dialogues. Elle était très belle, comment pouvais-je avoir l'audace d'exister à côté d'elle... », se demandait Jane à haute voix, rappelant l'époque où elle posait nue dans *Lui*. Entre Serge et le père de Jane était née une relation d'exception : « Ils étaient tous les deux assez malins pour comprendre qu'ils devaient s'aimer beaucoup pour moi. » David Birkin était mort quatre jours après Gainsbourg. « Serge disait : "Quand je mourrai, je passerai prendre ton père." »

Au début de nos entretiens, Jane avait toujours l'air un peu lasse, et puis soudain, à force de parler de lui de peur que je l'entraîne à la faire parler d'elle, son visage se métamorphosait, un sourire se dessinait, le regard rayonnait. Elle s'effaçait, se tenait sur la face B, B comme Birkin, face B d'une vie rêvée, qui n'avait pas toujours été un rêve, avec l'Homme à tête de chou. Des souvenirs, elle en sortait à la pelle, comme dans une chanson de

Prévert et Cosma. Ils arrivaient dans un petit village breton et là, à la devanture d'une mercerie, ils tombaient en arrêt devant la statuette d'un petit négro — entendre Birkin prononcer le mot « négro » avec une sorte de *w* ouaté à la place du *r* avait quelque chose de renversant —, ils stoppaient et pénétraient dans ce magasin tranquille, où veillait un vieux monsieur derrière un bureau à la Dickens, avec plume et encrier. Gainsbourg était fou de la statuette, mais elle n'était pas à vendre. Le vieil homme, une sorte de Gepetto, expliquait poliment que justement, il était vieux. Et que chaque jour des grappes d'enfants venaient coller leurs joues à sa vitrine pour admirer le petit négro. S'il s'en séparait, c'en serait fini de cette jeunesse au pas de sa porte. Serge lança à Jane que tout le monde pouvait être acheté. Il avait offert 1 000 francs, il en sortit le double. « Là, j'ai su qu'il était foutu », se souvenait-elle.

Le bonhomme entra en conciliabule avec sa femme. Le verdict tomba, il était d'accord. Le couple partit avec son « triste petit paquet », enveloppé dans du papier de soie. « Le lendemain, racontait Birkin, on voulut retrouver la mercerie. Impossible. » Comme si la statuette arrachée à son socle d'enfants avait disparu ou, pis, était devenue invisible. « Au début, ce petit négro était une pièce maîtresse dans l'appartement de Serge, rue de Verneuil, sur le piano. Mais après, il la glissa sous le lit à baldaquin... »

Elle en racontait pas mal, des « comme ça », Jane Birkin, dans un désordre à tout casser. Au tout début des années 1970, un homme l'avait déjà laissé tomber : le grand musicien de cinéma John Barry, deux Oscars à Hollywood, père de sa fille Kate. Elle ne voulait pas être une fille éprise, « puant la peur d'être quittée ». Il lui fallait un boulot, elle n'en avait pas. Elle louait une chambre à l'hôtel des Beaux-Arts mais le lendemain elle rentrerait à Londres. Gainsbourg vint la rejoindre avec une bougie. « On va pleurer tous les deux pour que tu restes. » Toute la nuit la bougie pleura la cire, et Serge ne pleura pas pour rire. Le matin, il y eut un appel de Jacques Deray, qui allait tourner *La piscine* en Provence, avec Maurice Ronet, Romy Schneider et Alain Delon. Il voulait tester Birkin, voir si elle n'était pas trop grande face à la star. Elle partit. Le casting fut concluant. Elle était lancée. Mais Gainsbourg accourut à Saint-Tropez, « avec une énorme voiture de location, la plus grosse qu'il avait pu trouver, qui ne passait pas dans les rues du village. Pour lui, Delon, c'était : attention danger, beauté ambulante. »

À Paris, Gainsbourg ne conduisait pas, elle non plus. Il avait son abonnement aux taxis G7. Elle aussi. « Souvent, un taximan me raconte des bribes de Serge. L'un me montre ses dents en me disant : "Elles étaient gâtées, c'est Gainsbourg qui a sorti des biffetons pour que je les change, à condition de mettre un trompe-l'œil pour qu'une ait encore l'air pourrie"... » Par petites touches, un autre Gainsbourg lui apparaissait encore au détour d'une course, qu'elle payait au compteur, comme si elle rachetait des morceaux de sa vie, pourboires compris. « J'aime ces moments, soufflait-elle, car ça me le rend. Le tout, ce n'est que des fragments. »

Quelqu'un lui avait dit que, dans sa jeunesse, quand il n'avait pas le sou, Serge entrait dans les cafés et s'allongeait en travers du billard. « Je ne bouge pas tant que vous ne m'avez pas payé un coup », lançait-il aux joueurs. Plus tard ce fut moins drôle, l'Élysée-Matignon chaque soir, l'alcool et le piano sur lequel il se jetait jusqu'à l'aube, elle finissait par s'endormir sur une banquette, elle avait épousé Frédéric Chopin. « La vie avec Serge avait été très simple et très douce. Mais vers la fin, ce n'était pas simple et pas doux. »

Quand ils s'étaient vraiment connus, elle avait craqué pour le Ginzburg qui sommeillait en lui, ses lunettes rondes d'intellectuel. Il était presque imberbe et tiré à quatre épingles. « C'est moi qui lui ai dit de se laisser pousser une barbe de trois jours. Je trouve que les hommes mal rasés donnent envie qu'on s'occupe d'eux. » Ils se sont occupés l'un de l'autre, lui l'enchanteur, et elle la chanteuse. Une voix restait dans le creux de son oreille, le message de Gainsbourg sur le répondeur : « Être ou ne pas être. Question. Réponse. » Elle se souvenait. « Avec Serge, j'ai basculé dans une sorte d'enfance. On était les acteurs principaux d'un film sans caméra. Il m'emmenait chez Saint Laurent choisir une robe de soirée, c'était juste pour nous de l'innocence. J'avais attrapé un enfant... » Après la rupture, il y eut des chansons, encore des chansons, un magnifique album, *Les dessous chics*.

Une densité de cristal baignait la pièce, la clarté du cristal sur le visage de Jane, la fragilité du cristal dans cette voix sortie d'outre-mémoire. Elle continuait d'aimer Ginzburg, l'artiste immigré, le timide aux chevilles fragiles. Lui, était devenu Gainsbarre. « Je me souviens quand je l'ai vu avec ses rastas. Il a conquis un public qu'il n'avait jamais eu auparavant et moi, à cet instant, je me suis dit : je l'ai perdu, même si je l'ai quitté après. » La métamorphose n'avait pas été sans conséquence. « Désormais, il était à tout le monde. Il avait eu raison. Il se savait aimé. Je ne comprenais pas cette personne-là. Gainsbarre cachait Gainsbourg qui cachait Ginzburg, et moi je voulais qu'il reste l'intellectuel russe à petites lunettes. Tous ces petits enfants qui le suivaient au cimetière, il les a eus en devenant Gainsbarre. » Restaient quelques blessures bénignes. « Quand on était ensemble, il me faisait choisir en priorité les mélodies qu'il écrivait. Il me les jouait sur son piano, et je disais : "Oui, celle-là." Un jour, nous étions séparés, je suis allée le voir. Il m'a fait écouter un air que j'ai voulu aussitôt, c'était *Le petit pull marine*. Il m'a dit : "Non, celui-là, c'est pour Adjani"... »

À la fin d'une rencontre, l'une des dernières, se figeant tout à coup sur le palier, elle avait hésité : « Tu me dirais si c'était... », elle cherchait le mot, « un désappointement », voix voilée, regard inquiet. Comme si elle s'excusait de n'avoir eu que ça à dire, comme si ses mots avaient pu être décevants. La porte s'était refermée sur cette scène étrange de qui vous donne un trésor en vous remerciant de l'avoir pris.

BÉNÉDICTE DISPARUE

De sépulture, Bénédicte n'en eut à ma connaissance jamais, à moins que le fleuve une nuit l'ait avalée. Cela se passait dans les premières semaines de l'an 2000, après que son studio de l'île Saint-Louis avait brûlé. Un soir que je promenais mon chien ce quartier, j'avais été attiré par un avis de recherche placardé sur les vitrines des commerçants, boulangerie, agence immobilière, librairie. Il commençait par ces mots : « Jeune fille, vingt-sept ans ». À vingt-sept ans, était-on une jeune fille ou une jeune femme ? Elle ressemblait en effet à une enfant, Bénédicte, avec son allure juvénile, ses cheveux taillés à la garçonne, son air de petit lutin. Une enfant qui avait disparu dans la nuit du 26 au 27 février. Un incendie avait ravagé son studio de la rue Boutarel, au cœur de l'éternel Paris, tout près de l'Hôtel-Dieu, tout près du quai des Orfèvres et de la caserne des pompiers de Cardinal-Lemoine, tout près de tout et trop près, peut-être, du fleuve qui tenait l'île entre ses bras.

L'avis de recherche disait qu'elle était seulement vêtue d'un pull bleu marine — écho de Gainsbourg? — et d'un jean noir. Détail d'importance, Bénédicte était pieds nus. On avait ajouté à la main qu'elle portait une petite fleur bleue tatouée sur l'épaule gauche.

Il était environ 2 heures du matin quand de grosses flammes avaient jailli de sa fenêtre sur cour, 2 h 15 lorsque les sirènes des secours s'étaient approchées. Les pompiers avaient sorti les tuyaux, évacué une partie de l'immeuble. D'après ma reconstitution des faits, les habitants étaient descendus dans la rue : un certain Andrew, le voisin du deuxième, la jeune Japonaise du premier, celle du cinquième. Et Bénédicte. Mais elle, personne ne l'avait vue. Pourtant, Andrew en était certain : elle avait dévalé l'escalier devant lui, pull bleu, jean noir, pieds nus, c'était bien ça. Et aussi une couette sur le dos. Depuis cette fraction de seconde où il avait vu Bénédicte filer en direction de la Seine, elle s'était comme volatilisée. Seule trace tangible de sa présence fugace, sa couette fut retrouvée sur le capot d'une voiture. Un témoin indiqua aux policiers qu'il avait vu une jeune femme peu vêtue courir en direction du fleuve.

La brigade fluviale chercha, des plongeurs explorèrent les fonds saumâtres. La Seine finit toujours par rendre les corps, au pont de l'Alma ou, plus loin, à l'écluse de Suresnes. Quelques jours après l'incendie, le cadavre d'une jeune femme fut repêché à hauteur de Boulogne. Ce n'était pas Bénédicte. Le film était allé trop vite. Manquait une image, celle où Bénédicte, parvenue à la sortie de son immeuble, s'effaçait du paysage. Il était inutile d'épiloguer sur la couverture de son agenda 2000, un Petit Prince montant vers le ciel tiré par une nuée d'oiseaux rieurs. Je revins en arrière, avant les pieds nus, avant les flammes, saisi par l'incroyable mystère de la disparition d'une jeune femme en plein cœur de Paris par une des premières nuits de l'an 2000.

Cette enquête m'ébranla. Pour la première fois j'avais pénétré dans l'intimité d'une inconnue et de son entourage, ses parents, sa mère qui s'efforçait de garder son calme, son père digne et détruit, qui vint me rendre visite au journal. Je n'étais pas un policier, je voulais simplement donner à cette disparition suffisamment de visibilité pour augmenter les chances de retrouver Bénédicte vivante, si elle vivait encore. Son père me confirma que sa fille n'avait jamais fugué, qu'elle n'était pas suicidaire et présentait au contraire tous les signes de l'équilibre, même si elle traversait une passe difficile.

Dans le petit univers de l'île Saint-Louis, toutes les rumeurs couraient. Certains croyaient que la jeune femme n'avait pas quitté la rue, qu'elle serait cachée quelque part dans un appartement, redoutant qu'on l'accuse d'avoir mis le feu chez elle. D'autres disaient qu'on la séquestrait, ou encore que la panique suscitée par l'incendie l'avait rendue amnésique. Les voisins qui lui avaient parlé la nuit de sa disparition affirmaient cependant qu'elle ne présentait aucun signe de délire quand ils l'avaient vue, presque nue, fuir son studio. Le bruit circulait même chez les commerçants qu'on l'avait retrouvée hagarde sur un trottoir et qu'elle était en sécurité à Sainte-Anne. Du coup, la plupart des avis de recherche avaient disparu des vitrines, comme si l'affaire était bel et bien terminée. Les amis de Bénédicte avaient passé une petite annonce dans *Libération*. L'appel resta sans réponse.

Je rencontrai le détective engagé par la famille. Il pensait que les dernières confessions de Bénédicte dans son journal intime pouvaient avoir été jetées sur le papier sous l'effet de stupéfiants. Dans les pages rédigées en décembre 1999, Bénédicte faisait état d'une agression sexuelle dont se seraient rendus coupables deux de ses proches. « Je m'en suis sortie saine et sauve », avait-elle noté. Rue du Château-des-Rentiers, à Paris, l'officier chargé d'élucider cette disparition inquiétante se cantonnait à une enquête passive, recueillant les témoignages éventuels : Bénédicte était majeure et, *a priori*, il n'y avait pas eu crime. Il était cependant difficile de considérer son absence comme un acte de liberté.

Peu après l'incendie, des objets extirpés de son studio étaient restés sur le trottoir. Je m'étais approché, à la recherche de je ne sais quel indice. Il y avait les débris de son ordinateur calciné, des journaux et un livre attaqué par les flammes dont on pouvait encore lire le titre sur la couverture : *Les chemins du virtuel*. La parution de mon enquête, sous le titre hitchcockien « Une jeune femme disparaît », déclencha un grand courant de curiosité chez mes confrères de presse écrite et télévisée. Hélas, Bénédicte resta introuvable. Je ne retourne jamais dans l'île Saint-Louis sans penser à elle.

SAN-ANTONIO PAR SON FILS

Après le décès de Frédéric Dard, en 2001, ayant obtenu de publier en bonnes feuilles son ouvrage posthume *Céréales killer* — une initiative qui choqua plus d'un lecteur du *Monde* —, je m'étais rendu dans sa résidence suisse. Une ferme cossue des environs de Fribourg aux allures de prieuré, protégée par un saint Antoine en céramique venu d'Espagne. L'entrée de la demeure offrait une véritable profusion de saints et de saintes, sur toile, sur bois, de magnifiques spécimens de l'art religieux qui semblaient trahir la présence d'un homme de foi, bonne ou mauvaise. Était-ce bien ici qu'avait vécu le père du célèbre commissaire San-Antonio et de personnages assez peu enclins à la sainteté ? Françoise Dard, qui avait partagé la vie du romancier pendant plus de trente ans, me reçut en compagnie de son beau-fils, Patrice Dard. « Il est mort là », m'indiqua celui qui allait faire revivre San-Antonio, désignant une pièce envahie de livres.

Françoise Dard se souvenait : « Il avait toujours l'angoisse de ne pas y arriver, de ne pas être à la hauteur, de ne pas être aussi bon que la fois d'avant. Il a souffert tous les jours. Écrire, c'était comme évacuer un calcul. Après dix à douze heures d'écriture quotidienne, il sortait effondré, un vrai zombie, les yeux cernés. »

Levé très tôt le matin, il accompagnait enfants ou petits-enfants à l'école, puis s'installait devant sa machine, où était en permanence glissée une feuille de papier. Il était rasé de frais, en costume-cravate. Comme s'il allait au bureau, sauf que le bureau était dans sa chambre, une chambre basse de plafond, encore décorée d'objets religieux, moins visibles toutefois que l'imposante collection des San-Antonio, cent soixante-quinze avec le dernier, *Céréales killer*. « C'était extra de le voir travailler, observait son fils. Il avançait toujours, c'était immédiat. » Dans les derniers mois, Patrice Dard l'encourageait à s'y remettre. « Il me répondait : on verra ça ce soir. C'était le signe qu'il allait mourir, car il ne pouvait pas vivre sans écrire. Deux choses le minaient : ne pas écrire et ne pas bander ! »

À propos du nom choisi au beau commissaire, Françoise Dard confirmait cette histoire : « Il a déplié une carte des États-Unis puis il a fermé les yeux. La mère de Patrice, Odette, a guidé sa main. Son doigt s'est posé sur la ville de San Antonio. Il s'est écrié : "Merde, c'est un nom espagnol !" Mais il l'a gardé en se disant qu'après tout c'était le destin. » Patrice Dard approuvait : « Le personnage aurait été totalement différent s'il avait mis le doigt sur Chicago. Avec San Antonio, il se démarquait du héros américain. C'est comme ça qu'il a pu créer des personnages comme Pinaud, puis Bérurier. Il connaissait un vrai Bérurier. C'était un unijambiste, et mon père nous faisait rire en disant qu'il prenait des bains de pied au singulier. » J'étais reparti le cœur léger de chez ce mort si vivant.

SEMPRUN ET POIROT PAR EUX-MÊMES

Ces années-là, il m'arrivait parfois de reprendre ma plume pour aller au-devant de quelques écrivains bien vivants. Mais le temps les a fauchés et les lignes que je leur consacrais sont désormais autant d'exercices funèbres. Je pense à Jorge Semprun, que je rencontrai en l'an 2000, ou à Bertrand Poirot-Delpech, qui vint me trouver quelques minutes dans mon bureau à la mi-2003, et qui resta plus de deux heures, grillant la pause déjeuner pour me confier sa vision de l'écriture avec une sincérité poignante.

Tout était lumineux chez Semprun, le regard et le sourire, son salon baigné de soleil, les tons clairs du canapé, les murs immaculés de son appartement de la rue de l'Université. Pour l'ombre, le sombre, il fallait tourner la couverture — blanche — de ses livres *L'écriture ou la vie* ou encore *Le mort qu'il faut*, retour au camp de concentration de Buchenwald et à cette phrase qui tintait comme un avertissement sans fin de la mémoire : « Il y aurait toujours cette neige dans tous les soleils, cette fumée dans tous les printemps », la neige des collines qui surplombaient le camp, la fumée du crématoire.

Écrire en homme libre, la tâche n'était pas aisée pour Semprun. Lorsqu'il passait l'habit du romancier, il se sentait prisonnier d'une mémoire trop forte, qui faisait écran : l'exil, la déportation, la clandestinité en Espagne au temps du franquisme. Ce tribut payé au souvenir du temps où il était mort, le public lui en avait été reconnaissant en plébiscitant *L'écriture ou la vie*. « Le temps qui reste à vivre est trop court et il passe à une vitesse incroyable ! » s'étonnait Semprun. Il avait alors soixante-dix-huit ans.

« J'ai publié mon premier livre, *Le grand voyage*, à quarante ans. Je pourrai alors considérer que j'ai été écrivain la moitié de ma vie. Mais pour l'instant, j'ai passé plus de temps sans écrire. » C'était le paradoxe de cet homme à qui, enfant de huit ans, sa mère disait : « Tu seras écrivain ou président de la République. » Il avait choisi, ce serait les mots. Mais, au retour de Buchenwald, il avait compris que ce souvenir était de l'explosif : s'il puisait dans cette mémoire-là pour écrire, ce serait l'échec ou le suicide. Et entre 1953 et 1963, ses années de clandestinité en Espagne, la règle première de sécurité, c'était de ne pas écrire, encore une fois. Pour se garder en vie, éviter les mots sur le papier.

« À cette époque, se souvenait Semprun, je pouvais avoir en tête mes rendez-vous des six prochains mois. Je savais qu'à telle date je devais rencontrer telle personne à la Puerta del Sol, et ainsi de suite. Une ou deux fois par semaine, je me récitais la litanie de ces rendez-vous. En réalité, j'écrivais dans ma mémoire. »

Semprun aimait rencontrer ses contacts dans la salle du Prado où étaient exposées *Les Ménines* de Vélasquez. Il passait le temps entre deux rencontres clandestines, « voyeur anonyme de tableaux », attirant moins l'attention que dans un bistrot. « Et je pouvais plus facilement repérer si j'étais suivi : un flic ne peut passer trop de temps devant une œuvre d'art sans montrer quelques signes d'impatience », soufflait-il avec malice, cherchant dans mon regard la complicité qui naît forcément avec le trait d'esprit. C'est ainsi que lui apparut un jour la haute et anguleuse silhouette de Nicolas de Staël, dont il ne savait rien, ni de la vie ni de la peinture. Plus tard à Paris, tombant sur le catalogue d'une de ses expositions et découvrant sa photo, il s'écria : « Oh, mon mec du Prado ! »

Semprun avait bien des raisons d'avoir de la mémoire, y compris les raisons du cœur. Bien sûr il y eut la clandestinité, les fausses identités, ce nom de Federico Sanchez qu'il porta comme un masque. « Mon seul lien identitaire était ma mémoire personnelle. » Et là vibrait aussi la poésie, Baudelaire, René Char, Paul Celan, César Vallejo, ces centaines, ces milliers de vers appris par cœur — il serait plus juste de dire : « avec le cœur » —, avec passion.

Et, parlant au cœur, je n'ai pas oublié ce début d'été 2003 où Poirot-Delpech poussa la porte de la bulle vitrée, rue Claude-Bernard, le regard bleu délavé comme ses jeans. Un an plus tôt, il avait senti le vent du boulet. Trois petits mots avaient résonné comme les trois coups au théâtre. C'était un début de chronique qui sentait sa fin. Trois petits mots dans sa livraison du 4 septembre 2002 : « J'ai failli mourir. » Était-ce une farce de Grand Dadais, un grain en golfe de Gascogne qui aurait assombri plus que d'habitude son regard pâle ? Non, il fallut se rendre à l'évidence : la suite ne parlait que de cette camarde qui avait manqué nous ravir — mais, chez lui, nul ravissement — notre Immortel. Entrez, tuyaux, sondes, potions et compresses, et que le dernier ferme l'aorte ! Car c'est le cœur qu'il fallait colmater.

Après cet avis de tempête, le plus heureux des pieds de nez fut de pouvoir publier une bonne nouvelle de Bertrand Poirot-Delpech, une nouvelle qui le contenait en entier, avec ce qu'il fallait d'ironie mêlée de gravité pour s'assurer que sa plume avait glissé du bon côté, celui de la vie et des facéties qui vont avec, parfois. « Certains matins, confiait Poirot, je me réveille en me disant : il ne faut pas que j'oublie qu'il m'est arrivé ça. »

Le « ça » évoqué avec pudeur et distance (juste convalescent, il se répétait : « Il est pas passé loin », comme si toute cette agitation médicale, le thorax fendu au sécateur, avait concerné un autre que lui), le « ça », donc, avait réveillé chez l'auteur de *L'été 36* ce fantasme suspendu à ses basques, écrire « le livre qu'on n'a pas écrit, qu'on aurait écrit et qu'on a oublié. J'avais l'angoisse du candidat à un examen qui se dit : "J'ai occulté ce que je savais le mieux."

Si je casse ma pipe, il manquera un bout. Je n'ai pas assez ramassé sur moi-même et je vais remettre un brouillon... »

Poirot n'avait pas vraiment émergé de ce cauchemar éveillé qui semblait, à l'écouter, un de ses plus fidèles compagnons, depuis le temps où, penché sur sa copie des nuits de théâtre (rassemblées dans *Au soir le soir*), ou sur son feuilleton littéraire assumé en vigie pendant quinze ans, il couvrit « des kilomètres d'écriture journalistique perdus à jamais ». Il ne fallut pas pousser beaucoup l'académicien pour qu'il remonte, sans s'esbigner (il nous avait offert ce mot pour synonyme de « décamper »), le fil de ses hantises. Croire soudain qu'on n'a pas écrit, craindre qu'une idée rêvée se perde, une fois réveillé. « Lorsque la peur de perdre est plus forte que la flemme, je note. » Et de raconter qu'il vécut longtemps la nuit, calepin au bord du lit, et stylo-lampe (un gadget commode) à portée de main « au cas où », pour écrire sans réveiller l'autre — car il était entendu qu'écrire est d'abord un secret.

L'ancien feuilletoniste du *Monde* avait été élu avec panache sous la Coupole. Il avouait son attrait pour « un endroit où il y a de la reconnaissance ». Fréquenter des pairs qui ont à leur actif des milliers de pages était à la fois rassurant et valorisant pour qui sentait au fond de lui le besoin de se rassurer et de « sortir de l'isolement qui est la tare de cette activité », il voulait parler de l'écriture. Mais cette reconnaissance au-devant de laquelle il s'était porté ne l'avait pas guéri de ses impertinences. Comme ce jour où, nouvellement élu à l'Académie ainsi que Jacques Laurent, il fut présenté au président de la République, protecteur de l'institution, par Maurice Druon. « Mitterrand et Jacques Laurent s'étaient mis à évoquer devant nous les petits bistrots des bords de l'Allier. Ils parlaient tranquillement de Vichy ! Ensuite, Mitterrand releva qu'il avait face à lui un homme de gauche et un homme de droite et, comme il cherchait ce qui pouvait différencier l'un de l'autre, je fis observer qu'un homme de droite avait été à Vichy et favorable à l'Algérie française. Je m'attirai aussitôt un regard d'une noirceur... Je ne m'étais pas rendu compte de l'énormité de mon propos. »

Poirot ne faisait pas toujours le malin. Ainsi lorsque, comme président de l'association Maison d'Izieu-Mémorial des enfants juifs exterminés, il devait lire à haute voix, lors de cérémonies publiques, « Benguigui Pierre, quatre ans et demi ». Aucun des anciens n'arrivait à dire l'âge. Lui si. Derrière le regard teinté d'autodérision, sous la plume prompte à faire saillir le trait assassin, demeurait une capacité intacte à s'émouvoir. Lors de cet entretien, l'homme à la moto s'était ouvert d'un tourment : avoir passé tant de temps sur les livres des autres, et si peu de temps sur les siens. Cet homme du verbe nous quitta en 2006, non sans avoir exprimé cette prédiction d'amoureux des mots : « Quand auront sévi et sombré toutes les techniques imaginables de communication, vous verrez que livres et journaux resteront le recours suprême contre la violence, l'ignorance, l'oubli, la bêtise et la laideur. »

5

LE POISON LENT DU PÉAN-COHEN

En février 2003, dans le plus grand secret, l'imprimerie Mateu Cromo de Madrid mettait sous presse sur papier Alisado 90 grammes une petite bombe de six cent trente pages pour le compte de Mille et Une Nuits, une filiale des Éditions Fayard, que dirigeait ce Raminagrobis aux rancunes tenaces de Claude Durand. S'il avait œuvré pour sa maison, nul doute que le secret eût été éventé. Mais en passant par le tapis volant des Mille et Une Nuits avec escale en Espagne, il put garder intact jusqu'au bout le pouvoir de déflagration de cette *Face cachée du « Monde »* rédigée par Pierre Péan et Philippe Cohen. *L'Express* en publia des extraits dans sa livraison précédant le lancement en librairie, une opération menée de main de maître par Denis Jeambar, alors patron du magazine. Les « bonnes feuilles » portaient en partie sur la censure dont j'avais été l'objet lors de mon enquête sur Charles Pasqua. Edwy m'en fit amèrement la remarque lors d'une réunion de la rédaction en chef.

Mais ce n'était pas là l'essentiel. Dans une attaque d'une virulence inouïe contre les dirigeants du journal (le triumvirat Colombani-Minc-Plenel), les auteurs montraient comment, de contrepouvoir, ces trois hommes avaient fait du journal une véritable machine de guerre, pratiquant l'intimidation, la campagne de presse hostile frisant la chasse à l'homme, le jeu des réseaux, le trafic d'influence. « Il fallait investiguer sur l'investigateur », prévenait la quatrième de couverture pour justifier sa traque sans merci des dérives du *Monde*. Malgré ses excès, ses erreurs, ses partis pris, ses dérapages intolérables concernant en particulier les pères des dirigeants du *Monde* soupçonnés de comploter contre la France, malgré la part trop belle faite aux témoignages anonymes, malgré encore l'écriture alambiquée du livre, le choc se révéla terrible. Ce fut un poison à effet lent, une bombe sale qui prit dans son tourbillon, au-delà de ses trois cibles, l'ensemble d'une rédaction et d'une entreprise de presse.

La riposte du trio se révéla si indigente, défensive et bornée que, loin de se racheter, il s'enfonça, au point de sembler accréditer les thèses les plus sévères de la *Face cachée*. Lorsque les trois hommes apparurent un soir sur le plateau de Guillaume Durand, ayant refusé une confrontation publique avec les deux auteurs du brûlot, il parut évident qu'à plus ou moins brève échéance chacun des « maîtres du *Monde* » serait balayé. Ce qui advint. Plenel fin 2004, Colombani au printemps 2007, Minc ayant tenté le tout pour le tout pour survivre à ses alliés de circonstance avant de quitter la scène dans la confusion et la vindicte de la rédaction, début 2008.

C'est que, malgré ses incroyables défauts, le livre avait frappé juste en confortant le ressenti de nombreux lecteurs : qu'ils appartinssent à l'establishment ou à la population éclairée d'enseignants, d'étudiants et de fonctionnaires mais aussi de cadres du privé et de chefs d'entreprise, ces fidèles du journal, abonnés de longue date ou acheteurs au numéro goûtaient de moins en moins l'arrogance du *Monde*, ses penchants politiques balladuriens passés en contrebande, ses agressions caractérisées, dont l'affaire Baudis fut l'illustration la plus pénible, et aussi la plus préjudiciable. Cette colère des lecteurs — précisons : des lecteurs qui aimaient *Le Monde* mais qui s'en étaient détournés, tristes et déçus —, je la recevrais de plein fouet début 2005 quand je serais chargé de concevoir la nouvelle formule du journal.

Depuis 1995, deux hommes se partageaient le pouvoir, et rarement attelage parut aussi dépareillé que celui formé par l'ancien trotskiste Edwy Plenel, chantre d'un journalisme investigateur et combatif, et l'espèce de sénateur très IIIe République qu'incarnait désormais Jean-Marie Colombani. L'un regardait bien en face et l'autre de travers. L'un parlait haut et tonitruait quand l'autre cultivait le *mezza voce* presque inaudible, dans un phrasé contourné. Plenel se présentait droit et sans ambages ; Colombani, c'était son style, ne semblait vous aborder que de biais. Moi qui ai toujours préféré les trajectoires directes — un cycliste ne se refait pas —, je me fiais à l'élan qui me portait d'instinct vers Edwy, même si j'entretenais des relations amicales avec JMC.

Affleurait chez Plenel une incroyable énergie, une vivacité d'esprit, une ardeur qui l'emmenait au bord de l'épuisement. Il forçait l'admiration, quoi qu'on pense de ses choix éditoriaux et de sa forfanterie à croire qu'il était un mythe vivant du journalisme. Il n'avait pas vu que notre métier ne fabriquait plus de mythes. Mais face à ce bourreau de travail, on ne pouvait que tirer son chapeau et s'efforcer de participer de son mieux à l'œuvre commune. Et puis Edwy avait du souffle, du style, un sacré moteur. S'il s'interdisait d'écrire dans le journal depuis qu'il dirigeait la rédaction (« Je suis aux cuisines », disait-il sans frustration apparente), sa trajectoire de journaliste et ses livres (*La part d'ombre*, et aussi *Secrets de jeunesse*) témoignaient d'un certain tempérament d'écrivain, d'un amour des mots, de la phrase, de l'idée qui virevolte au bout de la plume comme le vif-argent.

Edwy était brillant. En s'obstinant à traquer la vérité partout, passion fort honorable pour un journaliste, mais au risque de tordre cette vérité au profit de convictions parfois discutables, Edwy tua en lui la hauteur de vues dont il était porteur. Et c'est précisément au moment où il aurait pu accomplir cette métamorphose, dépasser l'art de la polémique pour celui de la pensée en marche nourrie par une réflexion aiguisée sur l'actualité, c'est à ce moment que le Péan ferma toutes ses écoutilles et le ramena à sa part d'ombre, à son côté Mister Hyde : la dénonciation tous azimuts du complot permanent, la méfiance maladive, l'agressivité.

Entre la résurgence trotskiste d'Edwy et le clanisme de JMC, *Le Monde* entra de nouveau dans une période irrespirable où chacun se méfiait de son voisin, où Edwy se méfiait de qui n'allait pas dans son sens, où les lecteurs se méfiaient du journal. Terrible période où on ne s'aimait plus, où *Le Monde* n'était plus aimé. Plus que jamais Edwy se replia sur une garde de fidèles, des sincères et des opportunistes, comme il en est des mouches de chaleur. JMC, fidèle à son habitude de la gestion humaine, divisa pour mieux régner, faisant travailler ensemble des rédacteurs en chef qui s'appréciaient peu, laissant percevoir à tel ou tel qu'il était le fils préféré. Je n'eus de ce point de vue aucune illusion : jamais je ne fus le préféré. Il fallait rester trop tard le soir pour entrer en cour et j'avais assez de mes journées à me crever les yeux sur la copie.

Certains courtisaient à la fois Edwy et JMC, un placement qui pouvait rapporter gros au temps de leur entente, mais qui se révéla compliqué lorsque la rupture fut consommée entre les deux hommes : il est toujours inconfortable d'être un enfant du divorce. Combien alors prirent soin de n'aller visiter l'un des grands chefs qu'en l'absence vérifiée de l'autre, et vice versa. L'allée des Sphynx de l'avenue Claude-Bernard (le couloir à moquette rayée qui menait à leurs deux bureaux et au secrétariat général) fut témoin de bien des trahisons à pas feutrés. Les Borgia régnaient alors et, après tout, ce n'était que la récolte des semis d'orage du couple Plenel-Colombani qui, en 1995, avait rallié de farouches verne-tistes à leur panache bigarré trotsko-corso-féodal.

Les redditions s'étaient faites sur le tapis vert, par l'octroi aux ennemis ralliés de quelques postes de rédacteur en chef contre serment de fidélité. Pour un Alain Vernholes, dont les papiers de macro-économie restent inégalés, et qui manifesta son désaccord avec les nouveaux dirigeants en quittant le journal la mort dans l'âme, combien furent attirés par la soupe aux galons. Jamais je ne devais entrer dans ces luttes, ni dans les assauts de séduction qui les accompagnèrent. L'absence de réseaux, le mépris du clienté-lisme, l'imperméabilité au jeu politique, ce fut ma force, ce fut aussi ma faiblesse.

Avant cette phase finale déclenchée par la *Face cachée*, Plenel était l'abeille et JMC l'architecte. Mais si l'abeille sut longtemps butiner aux meilleures fleurs, avant de s'intoxiquer dans de tristes affaires, l'architecte construisit pour *Le Monde* un géant aux pieds d'argile, plus proche des bâtisses hasardeuses d'Amonbofis dans *Astérix et Cléopâtre* (l'humour involontaire excepté) que des pyra-mides éternelles. Le partage des tâches était clair : Edwy tenait la maison, Jean-Marie la consolidait en lui ajoutant non pas des fondations plus solides mais des étages habilement agencés, hélas fort coûteux, dont j'aurais plus tard à organiser, dans la douleur, la revente. Le rachat de *L'Express* aurait eu du sens. Mais, à l'automne 1997, la rédaction de *L'Express* préféra Dassault au *Monde*, signe de la méfiance et de la crainte — pour ne pas dire la détestation — que suscitait à l'époque JMC auprès de certains dirigeants du magazine.

Le rachat de *Télérama*, en 2003, fut une belle opération pour *Le Monde*, qui s'empressa d'en vendre le patrimoine immobilier pour financer ses déficits, sa politique de rachats et cette folie des grandeurs qui faisait dire à JMC qu'un groupe de presse devenait inattaquable s'il pesait « 1 milliard d'euros ». Qu'est-ce qu'un chiffre d'affaires, même d'1 milliard d'euros, si les bénéfices ne sont pas au rendez-vous ? Or ils n'y étaient pas, et c'est au prix de l'endettement et d'opérations de recapitalisation que *Le Monde* crut pouvoir s'en sortir, réduisant chaque fois la peau de chagrin de son indépendance. C'est pourtant sur le fil de cette pensée magique (peser plus lourd) que *Le Monde* avait racheté le groupe du *Midi libre* en 1999, faute de prendre le contrôle de *L'Express*. La logique consistant à entrer dans la presse régionale ne tombait guère sous le sens.

À titre personnel, je n'eus jamais à me plaindre de cette acquisition, qui me permit de réaliser un rêve de gosse : courir aux côtés des professionnels une grande épreuve cycliste, puis écrire une centaine de chroniques hebdomadaires pour ce grand journal régional. J'y rencontrai aussi Alain Plombat, son directeur de la rédaction d'alors, exemplaire d'abnégation et de confraternité. Mais comment croire que cette opération était stratégique, sauf à considérer que l'impression des exemplaires du *Monde* destinés au sud de la France serait délocalisée à Montpellier, ce qui supposait un bras de fer avec l'imprimerie que JMC ne mena jamais, sauf à considérer la démagogie à l'endroit du Syndicat du livre comme un préalable au rapport de forces.

À la parution du Péan-Cohen, la rédaction en chef ne connaissait que de loin les enjeux économiques, industriels et financiers du journal. Depuis 1995, nous avions connu plusieurs étapes : renflouement à hauteur de 295 millions de francs par une première recapitalisation l'année du cinquantenaire, passage du statut de SARL en SA avec directoire et conseil de surveillance pour accueillir de nouveaux actionnaires, création d'un actionnariat salarié à hauteur de 20 millions de francs (1998), investissement de 30 millions de francs dans la filiale du *Monde interactif* en partenariat avec Lagardère (1999), prise de contrôle du *Midi libre*, projet d'entrée en Bourse, qui fut finalement abandonné au profit d'une nouvelle recapitalisation.

Au cours de son premier mandat, JMC s'était pleinement vécu en directeur de journal, présent, impliqué dans le renouvellement éditorial, soucieux de ce qu'il appelait le « réarmement intellectuel » du *Monde*. Son second mandat fut d'emblée placé sous le signe de la mue : *Le Monde* n'était plus un journal mais un groupe — et on se gaussa d'une carte de vœux d'entreprise où *Le Monde* occupait le centre, représenté par une énorme planète, tandis que ses satellites, *Télérama*, *La Vie*, *Le Monde.fr*, *Le Monde diplomatique*, *Courrier international*, les *Cahiers du cinéma*, tournaient docilement autour de lui... JMC était devenu le patron d'un grand groupe de presse promis à une expansion semblable à celle de l'univers. 2001 fut la première année de pertes pour *Le Monde*. Six autres allaient suivre.

Pour croire à ce conte — sans trop s'inquiéter des comptes —, il fallait un illusionniste de haut vol. *Le Monde* avait le sien en la personne d'Alain Minc, qui se mouvait à son aise dans cet empyrée. Minc et Colombani avaient partie liée depuis la trahison faite à Lesourne et l'élimination de tous les rivaux possibles de JMC : Daniel Vernet, Bernard Guetta, Bruno Frappat. Il faut toujours se méfier de la première impression, dit-on, car elle est la bonne. Celle que me fit Alain Minc lorsque je le croisai un jour dans le bureau de JMC fut désagréable. Il m'avait tendu une main morte en regardant ailleurs. Passé le directeur, et encore, nul ne méritait son attention, sauf bien sûr s'il fallait monnayer un peu de tranquillité contre une ration de flatterie, arme dont il usa brillamment auprès de maints présidents de la Société des rédacteurs et des lecteurs, ou de certains membres du conseil de surveillance.

Minc n'était de prime abord que mépris et suffisance. Rien de ce qu'on lui disait qu'il ne sache déjà, rien de ce qu'on pensait qu'il n'ait déjà pensé. Il savait, un point c'est tout. Minc allait très bien avec JMC : le doute ne les étouffait guère. Ils se croyaient les plus forts, et si d'aventure quelqu'un leur résistait, ils s'emploieraient à lui faire rendre gorge.

Ma première impression d'Alain Minc ne me trompa donc pas,

et pourtant. Jamais je n'aurais imaginé qu'un jour il serait mon interlocuteur. Qu'il me sonderait sur mon envie de diriger *Le Monde*. Que je devrais aussi l'affronter. J'imaginais encore moins que ce cynique n'ayant d'amis que ses intérêts pourrait un jour m'aider à la régulière et se montrer un temps loyal. On ne devient pas l'ami d'Alain Minc. On est au mieux l'obligé d'un marionnettiste. Il vous tire du monde invisible pour mieux vous y replonger. Je n'oublie pas qu'il sut, dans certaines circonstances, me tendre la main. On ne s'est pas aimés, mais ce fut courtois, parfois cordial, toujours ponctuel — Minc ne fait jamais attendre — avec au final un feu d'artifice, au sens illusoire du terme : ses châteaux en Espagne s'effondrèrent. Il fut le dernier du trio à tomber, et cela fit un joli bruit.

Mais revenons aux jours tourmentés qui suivirent la déflagration du Péan-Cohen. La direction devint un bunker assiégé. Chaque conseiller y allait de son conseil. Ignorer pour les uns. Riposter pour les autres, selon le principe que la meilleure défense est l'attaque. Plainte fut déposée contre les auteurs du brûlot. On resserra les rangs en interne en rappelant l'histoire du journal, si souvent attaqué au cours de son histoire. Il y eut des grands-messes collectives au sous-sol de Claude-Bernard, de ces rassemblements dont nous avions le secret, dans des salles sans fenêtres éclairées d'une lumière glauque qui piquait les yeux et nous décalquait en morts-vivants.

Un séminaire fut même organisé par la direction avec des sages, des amis de la maison, Edgar Morin et Jean-Claude Casanova. Ces derniers adressèrent des messages subtils et amicaux, disant en substance aux responsables du *Monde* que la guerre était finie, que le journal n'avait pas à se créer inutilement des ennemis, à agresser gratuitement. Qu'il devait au contraire prendre de la hauteur, ne pas douter de son magistère, ne pas se mettre à dos toute l'intelligentsia en réglant des comptes, en décidant de fatwas contre tel ou tel qui n'aurait pas pensé comme la direction. Tout cela fut dit avec intelligence et bienveillance, mais Plenel et Colombani étaient sans doute trop blessés par le livre pour bien entendre cet appel à la mesure.

Faute de trouver une riposte efficace contre l'assaillant, on chercha les ennemis internes, ceux qui avaient parlé à Péan. Il y avait tous ceux qui s'étaient exprimés en exigeant l'anonymat, et ce ne fut que supputations, soupçons et doutes ajoutant à la méfiance ambiante. Et puis venait mon cas. J'étais le seul membre de la rédaction à m'être exprimé ouvertement dans ce livre, Péan racontant l'épisode traumatisant de mon enquête phagocytée par Plenel. En réalité, l'auteur s'était servi des notes qu'il avait prises au cours de nos discussions huit ans plus tôt, lorsque je m'étais ouvert à lui de mon trouble et de ma déception devant pareil traitement. Depuis lors, de l'eau avait coulé sous les ponts. J'étais passé à autre chose et ma relation avec Edwy s'était ancrée dans la confiance. Quelques mois avant la parution de la *Face cachée*, Pierre Péan avait voulu me revoir pour que je lui confirme mes propos anciens. J'avais accepté — pourquoi me serais-je dérobé ? — en lui demandant la raison de sa démarche. Il m'avait dit travailler à un livre sur *Le Monde*. J'en avais averti Edwy et les choses en étaient restées là.

Parler à Péan n'avait alors rien de suspect : à cette époque, *Le Monde* donnait un large écho à ses travaux d'investigation. Il suscitait le respect dans la profession pour son courage et son mordant, son grand professionnalisme, ses manières de chasseur solitaire avec tous les attributs du héros, grosse moustache et grosse moto, cuir souple et peau de ses proies en bandoulière. Péan, littéralement, avait de la gueule, et on serait surpris de relire dans *Le Monde* d'avant la *Face cachée* tout le bien qu'on en disait.

Les temps avaient changé. À la page 188 du livre devenu tabou au journal (un cochon-tirelire circulait dans lequel toute personne l'évoquant devait glisser une pièce en pénitence), nos liens étaient exprimés sans détour et devaient déclencher sur moi les foudres de la direction.

Voici l'extrait :

Le hasard a voulu que nous soyons tenus au courant, pratiquement en temps réel, du deal passé entre Pasqua et Plenel. Fin 1994, Éric Fottorino, ami de l'un des auteurs, a décidé de consacrer un grand papier à Charles Pasqua l'Africain. Il demande à Pierre Péan de l'aider. Celui-ci s'empresse d'accepter car, quoique informé du détail de l'aide apportée par les hommes de Pasqua au trucage de l'élection présidentielle gabonaise de 1993, il s'était alors interdit d'écrire sur le sujet, ses informations provenant de son statut de conseiller du chef de l'opposition gabonaise, et non d'une enquête journalistique à proprement parler. Éric Fottorino mena donc une enquête fouillée, notamment au Gabon. À son retour, surprise : Hervé Gattegno paraît être au courant dans les moindres détails de ses pérégrinations africaines ! Autre bizarrerie : Fottorino découvre que l'adjoint de Plenel entretient des rapports chaleureux avec Daniel Léandri. Pour couronner le tout, après lecture de son article, Edwy Plenel lui demande d'aller voir Léandri, fidèle d'entre les fidèles de Pasqua, flic, secrétaire, garde du corps, homme des missions sensibles. Une fois place Beauvau, Fottorino éprouve le sentiment fort désagréable que Léandri a déjà lu son papier... Le voici bientôt contraint d'édulcorer sérieusement son article, qu'il rend à la rédaction en chef autour du 1ᵉʳ février 1995. Un mois plus tard, l'article repose encore dans le tiroir d'Edwy Plenel. Amer face à cette censure qui n'ose pas dire son nom, Fottorino s'en ouvre à nous le 1ᵉʳ mars : « Mon papier sur les réseaux Pasqua est sous le coude de Plenel... »

Enfin, Éric Fottorino explique pourquoi Plenel a censuré, puis retardé sa publication : « Plenel m'a dit être l'ami de Pasqua : "J'ai voulu sa peau, il a voulu la mienne. Maintenant nous sommes amis." » Une note de bas de page précisait : « L'article est finalement paru en deux volets, les 3 et 4 mars 1995. Il fait référence au trucage de l'élection gabonaise en 1993 par les hommes de Pasqua. »

Quelques pages plus loin, Péan écrit :

La simple analyse du traitement de l'affaire Elf et de l'Angolagate où apparaissent Charles Pasqua (blanchi par un non-lieu) et son entourage montre qu'ils ont bénéficié d'un relatif traitement de faveur de la part du *Monde*, environ six ans après le deal évoqué par Éric Fottorino.

Relisant ces pages, je ressens la même incompréhension devant l'attitude de fermeture que m'opposa Plenel. Le texte de Péan est juste, à l'exception d'un détail : le directeur de la rédaction prétendait avoir été l'ami non pas de Pasqua mais de Léandri, encore surnommé « le berger », son homme de confiance, dont on disait qu'il aurait fallu lui marcher sur le corps pour espérer toucher Pasqua... J'aurais aimé être affranchi, qu'Edwy m'explique en tête à tête pourquoi ce que j'écrivais sur le ministre de l'Intérieur était trop gênant. Mais c'eût été bien naïf de ma part d'espérer pareille confidence. Cela m'apprit, avec une réelle tristesse, qu'Edwy ne me faisait pas confiance, au moins sur ces affaires d'investigation. L'attitude d'Hervé Gattegno me le montra sans détour. Il lui fallut quelques années, lorsque j'intégrai la rédaction en chef, pour qu'il apprenne à prononcer, en me voyant, deux syllabes toutes simples : bonjour.

À la page 292 du même livre, j'eus la désagréable surprise d'apprendre pourquoi je n'avais plus été envoyé sur l'île de Beauté après mon reportage de janvier 1995 sur les « nouveaux bandits corses » :

> Des actes, des paroles, des silences, mais surtout des hommes. Tels sont les différents aspects que revêt, à partir de l'accession de Jean-Marie Colombani à la direction du *Monde*, la couverture éditoriale de la Corse. Les hommes sont bien entendu essentiels. Pour contrebalancer le travail des correspondants locaux, forcément plus exposés aux pressions de leurs sources, *Le Monde* utilisait jusque-là les services d'envoyés spéciaux.
>
> Dans les années 1980, Danièle Rouard et Philippe Boggio effectuèrent de nombreux reportages sur l'île de Beauté. En 1995, *Le Monde* dépêche sur place Éric Fottorino. L'hebdomadaire *U Ribombu*, organe officiel de la Cuncolta (et à peine officieux du FLNC-canal historique), critique son travail. C'est la dernière fois que l'hebdomadaire nationaliste aura à se plaindre du *Monde*. Désormais, la couverture éditoriale du quotidien va être corsisée.

Quelques lignes plus bas, il est écrit qu'un autre confrère va prendre en charge la couverture corse, lequel, « à l'inverse d'Éric Fottorino, a la cote auprès de l'hebdomadaire *U Ribombu* ».

Inutile de dire que personne, au *Monde*, ne m'avait expliqué ma mise à l'écart du dossier Corse après un premier reportage, pourtant paru à la une du journal, dont j'avais simplement noté qu'il avait indisposé JMC, croisé un matin dans l'escalier de la rue Falguière. Je me souviens que, dans les jours suivant la parution, des nationalistes corses avaient téléphoné au journal pour s'assurer que j'existais bel et bien, convaincus que mon nom était un pseudo utilisé par *Le Monde* pour écrire des vérités déplaisantes. Je n'étais pas, loin de là, un spécialiste de la Corse. J'avais simplement agi en reporter qui écoute, recoupe, cherche à comprendre, et mon article avait heurté les caciques du nationalisme par ses observations simples mais écrites noir sur blanc : le dévoiement d'une cause qui pouvait être légitime en pratiques mafieuses condamnables.

Ce fut tout, mais je compris qu'entre mon reportage à Bastia puis mes enquêtes sur Charles Pasqua, j'avais aggravé mon cas auprès d'un patron corse et d'un directeur de la rédaction jaloux des dossiers sensibles de la place Beauvau. Ce ne serait pas la dernière fois qu'éclaterait mon absence de sens politique. Deux procès en justice me furent intentés à la suite de mes articles, par des officines comme l'Association pour l'honneur du peuple corse, et des proches de Pasqua. Bien sûr, nous les gagnâmes.

En ravivant ces plaies, le livre de Péan me mit en difficulté. Il avait été question que je succède à Pierre Georges pour tenir la chronique quotidienne de dernière page — c'était le souhait conjoint d'Edwy et de JMC —, mais il ne fallait plus y compter. À la veille d'une semaine de congés, Edwy me pressa de rejoindre l'équipe du Magazine, ce qui, dans son esprit, valait sanction et mise à l'écart. Je lui répondis que je n'y consentirais pas et que, s'il maintenait cette proposition, je quitterais le journal. À mon retour, il ne me parla plus du Magazine, mais il me demanda d'intervenir dans une réunion interne rassemblant toute la rédaction pour affirmer qu'il ne m'avait jamais censuré. Ce fut un moment pénible où je dus atténuer ma position sans complètement me déjuger, dans un exercice où je jouais sur le mot « censure ». Mes articles avaient bien été publiés, mais pas sous leur forme initiale. J'arguai que je n'étais pas un professionnel de l'investigation et que les demandes d'Edwy n'étaient pas illégitimes, même si elles m'avaient contrarié. Bref, je voulais ne pas envenimer les choses, elles étaient déjà assez lourdes.

Passées les révélations de la *Face cachée*, l'ambiance fut si lourde au journal que nos réunions devinrent explosives. Chacun contrôlait ce qu'il disait. Plenel était à fleur de peau, traits tirés, sourcils froncés, plus noir que jamais, de la tête aux pieds. Ses colères ne tombaient jamais au hasard. Elles étaient mûrement réfléchies, poursuivaient un but précis. Elles étaient ciblées, anticipées. Edwy savait d'avance sur qui il ferait tomber sa foudre. Exclure était sa manière de diriger, l'humiliation collective sa détestable technique. Je remarquai rapidement qu'il contournait désormais la programmation des pages « Enquête », que je pilotais, en confiant directement des sujets sensibles à certains journalistes de la maison.

Un jeudi après-midi, lors de la réunion hebdomadaire consacrée aux prévisions, j'appris qu'une commande de cinq pages avait été passée à Stephen Smith sur le Maroc. Celui-ci s'apprêtait à partir, un photographe était déjà choisi, je n'étais au courant de rien. Je fis remarquer calmement que cinq pages sur le Maroc, c'était beaucoup. On n'en avait pas programmé autant pour le 11 septembre ni pour les procès du génocide au Rwanda. Je précisai non sans insolence que s'il s'agissait d'enquêtes fouillées sur les droits de l'homme, les droits des femmes et les possessions d'Hassan II au Maroc, s'il s'agissait en un mot d'enquêtes sans complaisance, l'affaire pouvait se discuter. La tension montait dans la salle, il régnait un silence à couper au couteau — il s'agissait bien de couteau —, les regards des confrères zigzaguaient d'Edwy à moi, guettant la réaction du chef, dont le visage disait l'exaspération. Elle ne tarda pas quand je signalai benoîtement un risque de mélange des genres à vouloir traiter du Maroc au moment où on annonçait une prochaine impression du *Monde* à Rabat (le projet ne vit pas le jour).

Cette fois, c'en était trop. Mal m'en avait pris de prononcer l'expression « mélange des genres » qui, je n'y avais pas prêté attention, revenait souvent sous la plume de Péan... Edwy entra dans une telle rage contre moi, index pointé, moustache frémissante, explosant soudain devant une assistance médusée... et une caméra de France 2 qui tournait un reportage intitulé « La guerre au *Monde* », pas la guerre entre nous, mais celle d'Irak ! Nul n'avait remarqué cette équipe de télévision qui entrait et sortait sans cesse. La scène, diffusée peu après, jeta un froid. Edwy s'excusa de s'être emporté. Il était à cran et j'étais malheureux car, après plusieurs années de travail sans une ombre entre nous, le passé nous rattrapait avec violence. On s'expliqua dans le calme dès le lendemain. L'incident fut clos mais Edwy n'était pas au bout de ses tourments.

Nul ne sortit indemne de l'épreuve du Péan-Cohen, qui attira un large public. À l'automne 2003 j'avais pris mes fonctions de chroniqueur et cessai de participer aux réunions de rédaction en chef dont je fus de fait exclu, ne dirigeant plus les pages « Enquêtes ». Edwy avait perdu ses serre-livres, Pierre Georges et Jean-Yves Lhomeau, partis en retraite. Sylvie Kauffmann, qui avait été mon adjointe chez les reporters, en dirigeait désormais l'équipe. Plenel l'idéologue, lui, s'était entouré d'un autre idéologue, bien moins brillant, Laurent Mauduit, et du « docteur » Franck Nouchi. Alain Frachon, qui complétait cette équipe, ne tarda pas à rejoindre Jacques Buob au magazine *Le Monde 2*. Un sentiment de gâchis nous étreignait. Le brûlot continuait de diffuser son poison. Edwy s'était refermé sur lui-même. Au mépris de nos règles, il coupa un passage de la chronique du médiateur Robert Solé. Fait rarissime au *Monde*, Daniel Schneidermann fut licencié pour l'impertinence de ses chroniques et la parution d'un livre où il avait critiqué la direction. L'affaire Baudis fut sans doute le symbole de cette période de marasme. 2003 vit la diffusion s'effondrer. Et *Le Figaro* passer devant nous.

C'est à cette époque que pour la première fois me fut reprochée mon activité littéraire. « Il faut que tu choisisses si tu es journaliste ou si tu es écrivain ! » me lança un jour Edwy avec humeur. Je ne prêtai guère attention à cette pique, la mettant sur le compte de la nervosité ambiante. Dix ans plus tôt déjà, après la parution de mon premier roman, j'avais eu cette discussion avec Bruno Frappat, qui, sans me l'avouer sur le moment, m'avait cru perdu pour le journalisme. L'interrogation de Plenel fut plus brutale et plus pressante : j'étais mis en demeure de me déterminer.

Mes livres n'avaient jamais troublé personne quand je publiais des réflexions sur l'agriculture ou sur l'Afrique, sur les entreprises françaises ou le fonctionnement du cerveau humain. Ces ouvrages étaient le prolongement de mes reportages et, dans ce temps à présent lointain, on disait même, pour critiquer tel rubricard jugé médiocre, qu'il n'avait « même pas » écrit de livre... Mais publier des romans, de la fiction, voilà qui agitait davantage les esprits. Cette invitation à choisir entre le journalisme et la littérature me fut ensuite plus d'une fois tendue avec véhémence, teintée d'une sourde incompréhension, d'un mélange d'envie, de jalousie et de désapprobation, comme si écrire autre chose que des articles était une forme de trahison, de non-appartenance à la collectivité des journalistes du *Monde*, de moindre implication dans la vie du journal. De prestigieux confrères m'avaient pourtant précédé sur ce chemin : l'ancien grand reporter Maurice Denuzière, auteur de la célèbre suite romanesque *Louisiane*, et bien sûr Bertrand Poirot-Delpech.

Plus tard, lorsque je serais devenu directeur, mes livres et mon travail de romancier deviendraient contre toute attente la cible du conseil de la Société des rédacteurs (SRM) et même de Nicolas Sarkozy. Les apparatchiks de la SRM emploieraient les mêmes mots que le président de la République pour me contester le droit d'être à la fois patron du *Monde* et écrivain.

Pour préserver son pouvoir en 2003, JMC s'était rangé à contre-cœur à l'idée d'une dissociation des fonctions entre le président du groupe et le directeur du journal. Il serait le P-DG et Edwy le remplacerait comme directeur. Mais ce projet fuita auprès du conseil de la Société des rédacteurs, qui s'opposa fermement à la nomination d'Edwy. JMC eut beau jeu de lui dire que ce n'était pas possible. La fuite lui avait opportunément bénéficié. Les deux hommes s'affrontèrent officiellement sur un terrain stratégique, Jean-Marie plaidant pour un maintien de la sortie du journal l'après-midi tandis qu'Edwy défendait une parution le matin. Mais ce n'était qu'une façon diplomatique d'habiller leurs désaccords, un *mac guffin*, aurait dit Hitchcock.

Une étude, commandée à un cabinet extérieur, se prononça sur l'heure idéale de sortie du journal. Évidemment, ce travail n'avait d'autre objet que d'écarter l'hypothèse du matin pour mieux désavouer Edwy. Un jour de 2004, après la réunion de 7h30 dans le bureau du directeur, rue Claude-Bernard, de brefs éclats de voix montèrent : la voix d'Edwy, le silence de JMC. « Le contraire de l'amour, disait Carl Jung, ce n'est pas la haine, c'est le pouvoir. » Ces deux-là, qui avaient paru tant s'aimer au nom de la raison, se déchiraient soudain sur l'autel glacé du pouvoir. À ce jeu, JMC était en avance d'un cynisme. Edwy était trop entier, trop emporté, pour gagner cette bataille. Il la perdit donc, et sa démission, à l'automne 2004, coïncida avec un nouveau déménagement, boulevard Auguste-Blanqui. Visiblement, ni la SRM ni Minc ne souhaitaient voir Plenel prendre la direction du journal ni siéger au conseil de surveillance. Ses adieux à la rédaction en chef furent un long monologue pénible et douloureux, qu'il conclut par son souhait de revenir « aux joies simples de l'écriture ». Au bout de quelques mois difficiles pour lui, il quitta le journal, au printemps 2005.

Dès la démission d'Edwy, Colombani avait nommé Gérard Courtois pour lui succéder, rappelant aussi Patrick Jarreau, alors correspondant à Washington, en lui promettant un titre équivalent. Toujours la vieille technique du diviser pour mieux régner.

Cette période éprouvante m'avait dessillé les yeux sur les calculs et les combines, ces fameux jeux de pouvoir florentins dont l'histoire du journal était riche. J'étais attristé de voir Edwy au rancart, même si nous avions eu des divergences et des prises de bec. J'avais du respect pour lui. Le Péan-Cohen avait réveillé non pas la « face cachée du *Monde* », mais la face sombre et blessée d'Edwy, une planète froide, sans chaleur, chez cet homme qui savait si bien en manifester, sans nuance, faite de tout noir et de tout blanc, de marche ou crève, de parano maladive et hors de proportion, de manipulation insidieuse.

L'amoureux de Péguy dont il nous citait, à la suite de Beuve-Méry, les réflexions sur la vérité triste à dire tristement, celui qui nous invitait à l'ouverture et au différent (sans craindre le différend) s'était perdu en route, accablé par l'assaut qu'il venait de subir. L'imagination avait cédé à la normalisation, la farouche indépendance vis-à-vis des pouvoirs s'était bizarrement transmutée en admiration incongrue pour Dominique de Villepin. En perdant Edwy, *Le Monde* perdit pourtant un directeur de la rédaction de qualité.

Sans doute était-il allé trop loin dans le journalisme de révélation : il était devenu prisonnier, consciemment ou non, de ses schémas de pensée, de ses affects, de ses convictions. Lorsque, plus tard, je dirigeai la rédaction, j'assumai de ralentir la machine sur ce terrain afin de réconcilier le journal avec ses lecteurs, et les amis d'Edwy me le reprochèrent. Je le gardai en revanche pour modèle dans sa capacité à galvaniser la rédaction, à l'entraîner derrière soi, souvent pour le meilleur. Malgré ses défauts, sa manie de placer des trotskistes dans les services pour contrôler ce qui s'y passait, il apparaissait comme un homme honnête et désintéressé. Hélas, le Péan-Cohen l'avait précipité dans ses pires travers. Il commit des erreurs et fut diabolisé sans ménagement par un JMC dont le pouce venait de s'incliner vers le bas comme dans l'arène César imperator.

Pour avoir longtemps côtoyé ces deux hommes, j'avais du respect pour l'un comme pour l'autre. J'étais alors fasciné par la maestria avec laquelle Colombani constituait patiemment les pièces d'un puzzle compliqué devant aboutir à la constitution d'un grand groupe de presse confortant notre navire-amiral. JMC m'avait toujours réservé un bon accueil, adoucissant parfois les décisions abruptes de Plenel. Il savait se montrer chaleureux, amical, attentif. Comme il pouvait être froid, cassant, hépatique et gris. Plus d'une fois il m'aida à surmonter des difficultés personnelles et je n'ai pas l'ingratitude de tenir ces gestes pour rien. Je n'imaginais pas, en revanche, et pour cause, combien la construction à laquelle il se livrait avec Alain Minc était fragile, et risquait de menacer l'indépendance économique du *Monde*. Je ne le comprendrais que des années plus tard, une fois devenu président d'un groupe aux abois, lorsqu'il nous appartiendrait, à Louis Schweitzer, David Guiraud et à moi, de le redresser à l'arraché.

Toute cette période ne fut pas que du malheur. Je l'ai dit : j'avais commencé à l'automne 2003 une nouvelle vie au *Monde*, celle du chroniqueur qui trempe chaque matin sa plume dans le courant de l'actualité. À ses risques et périls, avec bonheur, plaisir, colère, drôlerie, avec les moyens du bord et l'inspiration du moment, avec le chronomètre dans le ventre car jamais je n'écrivis ces 3 346 signes quotidiens en dehors des heures d'ouverture de la chronique : entre 8 heures et 10 heures du matin (afin de laisser les relecteurs relire avant le bouclage de 10 h 30). J'ai aimé ces sprints à répétition. Le 1er octobre 2003, après un bonjour au lecteur et un salut à « l'ami Pierrot » qui avait tenu la boutique avec une maestria et une longévité inégalées, je me lançai dans le bain. Ce fut du sans-filet, du sur-mesure, deux petites chandelles en haut à gauche de la der, expédiées top chrono. C'était parti pour plus de cinq cents papiers. Très vite j'endossai les habits de cette nouvelle habitude. Ma tristesse avait bon goût.

6

CHRONIQUEUR

Un bon tiers des lecteurs commençaient leur journal par la fin, et c'est ainsi qu'en guise d'apéritif ils grignotaient la chronique avant de se lancer vers les pages de fond. Ce ne fut pas le moindre paradoxe : dans l'atmosphère si lourde du journal, c'était à moi que revenait la charge d'amuser, au moins de distraire, d'emmener le lecteur ailleurs au gré de ma fantaisie et de mon humeur confrontée aux soubresauts de l'actualité, à ses facéties, ses ridicules et, parfois, ses drames. Je sus gré à Edwy et à Jean-Marie, malgré les tensions qui avaient laissé des traces entre nous, de m'avoir donné ce ballon d'oxygène, que je fis rebondir pendant deux ans et demi en toute liberté, aux quatre coins de mon inspiration. Ce fut aussi pour eux une façon élégante d'accepter que le journaliste soit en même temps écrivain au *Monde*.

Cette chronique de der me fit redevenir un débutant. C'était un nouveau défi que je me lançais. Toute la journée je promenais une écoute flottante sur l'actualité mais je me décidais vraiment vers 7 heures du matin, quand le journal commençait à sortir des limbes et dégageait une hiérarchie plus claire dans le fatras des informations. Je me décidais alors soit pour la traque au Saddam Hussein soit pour l'hommage de Barcelone à son gorille albinos, pour le malheur socialiste ou l'agitation de Sarkozy, du poète Villepin ou du valeureux Raffarin. Chroniqueur était un métier de voltigeur — chaque fois à la limite et, je l'avoue, bien au-delà de mes compétences — et demandait de franchir allègrement chaque matin le mur du son du principe de Peter.

Je me complus dans cette délicieuse imposture qui me permit d'aborder tous les sujets d'une plume rieuse ou indignée, sans jamais me prendre trop au sérieux car, dans cet emplacement privilégié, le lecteur semblait tout pardonner pourvu qu'on lui tire un sourire, une émotion ou une saine colère. La chronique était d'abord une zone franche, largement dégagée des règles journalistiques sévissant partout ailleurs — la première d'entre elles consistant à ne jamais mêler l'information et le commentaire, la seconde étant de savoir hiérarchiser en donnant davantage à l'important, beaucoup moins au futile et rien à l'inutile. La chronique était l'exception confirmant toutes les règles. J'étais invité à commenter tant et plus, et d'un rien ou presque on me priait d'extraire deux feuillets et des poussières, qu'il vente ou neige, que l'inspiration caracole ou ressemble à une manche à air sans air, et cela du lundi au vendredi avec repos dominical et prière de ne pas mettre le journal en retard avec mes bavardages de superflu nécessaire.

Un rapide coup d'œil sur la liasse de chroniques écrites à la vitesse du TGV me plonge dans un certain trouble : je n'avais gardé aucun souvenir de ces papiers sitôt rédigés, sitôt oubliés — de moi et à l'évidence aussi des lecteurs... Rien ne m'apparaît avec le recul plus éphémère qu'une chronique qu'on s'est torturé les méninges à rendre alerte et spirituelle, en quête d'un petit bonheur d'écriture qui, s'il ne vient pas, nous rendra mécontent jusqu'au lendemain. Un reportage laisse des traces, des images, des souvenirs de rencontres, de réécriture de la première phrase ou du premier paragraphe, des sensations physiques, le froid, la chaleur, la fatigue.

De mes exercices matinaux dans le petit cadre noir, je ne garde qu'une sensation générale, celle du silence, de la solitude, pendant qu'ailleurs tout le journal s'agitait, que les téléphones sonnaient, que des voix insatiables réclamaient la copie sous l'œil impavide des horloges aux aiguilles piquant comme des dards.

J'occupais seul un bureau minuscule rue Claude-Bernard, dans un couloir qui menait à la table d'édition. Vers 10 heures, JMC en route vers le bouclage s'arrêtait un instant pour échanger quelques mots qui valaient encouragement, puis il me laissait terminer. C'est par ces discussions brèves et anodines qu'un lien se rétablit peu à peu entre nous. S'il appréciait une chronique, il me le disait avec simplicité. Jamais il ne me donna la moindre consigne pour ménager tel dirigeant ou titiller tel autre. Jamais il ne devait remettre en cause le fou du roi que j'étais, partageant désormais avec les lecteurs ce lien de complicité qui s'installe forcément lorsque vous revenez chaque jour, rendez-vous demain, même endroit même heure...

La scène politique fut rapidement une source bénie d'inspiration. D'élections régionales en course pour Matignon, avant le clou de la présidentielle de 2007, tout ce petit monde s'agitait et c'était drôle à regarder. Quand je résistais à l'éloge animalier — gloire au pouillot véloce, aux chiens patous, au guépard que j'appelai fautivement *gattopardo* avant de me corriger dans une chronique suivante pour rendre au jaguar ce qui lui revenait —, quand je ne saisissais pas au vol ces petits riens qui font la vie jolie ou pénible, une fugue d'enfant rêveur, les tracas du RER, les images inédites de Mars, ou la première de Sami Frey au théâtre de la Madeleine sur le petit vélo du *Je me souviens* de Perec, quand rien de tout cela ne me titillait — et rien de pire qu'un chroniqueur qui ne veut pas chroniquer —, alors je piochais dans le bestiaire de droite et de gauche avec une certaine gourmandise, celle qui vient quand on trempe impunément sa plume dans l'ironie narquoise en traquant les ridicules, les ambitions et les palinodies des puissants.

Replongeant dans ce zoo, je tire du néant quelques morceaux qui se voulaient drôles et se révèlent avec le temps plus cruels que je n'aurais imaginé. Écrits à chaud, ils se consomment également froids et, du même coup, rafraîchissent la mémoire...

Si Chirac, affublé de ses problèmes auditifs, m'inspira quelques gentilles impertinences, et aussi les embarras de son Premier ministre Raffarin, cible par trop facile, c'est au final à Nicolas Sarkozy que je réservai mes pointes les plus sèches. Il faut dire que l'animal avait du ressort et qu'il était impossible de le fixer définitivement sur une planche comme on épingle un papillon. Sous le titre « Il est trop, Sarko », je l'assaisonnai une première fois, sans soupçonner qu'un jour le futur président me rendrait au centuple mes effronteries de chroniqueur.

Ce qui frappait déjà, c'était l'activisme de celui qui pensait chaque matin en se rasant à l'Élysée. « Ministre de l'Intérieur, me laissai-je aller à écrire sous le titre bien irrévérencieux "À la niche, Sarko!" (21 novembre 2003), il est toujours dehors. Chaque fois qu'il sort, une caméra le suit. Ou le précède. Ça démange, ça gratte, ça sarkoze, et plus on en parle, plus il cause. Il faut dire que le Sarkozy est irréfutable. Pas un journal télévisé sans le voir, sans l'entendre, sans que son nom soit prononcé. Même les enfants de cinq ans savent qui est Nicolas Sarkozy. » En effet, il était partout. Pendant que Raffarin courbait l'échine, Sarko se dorait la face sous les sunlights. Un pompier blessé? Il accourait. Un rabbin molesté? Il volait. La Corse convulsée? Sarko débarquait.

Je saluais avec ironie le parcours de ce fils spirituel des champions successifs de la droite, Chirac puis Balladur puis re-Chirac. Son mode d'expression avait longtemps été la trahison. Mais la traversée des bacs à sable s'achevait. De la place Beauvau à l'Élysée, le chemin était court et plat. Traverser la rue d'ici à 2007, l'aventure lui semblait dans ses cordes. La ligne droite et la pente douce. Raffarin apprécierait. J'avais imaginé que, pour se faire obéir de Sarkozy, le Premier ministre de Chirac aurait pu imiter l'ancien champion cycliste Luis Ocaña, qui avait baptisé son chien Merckx. Pour le seul plaisir de crier : « Au pied, Merckx! » Et dans les jardins de Matignon comme dans une gentilhommière du Poitou, on aurait ces tendres injonctions : « Couché, Sarko! Pas mordre, Sarko! À la niche, Sarko! »

Loin de se coucher, Sarkozy recrutait. De sa place forte de l'Intérieur, il régalait même les parlementaires tentés d'aller goûter à sa soupe, à la barbe de Chirac. Cette offensive culinaire m'inspira ce menu aigre-doux concocté sous le titre « Au petit Nicolas »... L'adresse pouvait sembler trompeuse. On avait beau être place Beauvau, on aurait cherché en vain sur la carte la plus petite tête de veau, spécialité d'un grand restaurant voisin, où flottait encore un fort fumet de Corrèze. En contrepartie de leur présence au « Petit Nicolas », me moquais-je, les parlementaires se voyaient offrir stylos et montres estampillés Police nationale, une nouvelle police de caractère qui dessinait les contours de l'ambition présidentielle. On s'agaçait en haut lieu que Sarkozy fasse du plat à la République. Mais c'était plus fort que lui.

D'après les sondages, deux Français sur trois auraient volontiers goûté ses mets de gourmet. Après ces agapes, je me prenais même à rêver : « Si ce droit nous était donné, on ferait souffler Sarko dans le ballon. Ça se voit comme nez rouge au milieu de la figure, qu'il est ivre de pouvoir. Ivre de lui-même. C'est cela : Sarkozy souffre d'un excès de soi. » Dans cette période déjà, Sarkozy comptait nombre d'ennemis intimes. Le premier d'entre eux n'était autre que son futur Premier ministre, baptisé par mes soins Fillon le sarkophage (du grec *sarkophagos* : « qui mange les chairs »).

Je ne réservais pas mes persiflages à la droite. La gauche fut aussi bien servie, même si son statut d'opposante la plaçait moins dans la lumière. Je décochai quelques flèches à Laurent Fabius — lequel ne m'en tint jamais rigueur et eut l'élégance de ne jamais s'en plaindre lorsque, plus tard, je fis sa connaissance. Il venait de publier *Cela commence par une balade*, un livre destiné à le remettre en selle (sur une superbe 125 cm^3 qu'il faisait mine de posséder), et j'avais moqué le factice de l'opération.

« Cela commence par une salade, avais-je écrit dans ma chronique du 5 novembre 2003. Sur une moto de location. Pour faire genre. » Il faut dire que sur la photo complaisamment divulguée, ce n'était pas sa 125 cm^3, mais un engin loué pour les besoins de la cause. Cause publicitaire, cause de com, cause électorale, cause perdue, chacun pouvait y voir la cause qu'il voulait. « Mais je ne m'interdis pas d'en faire l'acquisition », avait susurré Fabius, un peu comme ces promesses qu'on songe à honorer un jour, si d'aventure... Soudain m'avait assailli un doute terrible, que j'avais transmis aux lecteurs : mais alors, tous ces effets d'image, cette allure cool, ce changement autoproclamé, avec témoignages de proches à l'appui pour attester que Fabius n'était plus le même, ces regards chaleureux, c'était aussi de la location ?

Je devais plus tard assaisonner le même Fabius sur un sujet plus sérieux, le non au projet de Constitution européenne, qu'il défendait seul dans son camp, ce qui témoignait d'un sacré manque de solidarité avec son propre parti. Sous le titre « Le malheur socialiste » (14 septembre 2004), j'avais comparé la situation au tout début d'*Anna Karénine*, lorsque Tolstoï écrit cette phrase devenue fameuse : « Les familles heureuses se ressemblent toutes. Les familles malheureuses sont malheureuses chacune à leur façon. » Le malheur des socialistes, c'était alors Laurent Fabius. Non pas pour ce qu'il disait de la Constitution européenne. Mais parce qu'il choisissait de faire entendre sa différence, son « moi, je », au moment où son parti devait défendre d'une voix unie un programme d'alternance. Le maire de Paris, Bertrand Delanoë, évoquait le « poison mortel des positions tactiques », parlant même de « crime pour notre futur candidat si on mélangeait le débat sur l'Europe avec la présidentielle ».

Fabius criminel ? Il ne fallait pas exagérer. Mais l'ancien Premier ministre avait pris le risque de voir demain son non à la Constitution européenne se changer en non à Fabius.

Dans cette période, Martine Aubry traversait son désert. Elle n'était pas première secrétaire du PS et encore moins candidate à l'élection présidentielle. Dans les esprits étroits elle n'était que la dame des 35 heures fustigée par un pamphlet de Philippe Alexandre. La droite multipliait les attaques contre son action et elle ne réagissait pas. Jusqu'au jour où, sous le titre « Le silence de Martine » (8 octobre 2003), je l'interpellai.

> On ne la voit pas. On ne l'entend pas. Son nom est prononcé partout, répété, matraqué. On ne dit plus Martine Aubry, mais Lois Aubry. Elle n'a plus de prénom. C'est une femme changée en textes. En textes de lois. Et si ces textes n'en finissent pas de parler dans son dos, elle reste silencieuse. Lois Aubry. Lois au pluriel, car il y en eut plusieurs, calamiteuses, prétend la droite. Aubry au singulier, car il n'y en a qu'une comme elle, même si on ne sait pas trop où est passée la « dame des 35 heures ». En tout cas, pas sur les plateaux de télévision. On a connu Martine Aubry plus visible. Plus voyante, aussi. Et sacrément audible, quand elle avait des convictions à défendre. Par exemple sur la réduction du temps de travail. À la voir se démener, combative, véloce, féroce à l'occasion, pour imposer ses vues, elle séduisait ou elle irritait : chaque fois c'était une présence. Une force et une présence.
>
> On aimerait maintenant voir le soldat Aubry sortir des abris. Voir la pasionaria des 35 heures se lever pour laver l'affront. À moins que, telle une diva, elle ne dresse l'oreille qu'à l'écho des vivats. Oubliant la règle chère à Léon Blum : sa popularité, il faut savoir aussi la dépenser.

Dès le lendemain, Martine Aubry adressa une « libre opinion » au *Monde* pour défendre son action au sein du gouvernement Jospin. On me sut gré au journal de l'avoir fait sortir de sa réserve.

Si la chronique me permit ainsi de tâter de la politique, moins en analyste qu'en Scapin, elle m'entraîna parfois sur des terrains glissants où je me fis piéger. Ainsi la fameuse Marie L. dont je narrai un matin la terrible agression, qu'elle attribuait à des antisémites dans le RER D, un matin de juillet 2004. Du président Chirac au Premier ministre, des radios aux télés, sans parler des journaux du matin, tous dénonçaient d'une même voix l'ignominie, ces croix gammées que la jeune femme avait vues souiller son corps. Ce matin-là, j'avais commencé ma chronique sur les victimes du *Bugaled-Breizh*. J'écoutais d'une oreille mon petit transistor et ce n'était qu'indignation et consternation devant l'acte de voyous qui s'en étaient pris à une fille sans défense et à l'abri des regards.

J'en étais à mi-chemin de mon papier (une colonne de remplie dans le carton du système informatique ouvert à la dernière page) quand je décidai de rebrousser chemin. De quoi aurais-je l'air à parler du chalutier breton quand le pays entier n'avait d'yeux que pour le RER D? Je me dispensai de vérifier — « Un chroniqueur ne vérifie pas », avait dit l'impérial Schneidermann. Bien sûr que j'aurais dû attendre un peu, au moins le lendemain. Le président, le Premier ministre, tous les médias avaient réagi, s'étaient emballés. Qui avait vérifié les dires de Marie L.? Personne. Pas moi. Cela donna trois textes qui furent autant de coups sur mes doigts et que j'appris à méditer. Ce n'était pas encore l'affaire DSK. C'était pour la bonne cause et j'avais écrit de bonne foi. Tout n'en était pas moins faux.

Le 13 juillet, sous le titre « Méthode de nazis » (pas moins), j'écrivais :

> Pendant treize minutes, Marie a été juive. Treize minutes qui lui ont paru interminables. Juive dans le regard de six mauvais garçons d'origine maghrébine et africaine, des gamins de banlieue qui en voulaient pour commencer à son argent. On est juif d'abord dans le regard de l'autre. Donc

Marie, 23 ans, et sa petite fille de 13 mois dans sa poussette par la même occasion, toutes deux ont été juives. Treize minutes. Un étrange processus a ravagé la tête des agresseurs. Un papier d'identité dérobé portait une adresse dans le 16ᵉ arrondissement. Et le 16ᵉ, c'est bien connu, c'est le quartier rupin. Le quartier youpin aux yeux de six abrutis avec de la violence plein leurs couteaux. Seizième = riche = juif. Honteuse équation. La petite phrase d'Hugo vient à notre esprit ce matin : « Une minute peut blesser un siècle. » Alors, quels dégâts peuvent causer treize minutes dans une rame de banlieue, quand six jeunes s'en prennent impunément à une jeune femme et à son bébé sans que personne bouge le petit doigt ? Marie, 23 ans, n'était pas juive avant de pénétrer dans une voiture du RER D, vendredi matin. Ensuite elle a eu ses vêtements lacérés, ses cheveux tailladés, une mèche coupée « pour garder un souvenir ». Et trois croix gammées sur le ventre. Quand la haine fait son métier de haine sans être inquiétée, tranquillement, injures et lames sorties, quand la bêtise fait son métier de bête, il faut alors que les mots fassent leur métier de mots. Qu'ils fassent mouche comme des projectiles. Qu'ils ne fassent pas peur. N'ayons donc pas peur des mots. Vendredi, dans le RER D, une jeune femme devenue juive pendant treize minutes sous le regard féroce de six agresseurs a été victime de méthodes de nazis.

Puis-je l'avouer ? Je n'étais pas mécontent de ce papier boursouflé d'indignation, écrit à l'arraché avant le bouclage. J'avais le sentiment du travail accompli, ou plutôt bien rattrapé, puisque je me fourvoyais dans un chalutier. Ce fut une belle galère quand la vérité éclata. Le 15 juillet, sous le titre « Les risques du métier », je me couvris de cendre en reconnaissant avoir participé à ce désastre de l'information, pressé de bien faire, ayant brûlé les règles élémentaires de la vérification, faisant confiance aux autres... Je ne négligeai cette fois aucun détail, même accablant pour nous, les journalistes.

Marie L. n'était pas juive. Pas même pendant les treize minutes de son agression imaginaire par de prétendus loubards de banlieue, prétendument d'origine maghrébine et africaine. Marie L. a tout inventé. La scène du RER. Les

293

insultes antisémites. Tout. Et nous avons relayé, amplifié cette fabulation. Y voyant la signature de l'horreur et de l'inacceptable. Ses blessures au cutter, la jeune femme se les est portées elle-même. Ses vêtements lacérés ? Mise en scène. Les croix gammées sur son ventre ? Simulacre accompli, semble-t-il, avec l'aide de son compagnon. Devant ce désastre de l'information, le fait que tout le monde, du président de la République aux médias, soit tombé dans le piège ne saurait nous consoler. Ni nous absoudre. Les réactions de lecteurs ne manquent pas d'arriver, nous demandant si nous avons soudain oublié les règles élémentaires de notre métier. Pour autant, le doute qui aurait dû nous guider ne saurait désormais nous paralyser. Se tromper, être trompé, voilà un risque du métier. Il faut l'assumer. Sans renoncer à s'indigner de nouveau si, demain, un véritable acte raciste comme il y en a tant et trop en France venait à se reproduire.

En fin de semaine, je revins même une troisième et dernière fois sur ce cas de désinformation, pour évoquer ses victimes collatérales, les jeunes « immigrés » qui avaient prétendument agressé la jeune femme. Cet épisode me tourmentait et me poursuivit longtemps. Non seulement pour m'être laissé piéger comme tant d'autres. Mais surtout, prisonnier de l'émotion d'un instant, d'avoir stigmatisé ces immigrés qui n'existaient que dans une cervelle dérangée, moi dont le travail de reporter, pendant tant d'années, avait consisté à donner la parole à toutes les Afriques, du Maghreb à celle qu'on appelle « noire », afin d'instiller dans le regard des lecteurs les ingrédients d'une meilleure compréhension de l'autre.

Cette fois c'était moi qui avais enfoncé l'autre, au nom d'un acte que tout portait à juger barbare s'il n'avait pas été fantasmé. Il n'est rien de pire pour un journaliste que d'être instrumentalisé. Sans doute ma méfiance vis-à-vis des révélations, déjà en alerte après les accusations infondées contre Dominique Baudis, fut-elle décuplée par l'affaire Marie L. Plus tard, dirigeant la rédaction du *Monde*, je montrerais une prudence qu'on me reprocha dans le traitement des « affaires », préférant arriver plus tard que les concurrents pressés si c'était le prix à payer pour prendre la bonne direction.

Un an plus tôt, la presse mondiale avait été prise au piège d'une communication experte parée des atours de l'information avant que n'éclate, mais après tant de bombes et tant de drames, la vérité. Cette fois, ce n'était pas un mensonge proféré par un particulier dérangé. Le coup était monté par une superpuissance équipée de tous les outils de propagande imaginables et relayée par de prestigieux complices. Il s'agissait pour les États-Unis de justifier leur guerre en Irak, siège supposé d'armes de destruction massive qui présentaient un danger imminent pour la paix. La mystification américaine m'avait inspiré une chronique aigre-douce titrée « Le bruit du mensonge », dont j'aurais pu me souvenir au moment d'écrire dans la précipitation sur les malheurs de Marie L...

À feuilleter d'un œil presque étranger les centaines de chroniques que je publiai entre fin 2003 et fin 2005 — est-ce bien moi qui ai écrit aux petites heures du jour sur Pif le chien, sur l'éclat des menottes aperçues un matin, dans l'aube violette, aux poignets d'un prisonnier gare Saint-Lazare, sur les cétacés et les saprophytes ? —, je réalise combien la chronique porte bien son nom, le chronos, ce temps qui est un grand maître et dévore tous ses élèves. Je vois défiler presque trois années de ma vie, de nos vies, en prenant le monde par le grand ou le petit bout de la lorgnette, et ce fut aussi éphémère que passionnant.

Dans ce désordre, j'ai rendu quelques hommages à des disparus considérables. Claude Nougaro, parti ailleurs boxer avec quatre boules de cuir sur quatre pieds de guerre, et sa voix de torrent rocailleux, laissant derrière lui des petites filles en pleurs dans des villes en pluie. Sagan, disparue en appuyant une dernière fois sur un champignon mortel un jour d'ouverture du Mondial de l'automobile, après avoir voué sa vie entière à la description d'un sentiment, les merveilleux nuages de la mélancolie. Le Truffaut de *La mariée était en noir,* rediffusé vingt ans après sa mort et faisant dire à Charles Denner : « Le champagne est le lait des grandes personnes. » Lucien Bodard, à la trogne de vieil Oriental qui dans le ventre de sa mère remontait le Yang-tseu-kiang pour retrouver son consul de père, et ouvrant les yeux pour voir dans la Chine d'hier la « moisson des têtes coupées ». Reggiani pour la dernière fois à l'Olympia, les yeux comme des taches de Lune et rugissant : « J'ai pas fini ! » avant de trouver une chaise et de mourir un peu. Étienne Roda-Gil, jouez violon, sonnez crécelles, le jour où il mit les voiles sur un bateau fanfaron, le temps se lasse, le cœur s'efface, ce n'est rien.

Et puis j'ai attrapé au vol ces histoires de la vie comme elle va, ou ne va pas : trois jeunes de dix-sept ans avaient frappé à mort un SDF à Arthon-en-Retz, une commune proche de Nantes ; Sonia, la veuve de Rajiv Gandhi, un jour de mai 2004, renonça au pouvoir pour esquiver la haine et le racisme dont elle souffrait du fait qu'elle était étrangère, italienne ; et aussi les vérités qui sortirent de la bouche des enfants d'Outreau, outrage, outrance ; et encore une greffe de visage, ou l'opération réussie au Children Hospital de Dallas, en octobre 2003, qui avait consisté à séparer Ahmed et Mohamed, deux siamois d'origine égyptienne soudés par le crâne. Les médecins avaient canalisé la veine sagittale, fragile frontière entre leurs deux cerveaux. Les nouveau-nés pourraient bientôt se regarder en face, les yeux dans les yeux, comme dans un miroir. De quoi seraient faites leurs pensées ? Sans doute la liberté commence-t-elle lorsque certains liens sont coupés. Mais à voir l'enchevêtrement des veines qui les unissaient, une centaine pas moins, on ne pouvait imaginer que le fil soit vraiment rompu. Je pariai que la première pensée de l'un serait pour l'autre.

Quel privilège d'avoir ainsi été invité à piocher sans restriction dans l'actualité qui écrivait le monde avec une imagination de romancier jamais à court d'inspiration, dans la beauté comme dans l'horreur (le sourire de la Joconde ou l'agent orange qui dévorait le visage du président ukrainien Viktor Ioutchenko), dans le poids des jours comme dans leur légèreté.

Cette période de chroniqueur fut la plus solitaire de ma vie au journal, et c'est pourtant dans ces moments que je tissais les liens qui me permettraient, le moment venu, de plonger à corps perdu dans l'aventure collective du *Monde* au point d'en réinventer la formule puis d'en prendre la direction. Car de solitaire l'expérience de la chronique n'en avait que l'apparence. Chacun de mes papiers recevait en retour sa ration souvent abondante de courrier des lecteurs, que je lisais attentivement. Au point de me demander si la véritable fonction de cet espace de der n'était pas de lancer

296

un hameçon auquel mordait chaque jour le public. Il se créa ainsi une complicité avec quantité d'intoxiqués du *Monde* qui, au-delà du sujet traité, m'adressaient leurs remarques sur le journal, sa lisibilité, sa maquette, ses rubriques, sur leurs regrets de voir tel sujet trop traité, ou tel autre pas assez.

Pour la première fois le lecteur s'invita vraiment dans ma vie de journaliste. Il n'était plus le lecteur abstrait dont on parlait en l'air sans bien savoir à quoi il ressemblait. Le prisme était bien sûr déformant et n'aurait pu constituer un échantillon représentatif. Mes correspondants se présentaient en général comme de vieux lecteurs — certains précisant non sans fierté qu'ils achetaient *Le Monde* depuis le premier numéro (19 décembre 1944), ce qui me laissait songeur. Mais c'est une chose de dire qu'un journal compte plus de quatre cent mille acheteurs quotidiens, et une autre d'être en contact avec certains d'entre eux, jour après jour, dans un échange courtois, souvent sévère et exigeant. Le média-teur en savait quelque chose : nos lecteurs ne nous passaient rien, ni faute de syntaxe, ni erreurs factuelles, ni perles d'inculture, comme cette phrase d'un confrère ayant écrit que César avait franchi « les Rubicons »... Un seul Rubicon aurait suffi au bonheur de la vérité géographique ! Le courrier pleuvait dès que le journal — et le chroniqueur — abordait la toujours épineuse et passion-nelle question israélo-palestinienne. C'est bien simple, chaque phrase était soupesée à l'aune de notre antisionisme présumé, bien qu'aucune ligne ne fût établie en ce sens.

Ces manifestations de lecteurs eurent pour effet de me forcer à mieux lire notre journal et ses concurrents. Au bout de quelques mois, comparant notre prestation à celle de nos confrères, buti-nant dans la presse étrangère, feuilletant le *Herald Tribune*, le *Financial Times* ou encore le *Wall Street Journal*, voire le *Guardian*, *El País* ou *La Repubblica*, il m'apparut que *Le Monde* était en train de rater quelque chose, sans que je puisse bien définir quoi. Cette messe du matin (la lecture des journaux) était devenue si pressante que j'avais hâte, sitôt dans mon bureau, d'effeuiller ma pile de papiers aux formats variés — l'époque était à la réduction des formats symbolisée par les gratuits — que je me constituais en chipant ici et là la presse toute fraîche. Regarder les autres, ne plus se regarder soi, l'exercice était instructif, passionnant, surprenant, parfois frustrant : que de grisaille dans *Le Monde*, que de vie et d'éclat chez certains confrères, que d'inventivité.

La nouvelle formule de 1995 aurait bientôt dix ans et cela se ressentait. La circulation dans le journal s'était figée comme si la maquette souffrait d'arthrose. Je ne me sentais pas capable de proposer autre chose — et nul ne me le demandait. Mon intuition était que nous avions vieilli dans la forme et que le fond nous plombait à cause d'un ton perçu comme péremptoire et donneur de leçons. Sans en avoir vraiment conscience, mon esprit s'était mis en alerte. Il filtrait le bon et le moins bon, dans nos colonnes comme chez nos concurrents.

Lorsque la rupture fut consommée entre Plenel et Colombani, chacun vivant la séparation comme un divorce douloureux, j'étais prêt à agir. Mais comment? Dans un message à la rédaction à l'automne 2004, une fois Gérard Courtois nommé en remplacement de Plenel, JMC fixa quelques orientations d'une voix qui se voulait volontaire mais où perçait sa grande lassitude. Il en appela d'abord au « journalisme de validation », qui devait selon lui s'appuyer sur des informations solides et vérifiées, ce qui condamnait le journalisme d'investigation dont Plenel avait été le champion. Il annonça sans trop y croire qu'un groupe de réflexion serait bientôt constitué pour réfléchir à une nouvelle formule. Sur le coup je n'y prêtai pas attention. Les personnes pressenties pour mener ce travail ne m'inspiraient guère confiance et mon premier réflexe fut de me tenir à l'écart de ce qui promettait déjà d'échouer. Je croyais le scénario écrit : ceux qui avaient soutenu Edwy ne tarderaient pas à courtiser Jean-Marie. La tâche était d'autant plus aisée que JMC était entré dans une véritable déprime et s'accrochait à qui lui tenait des propos rassurants sur le journal. Mais je n'avais pas envie non plus de critiquer ce qui se préparait en ayant fui toute responsabilité. Il fallait un déclic.

Contre toute attente, y compris la mienne, plusieurs circonstances allaient conduire Colombani à m'accorder sa confiance. D'abord il avait besoin de s'appuyer sur quelqu'un de neuf, resté à l'écart des luttes de pouvoir. Il songeait aussi à un saut de génération qui permettrait de confier la relève, le jour venu, à un « quadra » qu'il aurait lui-même promu et dont la loyauté lui serait acquise. Enfin, et c'est sans doute le point crucial, JMC sentait que le salut du *Monde* viendrait d'une approche très indépendante et même iconoclaste, que seul un journaliste du *Monde* connaissant bien le journal mais assez libre pour s'affranchir de ses pesanteurs saurait concevoir. Il y avait du pari là-dedans, l'énergie du désespoir, et assez de lucidité pour court-circuiter la voie hiérarchique traditionnelle et miser sur l'imagination d'un outsider.

Sans doute eut-il la tentation d'aller chercher « dehors » un petit génie des nouvelles formules, comme en 1995 lorsqu'il s'était attaché les services de Jean-François Fogel. Mais c'est moi qu'il choisit alors que je n'étais pas de sa garde rapprochée. J'avais au contraire montré ces dernières années un esprit trop distant au goût de JMC, trop tiède, si peu politique (à vrai dire pas politique du tout...), éloigné des combines, des *after eight*, des coups à trois bandes. Nul ne pouvait me revendiquer, nul ne m'avait enrôlé. Je comptais de nombreux amis dans la rédaction (« Tu es populaire », m'avait un jour soufflé Edwy quand je dirigeais les pages « Enquêtes », et dans son regard perçait un mélange d'envie et d'interrogation qui semblait vouloir dire : comment un type comme toi peut-il être populaire ?). J'étais avant tout insaisissable, journaliste au *Monde*, écrivain le reste du temps, n'écrivant même pas des livres de journaliste mais des romans intimes, pédalant comme un forcené au point de faire des pieds et des mains pour disputer le *Midi libre* à vélo. Bref j'étais un type incontrôlable et si Jean-Marie se tournait vers moi au lieu de confier l'avenir à quelques caciques (mais trop classiques ?), c'est que plus rien ne tournait rond !

C'est à Noël-Jean Bergeroux que je dus ma désignation comme maître d'œuvre de la nouvelle formule. Noël avait vu mieux que d'autres, en particulier sur les pentes de la Croix-Neuve de Mende et du mont Saint-Clair de Sète, que je pouvais être opiniâtre et résistant. Mes audaces cyclistes l'avaient marqué. Il plaida ma cause auprès de son vieil ami JMC, qu'il avait lui-même embauché au *Monde* vingt-cinq ans plus tôt. Dans un climat morose, je pus concevoir l'échappée belle d'un nouveau *Monde*.

7

RÉINVENTER « LE MONDE »

Ce matin-là il neigeait. J'avais donné rendez-vous à mon équipe au 5 de l'avenue Stephen-Pichon, une ancienne laiterie du Paris intra-muros composée de superbes et sobres bâtiments tout en brique rouge qui abritaient *Le Monde diplomatique*. Là, non loin du nouveau siège du boulevard Blanqui où *Le Monde* venait d'élire domicile, le « Diplo » avait mis à notre disposition une vaste pièce très claire du rez-de-chaussée, avec fenêtres sur cour. Et la cour, ce 3 janvier 2005, était recouverte d'un grand manteau de neige qui semblait protéger nos premiers échanges d'une ouate protectrice, comme s'il avait fallu placer les travaux de notre petit groupe sous le signe de l'immaculé, de la page blanche, de l'excitation des grands recommencements.

Cette première neige coulait comme un lait nourricier, et dans l'esprit de chacun naquit une manière de soulagement. Aux tensions extrêmes du boulevard Blanqui, nous allions opposer avec passion et sérénité nos réflexions les plus audacieuses pour tenter de sauver le meilleur du *Monde*, pour l'éloigner à la fois de ses démons internes et des dangers que lui ferait courir la révolution numérique, s'il n'en tirait pas au plus vite les leçons.

Il neigeait donc. Qu'allions-nous faire, qu'allions-nous dire ? Quelle serait notre légitimité à renverser la vapeur et à convaincre, c'est-à-dire d'abord vaincre les réticences, les conservatismes, les inerties de la machine et des hommes — si peu de femmes — la pilotant ? À la demande de JMC, dans les derniers jours de décembre, j'avais composé en toute liberté un groupe de réflexion qui avait pour mission de jeter les bases d'une nouvelle formule. Dans l'esprit de la direction, il s'agissait d'un toilettage, d'une remise au goût du jour. On allait améliorer la voiture, chausser de meilleurs pneus, enrichir le carburant. Il n'était pas question de changer de modèle. JMC était cependant assez avisé et intuitif, audacieux aussi, pour sentir qu'il fallait aller plus loin, pousser plus avant la volonté de changement, quitte à opérer une véritable révolution au sens premier du terme, à savoir un tour complet. Mais il ne le disait pas avec autant de mots. C'était à moi de le déduire et je crois que ce fut notre chance : il me sembla entendre ce qu'il ne m'avait pas vraiment formulé.

Notre groupe se montra si énergique, si ouvert dans son approche, si critique du journal que nous faisions, une critique saine et constructive, que le travail se révéla d'une efficacité inespérée, irrésistible. Nous bouillonnions devant les mutations qui nous semblaient s'imposer, nous piaffions de les mettre en œuvre sans tarder.

Nous étions neuf. Des journalistes attachés au journal, que j'avais sollicités pour leur engagement, leur liberté de pensée, leur capacité d'écoute. Je souhaitais créer une véritable dynamique avec des personnalités très différentes, capables d'oublier les pesanteurs et les habitudes du journal pour se projeter dans un *Monde* dont on aurait, tels des parfumeurs, extrait l'essence afin de le rendre essentiel, sous une forme libérée des carcans anciens : la maquette, les principes de construction des pages, le déroulé « classique » commençant par l'International et s'achevant par la Culture ou le Sport. Il fallut désamorcer une grogne des chefs de service, qui se plaignirent de ne pas appartenir au groupe.

J'expliquai que le travail serait intensif, chaque jour du matin au soir, avec notes, synthèses, auditions de personnalités, enquêtes sur les médias, et qu'aucun chef de service occupé à la confection du quotidien ne pourrait tenir ce rythme. C'était une raison valable. Au fond de moi, je pensais que les chefs de service étaient trop englués dans les difficultés courantes pour envisager sereinement un *Monde* dont nous rechercherions les nouvelles bases sur un mode perméable aux utopies. Aussi avais-je délibérément sollicité des journalistes plus ou moins expérimentés, dont je pressentais qu'ils seraient capables de réflexions très libres, qui avaient en commun un réel détachement quant à leur place dans la hiérarchie, une profonde envie de voir le journal repartir de l'avant dans la modernité sans renoncer à ses valeurs d'ancrage.

Dès notre première séance, je fixai les objectifs : dans une première étape, nous devions passer *Le Monde* au noir, le lire avec les yeux les plus critiques pour déceler ce qui ne fonctionnait pas. Nous devions ensuite proposer un concept éditorial nouveau, destiné à la fois à effacer les faiblesses que nous — et forcément les lecteurs — percevions, et à inscrire le journal dans son époque marquée par un bouleversement des habitudes de « consommation » de l'information. Enfin, nous devions concevoir un nouveau système d'organisation de la rédaction pour que nos structures datant du tout-papier s'adaptent à ce chambardement technologique qui faisait voler le temps en éclats. Comment, après avoir publié depuis 1944 un quotidien bouclé chaque fin de matinée, allions-nous répondre à la demande permanente d'informations, de réactions, d'analyses et de commentaires, tout en préservant le plus du *Monde* lié à son recul, à sa position en surplomb de l'actualité, à ce que d'aucuns appelaient son « magistère intellectuel et moral » ?

J'avais promis d'être prêt à la fin mars. Ce serait le début du printemps. C'est pourquoi je baptisai notre groupe Vivaldi. Je voyais d'autres raisons à cette dénomination. D'abord je voulais absolument nommer ce que nous faisions. Ce qui n'a pas de nom n'existe pas. Je tenais à ce que notre travail soit placé sous une lumière légère et, si possible, joyeuse : après les épreuves dont le journal sortait à peine, nous avions besoin de cette légèreté. Enfin, Vivaldi ne se limitait pas à ses interprétations classiques du printemps. Le « prêtre roux » avait composé des musiques baroques stupéfiantes d'audace pour son époque, imposant un maniement inconnu du violon, dynamitant l'art du concerto et de la symphonie, laissant une postérité comme créateur de formes musicales. Vivaldi serait le mot de passe de la nouveauté.

Ce matin-là nous étions huit au rendez-vous, certains que je connaissais bien (Serge Marti, Jean-François Augereau), d'autres que j'avais sollicités au feeling pour leur créativité, leur sérieux et leur ouverture (Pascale Robert-Diard, Cécile Prieur, Laure Belot). Noël-Jean Bergeroux m'avait demandé d'intégrer Éric Azan, le rédacteur en chef technique, qui connaissait l'art des maquettes et se révéla un excellent pourvoyeur d'idées. JMC avait promis à Bertrand Le Gendre, un ancien rédacteur en chef du journal devenu responsable du lien entre *Le Monde* et notre site numérique, qu'il appartiendrait au groupe. L'œil de la direction artistique était aussi présent avec la jeune Julie Body qui, sous l'autorité de Dominique Roynette, luttait contre le gris. L'ambiance qui régna aussitôt m'enchanta. On ne s'embarrassa pas de préalables et surtout pas de convenances. Il était dit que tout serait dit, dans l'intention non pas de démolir mais de rebâtir en ravivant la flamme de notre passion pour le journal.

S'ouvrit une phase de travail fastidieux, rien qu'entre nous, à éplucher des semaines entières de *Monde*. Je distribuai à chacun sa pile de six journaux composant une semaine de l'année 2004, demandant une revue d'ensemble et un coup de laser qui sur l'International, qui sur la Politique, qui sur l'Économie, la Culture ou le Sport, les pages « Opinion », « Enquêtes » ou « Analyses », les unes (les fameuses manchettes) et les éditoriaux non signés.

Ce tour d'horizon révéla les défauts du journal : un même sujet étiré sur une page entière quand il aurait fallu changer de pied ; des articles dépourvus d'angle d'attaque où l'on cherchait en vain l'information originale, voire l'information tout court ; un manque de pédagogie qui perdait le lecteur s'il n'avait pas suivi les épisodes précédents. « Il faut toujours rappeler que la reine d'Angleterre est une femme ! » s'exclama un participant, façon spirituelle de souligner que *Le Monde* devait chaque jour être compréhensible par quiconque arriverait de la planète Mars. Ne jamais oublier que le lecteur n'a pas de mémoire et que, s'il est pointu dans un domaine précis, il peut être béotien dans tous les autres.

Dans le premier de mes six gros cahiers et carnets à spirale portant la mention «Vivaldi», je retrouve en vrac le verbatim de nos constats : « Nous avons négligé nos lecteurs ! », « Tout le monde écrit sur tout, on n'a plus assez de rubricards spécialisés et reconnus pour leur expertise », « La copie perd en qualité », « On écrit trop de papiers de délayage », « Nous faisons des manchettes sans contenu. Le lecteur s'arrête devant la vitrine, il rentre, mais il ne trouve pas l'article attendu à l'intérieur... », « *Le Monde* n'est plus aussi identifiable qu'il l'était. Vouloir en faire un journal populaire de qualité, un journal grand public, était une erreur stratégique. Nous sommes un journal des élites », « Mais de quelles élites ? Et quelles sont les élites de demain à qui nous devons parler ? », « Avant, *Le Monde* était empesé mais clair. Par tradition on évitait le sensationnalisme. Il n'existait pas de critique sur notre pratique journalistique », « Notre journal a perdu sa spécificité. Il n'existe plus de raison impérieuse de l'acheter par rapport aux *Échos* », « *Le Monde* est très fort pour raconter le passé mais il n'a pas de vision d'avenir ».

Et de citer une semaine où le journal avait proposé des dossiers sur la guerre du Viêt Nam, sur la guerre d'Algérie, sur Sagan, sur des commémorations diverses (ah, la frénésie de la commémoration...), sans aucune analyse de perspective, aucune innovation technologique, aucune entrée ressemblant au *what's next* des journaux anglo-saxons. Certains épinglèrent la tendance du journal au dénigrement — des responsables politiques, des chefs d'entreprise, avec ce message subliminal adressé aux cadres du privé : « Vous bossez pour la mafia »....

Si *Le Monde* avait su pendant plusieurs années élargir son champ de compétences, s'ouvrir aux questions de société, de mode et de mode de vie, de sport et de médecine, on percevait désormais son ton agressif, peu agréable, doublé d'un appauvrissement de la parole des journalistes maison au détriment de copiés-collés d'experts extérieurs. *Le Monde* semblait se faire une spécialité de l'actualité malheureuse. Il épousait systématiquement (inconsciemment ?) le prisme du négatif, de la polémique et de la querelle. Les pages « Société » exploraient les marges plus que les avenues principales, l'échec scolaire en banlieue plutôt que l'évolution des grandes écoles.

Les pages « Entreprises » ne racontaient pas l'entreprise comme lieu de vie de vingt millions de salariés, comme lieu d'élaboration de stratégies mondiales ou d'innovations pérennes : l'entreprise, c'était le mal qu'il fallait combattre et dénoncer, et aucun récit alternatif n'était proposé, alors que *Libération* avait lancé son supplément « Entreprises », sa rubrique « La vie en boîte ». Le même *Libé* avait consacré l'ouverture de ses pages « Tentations » à l'iPod neuf mois avant que *Le Monde* ne traite le sujet sous une têtière « Sciences », signe que nous n'étions pas vraiment dans la vie.

L'International se limitait par trop à la diplomatie et aux guerres, le Moyen-Orient était le centre du monde, et le moindre propos de Dick Cheney occupait plus de colonnes que les suites du Sommet de Kyoto. Si la politique ne pouvait rien ou si peu pour l'économie, elle était en lien direct avec la société. Pour autant, il n'en existait aucun dans nos pages entre la politique et la société.

Les hiérarchies se perdaient, tout semblait traité au même niveau d'importance avec une ribambelle marquetée d'articles de cent lignes, bons sujets et mauvais traitements, sans ouverture transversale où plusieurs disciplines auraient enrichi un sujet. De son côté, la culture donnait la primauté à la critique plutôt qu'à l'information culturelle. Il n'existait aucune écriture visuelle car les photos servaient de bouche-trous qui devaient au mieux illustrer fidèlement, jusqu'au bégaiement, le contenu de l'article. Comparé à ses concurrents étrangers et même français comme *Libération*, *Le Monde* n'assumait pas deux évidences criantes : la photo, c'était aussi de l'écriture, et le photojournalisme, c'était aussi du journalisme. D'où la profusion de clichés sans intérêt de poignées de main, d'hommes politiques au pupitre, de défilés de manifestants. On évoqua la pauvreté des infographies, la sensation de feuilleter un journal figé, un patchwork qui ne dégageait pas cette énergie vitale, cette variété et cette capacité à surprendre que devait chaque jour offrir un quotidien.

Ces réflexions revivent à travers les notes que j'ai prises à la volée lors de longues séances, pénibles mais nécessaires et fructueuses. Entre nous on parlait du journal comme d'« un soufflé qui n'a pas monté », avec un déroulé terne, sans fléchage évident pour le lecteur lui indiquant la hiérarchie de l'information, le sourire dans la page. Il fut question de l'absence de légèreté et d'humour dans *Le Monde*, Plantu et la chronique exceptés. D'autres se dirent submergés à la lecture du journal, un peu perdus (« Il y a trop à lire », « C'est pas obligatoire d'être long, c'est interdit d'être chiant », « *Le Figaro* explique mieux »...).

Le page-à-page du *Monde*, séquence après séquence, fut un exercice douloureux. Ce qui nous semblait à première vue très honorable, fruit de notre travail acharné depuis de longues années, se révélait être un tissu effiloché qui prenait eau de toute part, à se demander s'il valait la peine de raccommoder ou, comme nous allions au final le suggérer, de changer de trame. Il fallait se rendre à l'évidence des chiffres que nous communiquèrent alors les services commerciaux et les responsables des études de lecteurs, dont la rédaction n'avait jamais connaissance. Entre 1996 et 2004, l'indice de satisfaction des lecteurs du *Monde* était tombé d'un niveau très élevé, 82 %, à 67 %.

L'infidélité du lectorat s'était fortement accrue à partir de l'an 2000, quand les enquêtes enregistraient une nette montée du mécontentement sur les contenus du journal : la dérive sensationnaliste des unes, la tendance à gonfler certaines informations, à survendre sans tenir à l'intérieur la promesse de la vitrine, ce qui aggravait le sentiment, auprès de notre public fidèle, d'être manipulé. En obtenant les études de lectorat les plus récentes, nous pûmes confronter les critiques de notre public à celles que nous avions formulées. Et constater que nos vues convergeaient.

Parmi les reproches les plus virulents adressés au *Monde* par ses amoureux déçus venait celui de la pensée unique franco-française, le « ça va mal » généralisé, la critique sans nuance de la mondialisation et, plus largement, la peur ou la méfiance envers ce qui arrive de l'étranger. « Les lecteurs nous font payer tout cela », expliqua la responsable des études, Martine Maquin, qui connaissait son *Monde* sur le bout des doigts et souffrait en silence que les travaux qu'elle menait depuis le début des années 1990 avec sa collègue Katherine Poujol n'aient jamais rencontré qu'une écoute polie du côté de la direction. Plenel savait, il savait tout et tout le temps. Il ne connaissait pas le doute et préférait dire que les lecteurs ne comprenaient rien à la confection d'un journal plutôt que d'écouter la grogne qui montait.

Elle était pourtant bien là, exprimée sans ambages, avec des griefs précis : trop de redondances, de délayage, de conformisme. Trop de pauvreté dans les analyses. Trop de commentaires passés en contrebande de l'information. Une fiabilité discutable eu égard aux démentis subis. Bref, en ce début d'année 2005, *Le Monde* était loin de ses cibles, qu'il s'agisse de son lectorat traditionnel, des cadres d'entreprise et des jeunes qui ne se retrouvaient pas dans le journal.

Plusieurs études corroboraient ces signaux d'alarme. Sur la

forme, la maquette était comparée à une haie dressée devant les yeux du lecteur. Rien ne ressortait vraiment. L'effort de lecture décourageait les meilleures volontés. Le journal donnait encore la sensation de n'être pas un produit entièrement fini, ce qui dégradait son image de presse haut de gamme à zéro défaut. Il n'était pas assez relu, en raison d'un bouclage toujours avancé qui ne laissait plus aux éditeurs et aux correcteurs le temps d'intervenir dans des délais satisfaisants.

Mais les reproches de fond étaient les plus rudes de la part des lecteurs. Ils se résumaient en quelques mots, que nous avions faits nôtres : racolage, bavardage et délayage, règne de l'à-peu-près et du pas fiable, attaques *ad hominem*, investigations inopportunes ou approximatives (la fameuse chambre de Mitterrand dans la villa construite par le promoteur Christian Pellerin, dont l'existence fut ensuite démentie), attitude morale et moralisante déplacée, présupposés sur l'entreprise, mauvaise hiérarchisation, manque de contexte, mauvais rubricage, suivi irrégulier des dossiers, inflation des avant-papiers à la veille d'un événement puis silence sur l'événement lui-même, puis commentaire tardif, journalisme de dépêches, baisse de la qualité d'écriture, banalisation, complexité et confusion des titres, négligence vis-à-vis du public féminin (alors 46 % du lectorat) et des jeunes, manque de vie, la gravité et le drame prenant toute la place, au point d'occulter le joyeux, l'insolite, les inventions, l'incarnation de l'actualité par des personnes et non toujours par des concepts.

C'est dans cette période que je découvris les éprouvantes séances où, derrière une grande vitre en verre sans tain, nous assistions sans qu'ils nous voient aux discussions très animées de lecteurs triés sur le volet sur la qualité du *Monde*. Ces amoureux déçus s'exprimaient en toute liberté. Combien de fois réduisirent-ils notre canard en une cocotte en papier ! C'étaient des drogués du *Monde* mais ils critiquaient tout avec des arguments si forts, si déstabilisants, qu'il nous était impossible de rester indifférents. C'est sans doute dans ces moments de vive remise en cause que naquit en moi ce dédoublement qui consiste à regarder le journal que l'on produit avec les yeux du lecteur. Je mesurai alors combien les journalistes — dont j'étais — ignoraient ceux à qui, au final, leur travail était destiné. Je retins la leçon : un lecteur était incapable de savoir quel journal il voulait, mais il avait toujours raison.

Le contrat de lecture était donc rompu. Les responsables commerciaux, chaque fois que je parlais des lecteurs, me corrigeaient : « Les lecteurs sont plus de deux millions mais ceux que nous visons d'abord sont nos acheteurs, ceux qui dépensent chaque jour 1,20 euro au kiosque ou qui s'abonnent. Or, poursuivaient nos commerciaux, nous donnons à nos clients le sentiment de les mépriser. Non seulement le contenu ne correspond plus à leurs attentes, mais la distribution du journal est souvent défaillante et, avec le magazine (*Le Monde 2*), nous pratiquons la vente forcée le vendredi, ce qui provoque un très vif mécontentement. Les clients sont en colère et nous le font savoir ! On dirait que nous faisons tout pour justifier le livre dévastateur de Péan... »

La sanction n'a pas tardé : en 2003 et en 2004, *Le Monde* avait perdu vingt mille acheteurs au numéro. Notre part de marché était revenue à son étiage de cinq ans en arrière et nos inspecteurs des ventes s'arrachaient les cheveux : « Nous faisons la course contre *Libé* alors que la cible est *Le Figaro*. » Dans les années 1990, quand le marché des quotidiens baissait, *Le Monde* était celui qui perdait le moins de terrain. En 2003, la tendance s'était inversée : *Le Monde* était celui qui lâchait prise le premier. À l'heure où nous parlions, la vente au numéro fléchissait à un rythme mensuel de 12 %, les abonnements étaient à peine stables, et c'est seulement les ventes par tiers (aux entreprises comme Air France ou aux administrations) qui permettaient d'amortir et de cacher en partie l'effondrement.

Nous éprouvions un malaise en écoutant ces paroles, silencieux et accablés. Était-ce bien de notre journal qu'il s'agissait ? Il était urgent de rétablir la confiance sur les contenus et la stabilité commerciale, pour ne plus exposer nos lecteurs acheteurs à des hausses intempestives, vécues à juste titre comme injustifiées.

La difficulté était d'autant plus grande que ces maux étaient volontairement passés sous silence : officiellement tout allait bien, il suffirait d'améliorer la maquette et le rythme du journal, d'inventer quelques rubriques dans l'air du temps pour que la machine reparte. Or le mal était profond, et se trouvait aggravé par le contexte propre à la presse écrite forcée désormais de vivre aux côtés d'un média surpuissant, porté à la vitesse de l'éclair par l'étincelle numérique. Comment pouvait-on continuer à fabriquer un journal quand les principaux événements étaient déjà connus, et diffusés sur le mode de la gratuité par des écrans toujours plus nombreux, toujours plus mobiles ? Certainement pas comme nous le faisions. J'employai cette formule tautologique : il faut perdre l'habitude de l'habitude. C'était impératif, surtout quand il s'agissait de mauvaises habitudes nées des contraintes souvent contradictoires auxquelles était soumis le journal : mener la bataille du chaud, du scoop, de la réactivité sans rien céder à la hauteur de vues, à l'analyse, à l'expertise.

Étions-nous certains d'avoir dans chaque domaine le meilleur journaliste ? La réponse, hélas, au lendemain des plans de départs volontaires des années 2000-2004, était négative. Les chefs de service, que nous auditionnâmes longuement, nous adressaient la litanie de leurs difficultés : manque de place, recul de la qualité des rubricards consécutif à toutes ces années où le mot d'ordre avait été « casser les spécialistes », c'est-à-dire les baronnies du journal, en croyant qu'un journaliste, puisqu'il était d'abord journaliste, pouvait sauter d'un sujet à l'autre sans compétence particulière, l'expérience acquise en cours de route valant formation. À la longue, cette politique avait vidé de leur substance bien des rubriques. Les chefs de service étaient absorbés dans les tâches d'édition du journal, le nez dans le guidon, au détriment des fonctions d'animation et d'impulsion.

Ce constat, si sévère fût-il, nous donna du cœur à l'ouvrage, avec un sentiment d'urgence qui décupla nos forces pour porter au plus vite un projet fédérateur de toute la maison, et pas seulement de la rédaction. Un projet d'entreprise. Je pris conscience d'une dimension qui m'avait toujours échappé, trop occupé que j'étais par mes propres articles : un journal ne se réduisait pas à ses journalistes. Il était sous-tendu par une organisation complexe qui allait de l'informatique (le très sensible système éditorial) aux équipes commerciales, de l'administration à l'impression ; or, concevoir un journal en ignorant son mode de production et de distribution eût été une faute.

C'est ainsi que je m'initiai avidement à ces compartiments inconnus de moi et de toute l'équipe de Vivaldi. Ce fut pour nous une grande ouverture à la compréhension de notre métier. J'invitai aussi des interlocuteurs extérieurs, tous attachés au *Monde*, mais dont la plupart ne l'aimaient plus, pour essayer de comprendre ce qui clochait. Patrons de presse, chefs d'entreprise, éditeurs, sociologues, historiens, tous nous accordèrent du temps et de l'attention parce que c'était pour ce journal qu'ils lisaient depuis leur jeunesse et qui avait formé leur conscience politique, qui les avait nourris, éduqués, éclairés, depuis plusieurs décennies parfois. On mesura combien *Le Monde*, entreprise privée soumise aux lois du marché, relevait d'une mission d'intérêt général. C'était bien là un enjeu majeur. Rien, dans la Constitution, ne disait : « Article 1. *Le Monde* ne peut pas disparaître car il est d'utilité publique. » Mais son histoire, son statut de journal des élites, l'obligeait à l'excellence, à l'impartialité, à la prise de hauteur.

La tâche était immense, l'enjeu exaltant, le travail pour y parvenir épuisant. Chaque soir, après toutes ces heures passées, littéralement, à refaire *Le Monde*, je me retrouvais dans le silence pour écrire ma chronique du lendemain. Je relisais ensuite mes notes de la journée, de façon à être d'attaque le matin suivant.

À la première réunion de Vivaldi, j'avais fixé un rendez-vous crucial : le dernier lundi de janvier, au bout d'un mois de réflexions et d'auditions, chacun présenterait son projet, son nouveau *Monde*. Mon secret espoir était que nous convergerions vers une vision commune. Je ne fus pas déçu. À entendre ensemble les mêmes critiques, à entrevoir ensemble les mêmes possibilités, sans doute nous étions-nous influencés mutuellement. La proximité de nos projets était si frappante qu'on se persuada d'être dans le vrai. Le changement ne serait pas cosmétique. L'essentiel n'était pas de savoir si des bandes bleues remplaceraient des filets gris. Nous voulions un journal chargé de dense et de sens, capable de se soustraire au chaos de l'actualité pour dégager ses propres hiérarchies, très exigeant dans le tri de l'information puisque le Net donnait tout et que les gratuits répétaient la radio et la télé ; un journal sachant distinguer le fait du jour et le fait durable, capable de profondeur et de gaieté, soucieux de livrer le dessous des cartes sans oublier de montrer les cartes, un journal cultivant sa différence, sachant se rendre indispensable parce que unique — j'avais appris cet affreux terme de « dispensable ».

Pour convaincre, il devrait se montrer accueillant, rassembleur, serein, fiable et innovant, gratifiant pour le lecteur en stimulant sa curiosité. Trois mots clés, trois mots simples se dégagèrent : savoir, comprendre, vivre. Très vite la structure ternaire du journal idéal s'imposa à nous.

Une partie d'actualité très serrée, très hiérarchisée, sans bavardage (des longs longs et des courts courts, pas de papiers intermédiaires), pleine de pédagogie (des « ceintures de connaissance »), destinée à être lue assez rapidement mais identifiable à un journal, pas à un écran d'ordinateur.

Une deuxième partie, consacrée au décryptage de l'actualité, le « comprendre », avec ses pages d'enquêtes, d'analyses internes, d'opinions extérieures, de focus très illustré sur un sujet brûlant, de portrait d'une personnalité du moment. On ajouta au projet un rendez-vous hebdomadaire baptisé « Futur », susceptible de détecter partout dans le monde, et avec l'appui de nos correspondants à l'étranger, les courants faibles qui deviendraient demain des courants forts. On s'arrêta aussi sur une « fabrique de l'information » afin de revenir sur telle opération de communication, de manipulation, sur les pressions que subissaient parfois les médias.

La troisième partie, le « vivre », ferait précisément entrer la vie dans nos pages, la consommation, les tendances de la société, les envies, le nouveau, le vibrant, et bien sûr une culture moins élitiste, plus dissonante — on pouvait aimer Bergman et Chabat —, les bons plans pour voyager, pour se soigner, avec cette idée que le lecteur n'entrait plus ici dans *Le Monde* mais dans son *Monde* à lui, un univers personnel, celui du « je » et non plus du « nous ».

Nous étions chaque jour plus acharnés à imaginer le journal de demain. Nous le voulions clair, élégant, ouvert et simple de circulation pour le lecteur. « Dans la jungle les animaux passent toujours par les mêmes endroits », avait fait remarquer l'un d'entre nous. Aussi tenait-on à baliser un circuit de lecture par un sommaire détaillé, une sorte de fléchage indiqué par des traits de couleur distincte selon les parties. L'enjeu de fond consistait à proposer un *Monde* construit sur nos propres curiosités, avec des entrées de lecture singulières, spécifiques, évitant le rouleau compresseur de la grande actualité obligée que tous traitaient de manière quasi uniforme. Surprendre là où on nous attendait, tel était le défi. Et aussi être capables de bousculer les étiquettes habituelles (International, Politique, Économie, Culture), dynamiter les chemins de fer convenus pour inventer de nouvelles entrées. À force de regretter l'absence d'espace réservé aux ressources planétaires et aux problématiques du climat, de l'environnement et de l'urbanisation, on esquissa le projet de créer une séquence « Planète » qui aurait ouvert le journal, considérant que ces problématiques étaient désormais plus importantes pour la compréhension du monde que l'approche diplomatique traditionnelle.

Je crois que nous avions raison, mais le fruit n'était pas encore mûr, malgré le tsunami qui marqua les esprits au début de 2005. C'est seulement en septembre 2009, lorsque je fus devenu patron du journal, que je réussis à convaincre l'équipe d'installer des pages « Planète » au début du journal. En revanche, on alla jusqu'au bout de nos réflexions pour rapprocher les questions européennes de la politique française, estimant que ce regard européen enrichirait forcément le traitement du national. La même réflexion nous fit rapprocher la politique des sujets de société, avant, plus tard, d'en tirer des conclusions d'organisation (fusion non sans résistances des deux services).

La nouvelle formule bousculait. Colombani jouait le jeu et la soutenait. Lorsque notre concept fut prêt, il me demanda de venir le présenter au conseil de surveillance, que présidait Alain Minc. Je m'y rendis sans appréhension particulière, tout empli de mes découvertes sur le journal et de mon envie sincère de remédier à ses faiblesses. Ce fut mon premier contact avec les instances capitalistiques du *Monde*. On m'écouta détailler le projet, tâche dont je m'acquittai avec un enthousiasme qui n'échappa pas à Minc, heureux dans cette période de sinistrose de sentir le vent frais que j'essayais d'incarner. J'avais de l'énergie à revendre, la candeur de qui peut laisser libre cours à son imagination sans se douter un seul instant qu'il bouscule aussi le jeu du pouvoir.

À ce moment précis, je n'avais d'autre horizon que de mener à bien cette réflexion autour de la nouvelle formule. C'est seulement après cette séance qu'Alain Minc me demanda lors d'un tête-à-tête si j'envisageais de lancer la fusée une fois validées sa conception et sa mise en fabrication. La question me semblait prématurée. Je m'imaginais plutôt en conseiller provisoire pour la mise en œuvre, afin de veiller au respect des nouveaux codes et de la philosophie générale de ce *Monde* modernisé. Je réservai ma réponse car déjà il fallait entrer dans le concret de la réalisation. Le projet était si visuel, si graphique, que nous risquions de le tuer dans l'œuf si un regard extérieur compétent ne venait pas en renfort traduire en maquette et en rythme ce que nous avions imaginé avec des mots.

Si nous avions opté pour des graphistes français, le risque eût été qu'ils n'osent pas toucher au monument. Nous préférâmes choisir des professionnels éloignés de notre univers pour les amener à nous tout en leur demandant d'apporter leur propre culture visuelle, plutôt que de rester dans la révérence qui va avec la référence. Notre choix se porta sur le studio écossais aux consonances que n'aurait pas reniées sir Arthur Conan Doyle : Palmer & Watson. Les deux hommes avaient rénové la *Tribune de Genève*, le *Glasgow Herald*, *The European*, quelques journaux latino-américains. Après deux séances rue Stephen-Pichon au cours desquelles nous fîmes l'effort de présenter — dans leur langue — nos intentions, le marché fut conclu. Suivit une période intense où l'on tenta de marier le fond avec la forme, afin que la nouvelle maquette ne se limite pas à un simple exercice d'habillage mais qu'elle porte avec force les intentions de notre projet éditorial.

Notre monstre commençait à prendre tournure, avec des options radicales, qui concernaient en particulier le début du journal. La une s'ouvrit à la photo en grand format en lieu et place du dessin de Jean Plantu. Les jours où il devrait céder le haut de page, on lui réserverait un espace au deuxième étage. Aussi n'étions-nous plus obligés de bâtir la une autour de son dessin. On renonça, sauf exception, à l'effet de manchette qui faisait titrer chaque jour avec la même force de caractère sur le succès de Paris-Plage ou les ravages du tsunami.

Dans les études, les lecteurs se plaignaient de ne pas distinguer le journal du jour de celui de la veille, à cause d'une présentation monotone et souvent redondante qui donnait l'impression d'une vitrine figée. Nous conçûmes plusieurs formes de une, de manière à établir clairement des hiérarchies sur cinq colonnes (et non plus sur six), avec des variantes : une colonne à gauche, trois colonnes au centre, une colonne à droite, soit 1-3-1, ou bien 2-2-1, ou encore 3-2, ou 4-1, et plus rarement cinq colonnes à la une. Au-dessus de la pliure du journal, sur la partie visible en kiosque, n'apparaissaient plus que cinq ou six sujets (dont un à trois très fortement), et non plus la vingtaine de la formule précédente qui avait ajouté au brouillage et à la confusion en créant un « grenier », de petits cartouches de textes ou de photos au-dessus du logo.

Je souhaitais revenir à plus de sobriété et d'élégance. JMC approuva : nous pûmes ainsi « libérer » les lettres gothiques du *Monde*, les faire claquer comme un étendard au vent, dès lors qu'il ne serait plus enlisé, cerné de droite et de gauche par des annonces anarchiques qui semblaient tout placer sur le même plan ou, pis, donner davantage d'importance au lancement d'un instrument ménager qu'à l'annonce des chiffres de la croissance ou de la dette.

Soucieux de la lisibilité des articles, on s'attacha à rénover les caractères d'imprimerie propres au *Monde* pour supprimer la sensation de gris. On décida avec les graphistes de grossir (de 12 %) leur taille en recourant aux travaux de Matthew Carter, un as du design typographique. Celui-ci conçut spécialement pour le journal une version inédite du Rocky, un caractère à la fois rond et élégant, qu'on renforça en graisse pour les titres sans en altérer le chic. Pour le texte courant, on adopta une autre création de Carter, le Fenway. « Il accroche l'œil sans gêner la lecture », nous expliqua Ally Palmer. Cette typographie élégante faisait entrer la lumière comme jamais dans le creux et le délié du lettrage. Le confort fut en effet amélioré et retarda sans doute l'achat de lunettes en demi-lune pour bien des accros du *Monde*...

La structure globale du journal connut elle aussi une sérieuse évolution. La technologie de l'imprimerie ne nous permettait pas de sortir un tout-couleurs, et nous devions réserver la quadrichromie aux pages nobles, les 3, 5, 7, 9, 11, afin de laisser place à ce que Beuve-Méry appelait la « bienfaisante publicité ». Aussi la page 2 était-elle forcément en noir et blanc, et nous décidâmes d'y rapatrier des textes qui se trouvaient jusqu'ici enfouis au milieu du journal : l'éditorial non signé et les analyses maison, par contraste avec les opinions extérieures qui trouveraient leur place

314

dans les « Décryptages », en deuxième partie du journal, avec les enquêtes et le portrait, le courrier des lecteurs et la chronique hebdomadaire du médiateur. Cette page 2 venait dans la suite logique de la une qui exprimait fortement nos choix dans l'actualité. La deux donnait nos points de vue, nos commentaires. L'une était l'interface de l'autre.

Restait la page 3. Allions-nous commencer le journal comme avant, par la section internationale ? Et si nous cassions cet ordre immuable des choses, ce qui risquait de dérouter nos lecteurs — *Le Monde* n'était-il pas, dès l'origine, *le* journal de l'International ? —, qu'allions-nous proposer ? Une page « Événement » comme dans *Libération*, au risque de nous banaliser en copiant ? Sûrement pas. Un matin à Vivaldi, Pascale Robert-Diard nous transmit les remarques de l'avocat Me Thierry Lévy, qu'elle avait rencontré en sa qualité de chroniqueuse judiciaire. Après avoir dit du *Monde* qu'il le trouvait depuis quelques années « plus attrayant et plus antipathique », il avait émis le souhait que notre journal redevienne un véritable contre-pouvoir. « Le contre-pouvoir, lui dit-il, c'est la contre-actualité. L'intéressant, c'est ce qu'un homme politique essaie de vous cacher. La nouvelle du jour est dominante. La contre-actualité est minoritaire. À vous d'aller la chercher. »

Que signifiait cette notion de contre-actualité ? Mes notes portent la trace de nos échanges. « Qu'est-ce que la vie en Palestine ? demanda l'un d'entre nous. Est-ce que c'est seulement défiler derrière un cercueil ? » On n'aboutit pas aussitôt, mais quelque chose avait stimulé nos esprits, au point de nous engager sur une voie différente : si la une devait traduire notre hiérarchie, la page 3 pouvait prendre à contre-pied la grande voix de l'actualité et traiter l'actu autrement. C'est d'ailleurs ce nom de code que nous avions retenu pour exprimer un autre regard. Le nom de code évolua : on appela cet espace « Contrepoint ». Et comme la définition en était malaisée, puisqu'on voyait intuitivement qu'il s'agissait d'un autre regard et que le nommer serait le réduire, on s'entendit pour que cette page 3 s'appelle simplement « la trois ».

Mal vécue au début par une partie de la rédaction, cette page insuffla un état d'esprit très stimulant, une émulation si forte que bien des journalistes, tous services confondus, allaient se démener pour y voir leurs enquêtes retenues. Le principe était simple : elle pouvait accueillir toutes sortes de sujets, de l'économie à la culture, de la société à la politique ou à l'international, à condition de porter sur l'actualité un regard inédit, inattendu, d'offrir un récit exclusif, de créer un effet de loupe, donc très révélateur. Dans la deuxième partie, « Décryptages », se succédaient plusieurs doubles pages d'enquêtes et de dossiers très infographiés, les fameux « Focus », une page de portrait puis deux pages de débats.

Plus tard monta le reproche d'avoir « magaziné » *Le Monde* avec ces grandes pages, au détriment d'une partie dite chaude consacrée à l'actualité. C'était ignorer la révolution numérique qui obligeait le journal, comme la plupart de ses concurrents, mais plus encore compte tenu de sa sortie à la mi-journée à Paris (et souvent le lendemain matin en province) à offrir une véritable plus-value. Il n'était plus concevable de consacrer de longues colonnes à des informations déjà connues. Il fallait trouver des angles précis. Faute d'aller plus vite, *Le Monde* se devait d'aller plus profond. En consacrant sa partie centrale aux grands éclairages, à une pédagogie intelligente et moderne, aux opinions contradictoires, nous donnions au journal une arme indispensable : ne pas être périssable au bout de six heures d'exposition en kiosque, rester passionnant et pertinent vingt-quatre heures après son bouclage, pour ses analyses, ses témoignages, ses modes de traitement d'une actualité qu'il eût été vain de vouloir rattraper quand le site *Le Monde.fr* en suivait le fil instantané.

La troisième partie consacrée à la vie personnelle — on la baptisa « Rendez-vous » — fut l'occasion de mesurer le poids des annonceurs dans les secteurs grand public de consommation. Je n'avais pas de réticence de principe à travailler avec la régie publicitaire sur ces questions. Je n'aurais pas pris la responsabilité de perdre de gros budgets faute de présence éditoriale de l'automobile, du voyage ou de la mode. Ma limite était bien sûr de ne jamais accepter le moindre encart de pub en échange d'un article avantageux vantant tel ou tel produit. Et puisque Dieu ou le Diable étaient dans les détails, on prêta une attention qui pourrait sembler exagérée aux services. À la carte de la météo s'adjoignait un planisphère stylisé en couleurs, un nombre de villes plus large et faisant rêver. La plupart des lecteurs n'iraient jamais à Java ou à Oulan-Bator, mais ils pourraient se projeter dans ces lointains et songer en hiver que là-bas il faisait chaud... On discuta des grilles de mots croisés (inspirées par le principe du *New York Times*, qui en accentuait la difficulté au fil de la semaine, faciles le lundi, mortelles le week-end). On se pencha sur les échecs (*Libé* fidélisait des lecteurs grâce à un excellent problème), et on introduisit le premier sudoku de l'histoire du journal.

Notre point d'honneur : tenir les délais. Fin mars, aux premiers jours du printemps, le projet Vivaldi fut remis à la direction sous forme de deux documents, le premier purement éditorial, le second traitant de l'organisation nouvelle nécessaire pour relancer le nouveau *Monde*. La question était aussi posée de rassembler dans un même immeuble les journalistes du *Monde.fr* (alors installés quai de la Loire dans le 19e arrondissement) et ceux du quotidien, pour ne plus parler de « eux » et « nous » mais d'un « tous ensemble » qui devrait porter les couleurs non plus d'un titre ou d'une publication mais d'une marque de presse, expression qui faisait grincer bien des confrères par sa connotation jugée mercantile et vulgaire.

Le Monde n'était plus désormais un seul et même *Monde* : les contenus du *Monde.fr* se distinguaient des articles du journal, avec la mise en ligne de synthèses, de blogs et de prises de parole propres au site, parfois contradictoires avec l'édition papier. Cet affranchissement du numérique heurtait les esprits.

La partie était donc piégée. Les relations entre la rédaction du journal et le site étaient glaciales, tissées de méfiance réciproque et de mépris. Il faudrait casser cette banquise et cela prendrait du temps. Les rédacteurs du *Monde* considéraient ceux du site comme des journalistes aux doigts carrés tapant à longueur de journée derrière leurs écrans. Ces derniers leur rendaient la monnaie de leur pièce en les tenant pour des dinosaures voués à se faire balayer par le réchauffement numérique. Comment le papier survivrait-il avec ses énormes rotatives en voie d'obsolescence face à la dématérialisation accélérée des supports de l'information, face aux diktats du Syndicat du livre, face à la fermeture croissante des kiosques, quand le Net pouvait fournir instantanément des contenus par voie ultrarapide et pratique, adaptée aux nouveaux usages de lecteurs pressés ? Ces questions resteraient lancinantes encore plusieurs années.

Pour l'heure, je me concentrais sur le quotidien à réinventer au cœur de cette révolution technologique sans précédent depuis la naissance de l'imprimerie. JMC et le conseil de surveillance approuvèrent le projet éditorial. Le printemps serait consacré à sa présentation à toutes les équipes de la maison une fois les premières maquettes établies. Pendant l'été seraient créés les gabarits informatiques. Trois numéros zéro seraient réalisés à l'automne. Et le lancement aurait lieu le 7 novembre. Nous n'imaginions pas qu'il s'effectuerait dans une actualité brûlante, en pleine crise des banlieues, avec voitures calcinées et forces de l'ordre sur les dents, à la veille de l'état d'urgence décrété par le Premier ministre Dominique de Villepin.

À mesure que j'avançais, je devais roder un discours à la fois offensif et rassurant, montrer que j'avais des convictions bien ancrées. Je débordais surtout d'énergie et d'enthousiasme, ce qui donnait à mes doutes les reflets rutilants de la certitude. JMC me demanda de présenter le projet Vivaldi à plusieurs personnalités du monde des médias. Cela se passait chaque fois dans son bureau, où il me laissait parfois seul avec son visiteur du jour. Je lançais un Powerpoint où défilaient les pages de la future maquette — la une exceptée, tenue secrète — tel un prestidigitateur manipulant ses cartes.

C'est ainsi que je rencontrai pour la première fois le patron de Publicis, Maurice Lévy. Ce jour-là il resta silencieux mais tout au long de la présentation il garda l'œil vif comme le filament d'une ampoule incandescente, posant juste ce qu'il fallait de questions, montrant qu'il saisissait d'emblée le sens et l'enjeu de ce mouvement sans précédent. M'avait-il pris au sérieux ou pour un illuminé ? La réponse vint plus tard : il deviendrait un fidèle allié.

Étienne Mougeotte, alors responsable de TF1, vint à son tour découvrir ce *Monde* en gestation. Il exprima une adhésion chaleureuse et sans réserve, tiquant sur un seul point : serions-nous en mesure de fournir chaque jour une page 3 originale ? Je lui répondis que j'avais confiance dans la rédaction et que je la sentais disposée à jouer le jeu et se disputer cet espace très enviable avec des sujets décapants.

Plus les semaines passaient, plus Jean-Marie me sollicitait pour le service après-vente d'une nouvelle formule qui n'existait pas encore. L'exercice finit par m'exciter : j'aimais lire la surprise dans le regard de mes interlocuteurs, tester sur eux quelques idées forces, susciter leurs réactions et leur avis. Il me sembla que ce discours novateur plaidant pour une autre manière de construire le journal séduisait. En plus des séances de travail de Vivaldi, des échanges avec les graphistes écossais, des explications données à la rédaction et, accessoirement, de l'exercice de voltige qu'était devenue ma chronique quotidienne, je fus pris dans la spirale de petits déjeuners doublés d'exposés aux grands annonceurs du *Monde* (luxe, automobile, investisseurs institutionnels) et aux agences d'achat d'espace, dont les équipes, pour mon plus grand trouble, ignoraient presque tout du journal.

Puis JMC me sollicita pour une étape particulière de ce *road show*. Nous prîmes l'avion un matin pour Madrid, où nous attendait le patron du groupe Prisa, Juan Luis Cebrián. D'emblée il me plut. Il était de ces jeunes Espagnols qui avaient choisi le journalisme pour trouver les chemins encore incertains de la démocratie dans les derniers souffles du franquisme. À l'orée des années 1970, il avait passé plus d'un an rue des Italiens pour apprendre ce qu'était un grand quotidien indépendant, et c'est riche de cette expérience qu'avec une poignée de passionnés il avait créé *El País*. Le succès avait été magistral et désormais le groupe Prisa, encore épargné par la terrible crise financière qui devait plus tard le secouer, était en mesure d'aider *Le Monde*, dont il était devenu un des actionnaires clés avec Lagardère.

Cebrián parlait un français zézayant qui ajoutait à son charme. Il nous attendait dans la salle à manger de Prisa, ronde et toute de bois cerclée. Des panneaux coulissants laissaient entrevoir la grande salle du conseil d'administration, qui transpirait une prospérité pur cuir. Chaleureux, volubile, curieux de tout, il me regarda installer une clé USB dans un ordinateur puis suivit avec attention mon exposé désormais bien huilé. Lorsque j'en eus terminé, il se tourna vers JMC et lança : « Si ça marche, je ferai pareil au *País*! » L'idée d'un journal plus sélectif l'avait séduit, comme les innovations de la page 3, des focus infographies, des longues enquêtes, des formats courts pour les infos déjà connues. Tout au long de cette rencontre, Colombani resta si mutique, lèvres serrées, que je dus faire les frais de la conversation avec Cebrián, qui m'interrogeait sur la situation politique en France. Mon patron me paraissait mieux placé que moi pour répondre, mais il n'en fit rien. Il était ailleurs, sombre, préoccupé. Au moment de nous quitter, Cebrián demanda pourquoi nous ne décidions pas de faire paraître *Le Monde* le matin. Il était convaincu qu'un quotidien du soir était dépassé au temps d'Internet. Manifestement c'était un débat déjà ancien entre Colombani et lui. Le jour viendrait où nous aurions le même, et où je lui opposerais la même réponse que JMC : *Le Monde* le matin, c'était non. Sauf à ne plus faire exactement *Le Monde*.

Dans cette aventure épuisante autant qu'excitante, j'avais pu compter sur les conseils et le soutien de deux hommes clés : Laurent Greilsamer, biographe entre autres de Beuve-Méry, ancien grand reporter de talent devenu rédacteur en chef, après avoir participé à la conception de la nouvelle formule de 1995. Et Jean-François Fogel qui, après avoir été l'animateur de ce même projet, était la tête pensante du site interactif et des nouveaux médias aux côtés de Bruno Patino. Laurent Greilsamer, qui accepterait plus tard de devenir à mes côtés directeur adjoint, plaidait pour un journal dense et maigre, un journal essentiel, radical dans sa forme. Il souhaitait resserrer les espaces consacrés à l'actualité pure afin de chasser les articles inutiles, le bavardage, convaincu que *less is more*, qu'on devait faire mieux avec moins, dans une économie de guerre de la presse où le papier coûtait cher, où la publicité fichait le camp, où nos lecteurs exigeaient de la qualité plutôt que de la pagination — ils n'avaient de toute façon pas le temps de tout lire. Fallait-il le rappeler, *Le Monde* s'adressait à l'élite, ces lecteurs aux agendas débordants, qu'il fallait accrocher rapidement et avec intelligence.

Comme aussi Robert Solé, Greilsamer plaidait pour un journal qu'on puisse lire du début à la fin, afin de ne pas frustrer des acheteurs au numéro ou des abonnés qui verraient les piles s'accumuler chez eux sans jamais en venir à bout. Les études confortaient cette intuition : le premier motif de désabonnement déclaré était le manque de temps. Venaient ensuite les problèmes de distribution. Depuis 2003 seulement, la ligne agressive du journal était apparue comme un motif d'abandon.

Jean-François Fogel, lui, se situait sur deux autres plans : véritable papivore, il avait compris la puissance du média numérique, qui, selon lui, emporterait tout sur son passage. Le papier, disait-il en substance, ne pourrait survivre qu'en réinventant son offre de fond en comble et en inventant ses niches, des complémentarités haut de gamme avec le Net. Grâce à lui, je pus mesurer l'ampleur des mutations en cours, la nécessité d'abandonner des pans entiers de ce qui constituait depuis toujours le contenu des quotidiens. En l'écoutant, j'eus le pressentiment des difficultés qui m'attendaient lorsque je devrais tenir un discours de cette eau, certes atténué, à une rédaction qui ne vivait que par et pour le papier. Fogel était un anxieux, une sorte de pessimiste actif, qui soignait ses pensées sombres par une débauche de travail.

Je n'ai pas effacé les mails innombrables qu'il m'adressait, souvent très tard, où il me mettait en garde contre les dangers que je courais : ceux qui voulaient le pouvoir m'attendaient au tournant. Et si Colombani avait besoin de mon projet pour briguer un troisième mandat, il restait vague quant au rôle qu'il me confierait ensuite.

Une note de Fogel datée de mars 2005 éclaire de sa lumière crue la situation du moment. Il m'y expliquait que JMC était conscient du risque de télescopage entre Gérard Courtois et moi, qui lui rappelait la situation de 1995 lorsque lui-même s'était trouvé en porte-à-faux avec Bergeroux. « Jean-Marie ne veut plus se trouver avec un Plenel, homme unique, face à lui », précisait-il. Autrement dit, il confierait une part de l'autorité à plusieurs pour ne pas se mettre dans la main d'un seul. Fogel me prévenait en outre que JMC voudrait plus d'études qu'en 1994-1995, qu'il exigerait un projet plus innovant et que je serais soumis plus qu'il ne l'avait été lui-même aux sondeurs de tout poil. À travers le tamis de ses propres obsessions, Fogel m'informait du jeu de pouvoir et de survie engagé par JMC à travers cette nouvelle formule. En portant le journal, je supportais le directeur. Fogel n'était pas dupe des calculs de JMC. Selon les jours, il me voyait menacé ou renforcé. Je passai outre.

À la veille du 7 novembre, après bien des réglages, des heures de pédagogie qui me laissèrent sans voix, à rassurer, à expliquer, à stimuler les énergies, à contrer aussi les récalcitrants, les dés furent jetés. J'avais dû affronter des tempêtes dans la rédaction agitée par le conservatisme et la peur du changement, forcément anxiogène. Je n'avais encore rien vu. Je compris rapidement ce que voulait dire Blum quand il parlait de dépenser sa popularité. J'étais désormais directeur délégué de la rédaction, sous l'autorité de Gérard Courtois, formant avec lui un duo de circonstance qui aurait pu mal tourner si nos personnalités n'avaient pas été ce qu'elles étaient. Courtois se montra amical et comprit vite que JMC nous avait placés dans une situation intenable qu'il faudrait le moment venu clarifier. Jamais il ne me mit de bâtons dans les roues, conscient de la logique induite par cette nouvelle formule. Il appartiendrait tôt ou tard à celui qui l'avait conçue de la piloter.

Un an plus tard, il se retira pour prendre en charge les pages « Débats », après avoir œuvré à des tâches très ingrates et pourtant nécessaires sur les grilles de salaires, la définition des postes et autres tracas, tout en supervisant l'édition du journal que j'avais peu à peu prise en main. En douceur, sans heurts ni éclats de voix. Les temps changeaient. Courtois resta jusqu'au bout d'une élégance sans faille, malgré les invitations pressantes de Patrick Jarreau, que j'avais refusé de promouvoir, à m'éliminer.

Mais reprenons notre fil de novembre 2007. Au jour J, un petit livre à couverture toute typo arriva sur de nombreux bureaux de la rédaction. Il était intitulé *Une presse sans Gutenberg*. Ses auteurs étaient Bruno Patino, patron du *Monde* interactif, et Jean-François Fogel. « C'est la fin du journalisme tel qu'il a vécu jusqu'ici », assénait l'argumentaire en quatrième de couverture. Il me fallut pas mal de salive et de force de persuasion pour assurer la rédaction qu'il ne s'agissait pas là d'une provocation. Leur vision était juste mais inaudible, comme toute voix qui a raison trop tôt. J'avais lu leur ouvrage avec effroi et passion, en particulier le passage sur l'algorithme roi qui menaçait de chambouler le temps. « L'algorithme s'installe au cœur des médias, écrivaient les deux responsables du *Monde.fr*, mais pour ressembler à ce dictateur patriarche du romancier Gabriel García Márquez qui possède tant de pouvoir qu'il ne sera jamais le maître unique de sa puissance. »

Cette phrase me saisit. Une force irrésistible était en train de monter, aussi conquérante que l'univers dans sa perpétuelle expansion. Mais c'était justement son expansionnisme insatiable qui laisserait aux journaux de papier, ces vieux tigres édentés, une possibilité d'exister. À condition de détourner à leur profit une part du feu numérique volée au dieu Google. C'est-à-dire en proposant l'antidote aux brûlures du Net, une capacité de filtrer, de trier, de se protéger de la surexposition abrutissante à l'information linéaire, répétitive et superficielle des écrans. En offrant le choix de ralentir au milieu de la vitesse. C'était bien l'enjeu du nouveau *Monde*.

8

UNE NOUVELLE FORMULE

J'ai sous les yeux l'édition du *Monde* datée dimanche 6 - lundi 7 novembre 2005. Il coûte 1,20 €, ou 6 € avec le DVD, un film d'Anthony Mann, *Le Cid*. Déjà pour espérer vendre un journal il fallait proposer autre chose que le journal, un DVD, un CD, un livre... L'oreille de droite est occupée par un encadré exceptionnel frappé de rouge, avec un gros J –1 et, juste en dessous, ces mots : « Dernière édition avant NOUVELLE FORMULE ». À l'intérieur, tout semble terriblement petit : d'abord les caractères, les titres, et aussi les photos, de minuscules vignettes, qu'on appelait bobines, pour les portraits. Seule la manchette de une, sur deux lignes, détonne par sa force d'encrage. « Sarkozy : "Nous ramènerons l'ordre et la tranquillité." »

Un Plantu en noir et blanc occupe deux petites colonnes au carré. Il représente le ministre de l'Intérieur tenant par les menottes de jeunes incendiaires de banlieue. Le crâne en lame de rasoir, vêtu d'un *battle dress*, le nez aplati et tombant, il dit : « Il faut tisser des liens... avec les racailles. » Le mot « racailles » est barré mais très lisible, remplacé par le mot « jeunes »... Le lendemain, la première une de la nouvelle formule est consacrée à la crise des banlieues sur quatre colonnes, deux de texte, deux de photo, un cliché couleurs montrant les forces de police la nuit du 6 novembre à Grigny, dans l'Essonne, au milieu d'un paysage dévasté rempli de cailloux et de projectiles divers, sous une lumière lunaire. Une cinquième colonne coupée en deux annonce une conférence mondiale de l'Onu contre la grippe aviaire et pose cette question :

« Barthez ou Coupet, quel gardien pour les buts français au Mondial 2006 ? » Au rez-de-chaussée, Plantu a dessiné l'échec du Sommet des Amériques. À bord d'une voiture incendiée, que prend d'assaut une Latina en colère, le président George W. Bush déclare, découragé : « Je téléphonerais bien à Sarkozy mais il va encore dire des conneries. »

Ce journal porte la trace de nos principales innovations : une page 2 très sobre avec l'édito en haut à gauche, une analyse de Daniel Cohen, « Le testament du docteur Greenspan », un dessin de Serguei et la chronique « Société » de Laurent Greilsamer. Une page 3 consacrée aux déchirements d'Azouz Begag, alors ministre délégué à la Promotion de l'égalité des chances, illustré par une photo prise à l'Assemblée nationale montrant le Premier ministre Dominique de Villepin, debout, la main posée sur le crâne de son ministre, assis, dans un geste féodal.

Dès les pages « International » apparaissent sur fond grisé, très lisibles, les fameuses ceintures de connaissance, en l'occurrence un lexique de plusieurs sigles sur le marché commun des Amériques. Dans les pages « Environnement et Sciences », qui sont remontées de la fin du journal à la page 8, un article sur la grippe aviaire renvoie à une édition spéciale sur le sujet dans *Le Monde.fr*. Établir ce lien est une petite révolution : le papier parle du site ! La partie « Décryptages » s'ouvre par un grand portrait, celui de Yazid Kherfi, formateur dans les banlieues, et se poursuit par une double page « Focus » richement illustrée d'infographies, et titrée « Objectif Vénus », à la veille du départ d'un vaisseau européen. Suivent deux pages de reportage aux États-Unis sur les *minutemen*, ces Américains qui surveillent les frontières pour repousser les clandestins venus du Mexique. Long texte de notre correspondante Corine Lesnes, grandes photos, carte en couleurs.

Après deux pages consacrées aux débats, des pages tout en typos élégantes, en accroches enserrées dans de grands guillemets et en dessins de Cagnat, la partie « Rendez-Vous » célèbre la couleur des aliments, avec une maquette très chaude et ludique pour évoquer les plats de demain, chips violettes, sirops bleus, chocolat vert au thé. Une page « Tendances » présente les luminaires dernier cri, en plastique, en tissu, en plumes. La culture apparaît en majesté sur trois belles pages tout à la fois denses et aérées. Un sommaire détaillé occupe deux chandelles en der, chapeautées non par une chronique mais par un très bref billet, que je signe. Je tenais à montrer l'exemple en réduisant considérablement mon espace. Ce jour-là, sous le titre « Faits et fées », j'écrivis ces quelques mots :

> Que souhaiter à cette 18 907e édition du *Monde*, premier numéro de notre nouvelle formule ? De la sérénité, du recul, une passion quotidienne, tant il est vrai que le mot « journalisme » porte la dimension du travail accompli jour après jour. Nous voici donc devant vous, tout d'encre et d'espoirs vêtus. Chaque page, chaque plume de notre canard rajeuni croit aux faits, même têtus. Et aux bonnes fées, puissent-elles se pencher longtemps sur notre route.

L'afflux heureux de publicité a quelque peu faussé la physionomie du journal, paginé ce jour-là jusqu'au folio 48. En rythme de croisière, nous descendrons à trente-deux pages et même à vingt-huit pages quand la pub sera moins abondante. Il n'empêche, dès ce 8 novembre, un contrat de lecture a été clairement passé avec notre public : peser le juste poids des choses, fournir des clés de compréhension d'une actualité toujours plus complexe, se rapprocher de chacun pour le guider dans ses choix personnels, pratiques et culturels. De la hiérarchie, de la profondeur, de la proximité : l'engagement sera tenu et les lecteurs nous en sauront gré sans tarder. Oublions la hausse spectaculaire des ventes pour l'édition du lancement (+ 120 %), même si elle nous combla. Les nouvelles formules de *Libération*, du *Figaro* ou du *Guardian* n'avaient pas suscité pareil engouement. C'est dire que nous étions attendus, que notre public guettait un signal.

En quelques semaines, la tendance baissière de la vente au numéro fut réduite de moitié. Surtout, l'indice de satisfaction des lecteurs remonta durablement, pour retrouver un niveau supérieur à 80 % dans tous les compartiments du journal. L'image du *Monde* s'améliora. On lui fit crédit d'avoir retrouvé le chemin de la sérénité sous une forme moderne et attrayante. Le pari de réinventer le journal de référence était pour l'instant gagné, même si tout cela semblait bien fragile. Nous avions compris notre environnement : l'exhaustivité du Net, nous devions la contrecarrer par la sélectivité du papier. Le temps morcelé des nouveaux médias, nous devions le recoller, l'ordonner et le mettre en perspective, sur un support papier offrant un temps raisonnable de lecture, mieux adapté aux rythmes de vie de nos clients. En 2007, année d'élection présidentielle, la diffusion redevint même positive (+ 2,7 %) et ce sentiment de succès, qui avait disparu en 2002, apaisa bien des blessures.

Rien n'était acquis pour autant. Le lendemain du lancement de la nouvelle formule, M. de Villepin ayant décrété l'état d'urgence face à la crise des banlieues, Jean-Marie Colombani signa à la une un édito critiquant la remise en vigueur d'une loi datant de la guerre d'Algérie. « Un choix, écrivait JMC, qui témoigne que Dominique de Villepin n'a pas encore les nerfs d'un chef d'État. » Dans le même souffle, le directeur du *Monde* tirait un coup de chapeau à Nicolas Sarkozy en ces termes : « Le mouvement en cours est insaisissable. Il n'a pas de "revendications", encore moins de discours construit. Le couple "fermeté-justice" énoncé par Nicolas Sarkozy [...] est de nature à rassembler le pays. »

La semaine suivante, sous le titre « Jean-Marie Colombani boycotte-t-il le nouveau *Monde* ? », l'hebdomadaire *Marianne* s'étonnait de la teneur de l'édito et des conséquences d'un tel engagement pour l'image du journal. « En trois phrases définitives, Jean-Marie Colombani enterre vivant Dominique de Villepin pour faire quasiment allégeance à Nicolas Sarkozy. Dresser une statue d'homme d'État à Sarkozy à partir de son implication dans le dossier des banlieues, c'est étrange, même si c'est le droit de notre confrère. Mais embarquer son journal derrière le panache blanc du ministre de l'Intérieur, cela risque, hélas, de freiner une résurrection [du *Monde*] que nous appelons de nos vœux. »

Je n'avais pas mesuré — toujours mon sens politique défaillant... — combien Minc et Colombani poussaient de toutes leurs forces à l'élection de Sarkozy à l'Élysée. Il était leur champion, le seul possible, le seul aussi qui les remettrait dans le jeu des *persona grata*, tant l'un et l'autre avaient été des parias de la chiraquie. C'est seulement par un beau jour de juin 2006 que je sentis de façon palpable ce lien quasi affectif.

Un matin, après la réunion de 7 h 30, JMC me demanda de l'accompagner à un déjeuner place Beauvau avec le ministre de l'Intérieur. Je ne connaissais pas encore « Sarko ». Nous avions échangé quelques propos très civils en septembre 2001 par télévision interposée. Dans l'émission de Catherine Ceylac « Thé ou café », dont il était l'invité principal, il m'avait complimenté sur ma course du *Midi libre*. Pour ma part, j'avais enregistré une séquence filmée où je lui demandais si, comme les cyclistes, il aimait toujours la solitude, ou s'il la préférait accompagné, référence à sa traversée du désert après sa trahison de Chirac au profit de Balladur en 1995, et sa très lente remise en selle, qui n'était pas un retour en grâce. Depuis ce curieux échange cathodique, jamais ma route n'avait croisé la sienne, pas même à bicyclette, dont je le savais pratiquant assidu.

Cette première rencontre m'est restée gravée. Il faisait doux, le déjeuner avait été dressé sur la terrasse du ministère, donnant sur un vaste jardin. Sarkozy nous attendait, assis en bout de table. Des lunettes de soleil cachaient son regard. Sa bouche s'animait sans que jamais je voie ses yeux, ce qui me mit fort mal à l'aise, d'autant qu'il monologua de longues minutes pour dire pis que pendre, dans un langage très vert, de Chirac et de Villepin. « Monsieur Fottrino, me lança-t-il en écorchant mon nom quand je l'interrogeai sur le Premier ministre, mais qui s'intéresse à Villepin ? » Il avait parlé d'une voix sourde, pleine de colère rentrée, détachant chaque mot comme pour me les enfoncer dans le crâne. Il ajouta qu'il serait probablement, lui, Nicolas Sarkozy, président de la République l'année suivante, alors quel intérêt y avait-il à parler de ce Villepin dont nul n'avait que faire, contre lequel il ne trouvait pas d'adjectifs assez durs pour dénoncer le rôle dans l'affaire Clearstream.

Ce qui me frappa d'abord, c'était la grande proximité de Sarkozy avec le patron du *Monde*. Je n'avais pas imaginé qu'elle pût être si grande. Colombani le tutoyait. Pareille familiarité me parut déplacée, même si je devinais que ce « tu » relevait des mœurs politico-journalistiques. Plus choquant à mes yeux était que, de façon informelle, Colombani prodiguait à notre hôte des conseils sur sa stratégie politique, lui suggérant d'adopter telle attitude, le dissuadant de tenir tel ou tel propos. Ce fut pour moi une étrange découverte. Chacun semblait être l'obligé de l'autre. JMC était l'aîné. À ce titre, il donnait l'impression d'avoir de l'ascendant sur le futur chef de l'État. Dans la conversation, Sarkozy précisa d'ailleurs à mon intention qu'ils se connaissaient de longue date, et que « Jean-Marie » lui avait fait l'honneur de s'intéresser à lui à une époque où il n'était encore rien, ou si peu.

Tout à coup, levant le nez en l'air, le ministre fit signe à quelqu'un de descendre. « Viens avec nous ! » cria-t-il. Son visage s'était éclairé. Levant les yeux, j'aperçus un ludion souriant, les épreuves d'un livre à la main. « Non, pas le temps, je lis... » Alain Minc prenait connaissance de *Témoignage*, l'ouvrage que Nicolas Sarkozy s'apprêtait à publier pour dire aux Français son goût de l'action et son ambition présidentielle. Quelle complicité régnait ! Colombani, Minc, Sarko. Je pensai en moi-même que si les lecteurs du *Monde* avaient assisté à cette scène, et peut-être aussi les journalistes de la rédaction, ils auraient trouvé de sérieux arguments pour dénoncer le sarkozysme du journal.

Nous allions partir quand se produisit un épisode inattendu. Cécilia, dont les journaux avaient annoncé le récent retour au bercail après une escapade avec Richard Attias, vint nous saluer. Elle embrassa JMC, me tendit une main froide, qu'accompagna un sourire tout aussi froid. Elle s'assit un instant, prit un café. Sarkozy parla de *Témoignage* en s'émerveillant de ce titre formidable. Et pour cause : c'était Cécilia, avoua-t-il, qui l'avait trouvé. Elle manifesta une timide approbation puis s'éclipsa. L'apparition avait duré quelques minutes à peine.

Il me parut évident que cette scène avait été calculée, millimétrée, sur le mode : tu viendras, tu salueras, tu montreras que tout va bien entre nous et tu pourras repartir. Comme un contrat exécuté sans zèle en vue de montrer, à l'approche de la présidentielle, que le couple s'était reformé. Sans doute ce moment de théâtre se répéta-t-il avec d'autres témoins, qui s'empresseraient de propager la nouvelle : elle est bien là, ils sont ensemble. Jamais happening ne me parut aussi mal joué.

Entre le lancement de novembre 2005 et le départ de Jean-Marie Colombani, consécutif à son échec devant la rédaction en juin 2007, je fus confronté assez brutalement à des enjeux de pouvoir auxquels, c'est un euphémisme, je n'étais guère préparé.

Mon obsession était de sortir chaque jour un très bon journal avec des hiérarchies claires, de la densité, des innovations le dégageant de tout conformisme. Je ne voyais guère plus loin et j'avais tort, car d'autres parties se jouaient, que je renâclais à disputer. Chaque matin ou presque, alors que j'étais plongé jusqu'au cou dans l'édition qui se bouclait à 10 h 30, JMC me faisait appeler dans son bureau. Non pour parler des contenus du journal, mais pour m'exprimer ses inquiétudes quant à sa réélection, pour me prier d'agir sur tel ou tel journaliste afin de le gagner à sa cause, pour faire entendre raison aux récalcitrants.

Je n'étais guère taillé pour devenir un agent électoral au service du patron. Le meilleur de moi-même, c'était mes idées et mon énergie. Avait-il demandé pareilles missions à Edwy du temps où ils étaient alliés, sinon amis ? Des années durant, Colombani avait pu compter sur un secrétariat de rédaction docile qui emmenait derrière lui presque comme un seul homme la majorité des journalistes. Mais depuis le Péan-Cohen, la méfiance s'était transformée en défiance ouverte vis-à-vis de JMC. Elle s'incarnait dans un petit groupe de journalistes opposants qui se réunissaient à La Gueuze, un café de la rue Soufflot, et cherchaient les moyens de renverser le monarque.

Le plus dangereux était Jean-Michel Dumay, qui obtint en 2006 de voir son mandat prorogé à la tête de la Société des rédacteurs. Il fallut un vote des journalistes auquel je pris part. Je dois le souligner : au cours d'une consultation à main levée, j'avais accepté que Dumay reste président. Les amis de JMC me le reprochèrent vivement. Je leur répondis que, directeur de la rédaction, ce n'était pas à moi de m'opposer frontalement à Dumay et que, s'ils voulaient que je lui fasse entendre raison le moment venu sur la continuité à la tête du groupe, il n'était pas question pour moi de couper la tête à un journaliste à cette époque encore très soutenu par la rédaction. Colombani et les siens durent penser que décidément je n'avais pas assez lu Clausewitz et Machiavel — mais je m'en portais d'autant mieux.

La partie devenait incertaine. Alain Minc venait de déclarer publiquement que Dumay était le meilleur président de la SRM qu'il avait connu. Ce coup de chapeau incongru fit pas mal grincer parmi ses prédécesseurs et donna à l'intéressé un adoubement aussi surprenant que dangereux, comme le montrerait la suite. Avant Dumay, Marie-Béatrice Baudet avait été une présidente de la SRM autrement responsable et bien peu complaisante à l'égard de JMC.

Courant 2004, le groupe avait pris le contrôle des Publications de *La Vie catholique*. Mais, étranglé par une dette très lourde malgré des cessions d'actifs immobiliers (en particulier à *Télérama*), affaibli par une baisse sensible de la diffusion et des recettes publicitaires, il dut ensuite boucler au plus vite une nouvelle opération de recapitalisation. Ce fut fait en 2005 lorsque les groupes Lagardère, Prisa et *La Stampa* investirent plus de 50 millions d'euros, prenant respectivement 17 %, 15 % et 3 % du capital du *Monde*. À l'évidence, cette opération inscrivait déjà dans nos chiffres la perte de contrôle du journal par la rédaction. La seule question en suspens était : quand ?

Pour Dumay et son conseil, la bataille se situait désormais à deux échelons : priver Colombani d'un troisième mandat, mais aussi introduire une séparation des fonctions entre le président du groupe et le directeur du journal, dans l'hypothèse où JMC se maintiendrait aux commandes. Jusqu'au bout, Colombani resta ambigu. C'est seulement le jour du vote que, m'ayant convoqué une nouvelle fois dans son bureau quelques minutes avant la consultation, il m'annonça vouloir me confier la direction du journal, « avec ton nom ici », me lança-t-il sans grande conviction, désignant l'espace où figurait le sien, aux côtés du patronyme d'Hubert Beuve-Méry. C'était évidemment trop tard. Pour n'avoir pas dit clairement qu'il renoncerait à toute implication directe dans le journal, il n'obtint pas les 60 % nécessaires à sa réélection par les rédacteurs.

Depuis des mois ses amis, à commencer par Noël-Jean Bergeroux, lui conseillaient de dévoiler clairement ses intentions. Il ne s'y était jamais résolu. Et l'alliance de circonstance Minc-Dumay fit le reste. Quelques semaines plus tôt, dans son éditorial d'avant premier tour de la présidentielle, JMC avait appelé à voter pour Ségolène Royal, tout en estimant que deux candidats étaient dignes de la République, la socialiste et Nicolas Sarkozy. Ce dernier ne se priva pas de railler sans ménagement Colombani, lui reprochant d'avoir écrit un édito contraire à ses convictions, seulement destiné à amadouer en interne une rédaction qui penchait à gauche.

Lors d'un comité de rédaction, j'avais publiquement affirmé que dans l'hypothèse où je deviendrais directeur du journal, je m'abstiendrais de donner la moindre orientation de vote aux lecteurs. J'estimais qu'ils attendaient de l'analyse et non un mot d'ordre. Je considérais qu'un journal moderne comme *Le Monde* devait se distinguer sur ce point de journaux partisans ou d'opinion comme *Libération* ou *Le Figaro*. JMC, qui se tenait à côté de moi, n'avait pas bronché. À l'évidence il ne partageait pas ce point de vue. Il se garda toutefois d'en discuter avec moi.

Pendant ces mois tumultueux où se jouait le sort du journal au plan éditorial, économique et managérial, j'appris à travailler avec la rédaction en chef nommée par JMC. *Le Monde,* nous le savions, était un redoutable laminoir : une journée durait deux jours. Sitôt une édition bouclée en milieu de matinée, à peine avait-on le temps de reprendre des forces qu'il nous fallait animer la réunion de midi, où nous discutions en détail avec les chefs de service des menus du prochain numéro, tentant déjà de faire émerger les sujets forts en leur donnant les angles assez aigus pour qu'ils tiennent vingt-quatre heures. On renouvelait l'exercice à 17 heures, à proximité du « mur » de pages en cours de fabrication, de manière à visualiser, double par double, le journal encore au stade de carcasse. Le lendemain matin à 7 h 30, dans le bureau du directeur, je conduisais la réunion finalisant le *Monde* du jour, chemin de fer à la main, en présence de JMC, qui, la plupart du temps, restait silencieux. S'ouvrait alors un sprint de deux heures trente pour boucler notre insatiable canard buveur d'encre. Pour moi la charge était double : il s'agissait de populariser la nouvelle formule auprès des équipes, de la rédaction en chef à l'ensemble des services, tout en démontrant que j'étais capable de piloter l'édition pour faire tomber le journal à l'heure.

Plus d'un adversaire, déclaré ou non, m'attendait au tournant. Laurent Greilsamer et Sylvie Kauffmann, tous deux directeurs adjoints, étaient pleinement acquis à ma conception sélective du *Monde*. Nous avions réparti les tâches en nous inspirant d'un modèle anglo-saxon d'organisation : Laurent et Sylvie prenaient en main l'édition du lendemain dès la veille à midi, discutant des sujets et des angles et suivant l'avancée des travaux jusqu'à la réunion de 17 heures. Là, un passage de témoin s'opérait avec deux autres directeurs adjoints, Patrick Jarreau et Michel Kajman, qui auraient pour tâche le lendemain matin tôt de piloter l'édition du quotidien jusqu'au bouclage. Sur le papier, cette organisation revêtait bien des avantages : elle permettait à notre petite équipe de n'être pas absorbée en permanence par la machine, et donc de garder la fraîcheur d'esprit et la lucidité suffisantes pour entraîner la rédaction derrière soi.

Dans ce moment délicat et crucial d'innovation à haute dose, il y avait des nuques à assouplir, de nouvelles habitudes à imposer avec une fermeté qui supposait du doigté. JMC l'avait compris en découvrant le projet de nouvelle formule : « Elle ne supportera pas la médiocrité », avait-il commenté avec un sourire un peu inquiet. C'était vrai. Exiger des articles plus pertinents, ne donner de la place qu'à l'originalité supposée des angles, ce qu'on appelait la « valeur ajoutée », bannir les articles répétant ou synthétisant les dépêches, tout cela donnait le sentiment à certains journalistes qu'ils seraient exclus du jeu. Il fallait expliquer, rassurer, prendre sur soi.

Ce nouveau *Monde* serait ce que la rédaction en ferait. Il ne fallait pas lésiner sur la pédagogie, il fallait, exemples à l'appui, multiplier les cas concrets pouvant nourrir les nouveaux espaces. J'animais les réunions de midi et participais activement au bouclage du lendemain matin. Mais l'entente n'était pas optimale entre Sylvie Kauffmann et Laurent Greilsamer, chargés de la conception, Michel Kajman et surtout Patrick Jarreau, chargés de l'édition.

Jarreau supportait mal de n'être pas seul maître à bord, comme sans doute le lui avait promis JMC en le rappelant de Washington quelques mois plus tôt. À son arrivée, Gérard Courtois avait déjà pris le poste de Plenel. Puis Jarreau avait dû subir ma présence, qu'il jugeait illégitime en dépit des explications de Colombani et de Bergeroux. Il n'avait guère admis de se retrouver au même rang que les autres directeurs adjoints. Au point qu'en désespoir de cause, pour réduire les tensions, je fis monter une cloison vitrée entre, d'un côté, Jarreau et Kajman, et, de l'autre, Greilsamer et Kauffmann, une porte installée le long de cette

333

frontière absurde mais alors indispensable servant de point de contact.

Ce climat de défiance ne facilita pas ma tâche. Au lieu de m'appuyer sur Jarreau, je dus veiller à ce que les décisions de conception prises la veille soient bien respectées le lendemain matin. Au final, je n'eus d'autre choix que de me démultiplier en m'imposant de très longues journées. Je me levais à 5 heures le matin pour être fin prêt et au maximum de ma lucidité jusqu'au bouclage de 10 h 30, puis j'enchaînais les réunions de midi, de 17 heures, et enfin les préparations visuelles de la une du lendemain jusque tard le soir. C'était aussi la seule façon d'imposer mon autorité dans la rédaction : être là, disponible, à l'écoute, capable à tout instant d'arbitrer, de peser les arguments des uns et des autres, et surtout de trancher. Mes ressources de coureur par étapes et mes capacités de récupération furent sollicitées à plein. Je vivais mon baptême du feu, épuisant, très impressionnant aussi : il fallait commander à une équipe de journalistes talentueux, souvent plus expérimentés et plus âgés que moi. Il fallait montrer que si j'avais parfois des doutes, je savais décider, prendre l'initiative, assumer des choix difficiles voire discutables. Si une page ne me convenait pas, si les services ne respectaient pas les règles de la nouvelle formule, fournissaient des articles trop longs, mal construits, dépourvus de clés pédagogiques, je n'hésitais pas à en appeler les chefs pour les contraindre à rectifier le tir.

Quand des chefs ou leurs adjoints ne se montraient pas à la hauteur de la tâche et faisaient l'objet du mécontentement général de leurs troupes, comme ce fut le cas dans cette période cruciale de lancement au service Société, je pris sur moi de recevoir leurs responsables (en l'occurrence Jean-Michel Dumay et Gilles Van Kote, futur président de la SRM) pour les relever de leurs fonctions et leur confier d'autres missions dans la rédaction. Des décisions qui nourrirent sans doute la rancœur personnelle de ces journalistes à mon égard, en dépit du fait que j'offris au premier un poste de chroniqueur, au second de chef adjoint au service Environnement et sciences.

Je n'étais pas là pour cultiver ma popularité ni pour m'attirer les faveurs des journalistes appartenant aux instances actionnariales. Je supportais mal que les consignes les plus claires ne soient pas respectées. Je me révélai sans doute moins souple et patient que je ne croyais quand je sentais des résistances. La fatigue, la tension nerveuse, l'enjeu pour le journal, tout cela était si lourd, et nous avions si peu de temps, que les frictions étaient inévitables. Un bon journal, je le découvrais dans la douleur, était la somme de crispations surmontées, d'erreurs empêchées, d'ego canalisés.

Un des rendez-vous clés de la semaine était la réunion de prévisions du jeudi après-midi. Ce jour-là, je déjeunais d'un plateau froid dans mon bureau, entouré de quotidiens et de la pile des hebdomadaires juste sortis. Vivaldi avait recommandé la création d'une cellule de veille, que j'avais confiée à Éric Azan. Chaque matin il réalisait une revue de presse numérique exceptionnelle, dans laquelle il repérait des informations importantes ou originales que *Le Monde* n'avait pas traitées. Ce travail, dont il me donnait chaque jour la primeur avant la réunion de midi, me permettait de lancer des enquêtes, de rattraper des lacunes ou d'anticiper sur des sujets pour tâcher de donner à nos lecteurs « un *Monde* d'avance ». Pendant nos semaines de réflexion acharnée à Vivaldi, nous avions mesuré le profit que le journal pourrait tirer à se forger une image plus surprenante, plus originale, en cultivant sa capacité du contre-pied. On avait envié le slogan « *Les Échos* : rien n'est plus sûr ». Notre ambition était de cet ordre : apporter au lecteur une réassurance sur ce qu'il connaissait ou devait connaître, en nous efforçant chaque jour de lui offrir en sus des informations qu'il n'aurait lues « nulle part ailleurs ». Ce travail de veille, enrichi par les nouveaux outils numériques, fut un apport clé.

Le journal semblait renaître et la dynamique de la nouveauté rencontra celle de l'actualité. La campagne présidentielle entrait dans une phase plus active avec les primaires socialistes, le phénomène Royal et la montée en puissance de Sarkozy. Je remarquai que la présence en photo à la une de l'un ou l'autre candidat soutenait nettement les ventes. Dans cette période où les Français se réintéressaient à la politique, *Le Monde* reprenait son rang dans un climat d'apaisement. Même le traitement de l'affaire Clearstream donna satisfaction, grâce au professionnalisme dont fit preuve Hervé Gattegno. Si j'avais eu par le passé à me plaindre de ses agissements, je pus cette fois compter sur lui. Il me révéla le nom de sa source, que je gardai pour moi, et nous avançâmes nos pions de façon sûre et méthodique. Aucune de nos informations ne fut démentie, et je veillai scrupuleusement à ne pas mener une campagne anti-Villepin par des manchettes racoleuses qui l'auraient enfoncé outre mesure. Les faits parlaient d'eux-mêmes, il était inutile d'en rajouter.

Dans la rédaction, certains me reprochèrent d'avoir accordé ma confiance à Gattegno. Je n'eus pas à le regretter car nous avions travaillé sans heurts dans l'intérêt du *Monde* et de ses lecteurs. L'idée se répandit que je voulais tordre le cou à l'investigation. C'était caricaturer ma pensée. Je n'avais jamais découragé l'investigation. J'exigeais en revanche qu'elle ne se résume pas à l'instrumentalisation d'un journaliste par une partie prenante à un dossier, à travers la transmission de procès-verbaux bruts qui ne reflétaient pas nécessairement une vérité. L'investigation ne pouvait être le triomphe d'une manipulation consentie en échange de scoops trop opportuns pour être honnêtes. Combien de fois déjà le pouvoir avait-il allumé des contre-feux pour détourner l'attention de la presse d'affaires autrement plus gênantes?

Depuis décembre 2006, j'étais à la fois directeur de la rédaction et directeur délégué du *Monde*. À ce titre, je participais au conseil de surveillance aux côtés de JMC. Je découvris les mœurs policées de cette instance que présidait Alain Minc, entouré de l'ex-président de Saint-Gobain Jean-Louis Beffa et d'Étienne Pflimlin, alors responsable du Crédit mutuel, venus en mécènes faire bénéficier *Le Monde* de leur expérience en termes de gestion. Le conseil comptait deux figures des médias : le patron du *Nouvel Observateur* Claude Perdriel et Pierre Lescure, ancien patron de Canal+. Les magazines, les quotidiens régionaux, la Société des lecteurs, et l'association Hubert Beuve-Méry (les HBM) étaient aussi bien représentés.

Dans le conseil d'une autre structure, Le Monde SA, s'ajoutaient les représentants des actionnaires capitalistes : Dominique D'Hinnin et Didier Quillot pour Lagardère (le premier présidant aussi le comité d'audit sur le suivi des comptes), le patron de Prisa Juan Luis Cebrián et Jesús Ceberio, l'ancien directeur d'*El País*. Siégeait aussi un jeune homme discret aux allures de faune, qui n'était autre que John Elkann, petit-fils de Giovanni Agnelli et héritier du groupe Fiat, représentant dans notre enceinte *La Stampa*. À la droite d'Alain Minc, le président de la Société des rédacteurs, Jean-Michel Dumay, tout de sombre vêtu, visage fermé, semblait prêt à en découdre.

9

DIRECTEUR

Le 22 mai 2007, dans l'après-midi, comme dans un roman d'Hemingway où l'arène empeste le sang, la rédaction infligea à Jean-Marie Colombani une mise à mort symbolique en lui accordant seulement 48,5 % de ses suffrages. Le couperet était tombé, brutal et, pour une part, injuste. Au cours des derniers mois, j'avais pu mesurer l'engagement de JMC dans la bataille difficile que menait *Le Monde*. J'avais le sentiment qu'il ne la menait pas avec les bonnes armes et que parfois, même, il les retournait contre lui en pratiquant l'ambiguïté quand il eût fallu être clair, la fuite en avant quand ralentir s'imposait. Mais j'étais loin de tout comprendre des complexités financières qui minaient notre groupe engagé dans une stratégie débridée d'acquisitions alors que sa dette enflait.

Ceux qui manifestèrent leur défiance avaient leurs raisons. Rien n'était lisible, sinon les lignes de pertes du journal et, entre les lignes, une faillite qui ne disait pas son nom. En s'éloignant ostensiblement de la rédaction pour revêtir les habits du manager, en opposant aux critiques morgue et mépris, JMC avait tendu les verges pour se faire battre. Il avait beau dire que *Le Monde* n'était pas en crise, nul n'y croyait.

De ses treize ans de règne, il faudrait pourtant ne pas oublier le meilleur : une volonté de modernisation du journal, le refus du repli sur soi et l'ambition d'insérer le quotidien du soir au sein d'un groupe de presse bâti sur les piliers du numérique, des magazines et des publications régionales. Au moment de son rejet, JMC travaillait à constituer un grand ensemble, un Pôle sud qui aurait rallié à notre bannière une pléiade de grands quotidiens de Perpignan jusqu'à Nice. C'était presque ficelé : Lagardère, peu désireux de voir la presse quotidienne régionale plomber son cours de Bourse, céderait au *Monde* la majorité de *La Provence*, de *Nice-Matin* et de *Corse-Matin* (dont il conserverait 49 %), tout en nous offrant un ballon d'oxygène de 30 millions d'euros. Par cette opération, JMC et Alain Minc espéraient constituer un périmètre de stabilité susceptible de résister aux chocs avec un chiffre d'affaires passant de 600 à 900 millions. La rentabilité de la presse régionale (les marges de 5 % du *Midi libre* et de 7 % annoncées pour *La Provence* et *Nice-Matin*) était censée compenser les difficultés du quotidien. L'apport de Lagardère permettrait de financer un gratuit du matin, alors baptisé *Paris Plus*, afin de contrer les offensives publicitaires de *20 Minutes* et de *Métro*.

C'est cette course que la rédaction voulut interrompre, inquiète de voir les pertes s'alourdir pour la sixième année consécutive au point d'atteindre un montant cumulé supérieur à 150 millions d'euros. Qui rembourserait ? Sûrement pas les régionaux, ni *Télérama*, maintenant que les pépites informatiques et immobilières avaient été cédées. Et puis certaines filiales montraient de sérieux signes de faiblesse : les *Cahiers du cinéma* étaient un foyer de perte, comme Fleurus Presse, les publications pour la jeunesse qui, à l'exception du *Monde des ados*, étaient éloignées de notre cœur de cible. Dans un contexte d'inquiétude pour l'avenir, de montages financiers incertains, de plans de départs volontaires, d'opacité sur ses intentions et de doutes sur l'opportunité stratégique du Pôle sud, Colombani paya le prix fort. Un trop grand écart s'était creusé entre la base et lui, et c'est dans ce fossé qu'il tomba.

À le fréquenter de plus près, je savais les risques qu'il avait pris. Pour imposer un site numérique puissant (avec le soutien de Lagardère à hauteur de 34 %) au moment où crevait la bulle Internet. Pour développer la régie publicitaire (détenue à 49 % par Publicis). Pour imposer par deux fois la refonte du journal face à une rédaction conservatrice. Pour tâcher d'inventer un *Monde* en plus grand avec une tentative (manquée) de rachat de *L'Express* puis quelques acquisitions opportunes (*Télérama*, *La Vie*, *Courrier international*) et d'autres moins inspirées, sans jamais renoncer à faire entendre une voix singulière dans le paysage médiatique et intellectuel français. Les moyens furent parfois contestables, et même très désagréables, arrogance à la ville sanctionnée par les lecteurs à partir de 2002, clanisme et autoritarisme à peine tempéré en interne. Mais jamais les fins ne furent médiocres, les ambitions abaissées. Sans doute l'usure avait-elle fini par faire son œuvre, une forme de lassitude face aux difficultés, à l'incompréhension croissante des troupes, à la docilité perdue de la Société des rédacteurs, qui fit soudain de JMC sa bête noire.

C'est que la SRM voyait, un peu tard, les dangers s'approcher. Si elle continuait d'apparaître comme l'actionnaire de référence d'un journal de journalistes, la réalité était moins flatteuse. Depuis la recapitalisation de 2005, le poids des rédacteurs avait été sérieusement dilué. Il serait anéanti quand surviendraient de nouveaux mouvements dans le capital, comme le laissaient prévoir nos comptes en berne et notre système fragile de gouvernance.

Au lendemain du premier tour des législatives du 10 juin, c'est donc à moi qu'il revint d'écrire l'éditorial du directeur, même si je n'en avais pas le titre. Modestie de l'analyse : il s'agissait d'acter... la fin du FN qui, avec 4,29 % des voix, était ramené à son étiage de 1983, vingt-cinq ans plus tôt, quand il n'avait pas encore accompli son premier hold-up électoral aux municipales de Dreux. Je n'inscrivis pas cet édito sous le M gothique réservé au directeur — qui était encore Colombani. J'expliquai comment le nouveau président, Sarkozy, adepte de la triangulation, était allé chercher l'extrême droite sur son propre terrain par un discours très ferme sur la sécurité, l'immigration et l'identité nationale. Et je mis en garde le PS, qui n'avait su ni rénover à temps sa doctrine, ni attirer à lui les électeurs du centre.

Un autre enjeu électoral pointait, et il nous incombait de le traiter en urgence : qui allait succéder à JMC et, au-delà, quelle structure de gouvernance — un mot qui froissait mes oreilles — serait mise en place ? Après un hommage unanime à l'action de Colombani, le conseil de surveillance piloté par Alain Minc entra dans une phase active de réflexion. Non sans que Minc soit à son tour bousculé. Un vote le mit en minorité au sein du conseil puisqu'il n'obtint que dix voix au lieu des onze requises pour sa reconduction. Ce qui ne l'empêcha pas de se maintenir, au grand dam du président de la SRM, Jean-Michel Dumay. Ce fut pourtant le début de la fin pour celui qui apparaissait désormais comme le conseiller de Nicolas Sarkozy, une position qui choquait bien des lecteurs. Sentant ses jours comptés à la tête des instances du groupe, Minc commença dans l'ombre à imaginer un stratagème pour mater une bonne fois les rédacteurs et sauver sa place. La crise qui allait durer plus de six mois trouverait avec Minc et Dumay ses deux pompiers pyromanes.

Le départ de JMC sitôt acté, la procédure pilotée par Minc n'avait pas ménagé nos nerfs. Après avoir annoncé à Pierre Jeantet qu'il était le candidat naturel pour diriger le groupe, le président de notre conseil s'était ravisé et avait lancé un appel à candidatures. S'étaient présentés devant les instances d'actionnaires le patron de *Courrier international*, Philippe Thureau-Dangin, et l'ancien rédacteur en chef de *Paris-Match* Alain Genestar, brutalement éjecté de son poste par le « frère » du nouveau président, Arnaud Lagardère, après une amicale pression de Nicolas Sarkozy. Ce tour de piste se révélant non concluant, la question de la préférence se posa : Jeantet ou Patino ? Patino crut avoir convaincu Jean-Louis Beffa. Mais au final le conseil se rangea à l'avis de Minc, qui avait opté pour Jeantet. Avant même d'être élu, celui-ci dut pourtant avaler de sacrées couleuvres : lui qui avait rejoint *Le Monde* pour développer le pôle régional dut renoncer à la création du fameux Pôle sud (que la rédaction avait rejeté) et préparer la cession de *Midi libre*. Lui qui rêvait de développement dut opter pour le désengagement partiel au nom du désendettement, une priorité qu'il poursuivrait, affirma-t-il, « sans recours à une augmentation de capital ». Enfin, il fut décidé qu'il n'accomplirait qu'un demi-mandat de trois ans, afin d'accélérer l'avènement de Patino. C'est les ailes déjà bien rognées que Jeantet prit un envol incertain dans un *Monde* qu'il connaissait mal. Je fus sidéré par l'habileté de Minc à déposséder d'une main celui qu'il feignait de soutenir de l'autre.

Numéro deux du groupe depuis un an (il avait remplacé comme directeur général Jean-Paul Louveau, que JMC avait ostensiblement poussé dehors), Pierre Jeantet était le successeur tout désigné, à condition de franchir la barre fatidique des 60 % auprès de la rédaction. Cela n'allait guère de soi. Les journalistes ne le

341

connaissaient pas. L'idée d'installer un gestionnaire à la tête du groupe leur déplaisait. Ancien journaliste économique venu de l'AFP, ex-patron de *Sud-Ouest*, Jeantet, pour ceux qui l'avaient approché, avait une réputation de froideur. Il était présenté comme un manager compétent. Alain Minc avait su l'imposer à la direction générale. Mais passer du rôle de second à celui de leader n'était pas acquis. D'autant que de vilaines rumeurs circulant dans la rédaction lui attribuaient une filiation dans les milieux vichyssois. Cette calomnie honteuse le blessa. Il eut l'aplomb de n'en rien montrer et serra les dents.

Le patron de la filiale Internet, Bruno Patino, était lui aussi candidat, même s'il essuyait régulièrement ce que Musil, dans *L'homme sans qualités*, appelle une « oblique pluie de flèches » provenant des journalistes du *Monde*. Son discours brillant, parfois trop techno, sa propension à taper fébrilement des SMS sous ses airs d'Harry Potter refroidissaient pas mal de rédacteurs, qui voyaient de surcroît en lui un autre Colombani. J'étais partagé sur Patino. Son histoire personnelle me touchait, l'odyssée de son père chilien fuyant le régime de Pinochet, qui avait fait carrière à RFI en animant des émissions en langue espagnole. Je l'avais connu par mon amie Françoise Lazare, avec qui il avait partagé une belle expérience universitaire à Johns-Hopkins. Il était rapide, brillant, souriant, ponctuait ses phrases de grands éclats de rire. Certains le décrivaient comme un ambitieux n'écoutant que lui, que Fogel, que ses intérêts, un courant d'air prompt à faire travailler les autres. Je me refusais à le voir ainsi. Son audition à Vivaldi avait beaucoup impressionné notre auditoire par son intelligence. Au vrai, je me sentais assez proche de Patino sans être bien sûr qu'il était proche de moi. J'aurais la réponse bientôt.

C'est seulement le 25 juin que Pierre Jeantet fut élu président du groupe, avec 61,7 % des voix au *Monde*, et 65 % auprès des salariés des magazines. Bruno Patino devint comme prévu vice-président. Je complétais le directoire en qualité de directeur du journal. C'était un vote de raison. Après le veto opposé à JMC, il fallait sortir de l'impasse. L'ombre planait, menaçante, d'un administrateur judiciaire sans visage que tout un chacun imaginait forcément aux ordres de Minc. Et puis, les vacances approchaient. En soutenant publiquement Jeantet, je savais que, lorsque mon tour viendrait, le lendemain, de solliciter un mandat de directeur du journal pour six ans, je perdrais les voix des colombanistes. Mais je préférais afficher la couleur plutôt que de voir Jeantet retoqué et la crise redoubler. Notre situation financière rendait déjà plausible une action du tribunal de commerce.

Pour ma part, après un discours où j'annonçai que je nommerais Laurent Greilsamer directeur adjoint du journal et Alain Frachon directeur de la rédaction, je fus élu avec 63 % des voix. Certains me reprochèrent l'atlantisme de Frachon, d'autres le rigorisme de Greilsamer. Je ne tins bien sûr aucun compte de ces attaques injustifiées et médiocres. Je connaissais trop les qualités de l'un et de l'autre pour me laisser influencer.

Longtemps chargé des questions judiciaires, ancien grand reporter puis rédacteur en chef, biographe inspiré de Nicolas de Staël et de René Char, et aussi d'Hubert Beuve-Méry, Laurent Greilsamer était un esprit libre, ne cherchant pas à plaire pour plaire ; il avait des convictions et acceptait de se remettre en question. Depuis mon entrée au journal j'admirais sa plume, sa capacité à trousser en deux heures ou moins, de chic, un portrait du juge Van Ruymbeke ou un édito. Avec Daniel Schneidermann, il avait longtemps formé un duo de choc sur les faits divers et la justice. Doué d'un précieux esprit de synthèse, mémoire du journal, où il était entré à vingt-trois ans, et de ses réformes successives, tout à la fois classique et innovant, Laurent m'avait sans cesse encouragé à me lancer dans la bataille tout en restant en retrait : je le savais plein d'abnégation, honnête, et sans complaisance. Jusqu'au bout de notre parcours commun, émaillé de tant d'épreuves, il n'hésita jamais à me dire ce qu'il pensait, à relire chacun de mes textes, stylo à la main, et sa franchise fut pour beaucoup dans notre entente professionnelle doublée d'une vive amitié. Certains furent si faux, face au pouvoir que j'incarnais désormais, que leur fausseté composa à la longue une admirable sincérité dont j'appris à me méfier. Chez Laurent Greilsamer ce fut tout le contraire : son exigence permanente à mon égard fut le gage de notre confiance partagée.

Quant à Alain Frachon, il avait été un excellent correspondant du journal en Israël et aux États-Unis, avant de diriger le service International. Il avait ensuite occupé le poste d'éditorialiste, rejoint

343

la direction de la rédaction auprès de Plenel, avant de piloter le Magazine du *Monde,* élargissant ainsi un champ de compétences déjà très riche. Frachon était un esprit ouvert et pénétrant, capable d'une grande écoute et assez patient pour garder son calme face aux multiples tensions que généraient notre collectivité et le rythme infernal du journal. Sa phrase favorite était : « *If you cannot stand the heat, get out of the kitchen!* », qu'il traduisait par : « Si tu supportes pas la chaleur, faut pas aller dans la cuisine... » En gros, précisait Frachon : « Si tu prends un job qui suppose de gérer des conflits et que tu es inapte au compromis, alors faut pas le prendre, mon gars. » Lui était prêt à affronter ces montées en température. Il monta au feu plus d'une fois et quand, le soir, nous partagions les soucis de la journée, je lisais sur son visage les traces de mille affrontements, de mille tracas, comme il devait lire les miennes...

D'emblée, je mesurai combien être chef c'était s'exposer à la critique systématique, la critique comme manie démocratique d'une collectivité qui s'abîmait dans ses illusions autogestionnaires, alors que Lagardère, Prisa et *La Stampa* détenaient déjà plus de 40 % du capital, en attendant mieux.

Ma prestation fut débridée, fiévreuse, guidée par l'émotion, écrasée par l'enjeu. J'avais voulu ce vote alors que les statuts ne m'y obligeaient pas. La séparation des fonctions faisait porter l'élection sur le président du groupe (Jeantet) et non plus sur le directeur du quotidien. Mais je voulais ancrer ma légitimité. Et aussi faire endosser la nouvelle formule du journal par la rédaction. La pousser à reconnaître que nos efforts avaient contribué à restaurer l'image et le crédit du *Monde* tout en dynamisant sa diffusion. N'avions-nous pas regagné près d'un point de parts de marché après avoir vu cet indicateur s'enfoncer trois années de suite?

Les notes que j'ai conservées de cet instant crucial se résument à une série de mots clés. Il est question de responsabilité, de charge, d'enthousiasme, d'honneur. Depuis deux ans toutes les décisions avaient été prises dans la contrainte, en particulier le départ volontaire d'une cinquantaine de journalistes, non remplacés. Il restait désormais à inventer notre avenir dans un champ de ruines en partie détenu par des groupes extérieurs et puissants que nos dirigeants avaient fait entrer comme des sauveurs mais qui menaçaient surtout de nous croquer. Notre danger le plus grand était de ne plus satisfaire au niveau d'exigence, de compétence et d'expertise attendu du journal, conséquence du départ récent de plumes aguerries.

Il y eut peu de questions. J'avais eu tant d'occasions de m'exprimer au cours des derniers mois que l'auditoire savait à quoi s'en tenir. Le silence s'installa, qui me parut interminable. Les journalistes se rendaient par petits groupes vers les isoloirs. Quand le dernier bulletin fut dépouillé, vers 20 heures, dans l'amphithéâtre aux lumières jaunâtres qui piquaient les yeux et où bien des psychodrames se joueraient encore, Jean-Michel Dumay me tendit la main et souffla un : « Bravo, monsieur le directeur. » Je restai sans voix devant cette main qui, un jour, me trahirait. J'étais épuisé, conscient des difficultés à venir, nerveux et anxieux, me demandant comment allait fonctionner notre triumvirat, dont Jeantet avait écrit qu'il serait collégial, fondé sur des « procédures claires » de nature à favoriser la « transparence ».

C'est seulement lorsque mon nom fut inscrit en haut à droite de la une en date du 4 juillet 2007 au côté de celui d'Hubert Beuve-Méry que je réalisai. Après Beuve, Jacques Fauvet, André Laurens, André Fontaine, Jacques Lesourne et Jean-Marie Colombani, j'étais devenu le septième directeur du *Monde*. J'en eus le douloureux pressentiment : le temps s'achevait pour moi où les désaccords ne prêtaient pas à conséquence, quand des frictions surgissaient à propos d'un titre de une, sur la tonalité d'un édito ou l'opportunité d'une photo. Des choses plus profondes bien que non dites deviendraient cruciales : les enjeux de pouvoir. Ceux qui vous font perdre des amis et gagner des courtisans. Ceux qui vous exposent aux attaques, aux souillures, aux coups bas et anonymes.

J'avais basculé d'un coup du statut de journaliste à celui de dirigeant. À ce titre, on ne me passerait rien, on commenterait mes faits et gestes, ce que je disais et ce que je ne disais pas. Je vivrais sous le regard suspicieux de ceux qui prétendaient me contrôler sans jamais exercer les responsabilités qui me revenaient en propre, salissantes pour les mains. Minc m'avait prévenu : « Il vous faudra une peau de rhinocéros. » J'étais sans doute trop tendre. Dans la rédaction on m'appelait Fotto, pas Rino.

Un matin, dans le bureau que je m'étais fait aménager vers l'ancien espace des reporters, je vis à travers les vitres sablées deux silhouettes qui s'avançaient avec précaution, amenant comme sur une chaise à porteurs un objet lourd et majestueux. On frappa. Ma porte s'ouvrit. C'était l'horloge, le cartel de Beuve-Méry, tout d'or et de noir moulé, avec à son sommet l'ange à la faux, le temps qui presse et oppresse, le temps de la presse. Jamais je ne l'avais dévisagé d'aussi près, avec ses aiguilles d'autrefois, cette austérité d'ébène qu'égayait une coulée vermeille projetant sur moi les dorures de l'histoire, de notre histoire. Je fis installer l'objet sur un meuble de rangement et l'observai en silence. Le tic-tac se fit discrètement entendre. Me revint cette formule apprise autrefois en cours de latin, *Omnes vulnerant, ultima necat*, « toutes [les heures] blessent, la dernière tue ». L'angelot perché à la lame coupante saurait me le rappeler.

L'étoile de Minc, si elle brillait encore, avait commencé de se ternir. Après celle de Plenel et de Colombani, la rédaction demandait sa tête. Depuis juin, une pétition circulait, sans équivoque : « Les prises de position publiques de M. Minc sont de nature à jeter un doute sur l'indépendance et la crédibilité des publications du groupe *Le Monde*. » À l'issue d'une assemblée générale, une motion de défiance fut votée à l'unanimité moins trois abstentions à l'encontre d'Alain Minc, demandant son remplacement à la tête du conseil de surveillance. La guillotine était dressée en place de Grève. Restait à désigner le bourreau. Il était tout trouvé en la personne du président de la SRM, qui attendait son heure. Mais dans ces premiers jours de l'été, *Le Monde* avait résolu sa crise de succession. Provisoirement.

10

LE BRAS DE FER AVEC MINC

Pendant sa brève existence, le directoire que nous formions, Pierre Jeantet, Bruno Patino et moi, ne fut guère soudé. Jeantet peinait à s'imposer dans un *Monde* où il se sentait étranger. Patino se partageait entre *Télérama*, *Le Monde* interactif et ses nouvelles fonctions de vice-président, vivant mal la sourde hostilité qu'il ressentait de la part de la SRM et d'une partie de la rédaction. Aucune décision majeure ne fut prise dans nos réunions, où Jeantet et Patino semblaient partager une fausse complicité, surtout quand il s'agissait de me rappeler à l'ordre. S'ils avaient défendu des stratégies différentes, ils étaient d'accord pour me reprocher une direction « trop perso », se plaignant de me voir nommer des chefs de service sans les consulter, ou intervenir sur les abonnements au lieu de laisser agir le directeur général, Patrick Collard. J'ai en mémoire quelques séances difficiles, où les deux hommes me bousculèrent sans ménagement. Au-delà de ces anicroches, il s'agissait pour eux d'asseoir un pouvoir qu'ils se disputaient. Faute de s'affronter, ils concentrèrent leurs critiques sur moi, comme si j'étais responsable de tous les maux du quotidien, et du mépris de la rédaction à leur égard.

Je découvris un autre visage de Bruno Patino, impatient, cassant, parfois peu confraternel, comme le jour où il hurla dans mes oreilles pour me reprocher une chronique de Dumay qui égratignait d'une phrase un contenu du *Monde* interactif. Je n'avais pas lu ce texte avant sa parution. Et quand bien même j'en aurais pris connaissance, je n'aurais pas censuré ce passage. C'eût été une faute politique que de répondre de la sorte aux provocations du président de la SRM, dont je mesurais les excès. Je comprenais l'ire de Patino, moins la manière dont elle s'exprimait. Le malaise était palpable entre nous, et je vécus mal cette période de tensions et de non-dits. Jeantet avait préparé l'esquisse d'un plan d'économies. Mais au moment d'entrer dans le vif du sujet devant le conseil de surveillance, un grave incident fit tout capoter.

À peine six mois après notre prise de fonctions, à l'approche des fêtes de Noël, la maison fit donc à nouveau les gros titres. L'heure n'était pas à la nuance : « La direction du *Monde* vole en éclats », « *Le Monde* tombe en pleine crise de gouvernance » (*Les Échos*), « La guerre des *Monde* » (*Libération*). Ce dernier, qui consacrait même sa une à l'événement, précisait : « Incapable de s'entendre avec la Société des rédacteurs, le directoire du quotidien a démissionné, ce qui aggrave la crise. » Que s'était-il passé ? Une véritable obstruction de la part de Dumay qui se comportait en dirigeant autoproclamé, et qui, sous prétexte d'avoir bouté hors les murs Colombani, prétendait assujettir le directoire à ses exigences exorbitantes.

Le 19 décembre au matin, la tension était déjà vive avec le conseil des rédacteurs. Quelques jours plus tôt, devant des journalistes spécialisés dans les médias, Pierre Jeantet, sans en avertir ni Bruno Patino ni moi, avait envisagé une nouvelle levée de fonds de 75 millions d'euros, recapitalisation qui aurait à l'évidence rejeté les rédacteurs du côté des minoritaires. Le 19 donc, dans ce climat électrique, nous avions découvert une note envoyée *urbi et orbi* par Dumay. Il y expliquait pourquoi il ne voterait pas le budget du *Monde* interactif (*Le MIA*). Il entrait dans des considérations stratégiques confidentielles et qui auraient dû le rester, livrant des informations sur les pratiques de notre filiale numérique en matière de tarifs et de contrats avec ses clients. Il détaillait aussi les relations financières entre *Le Monde* papier et *Le Monde.fr*, ainsi qu'avec l'actionnaire Lagardère. Ce déballage sur la place publique, irresponsable de la part d'un actionnaire, témoignait de ses intentions belliqueuses.

Un soir que le directoire était réuni dans le bureau de Pierre Jeantet, Dumay avait fait une irruption théâtrale en vociférant qu'il allait « casser le joujou », le joujou étant *Le Monde.fr*, auquel il voulait faire rendre gorge — c'est-à-dire le taxer au profit du journal — au mépris des règles, des accords, et de la nécessaire poursuite de son développement. La relation entre *Le Monde* et sa filiale numérique, détenue à 34 % par Lagardère, n'était certes pas exempte de critiques. Demander un rééquilibrage financier pouvait se concevoir puisque le site Internet, par une convention signée pour vingt-cinq ans, bénéficiait d'apports en numéraire non négligeables de la Société éditrice du *Monde*, à commencer par un abandon de créance de 9 millions d'euros et un prélèvement automatique de 1,20 euros sur chaque abonné à l'édition papier. La redevance de marque était valorisée à 4 % du chiffre d'affaires du *MIA*, et la fourniture de contenus à 10 %.

Ce qui était concevable pour aider ce site issu de la marque *Le Monde* à prendre son essor devint ensuite problématique : le journal subissait une érosion de ses revenus alors que le site connaissait une audience et des bénéfices grandissants, affranchi des coûts fixes que représentaient une imprimerie et un réseau de distribution. La rédaction aurait toléré une telle situation si *Le MIA* avait appartenu à 100 % au *Monde*. Mais elle se cabrait dès lors que 34 % du capital nous échappaient. Les rédacteurs éprouvaient ce sentiment frustrant de travailler en partie pour Lagardère, une situation qui préfigurait, disait-on au journal, la prochaine prise de contrôle du groupe de la rue de Presbourg à la faveur d'une inévitable et prochaine augmentation de capital.

Là se situaient la limite et les dangers pour l'indépendance du *Monde* de la stratégie Colombani-Minc. Les secteurs d'avenir avaient été en partie cédés à de puissants actionnaires extérieurs : le numérique était sous minorité de blocage et conduite stratégique de Lagardère ; les bénéfices de tous les produits dérivés à notre marque (livres de philo, CD d'opéra, DVD de cinéma, séries James Bond, BD *Blake et Mortimer*) étaient partagés pour moitié avec les Espagnols de Prisa. Sans oublier la régie publicitaire, nerf de la guerre, que *Le Monde* n'avait pas à sa main puisqu'elle était confiée à Publicis et qu'il était alors question, au grand dam de Maurice Lévy, ami du journal comme avant lui Marcel Bleustein-Blanchet, de la fondre dans une grande régie de Lagardère avec les magazines et Europe 1. Faute de remontées d'argent, les deux actionnaires capitalistiques du *Monde* tenaient potentiellement toutes les manettes de contrôle du groupe, contrepartie logique des 25 millions d'euros qu'ils avaient chacun injecté en 2005, en attendant mieux.

Que *Le MIA* ne se soit pas installé dans les locaux de Blanqui, comme je l'avais moi-même demandé, renforçait cette défiance envers un « État dans l'État », autonome, exploitant la marque à son profit, oublieux que *Le Monde* avait d'abord construit sa réputation sur le papier. La tension palpable des journalistes vis-à-vis du site était grosse d'un non-dit sur l'inquiétude grandissante de la profession devant les évolutions du métier, l'explosion des supports, la nécessité qui pointait de devoir nourrir, à côté d'un quotidien très exigeant et épuisant, un Web chronophage, sans limite d'espace et de temps. La critique de Dumay était donc en partie fondée. En partie seulement : ponctionner davantage le site au profit du journal n'aurait pas rétabli l'équilibre financier du *Monde* mais aurait affaibli *Le Monde.fr* en ralentissant des développements indispensables pour le maintenir dans la compétition si concurrentielle du Net. L'innovation et la garantie de l'audience étaient à ce prix.

Par leur véhémence, les interventions de Dumay interdisaient le moindre dialogue. Le président de la SRM ne réussit qu'à se mettre à dos l'ensemble des membres externes du conseil de surveillance, y compris les plus ouverts, ceux qui les premiers avaient vraiment à cœur l'indépendance et la viabilité du journal.

Ce n'était pas la première fois que Dumay venait au-devant de nous l'écume aux lèvres. À l'automne déjà, il avait voulu discuter de nos salaires de dirigeants. S'il avait admis que Jeantet et Patino, à qui il reconnaissait un statut de chefs d'entreprise et de gestionnaires, percevraient des rémunérations en conséquence, il avait expliqué qu'en ma qualité de journaliste, ayant déjà « beaucoup progressé » et ayant « beaucoup d'argent » (sic) car lauréat récent du prix Femina, je devais me contenter du salaire que je percevais avant d'être élu directeur. Cette démarche insolite, accomplie en marge et au mépris des instances du *Monde*, en disait long sur l'état d'esprit qui animait le personnage. Nous n'avions encore rien vu.

Lorsque Dumay envoya sa petite bombe le 19 décembre, Bruno Patino perdit son sang-froid. Il m'annonça qu'il démissionnerait lors du conseil de surveillance prévu l'après-midi. Je tâchai de lui faire entendre mes arguments, mais en vain. Pierre Jeantet adopta le même point de vue. Tous deux jugeaient impossible de piloter un groupe avec en permanence le pistolet sur la tempe brandi par un président de la SRM incontrôlable et vindicatif, outrepassant son rôle pour mieux s'approcher du seul qu'il convoitait : le premier. Je comprenais ces arguments et les partageais. Mais je savais qu'une démission serait interprétée comme un aveu de faiblesse. Au final nous porterions la responsabilité de la crise. Nous sombrions en plein marasme car l'ego d'un homme jouant sur les inquiétudes d'une collectivité créait de nouveau une situation explosive. Je ne me sentais pas armé pour affronter pareille épreuve, mais je constatai que Jeantet et Patino l'étaient encore moins, ne possédant pas l'« historique » du journal.

J'avais demandé à Jeantet de me prévenir lorsque Minc, en route pour le siège, serait arrivé. Il oublia. Si bien que, surpris de ne pas recevoir d'appel, je finis par retourner dans son bureau. Là, je les trouvai en grande discussion. Il était trop tard pour tenter un apaisement : Minc était convaincu que c'était le moment de renverser la table, de dynamiter cette gouvernance où la SRM se comportait en maître du jeu alors qu'elle était désargentée et, à ce titre, devrait composer avec les actionnaires capitalistiques qui, bien qu'ayant investi du « gros argent », avaient juste le droit de se taire. « Il a franchi la ligne rouge », lança Minc à propos de Dumay.

Le scénario était fin prêt : nous allions démissionner en bloc. La crise ne pourrait se résoudre que par une mise au pas de la Société des rédacteurs, qui devrait composer avec les nouveaux actionnaires, comme dans une entreprise normale. Précisément, notre journal ne se vivait en rien comme une entreprise normale. Que je me maintienne au directoire n'avait plus aucun sens. Seul comptait juridiquement le président de cette instance.

J'étais surpris par le calme de Minc, qui nous encourageait sans ciller à jeter l'éponge. Je compris seulement plus tard son sourire serein : il s'était assuré qu'en cas de turbulence Arnaud Lagardère se précipiterait pour prendre le contrôle du *Monde* en apportant une solution financière immédiate, avec la caution éditoriale des Espagnols de Prisa. Un tel schéma aurait permis à Minc de renforcer sa position personnelle au journal tout en offrant à ses amis de Lagardère ce qu'Arnaud appelait son *trophy asset*, ce trophée que remportent les chasseurs au safari, photographiés fusil fumant à l'épaule, le pied botté pesant sur la bête à terre. Dès lors, les jeux étaient faits. À l'ouverture du conseil de surveillance, dans une atmosphère explosive, Bruno Patino annonça en la motivant sa décision de démissionner. Pierre Jeantet et moi fîmes de même. Si je quittais le directoire, je demeurais en revanche directeur du journal.

Notre communiqué disait l'essentiel : « Constatant son incapacité à exercer ses responsabilités face aux prises de position réitérées de la Société des rédacteurs du *Monde*, le directoire a présenté sa démission aux différents conseils de surveillance du groupe. » Pour des raisons techniques, notre décision ne pouvait devenir effective que le 4 janvier (il fallait d'abord boucler la cession du *Midi libre*, prévue le 31 décembre). Nous espérions que ce laps de temps permettrait aux esprits de s'apaiser en vue d'une solution rapide. Car l'urgence était là. Minc et Colombani — avec l'assentiment passif du conseil de surveillance — n'avaient pas pris les mesures nécessaires pour redresser les comptes. Preuve s'il en était qu'ils tenaient pour acquise, le moment venu, la prise de contrôle de Lagardère et de Prisa.

Ce 19 décembre, nous avions donc ravalé notre plan d'action pour réaliser des économies substantielles visant à réduire les pertes. Le déficit structurel du groupe atteignait quelque 10 millions d'euros. Pour Jeantet et Patino, il n'était pas question de céder Fleurus ni les *Cahiers du cinéma*. Selon leur diagnostic, ces titres seraient invendables tant qu'ils n'auraient pas été restructurés. En revanche il faudrait réduire les effectifs. Sur les mille six cents salariés que comptait le groupe, une bonne centaine de postes étaient dans la balance. N'ayant pas de compétence pour en juger, je fis confiance. Agir sur les coûts d'abord, vendre ensuite, cela me paraissait logique et défendable. Le soir même nous avions démissionné « pour un prétexte », dénonçait Dumay, qui nous traitait de « divas vaporeuses ». En rentrant chez moi, je trouvai un mail de Jean-François Fogel envoyé d'Amérique du Sud : « Enfin ce directoire existe parce qu'il a dit non. » C'était tout le contraire.

Dans les jours qui suivirent, un épisode marqua fortement les esprits et ruina définitivement les chances de Lagardère de prendre un jour le contrôle du *Monde*. Didier Quillot, alors président de la branche médias de Lagardère, demanda à rencontrer les représentants des rédacteurs en compagnie de Juan Luis Cebrián, le patron espagnol de Prisa. Les deux hommes ne se connaissaient pas mais c'était une idée de Minc de les rapprocher pour qu'ensemble ils fassent une proposition honnête à la SRM. Le marché était simple et tenait, d'après les témoins, sur une feuille de papier. Les deux groupes rachetaient les Ora (obligations remboursables en actions) souscrites en 2003 par *Le Monde* pour financer son développement, mais qui étranglaient son bilan avec des intérêts annuels supérieurs à 5 millions d'euros. En contrepartie, ils prenaient le contrôle du journal, Lagardère s'occupant des volets publicitaire et industriel, Prisa se chargeant de l'éditorial, dans un strict partage des rôles. Ce schéma garantissait des droits éditoriaux à la Société des rédacteurs tout en l'écartant des décisions de gestion.

Cette démarche fut perçue comme un coup fourré d'Alain Minc. L'effet produit se révéla désastreux parmi les journalistes. Sans doute était-ce une grande maladresse doublée d'une inutile précipitation, qui donnait le sentiment que, l'hallali approchant, l'heure des prédateurs avait sonné. Minc voulait en finir avec nous, avec cette rédaction aux pouvoirs aussi exorbitants que ses moyens financiers étaient nuls. Il voulait en finir avec l'indépendance économique du *Monde*, estimant que la stratégie du groupe était chose trop grave pour la laisser aux mains des journalistes. Un minuscule grain de sable venait cependant de gripper son projet qui, suivant le cours naturel des choses, aurait dû faire tomber *Le Monde* dans l'escarcelle de son ami Lagardère et dans la sphère d'influence de son champion Sarkozy. Une nouvelle gouvernance aurait soustrait Colombani au vote de la rédaction et le tour aurait été joué. Un autre schéma l'aurait emporté, qui aurait permis à JMC de rester en place.

Dès la première recapitalisation de 2005, Lagardère et Prisa avaient été mis sur orbite. La suite n'était qu'affaire de patience. Minc serait récompensé d'avoir si bien servi ses obligés. Il suffirait que les comptes du quotidien se dégradent encore, et la seconde levée de capitaux serait la bonne pour le groupe de la rue de Presbourg flanqué de ses alliés de circonstance madrilènes. J'étais le grain de sable qui empêchait ce scénario de s'accomplir.

La démarche Quillot-Cebrián ayant échoué, nous en étions au même point et les jours passaient en pleine trêve des confiseurs. Dans un échange téléphonique, Pierre Jeantet me déclara qu'il n'était pas sûr de revenir sur sa décision. « Travailler dans un système de cogestion, je ne sais pas faire, me confia-t-il d'une voix étouffée. Et *Le Monde*, ce n'est pas ma maison. » Je lui répondis que je n'étais pas sûr, moi non plus, de savoir faire, mais qu'en revanche, à l'évidence, *Le Monde* était ma maison. J'ignorais encore que Jeantet avait déjà renoué avec le groupe *Sud-Ouest*, son ancienne maison, à laquelle il avait vendu le *Midi libre*. Je pensais naïvement que Minc avait anticipé une remise en selle du directoire sur des bases nouvelles. Je me trompais ! Jeantet promit de me rappeler le 3 janvier au matin.

Après une nouvelle discussion téléphonique avec lui puis avec Bruno Patino, je compris que l'un et l'autre avaient démissionné pour de bon, l'un quittant *Le Monde*, l'autre se repliant sur *Le Monde* interactif et *Télérama*. Parti trois jours au Maroc avec ma femme et mes quatre enfants, que j'avais réussi pour une fois à réunir, je pris un avion pour Paris l'esprit confus. Dumay et plusieurs membres de son conseil attendaient mon retour pour savoir ce que je comptais faire. J'étais d'accord pour reprendre ma démission, ayant bien compris que, si le vide s'installait, l'administrateur judiciaire dont Minc brandissait la menace depuis des mois sortirait de l'ombre pour de bon.

Je me résolus à adresser un courrier au président du conseil de surveillance, dans lequel j'indiquerais vouloir rester membre du directoire. Mais cela ne suffisait pas. Il fallait, avait insisté un Dumay très au fait des aspects juridiques, que je postule à la présidence de ce directoire, sans quoi mon action aurait été vaine. Il fallait un président, même à titre provisoire, pour bloquer la procédure menant à la barre du tribunal de commerce. Les commissaires aux comptes s'inquiétaient de la capacité du *Monde* à poursuivre son activité. Il y avait urgence. Président du directoire ? Quelle était ma compétence pour exercer pareille fonction ? Ma charge à la tête du journal était déjà très lourde. Le moment n'était pas aux états d'âme.

Je devais avancer. Or justement plus rien ne bougeait. L'avion qui me ramenait à Paris, après une escale à Rabat, tardait à redécoller. On ne retrouvait pas le propriétaire de bagages déposés à l'escale sur le tarmac. L'heure tournait et je m'avisais que si le vol était par trop retardé, il me serait difficile d'adresser ma lettre à Alain Minc avant minuit, même si je tapais mon brouillon rédigé en vol à toute vitesse une fois arrivé au journal, avant de filer à la poste du Louvre, qui restait ouverte la nuit.

Soudain cette histoire prit la tournure d'un film d'Hitchcock. Quand le bagage fut enfin reconnu, c'est un chat qui fit des siennes à l'intérieur de l'appareil, sa maîtresse l'ayant imprudemment laissé sortir de sa caisse en osier. Mon épouse, Natalie, le maîtrisa au prix de sérieux coups de griffes qui lui mirent mains et poignets en sang ! Avec toutes ces mésaventures, on n'atteindrait pas Orly avant 21 heures... Sitôt arrivé, je plantai là les miens et sautai dans un taxi pour le boulevard Blanqui. Dumay m'attendait. Il m'aida à finaliser la lettre pour Minc et, Natalie m'ayant rejoint entre-temps, on fonça vers le Louvre. C'est vers 23 heures, le vendredi 4 janvier 2008, que le cachet de la poste faisant foi certifia mon courrier recommandé avec accusé de réception. Par précaution, avant minuit aussi (à minuit moins quatre exactement), j'avais envoyé le même courrier scanné dans la boîte électronique d'Alain Minc. Je m'étais couché le front en feu, le sang cognant mes tempes, comme un forcené. La réaction ne tarda pas.

Tôt le matin, une voix désormais familière, plus impérieuse encore qu'à l'ordinaire, occupait la messagerie de mon portable. Des années après, je n'ai pu oublier cette voix. Ni le ton, ni les mots, les expressions, la dureté mâtinée d'ironie, la vague menace, enfin pas si vague. Minc disait : « J'ai reçu votre lettre. De deux choses l'une : soit elle n'est adressée qu'à moi et dans ce cas rien de grave ; il me suffit de la déchirer, elle n'aura pas existé, et tout rentre dans l'ordre. Si en revanche elle a circulé, c'est beaucoup plus embêtant. Dans ce cas sachez que : 1) ils ne vous donneront pas la clé de leur argent (ce « ils » désignant les actionnaires capitalistiques) ; 2) vous serez humilié ; 3) votre position même de directeur du journal sera remise en cause. » Je réécoutai plusieurs fois le message.

Dois-je dire que ma main tremblait, est-ce avouable, l'émotion qui vous enrage ? Les mots résonnaient, sautaient d'un coin à l'autre de ma tête, « clé de leur argent », « humilié », « position remise en cause ». Les nerfs à vif, j'enfourchai mon vélo pour une sortie rapide le long de la Seine. Vers 11 heures, sur les quais de Conflans-Sainte-Honorine, je composai le numéro du portable de Minc. Je me préparai mentalement à lui dire toute ma détermination et mon refus de me laisser intimider. Je tombai sur son répondeur. En quelques mots je lui demandai d'une voix ferme de me laisser ma chance. N'avais-je pas montré ma ténacité sur les routes du *Midi libre*, puis dans la conception et le pilotage de la nouvelle formule du *Monde* ? En raccrochant, ma main tremblait encore un peu. Ma voix, elle, n'avait pas déraillé.

C'est seulement en début de soirée — il faisait nuit, je marchais à travers les rues — qu'il finit par me rappeler. Il éructait. Jamais il ne m'avait parlé sur ce ton, cassant, irrité, le ton de qui perd son temps dès la première seconde de conversation. Tout à coup me revint cette image de Minc et moi en photo, quinze ans plus tôt, dans une revue sur les médias. Un article de Virgil Tanase se moquait de l'essayiste en disant qu'il entretenait avec le livre les rapports d'un éléphant avec un ballon. J'étais un complet inconnu mais Tanase avait salué mon premier livre, une histoire secrète des matières premières, où il voyait les prémices d'un roman. Minc et moi apparaissions côte à côte. C'était idiot mais cette image m'aida à lui résister. Minc attaqua : « Vous êtes fou ! Ça ne marchera pas. Vous savez ce que c'est de diriger un groupe comme *Le Monde* ? Il faut un gestionnaire, pas un journaliste ! »

La colère me prit : « Jeantet est, paraît-il, un excellent gestionnaire et il part au bout de six mois en disant que *Le Monde* n'est pas sa maison ! Je vous demande un mois d'intérim pour essayer de régler le problème. Un mois ! Vous avez laissé treize ans à Colombani, vous pouvez bien me laisser un mois ! » On se quitta sur ces mots. Le lendemain matin, sans doute avait-il fait la tournée des actionnaires, il desserra à peine les dents pour me concéder : « Un mois, pas plus », tout en me répétant que tout ça ne tenait pas debout. À vrai dire plus grand-chose ne tenait debout au *Monde*.

Le soir même, je récupérai le maximum de numéros de téléphone des actionnaires externes et les appelai un à un. Je parlai à beaucoup de répondeurs mais je pus joindre de vive voix Claude Perdriel, Étienne Pflimlin, Jean-Louis Beffa et Pierre Lescure. Ce dernier m'écouta avec une attention particulière. Bien que membre du conseil d'administration de Lagardère, il trouvait inopportun que *Le Monde* passât sous le contrôle de ce groupe. Sa franchise me plut. Je reçus de chacun un accueil attentif quand j'expliquai ma démarche. « Comment pouvez-vous accepter qu'un administrateur judiciaire s'assoie dans le fauteuil de Beuve-Méry ? » demandais-je de manière provocante. Mes interlocuteurs voulaient réfléchir. Tous me dirent qu'en tout état de cause on ne pouvait pas continuer dans ce climat d'hostilité entre la Société des rédacteurs menée par Dumay et le reste du conseil. La personnalité du président de la SRM était devenue un réel obstacle au déblocage de la situation. « Il a eu la peau de Colombani, il a précipité votre démission, combien de directoires veut-il abattre avant de prendre le pouvoir ? » se demandaient plusieurs membres du conseil.

Le plus long mois de ma vie venait de commencer, ma plus grande bataille. Je n'étais pas préparé et pourtant j'étais prêt. Je sentais monter en moi une force, une audace, une détermination que je n'aurais jamais soupçonnées. C'était l'énergie de mon adolescence, lorsque je m'attaquais aux cols des Pyrénées en me promettant mentalement que j'allais leur résister. Quelque chose en moi me picotait, me poussait à avancer, sans doute l'inconscience des risques courus et la perception, au milieu de la confusion, qu'une issue était possible à condition de forcer le passage, de parler avec calme et fermeté. Sauver *Le Monde*? Je n'étais pas si mégalo. À ce moment précis, j'étais seulement conscient de pouvoir empêcher le pire.

Le lundi matin du 7 janvier, les salariés du *Monde* rentraient de congés remplis d'inquiétude. Les couloirs bruissaient des rumeurs les plus alarmantes. La manœuvre Lagardère-Prisa était perçue comme un danger imminent : « ils » avaient échoué, mais « ils » reviendraient puisqu'ils étaient déjà, d'un point de vue capitaliste, les maîtres du jeu. Il leur suffirait de laisser la situation pourrir pour que la justice se tourne naturellement vers eux, les actionnaires très argentés, et ils croqueraient le journal pour rien !

Une fois terminée l'édition, je m'enfermai dans mon bureau et

jetai sur une feuille de papier les bribes d'un discours que je pro-
noncerais à la mi-journée dans le grand hall, en lieu et place de la
traditionnelle cérémonie des vœux, que nul n'avait eu le cœur
d'organiser. Je pensais à ce que m'avait raconté Laurent Greilsamer à propos des débuts du *Monde*. Beuve descendait à l'atelier
des Italiens, se hissait sur une caisse et, avec son scepticisme
légendaire, s'étonnait que le journal fût encore là, faisant mine de
douter qu'il durât une année de plus. Un message interne avait
prévenu toutes les équipes de l'immeuble que j'allais prononcer
quelques mots.

Avant l'heure dite, le hall était comble. Un brouhaha indescriptible résonnait plus fort que dans la salle des pas perdus d'une gare
un jour d'affluence. J'en eus la chair de poule quand je coupai
cette foule aux visages familiers pour gagner une minuscule estrade
équipée d'un pupitre et d'un micro. Je regardai un instant l'assistance, serrant entre mes doigts la feuille manuscrite arrachée de
mon carnet. Même les passerelles du demi-étage qui donnaient
sur le boulevard étaient bondées. L'électricité du micro porta ma
voix. C'était un moment si solennel, si fort. Le silence s'était fait
d'un coup, épais, terriblement intimidant. Je me jetai à l'eau.

Je savais ce que j'allais dire, je me l'étais répété depuis la veille
et, au-delà des mots, je voulais que notre collectivité comprenne
que je ne l'abandonnais pas. Cela commença ainsi, l'évocation de
Beuve sur son tonneau en Diogène perplexe. Puis j'expliquai ma
démarche et mes intentions : obtenir la présidence du directoire
afin de faire émerger une solution pérenne de gouvernance sans y
mêler la justice. « Si un administrateur provisoire est nommé,
martelai-je, c'est la garantie que nous tous ici, journalistes, personnels, perdrons la main sur notre destinée. Je ne serai pas le
directeur qui laissera enterrer *Le Monde* de Beuve-Méry. J'ai repris
ma démission par attachement à notre indépendance, à notre
aventure singulière de journalistes, au moment où de toutes parts
la presse devient la propriété de puissances économiques et financières. »

Je n'ai pas oublié ce craquement d'applaudissements, comme
une forêt embrasée, quand je prononçai ces simples mots : « Il
existe une chance sur mille pour que je réussisse à convaincre nos
actionnaires, mais soyez sûrs que cette chance je vais m'y accro-

cher de toutes mes forces. » Conscient de l'hostilité que suscitait ma candidature auprès de Minc, j'ajoutai : « Je ne suis pas sûr qu'il sera donné une suite favorable à ma demande. Mais alors, chacun dans ce conseil devra prendre ses responsabilités. Cela voudra dire que le directeur du *Monde*, membre du directoire, serait récusé au profit d'un administrateur judiciaire. Ce serait à mes yeux un acte d'agression contre nous. »

Il y avait tant d'énergie dans ces mains frappées qu'il me sembla soudain avoir allumé une flamme d'espoir. C'était non pas un fan-club qui me plébiscitait, mais des salariés inquiets pour leur avenir et celui de leur journal. Pourtant je ne me défilai pas sur les perspectives : « Sachez que si je suis porté à la présidence, je mettrai en œuvre sans tarder, et de façon irréversible, le plan d'économies indispensable au redressement du journal et du groupe. » Les applaudissements reprirent de plus belle. Ce ne fut pas le moindre de mes étonnements de voir battre des mains les syndicalistes qui, quelques mois plus tard, feraient le siège de mon bureau en me reprochant ma dureté. Je ne cédai à aucune déma-gogie et déclarai aussi que je n'entendais pas « cogérer » le journal.

« Je ne serai pas l'otage des sociétés de personnels, pas plus que je ne serai l'otage d'autres actionnaires », avais-je lancé, pré-cisant que la voix de la SRM serait seulement une parmi d'autres dans le concert des membres du conseil de surveillance. Quant à la recapitalisation, j'estimai qu'en la précipitant nous risquions de dénaturer l'identité du journal. La vente du *Midi libre* avait rapporté 90 millions d'euros, de quoi ramener notre dette de 74 millions à 29 millions (non compris bien sûr ces empoison-nantes Ora qui pesaient encore 75 millions). Économiquement, cette cession s'imposait si nous voulions réduire notre fardeau financier et gagner du temps avant de chercher de nouveaux fonds propres. Humainement, ce fut un choix déchirant, tant les équipes du *Midi libre*, animées par Alain Plombat, avaient manifesté un engagement infaillible auprès du *Monde*. Passer dans le giron de *Sud-Ouest* ne fut pas facile à avaler pour elles, qui se sentirent abandonnées sans ménagement.

L'heure était aux économies, la « recap » viendrait dans une seconde période, quand nous aurions les moyens de choisir, autant que possible, les futurs actionnaires, et non dans un tête-à-tête forcé avec Lagardère et Prisa. Ce 7 janvier, j'avais donc annoncé la couleur. Elle serait sombre. Tant de fois retardé par le passé, le moment des sacrifices était venu. Le messager de ce retour au réel, l'horloger de la plus mauvaise heure, s'il n'était pas déjà trop tard, ce serait moi.

Le jour même, à la une du journal, je publiai cet éditorial sous le titre « Notre histoire » :

> *Le Monde* traverse aujourd'hui une grave crise de gouvernance. Celle-ci s'est accélérée le 4 janvier avec la démission de tous ses postes de Pierre Jeantet, président du directoire du groupe *Le Monde*. Cette crise complexe n'est pas la première que connaît votre journal. Il suffit ici de rappeler la démission, en 1951, du directoire composé de Hubert Beuve-Méry, René Courtin et Christian Funck-Brentano. Et la naissance, la même année, de la Société des rédacteurs avec une participation de 28 % au capital. Ce rappel n'a pas pour but de relativiser l'importance des derniers épisodes vécus par *Le Monde*. Il s'agit au contraire de les situer dans son histoire et de marquer avec force que nous n'entendons pas nous complaire dans un tel climat. Encore moins le subir comme une fatalité.
>
> Grâce à votre fidélité et à votre exigence, grâce au travail de l'ensemble des équipes du journal, *Le Monde* a retrouvé une qualité et une crédibilité reconnues. Je veux en être le garant dans la durée. C'est pourquoi, après avoir démissionné de mes fonctions au sein du directoire le 19 décembre 2007, avec Pierre Jeantet, son président, et Bruno Patino, son vice-président, j'ai décidé de reprendre ma démission pour ne pas ajouter une crise à la crise.
>
> Plus que jamais, *Le Monde* a besoin d'une direction unie pour conduire la stratégie approuvée par ses actionnaires au sein du conseil de surveillance. Nos maîtres mots doivent être l'indépendance à l'égard de tous les pouvoirs et une gestion ferme, sans démagogie. En somme, de la rigueur en toutes choses.
>
> La nomination d'un administrateur judiciaire, dont nous sommes menacés, provoquerait une rupture avec notre ambition de produire chaque jour ce journal dans la liberté. Telle est la raison de mon maintien et de ma main tendue aux sociétés de personnels et aux actionnaires extérieurs qui nous accompagnent avec dévouement depuis tant d'années.

Dans l'édition du 9 janvier, j'écrivais dans le même espace, à l'attention de nos lecteurs :

> Il n'est pas simple de vous éclairer sur notre situation complexe. Il le faut cependant. Depuis le 4 janvier, le directoire du groupe *Le Monde* ne compte plus qu'un membre, en l'occurrence le directeur du quotidien que je suis. Privé de son président, le directoire ne peut donc plus fonctionner en droit. Dans ces conditions, la porte est ouverte à la saisine du tribunal de commerce par le président du conseil de surveillance, Alain Minc ; saisine qui conduirait à la nomination au *Monde* d'un administrateur provisoire. Une telle issue est impensable. Elle serait dévastatrice en termes d'image. Dévastatrice aussi pour une entreprise qui vivrait cette intrusion comme un traumatisme injustifié. Un dur plan d'économies — par ailleurs nécessaire — serait appliqué par un mandataire étranger à notre histoire et à notre culture. Ce serait pour *Le Monde* et l'ensemble du groupe, pour ses personnels, la perte de la maîtrise de leur destinée. Le constat d'échec collectif de n'avoir pas su opérer nous-mêmes notre redressement.
>
> C'est pourquoi j'ai annoncé au président du conseil de surveillance et à nos actionnaires ma candidature à la présidence du directoire. Si nos actionnaires, internes et externes, appuient cette proposition, je constituerai autour de moi une équipe resserrée qui enclenchera très vite, de façon résolue et irréversible, les mesures d'économie qui s'imposent. Je suis conscient de leur nécessité.

Irrité par ces éditos — je me fis reprocher d'avoir « pris nos lecteurs en otage » —, Alain Minc tenta encore de me dissuader. « Je réunis les actionnaires externes chez moi jeudi après-midi. Je vais leur présenter votre position mais ne vous faites pas d'illusions, ils ne vous soutiendront pas », m'assura-t-il au téléphone. « Nous verrons bien », répondis-je, porté par les marques de soutien que je recevais depuis mon intervention dans le hall. J'imaginais les actionnaires dans le bureau de Minc, sous le regard halluciné de Samuel Beckett, dont il possédait deux immenses et magnifiques tirages signés Richard Avedon, l'un montrant l'auteur de *Godot* les yeux baissés, l'autre vous transperçant au contraire de ses yeux d'aigle. Je suis sûr qu'en entrant dans le bureau de Minc, certains de ses visiteurs étaient pétrifiés, non par leur hôte aux manières si urbaines même quand il tuait, mais par ce regard de Beckett inoubliable comme la sensation du froid.

Chaque soir je restais très tard au téléphone, tâchant de convaincre les actionnaires de me faire confiance. Je sentais bien que je touchais un nerf quand je les mettais en face de leurs responsabilités, agitant à mon tour le spectre du règlement judiciaire, la vente par appartements. *Le Monde* serait le Boussac de la presse. Ce journal qu'ils aimaient tant, l'abandonneraient-ils sans broncher aux appétits de Minc et de ses amis ? Des heures et des heures jusqu'à plus d'heure, mon portable collé à l'oreille, je parlais patiemment, vivement et fort, et doucement, et vite, du *Monde*, dessinant un autre *Monde*. Avais-je conçu cette nouvelle formule pour qu'à la fin des fins ce soit la fin ?

Parfois, il était si tard. De lassitude je jetais sur un fauteuil ce portable qui me chauffait les oreilles, et je gardais jusqu'au réveil déjà si proche le bourdonnement des ondes et des voix qui me murmuraient : « Oui, bien sûr, cher Éric, vous avez raison mais, mais, mais... »

Le jeudi soir Minc m'appela, triomphant : « Je vous l'avais bien dit. Ils estiment beaucoup le journaliste que vous êtes mais ils ne vous choisiront pas pour diriger le groupe. Vous n'êtes pas l'homme de la situation, il faut maintenant un gestionnaire et... » Je connaissais le refrain. J'y voyais une grande mauvaise foi. Colombani était-il un gestionnaire ? Non, et sans doute eût-il fallu qu'il le soit davantage. Mais, faute de s'imposer, Jeantet avait temporisé quand il fallait se dépêcher. Et puisque seul un plan social pouvait préserver l'essentiel, j'étais déterminé à le conduire, quoi qu'il m'en coûtât : je ne ferais pas profession de popularité. Qui, de l'extérieur, recueillerait 60 % pour instaurer aussitôt la rigueur, qui ? Je demandai fermement à Minc d'être entendu par les actionnaires externes, son heure serait la mienne. « Pas question », répondit-il, furieux de mon insistance.

Ça ne me suffisait pas, que les autorités du conseil lui aient dit en face, chez lui — sous l'œil de Beckett, pensais-je toujours —, qu'ils chercheraient un autre que moi ? Non, ça ne me suffisait pas. Je voulais les entendre me le dire à moi, et avant, je voulais qu'ils m'écoutent. Je n'eus plus de nouvelles de Minc avant le vendredi soir vers 18 heures. Là, d'une voix glaciale, il lâcha : « Rendez-vous lundi matin à 8 heures dans la salle à manger du huitième étage. Ils seront là. Nous tiendrons ensuite un conseil de surveillance informel avec les sociétés de personnels. Vous vouliez une audition, vous l'aurez. Mais ne rêvez pas. » Rêver ? Je n'en avais pas le temps.

Tout le week-end, dont une partie de la nuit du samedi au dimanche, je le passai à rédiger un texte où je présentais ma future stratégie éditoriale et surtout financière, commerciale et industrielle si j'étais amené à diriger le groupe. Ils attendaient un discours de journaliste lyrique frappant son cœur. Ils auraient une vision de dirigeant responsable, conscient des enjeux, de leur urgence. Je les prendrais à contre-pied. J'irais les chercher sur leur terrain. Il faudrait qu'ils touchent du doigt ma volonté et que ça les brûle.

À l'heure H le lundi, je les attendais dans la salle à manger, en bras de chemise, cravate au cou, mon texte sous les yeux, que je savais par cœur. Qui était là ? Face à moi Alain Minc, plus souriant que prévu, entouré de l'ancien patron de Saint-Gobain Jean-Louis Beffa, au masque impénétrable, et de Claude Perdriel, l'œil vif. Prirent place Pierre Lescure, Pierre Richard (alors patron de la banque Dexia), Marie-Louise Antoni (pour le compte des Italiens). Les représentants des HBM et des lecteurs avaient aussi été conviés. De ma voix la plus assurée, que je timbrai volontairement sur une note élevée, je lus mon intervention en prenant soin de fixer le plus souvent possible mes interlocuteurs dans les yeux.

Quelque chose se passa dans cet instant, dans ce silence attentif. Les échanges de regards entre les actionnaires ne m'avaient pas échappé lorsque j'avais abordé les passages économiques et financiers, les restructurations nécessaires, ayant pris soin au préalable de rappeler ma formation économique, ma connaissance des mécanismes financiers du temps de mes chroniques boursières. Je voulais que ces gens comprennent deux choses : si j'avais la tête remplie de mots, je n'étais pas ennemi des chiffres. Et si j'avais voulu plancher devant leur conseil, ce n'était pas pour quémander une faveur ou un poste, mais pour tenter de résoudre une difficulté majeure qu'ils avaient eux aussi contribué à créer par un système de gouvernance trop complexe doublé d'un mode de financement hasardeux.

Quand j'en eus terminé, on m'interrogea sur le gestionnaire que je comptais appeler à mes côtés pour relever le défi. Jean-Louis Beffa me cuisina gentiment sur la gestion de la dette, la recapitalisation, l'imprimerie. Je n'allais pas inventer de chic une compétence qui n'était pas la mienne, mais mes réponses furent assez précises et sensées pour qu'il acquiesce. Minc me le confirmerait quelques heures plus tard : je les avais convaincus. Ils allaient dire non mais ils pensaient déjà oui. Je quittai la pièce et les laissai discuter entre eux. Quinze minutes plus tard, dans la salle voisine du conseil qui se réunirait au grand complet avec les sociétés de personnels et le représentant de la SRM, Jean-Michel Dumay, il faudrait bien qu'ils se prononcent.

Il y eut un flottement, des chuchotements, des regards dérobés de Minc, de Beffa, de Perdriel et de Pflimlin dans ma direction. Du genre : « Qui va lui dire ? » C'est à Étienne Pflimlin, le plus ancien dans la place, que revint la tâche ingrate de s'adresser à moi. Après m'avoir félicité pour mon intervention, il déclara d'une voix blanche que les actionnaires dits externes ne pouvaient m'accorder leur confiance pour présider le groupe. Dumay, qui manifestait des signes croissants d'impatience, prit aussitôt la parole pour demander le départ immédiat d'Alain Minc. L'atmosphère se tendit si fort qu'une interruption de séance fut décidée. Comme dans un combat de boxe, chacun rejoignit son camp pour décider de la conduite à adopter. C'est dans cet entre-deux que Beffa me glissa à l'oreille de ne pas retirer ma candidature, imité par Pflimlin, qui s'excusa d'avoir eu le mauvais rôle. Que pouvais-je comprendre ? On m'avait officiellement repoussé mais, si je trouvais un bon gestionnaire, le conseil officiel prévu le 25 janvier pourrait m'adouber ? On m'éconduisait tout en me retenant. Ce n'était pas si simple. Au *Monde* rien n'était, rien ne serait jamais simple.

11

UN « MONDE » SANS PITIÉ

Pendant la suspension de séance, m'attirant dans une pièce voisine, Minc décrypta la situation. Ce n'était plus le Minc des derniers jours, aux paroles cassantes, le Minc dont j'avais contrarié les plans. Non pas que j'eusse soudain gagné sa confiance. Il avait juste flairé qu'une nouvelle dynamique se dessinait, et qu'une issue était possible s'il accrochait ses wagons à mes épaules : « Vous avez été très bon, me lança-t-il. S'il n'y avait pas Dumay dans le paysage, ils vous auraient élu dès ce matin. » Ses paroles m'ébranlèrent. C'était donc la tête de Jean-Michel Dumay qu'ils voulaient ? Depuis des semaines, le dialogue était rompu entre les actionnaires externes et le patron de la SRM, qui ne manquait jamais une occasion de les agresser.

À la reprise du conseil, j'obtins satisfaction sur deux points importants : contrairement aux menaces brandies par Minc en décembre, le conseil ne ferait pas appel à un administrateur judiciaire. Un petit groupe mixte, composé d'internes et d'externes, la commission Pflimlin, se réunirait en outre sans délai pour envisager une solution de gouvernance. Bref, on allait se reparler. On discuta sur la composition de ce groupe. La présence de Dumay fut tolérée, sous réserve qu'il accepte la discussion.

À la sortie, Minc se montra pressant et encore plus précis : « Si vous écartez Dumay, ça passera. Les actionnaires ne feront rien tant que ce branque sera encore en mesure de nuire. » Dans la foulée je demandai aux représentants des sociétés de personnels et de rédacteurs de me rejoindre dans mon bureau. Je ne leur cachai rien du marché imaginé par les actionnaires. « Ils veulent le départ de Jean-Michel », expliquai-je sans détour et en sa présence, afin que tout soit clair. Me tournant vers lui, et devant tous, je fis cette promesse : jamais je ne demanderais à Dumay de renoncer à ses fonctions à la tête de la SRM, ni maintenant, ni plus tard. Il possédait une légitimité. J'étais légitime aussi, mais je refusais de monnayer sa tête contre ma désignation. Je conclus en disant que s'il se maintenait, comme il en avait le droit, je ne pourrais que retirer ma candidature et cesser mon action. Je n'aimais pas les humiliations et n'avais pas l'intention de me faire blackbouler une nouvelle fois le 25 janvier, date prévue pour le conseil officiel.

La réaction de mon petit auditoire fut unanime : surtout ne te retire pas, ou Minc parviendra à ses fins. Dumay me pria plus encore que les autres, mais ne souffla mot sur ses intentions. Je ne voulais pas l'interroger devant témoins. Je provoquerais bientôt un tête-à-tête pour éclaircir ce point crucial. La presse du lendemain fut éprouvante pour moi. « Les actionnaires rejettent la candidature d'Éric Fottorino », titraient *Les Échos* sur cinq colonnes. Dumay et les sociétés de personnels me demandaient de tenir bon, mais je me sentais très seul et doutais de l'issue.

Un week-end, au journal, dans leurs bureaux bizarrement obscurs (une panne de courant?), je m'étais attardé avec Alain Frachon et son adjoint Jacques Buob. Tous les deux m'avaient galvanisé, trouvant les mots qu'il fallait pour me pousser à la bagarre, pour que je ne me laisse pas intimider par ce conseil de surveillance qui avait si mal surveillé. Eux tenaient le journal avec sang-froid et doigté au milieu de cette nouvelle épreuve. J'étais ressorti de notre conversation rasséréné, avec la sensation d'être soutenu, d'avoir un rôle à jouer. Depuis plusieurs jours deux confrères des *Échos* sollicitaient un entretien. J'avais jusqu'ici refusé mais cette fois je devais envoyer des messages. Je les reçus gonflé à bloc, avec l'ambition que mon discours serait perçu par les actionnaires comme celui d'un chef d'entreprise et pas seulement d'un directeur de journal. Didier Quillot, absent car non convié par Minc à mon grand oral, avait regretté que je ne vienne pas lui présenter ma vision stratégique. Il avait raison. Je réparai cette erreur et il me parut ouvert, sinon acquis.

Mais je devais faire mes preuves, rassurer et convaincre. Vite. Lorsque mes confrères entrèrent dans mon bureau, je savais quoi leur dire. Plusieurs fois je répétai la même phrase avec l'espoir qu'elle deviendrait le titre de l'interview. J'étais assez journaliste pour être persuadé qu'elle ferait tilt. Le lendemain, je pus lire en grand ces quelques mots que j'avais voulus frappants : « Je serai l'homme du compromis de l'éditorial avec le capital. »

Ce n'était pas rien, une telle déclaration. Elle s'adressait aux actionnaires, au conseil de surveillance, aux banquiers, à tous ceux qui, d'un point de vue financier, seraient amenés à peser sur le sort du *Monde*. J'aurais été balayé si je n'avais pas manifesté aussi clairement ma sensibilité aux enjeux économiques et structurels. Dans cet entretien, je m'exprimai comme si j'avais déjà pris mes futures fonctions. Aussi fixai-je quelques grandes lignes : « Il est évident qu'une recapitalisation ne peut avoir comme seul objet de financer des économies. Elle devra assurer le développement de projets sur le papier et sur Internet. Notre métier, qui repose sur la création journalistique, ne s'ancre plus sur un modèle économique viable. La presse est une industrie qui nécessite des capitaux. »

Je précisai aussi ma pensée sur cette recapitalisation : « Nous ne sommes pas dans le bon calendrier pour mener une telle opération. Le climat des derniers mois n'y est guère propice. Si je suis élu le 25 janvier, je proposerai la création d'une commission qui devra définir les enjeux, les acteurs et les conditions d'une recapitalisation. » Le seul gage donné aux journalistes concernait ma position sur Lagardère, que j'exprimai ainsi : « Derrière la main de Lagardère, on voit trop souvent celle de Sarkozy. » Le matin de la parution, Didier Quillot me téléphona pour me dire qu'il avait apprécié mes déclarations, sans mentionner le passage sur son groupe. Je compris qu'il avait basculé en ma faveur, ce que me confirma Minc peu après.

Je reçus aussi un appel d'un certain Ramzi Khiroun, l'homme de la communication d'Arnaud Lagardère, dont j'ignorais les liens avec DSK. Khiroun me fit savoir que ma sortie sur Lagardère avait été très mal prise par son patron. Il m'invitait à ne pas réitérer pareils propos. Le ton était méprisant, teinté de je ne sais quelle menace voilée. Je lui répondis que j'avais exprimé le fond de ma pensée. Mais cet avertissement me réfrigéra.

Trois conditions m'avaient donc été fixées, et j'avais moins de deux semaines pour les satisfaire : attirer au *Monde* un gestionnaire de premier plan, régler le conflit avec Dumay par son retrait, me prononcer sur la recapitalisation du groupe. Trouver un gestionnaire n'allait pas de soi. Il ne s'agissait pas d'attirer un *cost killer* étranger à la presse qui aurait coupé sans discernement dans les forces vives du journal.

Je rencontrai deux hommes très estimables et compétents, Pierre-Jean Bozo, le patron de *20 Minutes*, et Jacques Guerin, un polytechnicien qui avait dirigé le groupe Amaury. Je les invitai chacun à rencontrer Alain Minc, Didier Quillot, Jean-Louis Beffa et Étienne Pflimlin, qui constituaient le carré des véritables décideurs. Précédé d'une réputation de dureté — il avait licencié à tour de bras partout où il avait sévi —, Pierre-Jean Bozo faisait peur à la rédaction. Il avait fait bonne impression à Minc et aux autres membres du conseil, et je m'apprêtais à le choisir pour constituer mon binôme, même si je redoutais le « choc des cultures ».

Quant à la recapitalisation, je répétais que ce n'était pas le moment, qu'il fallait d'abord serrer nos coûts, améliorer nos outils de gestion, centraliser les régies publicitaires, se désengager de l'imprimerie parisienne pour essaimer dans toute la France et dans les pays voisins jusqu'au Maroc (afin que les lecteurs non parisiens ne soient pas pénalisés sur l'heure de sortie du journal). La recap n'était donc pas prioritaire, d'autant que la vente de *Midi libre* nous accordait un sursis. Et je savais qu'une perfusion précipitée de fonds ramènerait Lagardère et Prisa comme la nuée l'orage.

Restait le cas Dumay. Je connaissais bien Jean-Michel. En 2002, à sa demande, je l'avais intégré à l'équipe des grands reporters, contre l'avis d'Edwy Plenel, auprès duquel j'avais plaidé sa cause. Il s'était investi corps et âme dans le procès de la Josacine empoisonnée. Il était sorti moralement éprouvé par cette affaire. Je l'avais accueilli avec plaisir et intérêt, l'aidant même à accoucher de son énorme dossier sur ce qu'il avait identifié comme une erreur judiciaire. Il m'avait remis un texte dix fois trop long, qu'ensemble nous avions reconstruit, coupé, puis en partie réécrit, pour qu'il puisse enfin tourner cette page aussi passionnante que douloureuse. J'avais envoyé Jean-Michel à Jean-Marc Roberts, chez

Stock, pour qu'il consacre un livre à cette enquête menée avec une énergie obsessionnelle. Nous avions noué des liens assez intimes. Il me touchait par ses audaces et ses fragilités. J'étais loin d'imaginer que son ego enflerait au point de le rendre ingérable.

Au matin du 18 janvier, je lui avais fixé rendez-vous pour un petit déjeuner au R'Yves, non loin du journal. Il était arrivé souriant et je l'avais sondé sur ses intentions en lui rappelant les exigences des actionnaires et ma position : je ne lui demanderais pas de se retirer mais, s'il restait en place, je renoncerais à ma candidature pour n'être pas une seconde fois recalé. Comme les paroles de Minc le jour où, sur mon répondeur, il m'avait annoncé mon humiliation, je n'oubliais pas celles de Dumay. « S'ils t'acceptent comme président du groupe, je quitterai la présidence de la SRM, me dit-il sans détour. J'aurai accompli ma mission. Et je ne veux pas apparaître comme un salarié protégé quand tu mettras en œuvre ton programme, puisque tu veux engager rapidement un plan social. » C'était clair. Comment aurais-je soupçonné qu'il pourrait manquer à sa parole ?

Je commis sans doute une erreur : celle de ne pas exiger de lui qu'il couche sa promesse par écrit. J'avais confiance, j'avais tort. Mais il ne m'aurait jamais traversé l'esprit de demander un document signé pour valider une parole donnée. D'autant qu'à deux reprises et devant témoin, lors des réunions de la commission Pflimlin entre actionnaires externes et internes, Dumay avait réitéré son engagement : il se retirerait si j'étais élu. Il le confia la première fois les larmes aux yeux, la voix tremblante, submergé d'émotion. Il le répéta plus sereinement quelques jours plus tard, comme soulagé. Sa décision avait mûri. Au sortir du café, je poussai un soupir de soulagement. S'il s'écartait sans heurts, si Pierre-Jean Bozo donnait satisfaction, je m'arrangerais du reste. Je restais des heures au téléphone, la tête me tournait, la perspective s'éloignait de voir *Le Monde* croqué pour une bouchée de pain, le ciel semblait s'éclaircir. D'autres contrariétés me guettaient pourtant.

Le 22 janvier dans la soirée, Dumay et l'ensemble des représentants des sociétés de personnels firent irruption dans mon bureau. La procédure était lourde. Je devais être élu comme candidat par chacune d'entre elles : société des rédacteurs, société des employés, société des cadres, personnel de *La Vie catholique*, de *Télérama*, de Fleurus, sans oublier la Société des lecteurs et les HBM, où siégeait Jean-Jacques Beuve-Méry, un des fils du fondateur, qu'on m'annonçait coriace. Il faudrait convaincre, séduire, rassurer. Il était près de 7 heures du soir et j'étais levé depuis 5 heures du matin. Je m'apprêtais à rentrer chez moi quand ils avaient débarqué avec des mines graves et pénétrées. « Tu ne peux pas être candidat », commença Dumay tout de go. Je lui fis répéter cette énormité. Devant mon accablement, il se lança dans une explication sur la procédure de désignation du président. C'était si absurde que l'idée de renoncer me traversa. « Pour que nous votions sur ton nom, il faut que tu sois désigné candidat par le président du conseil de surveillance. Tant que Minc ne dit pas officiellement que tu es le candidat du conseil, on ne peut pas te désigner. » Le cauchemar continuait.

Quand le groupe quitta mon bureau, j'étais effondré. Et seul. Jamais je n'avais vu Minc rédiger trois lignes de sa main. Et il fallait maintenant que je lui demande par écrit de confirmer que j'étais candidat ! Son candidat, au nom du conseil ! Depuis quelques jours, des amis me rapportaient d'étranges démarches : tout en faisant mine de me soutenir, Dumay avait sondé Jeantet pour savoir à quelle condition il reprendrait ses fonctions à la tête du groupe. Les tractations me furent plus tard confirmées. C'est dire si je pouvais avoir confiance.

J'appelai Minc et lui fis part des exigences des sociétés internes. Il m'attendrait le lendemain à la première heure dans son bureau. Ce matin-là, j'entrai au 10 avenue Georges-V, dont la façade était éclaboussée par un prometteur soleil d'hiver. Minc n'était pas seul mais en compagnie de Didier Quillot. « Ce sera donnant-donnant, commença-t-il sans détour. Si vous vous engagez sur les trois conditions que nous vous avons fixées, j'écrirai dans la foulée que vous êtes le candidat du conseil et les votes pourront avoir lieu. » Je réfléchis rapidement. Le piège se refermait sur moi. Mais qui m'avait précipité dans la gueule du loup, sinon Dumay ? Comme si les personnels n'avaient pu m'élire sans obtenir un mot signé de Minc, dont ils contestaient par ailleurs la légitimité. Les successeurs de Dumay seraient moins regardants sur la procédure, trois ans plus tard, quand je serais révoqué sans qu'ils bougent le petit doigt, en violation de nos règles internes, lesquelles prévoient que le directeur du *Monde* est révoqué par 60 % de l'assemblée des rédacteurs réunie en assemblée générale, ce qui jamais ne se produisit.

« Installez-vous à mon bureau, proposa Minc. C'est vous l'écrivain ! » Je pris place devant son ordinateur tourné côté fenêtre et là, je fus ébloui par la lumière rasante de ce petit soleil de janvier acide comme un citron pressé. Dans mon dos se tenaient Beckett et son double. Je sentais les souffles croisés de Minc et de Quillot, qui surveillaient l'écran pendant que j'écrivais. Je ne connaissais pas encore assez Quillot pour deviner combien, par la suite, il se montrerait loyal et coopératif. Sur le coup, sa présence avec Minc ne me rassurait guère. J'improvisai en tâchant de ne pas lâcher un terme que j'aurais regretté, que je ne pourrais plus retirer ensuite. C'était éprouvant, cette impression d'armer une machine infernale qui, à tout moment, pouvait se retourner contre moi. Et ce clavier brillant dont je ne voyais pas les lettres, comme si j'étais soudain devenu aveugle. J'essayai de gagner du temps pour rassembler mes esprits et trouver les tournures qui ne me ligoteraient pas, des tournures qui me laisseraient une fenêtre ouverte, une marge de manœuvre, une échappatoire. Sous le titre « Protocole », j'écrivis ainsi :

> Si je suis élu le 25 janvier 2007 président du directoire du groupe *Le Monde*, cela suppose que trois conditions seront remplies :
>
> 1. La nomination à mes côtés au directoire d'un gestionnaire de presse de premier plan venant de l'extérieur, dans un rôle de vice-président et directeur général, ou toute autre appellation marquant sa place éminente auprès du président.

Cette première condition était la plus simple à rédiger. Mais en la formulant je pensais déjà et surtout à la seconde, qui méritait du doigté. J'avais toujours dit que je ne déciderais pas moi-même du sort de Dumay, qu'il lui appartenait à lui et à lui seul de choisir son avenir. J'avais encore en tête ses propos lors de notre petit déjeuner, sa volonté de se retirer avant que je ne mette en œuvre un plan social. C'est ainsi que, mes interlocuteurs se penchant davantage encore par-dessus mon épaule, et le soleil inondant cette fois le clavier de l'ordinateur, je continuai avec la condition suivante :

> 2. Un retour à la normale de la relation avec la SRM, dont le signal sera donné par l'engagement personnel de son président de s'écarter en abandonnant cette présidence d'ici au 31 mars, comme le fera de son côté le président du conseil de surveillance.

Je tenais à préciser qu'il s'agissait d'un « engagement personnel » de Dumay et non ma volonté. Alain Minc ayant proclamé qu'il partirait fin mars, je ne voulais pas acter que le président de la SRM devait se retirer avant cette date. Mais déjà venait cette troisième condition que les deux hommes derrière moi guettaient sur l'écran. Il n'était pas question d'enfermer le destin du *Monde* dans la seule proposition Lagardère-Prisa que la rédaction avait vécue comme une tentative de coup de force ou un « abus de faiblesse » vis-à-vis du *Monde*. C'est pourquoi je me lançai dans une formulation très large. Je m'engageai à créer une structure devant examiner tous les possibles, et pas uniquement la « solution » Lagardère-Prisa. Cela donna :

> 3. La création d'une commission réunissant l'ensemble des représentants de *Le Monde* SA [la structure où siégeaient les actionnaires capitalistes], dont les objectifs seront :
> — d'étudier la situation économique du groupe *Le Monde* et les différents scénarios possibles pour la redresser ;
> — d'étudier le projet Lagardère-Prisa, auquel pourrait se joindre *La Stampa* ;
> — d'étudier le rachat et la conversion des Ora par Lagardère et Prisa, voire *La Stampa*, et l'aménagement des règles de gouvernance qui en découleraient ;
> — de fixer strictement les garanties d'indépendance éditoriale de tous les titres du groupe *Le Monde* en définissant le rôle particulier des actionnaires externes dans le respect des équilibres nécessaires à la bonne marche industrielle du groupe.

Minc et Quillot relurent attentivement ce texte. Il me sembla que j'avais sauvé l'essentiel, mais j'en voulais à Dumay et aux représentants des personnels de m'avoir placé dans cette situation humiliante. « Je vais leur envoyer de ce pas un mail leur disant que vous êtes le candidat du conseil », déclara Minc satisfait. À mon retour au journal, j'appris que son feu vert était déjà parvenu. Je prévins Dumay que j'avais dû m'engager sur les conditions déjà fixées par les actionnaires externes le 14 janvier, en particulier sur son départ. Il ne broncha pas et, d'un commun accord, nous n'en fîmes pas mention lorsque, l'après-midi, je me retrouvai face à l'assemblée générale de la rédaction, Dumay se tenant à mes côtés à la tribune.

Le scénario semblait se dérouler enfin sans heurts, et je fus élu par 73,3 % de la rédaction. Les employés me donnèrent 97,94 % des voix, les cadres 85,39 %. L'association des HBM, que je rencontrai dans la soirée, décida de me soutenir. Restait à convaincre les Publications de *La Vie catholique* (PVC), les équipes de *Télérama*, de *La Vie*, de Fleurus. Mon discours les rassura et, contre toute attente, ils m'accordèrent un soutien supérieur à 76,37 %. Mais je commis une erreur, qui me serait souvent reprochée. Lors de mon audition par les personnels des magazines, je m'étais engagé à défendre un périmètre constant du Pôle, autrement dit à ne céder aucun titre. Ce serait vrai concernant les actifs stratégiques comme *Télérama*, *La Vie* et *Courrier international*. Quant aux actifs qui n'appartenaient pas à notre cœur de métier (la librairie religieuse La Procure), ou lourdement déficitaires (les *Cahiers du cinéma*, Fleurus Presse), j'avais en tête le diagnostic de Jeantet et Patino : restructurer d'abord, vendre éventuellement ensuite, mais pas vendre d'abord. C'est pourquoi j'étais sincère en affirmant que mon intention était non pas de céder ces entités mais de les redresser.

Désigné candidat par tous les internes, il ne me restait plus qu'à être élu lors du conseil de surveillance du 25 janvier. C'était compter sans le baroud final de Dumay, qui montra son vrai visage. Nous avions prévu de déjeuner ensemble avant le conseil, qui se tenait à 13 h 30. À midi il n'était pas là, ni à la demie. Il finit par débarquer dans mon bureau comme une grenade dégoupillée, éructant : « Quel est cet accord secret que tu as signé dans mon dos avec Minc? » Je me raidis : « Il n'y a pas d'accord secret! » Dans son regard passaient des éclairs de folie. « Les trois conditions dont tu m'as parlé hier! » Je tentai de le calmer. « Mais tu les connais, Jean-Michel. » Je sortis le texte et le lui tendis. Il le lut en faisant non de la tête. « Jamais je n'ai accepté une chose pareille. Je n'ai jamais dit que je me retirerais comme ça! »

Il se dressa et sortit en claquant la porte. Je ne le revis plus avant le début du conseil. J'étais abasourdi. Ne m'avait-il pas dit lui-même qu'il partirait s'il avait la garantie que je serais élu? N'était-ce pas lui qui m'avait forcé à aller voir Minc pour obtenir un papier signé comme quoi j'étais le candidat? Ne l'avais-je pas tenu informé des conditions des actionnaires, en particulier leur exigence de le voir partir?! Je balançais entre la fureur et l'abattement.

Le conseil allait commencer. Ou plutôt la corrida. Tout au long du mois de janvier, j'avais été malgré moi le héros de la maison, plébiscité lors de mes vœux improvisés du 7 janvier, élu « à la soviétique », m'avait raillé Minc, avec des scores que JMC n'avait jamais obtenus, signe que les gens étaient terrifiés à l'idée de voir un administrateur judiciaire décider de l'avenir — lagardérisé — du *Monde*. Et ce jour-là tout bascula. Si, au terme d'un conseil qui dura neuf heures d'horloge, je fus élu à l'unanimité du conseil, par vingt-cinq voix sur vingt-cinq, président du directoire du groupe *Le Monde*, c'est ma photo avec la mention « Traître » qui fut affichée dans les ascenseurs. Dumay avait bien fait sa « com ». On l'avait trahi, je l'avais trahi, j'étais complice des actionnaires. Pour assouvir ma soif bien connue de pouvoir, je n'avais pas hésité à le sacrifier sur l'autel ensanglanté de Minc et de ses obligés Lagardère et Prisa, auteurs à son encontre d'un « viol de conscience ».

J'avoue que pareil mensonge me prit totalement au dépourvu. D'autant que Dumay avait tenu deux langages. M'accusant à l'extérieur des pires turpitudes, me comparant à Pétain le collabo (il était de Gaulle, l'homme de la Résistance...), il tint au sein du conseil des propos d'une autre teneur : il me remercia de n'avoir jamais demandé sa tête, me félicita pour mon score très élevé à l'assemblée générale de la SRM et aussi d'avoir repris ma démission du directoire. Pour ma part, dans mon intervention le concernant, je déclarai à fin d'apaisement que si les interventions récentes de Dumay avaient pu paraître véhémentes, elles reflétaient d'abord sa volonté de défendre au mieux les intérêts des journalistes. L'assistance se tourna vers le président de la SRM. Alors, après avoir cité Louis Aragon (« L'avenir, c'est ce qui dépasse la main tendue »), loin d'annoncer son retrait, il demanda au conseil de lui « faire confiance ». On avait entendu non pas un actionnaire responsable mais le serpent Kaa du *Livre de la jungle*. « Ayez confiance... » C'était tout? C'était tout.

Minc se pencha vers lui avec l'air de n'avoir pas saisi le sens de ses paroles. Mais l'oracle se taisait à présent. Devant son mutisme, Minc demanda cette fois une suspension de séance, qui allait s'éterniser jusqu'au début de la soirée. Si Dumay finit par accepter de démissionner à la date du 30 juin, le psychodrame fut intense. D'autant que le président de la SRM resta introuvable jusqu'au dimanche après-midi. Pendant près de quarante-huit heures, il ne donna plus aucune nouvelle. L'avais-je poussé au pire? Je me souviens des regards haineux de ceux-là mêmes qui m'avaient soutenu. J'étais déjà un quasi-criminel. Au *Monde* le vent tournait vite. Dumay finit par reparaître. Pas la sérénité.

Dire que ces moments furent pénibles est un euphémisme. La charge qui m'attendait était si exposée qu'il n'y aurait que des coups à prendre. La SRM n'avait que l'indépendance à la bouche, mais de quelle indépendance parlait-elle quand elle avait approuvé sous JMC une montée des actionnaires capitalistes à plus de 40 % du capital, quand les pertes cumulées pesaient plus de 150 millions d'euros, et qu'il régnait une atmosphère de guérilla permanente, de suspicion, qui allait bien sûr se porter sur le nouveau patron que j'étais? Au lendemain de mon élection, *Libération* fit de moi son « homme du jour » sous le titre « Un *Monde* sans pitié ». L'article de Frédérique Roussel commençait ainsi : « Éric Fottorino en est sorti victorieux. *Le Monde* en a fini vendredi avec sa grave crise de gouvernance. Il a été élu président du directoire à l'unanimité, un record dans l'histoire du journal. Mais à quel prix. Derrière Fottorino, des cadavres témoignent du combat de titans d'un autre âge. » La chute était au diapason : « Que naîtra-t-il sur les cendres d'une guerre sans merci? Satisfait, Fotto? » « Dans ces conditions-là, avais-je répondu, je n'éprouve aucun plaisir. Je vais passer pour un tueur. » Pris entre marteau et enclume, entre des actionnaires soudain très exigeants sur la gestion et une rédaction maladivement jalouse de ses prérogatives déjà bien écornées, je ne pourrais à l'évidence retirer aucun plaisir des fonctions que j'avais obtenues sans avoir à rougir. Sans entorse à mon éthique.

Il fallait avancer vite. Depuis la mi-janvier, je cherchais la bonne personne pour faire équipe avec moi au poste de gestionnaire. J'allais choisir Pierre-Jean Bozo lorsque, le 23 janvier, je reçus un appel de David Guiraud. J'avais souvent évoqué son nom avec Laurent Greilsamer, et Erik Izraelewicz me l'avait déjà recommandé avec insistance. Mais le directeur général des *Échos* n'avait pas répondu à mes sollicitations, malgré les messages que j'avais laissés sur son répondeur. Il m'expliqua plus tard qu'il ne voulait pas se voir reprocher par le nouveau propriétaire des *Échos* d'avoir entamé des pourparlers avec *Le Monde*, bien que le bruit en courût avant même nos premiers échanges.

C'est lui qui me contacta. Il venait d'être brutalement limogé de son poste. Il avait désormais toute latitude. Rendez-vous fut pris pour le lendemain soir dans un bistrot de Montparnasse. Je sentis aussitôt que nous ferions la paire. Son enthousiasme, son regard direct et franc, sa simplicité, l'honnêteté qui émanait de lui, son discours structuré, tout en lui me rassura. Il me détailla ses états de service, *Lire*, *L'Express*, *Les Échos* sous administration anglo-saxonne. À l'école de rigueur des Britanniques du *Financial Times*, il avait su dégager neuf ans de suite des bénéfices pour son groupe. Plus il parlait, plus je voyais en lui un allié, celui qui tiendrait les manettes complexes de l'imprimerie et de la pub, qui apporterait aussi son savoir-faire dans le redéploiement de nos contenus éditoriaux. Il ne s'agirait pas de le cantonner aux chiffres mais au contraire de lui proposer de réfléchir avec moi à une stratégie globale. Il admirait *Le Monde* sans réserve et piaffait de lui apporter des solutions qui pérenniseraient son indépendance. D'emblée je fus conquis.

Le lendemain j'avertis Minc : David Guiraud était l'homme qu'il fallait. Je ne pourrais bien sûr pas le présenter dès le 25 janvier, mais le conseil pouvait comprendre que pour un choix si lourd un délai s'imposait. Ce fut sans doute ma seule satisfaction au milieu de ce maelström : je ne serais plus seul à piloter ce groupe très lourd et affaibli. En dix jours, trois dirigeants de haut niveau s'étaient dits prêts à m'accompagner dans l'aventure. Et j'étais persuadé d'avoir convaincu celui qui serait le mieux à même d'entraîner *Le Monde* vers des eaux moins agitées, sans brutalité ni œillères. Il avait le sérieux sobre du protestant — la malice et le rire communicatif en sus —, l'aplomb et le sang-froid d'un loup de mer habitué aux tempêtes — il régatait en Bretagne par tous les temps. Il me parlait du *Monde* comme d'un bateau qu'il fallait bien quiller avant de hisser les grands-voiles. Son discours combatif me stimula. À nous deux, j'en étais sûr, nous ferions un bon marin.

Un conseil était prévu le 12 février où serait nommé David Guiraud. Jusqu'au bout, la SRM compliqua son arrivée et celle de Louis Schweitzer. Elle exigeait que les futurs nouveaux dirigeants du groupe s'engagent au préalable à signer des documents complexes sur un système de vote liant les actionnaires internes au journal. Louis Schweitzer et David Guiraud refusèrent, à juste titre, d'accéder à cette demande impérative. Il fallut une lettre signée par l'ensemble des rédacteurs en chef à l'intention de la SRM pour que celle-ci abandonne sa revendication. Lors de ce conseil du 12 février, Alain Minc, qui avait lié son départ à celui de Dumay, présenta sa démission de façon anticipée pour laisser sa place à Louis Schweitzer.

L'ancien patron de Renault fut élu à l'unanimité dans un climat apaisé. Je n'avais jamais rencontré Louis Schweitzer. J'avais à l'esprit l'image d'un grand commis de l'État engagé à gauche, qui avait dirigé le cabinet de Laurent Fabius à Matignon avant de prendre en main le constructeur automobile, marquant les esprits par la ténacité et l'humanité dont il avait fait preuve lors de la douloureuse fermeture du site de Vilvoorde, en 1997. Louis Schweitzer revêtait à mes yeux une autre dimension. Issu d'une grande famille protestante, ce fils d'un ancien patron du FMI était aussi le petit-neveu du célèbre docteur Schweitzer et du chef d'orchestre Charles Munch. Lors de notre premier entretien, je cherchai aussi à travers ses traits ceux de son fameux cousin Jean-Paul Sartre.

C'est impressionné par son aura que j'accueillis Louis Schweitzer sur notre drôle de navire. Avant d'accepter ses fonctions, il m'avait sondé sur les chances de soustraire *Le Monde* aux appétits alors si évidents de Lagardère, qui détenait une série de droits le désignant comme le futur propriétaire, si rien n'était entrepris pour le contrer ou le dissuader. « Existe-t-il une marge de manœuvre ou les choses sont-elles déjà jouées ? » m'avait demandé Schweitzer sans détour. Je ne lui cachai pas que le passage était très étroit mais qu'en restructurant le groupe de manière volontaire nous avions une chance d'en réchapper. Je voulais tant qu'il nous rejoigne que je manifestai un entrain — « optimisme » serait exagéré — qu'il dut trouver sympathique... À mon plus grand soulagement, il accepta la périlleuse mission.

Dans un entretien au *Figaro*, le 12 février 2008, sous le titre étrange « L'éditeur espagnol Prisa garantit l'indépendance éditoriale », Alain Minc se livra sur *Le Monde* au jeu de la vérité. En privé, il n'épargnait pas JMC, qu'il comparait à une diva s'impatientant de voir Sarkozy lui confier de hautes responsabilités. « Sarko lui a proposé des postes d'ambassadeur, mais ce n'est pas assez pour lui », cinglait l'ancien président du conseil de surveillance. Ces piques me confirmaient que Minc n'avait pas vraiment d'amis. Mais cette fois il s'exprimait publiquement. À la question « Pourquoi anticipez-vous sur votre démission, d'abord prévue fin mars ? », il répondit : « Le coup de force mené l'été dernier par la SRM lors de ma reconduction pour trois mois [en réalité, il lui avait manqué une voix pour être réélu] m'avait conduit, dans un esprit d'apaisement, à quitter mes fonctions le 31 mars. Il y a un mois, j'ai indiqué que j'étais prêt à le faire dès que Dumay aurait accepté d'abandonner la présidence de la SRM. C'était à mes yeux un dernier service à rendre au *Monde* en débarrassant le journal de ce Fouquier-Tinville. Ma démission succède donc à la sienne. Dumay parti, *Le Monde* en finit ainsi avec le téléévangélisme de la SRM. »

Les mots étaient cinglants envers celui qu'il avait qualifié quelques mois plus tôt de « meilleur président de la SRM ». À propos de son successeur, qu'il présenta comme « plus qu'un ami », un membre de sa « famille de cœur », il déclara : « Louis Schweitzer a déjà tout compris de la complexité de ce groupe de presse. Il saura sans conteste évoluer dans ce nid de frelons. »

Plus d'une fois, Minc avait brossé le portrait idéal de son successeur en parlant d'un « quinqua » ayant la fibre du journal et de l'entreprise. À soixante-cinq ans, Louis Schweitzer ne remplissait guère le critère de l'âge et, s'il était un lecteur du *Monde* depuis son adolescence, il était totalement étranger à l'univers des médias. Plusieurs candidats s'étaient discrètement signalés, mais aucun n'avait eu l'heur de plaire à Minc, en particulier le banquier d'affaires Matthieu Pigasse. À son sujet, Minc ne prit pas de gants : « Je lui ai dit qu'il serait administrateur avant de devenir président. Il ne l'a pas entendu et a tenté de passer par la fenêtre après n'avoir pu forcer la porte. C'est dommage car j'ai de l'estime pour Matthieu Pigasse, qui me doit son entrée chez Lazard. » Pigasse trouverait un jour les moyens d'entrer par la grande porte, au grand dam de Minc.

Interrogé sur la stratégie d'acquisitions du *Monde*, comparée à une fuite en avant par *Le Figaro*, le président sortant estima qu'au contraire l'argent généré par la vente de certains actifs industriels, informatiques et immobiliers trouvés dans le patrimoine des Publications de *La Vie catholique* avait été providentiel. « Si certains doivent se plaindre de ces ventes, ce sont bien les salariés des PVC ! Et la SRM aurait dû nous tresser une couronne. En se payant sur la bête, *Le Monde* a évité le pire. » Quittant le navire, Minc tentait d'y mettre le feu en soufflant sur les braises des relations si tendues entre *Le Monde* et ce qu'il considérait avec JMC comme des dominions, surtout chargés de faire remonter leurs richesses au *Monde* pour financer les déficits de ce dernier. C'est de cette situation que j'héritais. Elle empoisonna bien sûr d'emblée la relation avec *Télérama*, même si je nouai avec Fabienne Pascaud, sa directrice de la rédaction, des liens très amicaux et étroits, respectant son courage et son talent.

La fin de l'entretien de Minc était de cette même eau saumâtre. Le conseiller de Sarkozy estima contestable que l'indépendance des rédactions revienne à « des sociétés de rédacteurs dont les membres les plus actifs ne sont jamais les journalistes les plus brillants ». Alors que le risque pointait d'une nouvelle recapitalisation qui priverait les rédacteurs de la majorité, il estima que les Espagnols de Prisa seraient les garants de l'indépendance du *Monde*.

« Partez-vous amer ? » fut la dernière question. Il y répondit en se comparant à un homme politique que la mauvaise foi et les coups indiffèrent. La suite prouva combien il avait été au contraire blessé au plus profond par son départ forcé. Il rendit hommage à Colombani et à Patino. Quant à moi, il m'adressa un coup de pied de l'âne en forme de compliment : « Je salue le parcours d'Éric Fottorino pour accéder à la présidence du directoire du groupe. Il m'a ébloui par son habileté politique. » Dans ce qu'il tenait avec mépris pour un « nid de frelons », cette phrase laissa planer bien des doutes sur de supposées manœuvres dont j'avais pu me rendre coupable.

Il était temps de passer à autre chose. Ces crises à répétition nous avaient fait perdre trop de temps, trop d'énergie, pas mal d'illusions sur l'indépendance et tous ces grands mots qui font vibrer les journalistes. Jamais le paysage de la presse française n'avait été aussi peuplé de capitalistes. Bernard Arnault aux *Échos*, Serge Dassault au *Figaro*, François Pinault au *Point*, Vincent Bolloré à *Direct matin*, jusqu'à Édouard de Rothschild au chevet de *Libération*. De son côté, Didier Quillot déclarait au nom de Lagardère vouloir « assurer la pérennité du *Monde* et y jouer un rôle industriel », tout en laissant le nouveau directeur décider des économies à réaliser. Après un temps légitime d'observation, il se montra d'une grande loyauté à notre égard. Jusqu'au jour où Arnaud Lagardère le retira brutalement de notre conseil, le remplaçant par l'avocat Jean Veil.

Si je garde un souvenir précis de cette période, c'est la barre sur le cœur qui me serra la poitrine et ne me quitta plus pendant trois ans, tantôt aiguë, tantôt sourde, jamais absente. Elle avait élu domicile en moi comme une angoisse, un pressentiment des difficultés et des violences à venir. J'avais cette intuition qu'en m'attelant à la tâche du redressement je devrais un jour en payer le prix.

TROISIÈME PARTIE

LIVIDE AU MILIEU
DES TEMPÊTES

1

DE LA SUEUR ET DES LARMES

Avant même de prendre ses fonctions de vice-président du groupe, David Guiraud avait avalé à vitesse grand V quantité de documents financiers du *Monde*. Son professionnalisme méticuleux accrut ma confiance, même si je voyais son front se plisser et son regard s'assombrir au fil de ses découvertes. David ne laissait rien au hasard, posait mille questions, s'étonnait souvent des réponses sur nos coûts fixes, sur nos besoins de trésorerie, sur notre mode de fonctionnement. Après le rigorisme des *Échos*, il était sacrément dépaysé! Je sentis que cette plongée dans nos comptes l'avait sérieusement ébranlé, lui qui aimait les choses carrées, la rationalité dans la transparence, les règles de management claires.

Comme Louis Schweitzer, il tomba des nues en découvrant qu'aucun organigramme digne de ce nom n'existait au *Monde*. Qui décidait, qui faisait quoi? Le flou régnait, et c'est dans ce flou que Minc et Colombani avaient pu jouer les illusionnistes. Ce contact avec notre réalité n'entama pas la détermination de David Guiraud. Au contraire. Mais il n'imaginait pas trouver une situation aussi dégradée, aussi contrainte par des structures juridiques complexes, nécessitant de déployer une énergie phénoménale pour prendre la moindre décision. D'emblée il comprit que la partie serait ardue car trop de mesures essentielles visant à assainir la gestion du groupe avaient été différées. Les commissaires aux comptes avaient accepté de suspendre leur procédure d'alerte pour signifier leur confiance dans le nouveau directoire. À condition que nous lancions tambour battant un plan vigoureux.

David Guiraud et moi partagions une même vision : il fallait donner au *Monde* une vraie stratégie, qui ne saurait se réduire à une gestion par les coûts. Nous devions bâtir un projet pour notre collectivité susceptible de lui donner des perspectives stimulantes au-delà des sacrifices nécessaires dans l'immédiat. La potion, si amère fût-elle, serait plus acceptable si elle débouchait sur un redéploiement du groupe sur des bases solides et saines, cohérentes et ambitieuses. Cette stratégie tournait autour de quelques idées fortes : recentrer le groupe sur ses titres phares, *Le Monde*, *Télérama*, *Courrier international*, *La Vie*. Assurer le développement de nos activités numériques dans un modèle mixte gratuit-payant apportant de l'audience et du chiffre d'affaires. Élargir le territoire de notre marque avec des diversifications pertinentes, en particulier autour des métiers de la connaissance et du savoir, avec un pôle éducation. Chercher enfin de nouveaux produits suscitant de nouveaux revenus, d'un journal du matin pour les jeunes urbains à une offre magazine du week-end, des grandes conférences aux voyages thématiques pour les lecteurs. Nous voulions recréer de la rareté, offrir à notre public des expériences nouvelles et enrichissantes portées par nos marques de presse les plus emblématiques, dans un esprit de club, d'appartenance, d'identification aux valeurs du *Monde*.

Cette ligne était celle de l'horizon. On ne pouvait encore que l'entrevoir. Avant d'espérer l'atteindre, il fallait franchir l'obstacle des sacrifices. Le cap était tracé. L'« homme malade » du groupe, c'était d'abord le quotidien. C'était au journal qu'il fallait demander des efforts. Nous avions chiffré à 15 millions d'euros le montant des économies à obtenir à l'horizon 2010, dont 9,4 millions dans la masse salariale. Le choc serait rude : on réduirait la pagination, on moderniserait les systèmes de gestion et d'abonnement, on renégocierait nos implantations immobilières. Le bâtiment de Blanqui coûtait 8 millions d'euros par an et nous y étions bloqués jusqu'en 2016 car ce loyer versé à la Deutsche Bank comprenait le paiement des travaux de rénovation effectués.

Autrement dit, Minc et JMC avaient grevé une partie de notre avenir avec un siège mieux adapté à une banque prospère qu'à un journal en économie de guerre. Surtout, on lancerait sans tarder un plan de départs volontaires accompagné si besoin d'un volet de départs contraints. En examinant les comptes, David Guiraud et Louis Schweitzer s'étaient montrés moins optimistes que moi sur les *Cahiers du cinéma* (qui avaient perdu 8 millions d'euros depuis leur rachat) et sur Fleurus Presse, dont les pertes annuelles, malgré la grande qualité des équipes, devenaient insupportables et obéraient sensiblement le résultat de *Télérama*. Dans un entretien à *L'Express*, donné dans cette période, croyant pouvoir les conserver dans le périmètre du *Monde*, j'avais écarté toute cession de titre, toute réduction du périmètre. J'en étais resté au diagnostic de Jeantet et Patino, sans réaliser que le temps avait filé et que nous n'avions plus les moyens de restructurer nous-mêmes ces entités. Cette imprudence me causa des moments difficiles dans le pôle magazines quand il fallut se résoudre à vendre la presse jeunes.

Le jour du premier comité d'entreprise, trois cents salariés nous attendaient dans la rue Jean-Antoine-de-Baïf, David et moi. On termina le chemin à pied, fendant une foule compacte qui brandissait des banderoles et poussait des cris de colère avant de nous poursuivre jusque dans la salle du CE. Un calicot géant me représentait en vampire sanguinaire tout de noir vêtu avec ces mots : « Fottorino n'aime pas les enfants. » Ce fut un crève-cœur. Le soir, cette image fut diffusée au Journal de 20 heures. Ma fille Constance, alors âgée de dix ans, me demanda pourquoi on m'avait représenté ainsi, et si vraiment je n'aimais pas les enfants. Cette hostilité m'ébranla car elle venait s'ajouter aux coups de boutoir des syndicats du *Monde*, qui contestaient la dureté du plan social. Je n'étais pas rompu à ce genre d'attaques. Nous avions délibérément soustrait *Télérama*, *Courrier* et *La Vie* de l'effort collectif, jugeant qu'ils avaient assez contribué dans le passé au renflouement du journal. Il appartenait désormais au *Monde* de montrer qu'il pouvait prendre son destin en main par des sacrifices indispensables.

Un travail effectué sous la direction de JMC avec un cabinet spécialisé nous avait permis de réfléchir à une nouvelle organisation réduisant les effectifs sans affecter, estimaient les *cost killers*, la qualité du journal. Cet exercice m'avait dérangé par son carac-

385

tère froid et désincarné, sous-tendu par l'idée systématique qu'on pouvait faire mieux avec moins. Mais il avait eu le mérite de nous remettre en question sur nos habitudes de travail, sur ce qu'on appelait l'« allocation optimale des ressources humaines ». Nous avions passé au crible nos forces et nos faiblesses, notre réseau de correspondants, nos chefferies pléthoriques comparées au nombre de journalistes dits écrivants. C'est ainsi qu'à la veille du printemps, quatre semaines après notre nomination, et conformément à nos engagements, David Guiraud et moi annonçâmes les grandes lignes d'un plan d'économie globale et ses modalités de mise en œuvre.

Quelques jours plus tôt, mon père s'était donné la mort d'un coup de carabine. C'est dans ce contexte personnel dévasté que je tâchai de tenir les rênes du *Monde*. Si je n'avais pas écrit ce petit livre sur mon père, que la SRM me reprocha plus tard, *L'homme qui m'aimait tout bas*, je ne suis pas sûr que j'aurais trouvé en moi la ressource et l'énergie pour avancer. Je réalisai que chaque lettre du mot « crier » était contenue dans le verbe « écrire ». Ce fut une révélation : écrire, c'était crier en silence, sans un bruit, pleurer de l'intérieur comme pleurent les grottes et, si je m'épanchai sur le papier pour assourdir la déflagration qui m'avait atteint, je n'en montrai rien et priai seulement Louis Schweitzer de ne pas exprimer de condoléances au conseil du 14 mars, comme il se le proposait avec tact.

C'est au conseil du 4 avril que nous entrâmes dans le vif du sujet en présentant notre plan. Je fis cette déclaration préalable :

> Ce qui nous réunit aujourd'hui, c'est la volonté que nous avons tous d'assurer au *Monde*, au journal comme au groupe, un avenir pérenne placé sous le double signe de la rentabilité économique et de l'indépendance éditoriale. Le temps ne nous a pas manqué pour faire le constat de nos difficultés. Le temps nous presse maintenant d'agir en conséquence. Vous connaissez comme nous le coup de froid publicitaire qui touche la presse écrite payante des deux côtés de l'Atlantique. Vous connaissez la situation de l'économie mondiale et particulièrement française.
>
> Nous ne sommes pas les premiers touchés. Nous ne devons pas être les derniers à réagir. Nous arrivons au terme

d'un cycle pour les journaux dits de qualité, ces journaux qui, comme le disait le fondateur du *Monde*, coûtent leur prix plus l'effort pour les lire. C'est pour maintenir un degré élevé d'exigence, pour faire entendre la voix d'un journal libre au sein d'un groupe à la gestion assainie, que nous avons conçu un plan de restructuration. David Guiraud et moi avons travaillé en pleine conscience de notre responsabilité. Il nous appartient de réussir vite avec, nous l'espérons, votre soutien, comme avec le soutien de la collectivité du *Monde*, qui devra consentir à un effort sans précédent dans l'histoire de notre maison.

Faire partir. Licencier. Réduire encore nos forces au risque de dégrader la qualité de nos publications. La tâche était difficile et ingrate. Dans une vague précédente de départs purement volontaires, nous avions déjà perdu une cinquantaine de journalistes, parmi lesquels d'excellentes plumes, des mémoires du *Monde*, Henri Tincq, Jacques Isnard, Dominique Dhombres, Patrice de Beer, José-Alain Fralon, tant d'autres. Et voilà qu'il fallait recommencer, au risque de se priver des meilleurs, ceux qui pourraient retrouver sans trop de mal un poste ailleurs.

Je ne connus aucun état de grâce. De nombreux rédacteurs qui ne se voyaient guère d'avenir dans ce nouveau *Monde* réorganisé, adossé au Net, demandaient à me rencontrer. La plupart étaient de bons camarades. On se connaissait depuis longtemps. J'avais de l'estime pour eux. Et je devais leur dire avec franchise non pas qu'ils devaient s'en aller, mais que le journal aurait à l'évidence moins besoin d'eux, de leur talent, de leur expérience.

Comme ce fut pénible, éprouvant, démoralisant. Je regrettai que mon prédécesseur n'ait pas orchestré ces départs en douceur au fil des dix dernières années, au fil de l'eau. Notre système électoral paralysait les décisions radicales. C'était à moi qu'il revenait de trancher, de « dégraisser » (quelle expression détestable), comme il me reviendrait plus tard de mettre un terme à cette aventure autogestionnaire du journal de journalistes, indépendant du capital.

J'y pense à présent. C'était là mon destin au *Monde* : y entrer pour ce qu'il était et que j'aimais, le quitter pour ce qu'il était devenu et que je n'aimerais pas, bien que je fusse l'artisan forcé de sa métamorphose. Je le savais en prenant mes fonctions : redresser ce groupe sans casse était une mission impossible. Un examen rationnel et froid de la situation aurait dû me conduire à refuser l'héritage qui m'était transmis. Mais fallait-il donner le coup de grâce sans combattre à une aventure intellectuelle si intense ? Parfois je demandais à David s'il ne regrettait pas que je l'aie entraîné dans cette galère. Non, il ne regrettait pas. Il était solide, d'humeur égale, prenant plus que sa part de difficultés. Il ne se déroba jamais, n'esquiva pas les chocs. C'était précieux, dans la tempête, et au milieu des coups tordus, de faire équipe avec un homme droit. Jamais aucune divergence ne se fit jour entre nous pendant les trois ans de notre action. Pas de tension, pas de conflit de fond ou de préséance, pas le moindre accrochage.

Cette solide entente rejaillit de façon heureuse dans l'équipe dirigeante, de l'administration à la régie publicitaire, que réorganisa dans l'adversité Bénédicte Half-Ottenwaelter, des services juridiques dirigés par Pierre-Yves Romain au directeur commercial Patrick de Baecque, sans oublier Laurent Greilsamer côté rédaction, Jean-Pierre Giovenco et Frédéric Ranchet pour le volet social. Citant ces noms, je réalise que tous ces responsables ont dû quitter *Le Monde* dans les semaines ou les mois qui suivirent la recapitalisation. Comme Louis Schweitzer. Comme David Guiraud. Comme moi.

Si le contexte était lourd, l'adversité tenace, nous fîmes front ensemble. En bon protestant, David me citait parfois l'Ecclésiaste. Je me souviens qu'au soir d'une éprouvante semaine, stimulant mon énergie vacillante, il prononça ces mots : « Tout ce que ta main trouve à faire avec ta force, fais-le. » Une autre fois il m'apprit ce geste : « Jette ton pain sur la face des eaux car avec le temps tu le retrouveras. » Toujours disponible pour nous, Louis Schweitzer se montra lui aussi d'une attention et d'une bienveillance exemplaires à notre égard, cherchant sans cesse comment nous aider.

Quelques jours avant ce conseil du 4 avril, la SRM, désormais présidée par Béatrice Gurrey, s'était démarquée de notre plan, manifestant une fois encore ses étranges ambiguïtés d'actionnaire dit de référence. Lors du conseil, elle entérina le plan du bout des lèvres, préférant insister sur le principe de transparence, d'équité et de solidarité qui devait l'emporter. Les syndicats feraient bientôt connaître leur hostilité. Les mêmes qui m'avaient soutenu en janvier devinrent, au pied du mur, des adversaires. Ils voulaient garder les mains propres, mais, pour reprendre Péguy à propos du kantisme, ils n'avaient pas de mains. Moi j'avais basculé du côté des impurs, de ceux qui se salissent les mains. Et ce n'était qu'un début.

Dans ce climat orageux, Louis Schweitzer veillait à nous téléphoner chaque soir, s'il ne venait pas à notre rencontre au siège de Blanqui. Notre situation lui rappelait l'épreuve qu'il avait traversée lors de la fermeture de l'usine Renault de Vilvoorde, en 1997, quand il présidait la firme automobile. Comme nous trouvions ingrate la tâche, ingrats les syndicats et la SRM, il avait trouvé les mots pour nous apaiser. « Dans une situation comme la vôtre, avait-il dit avec lucidité, c'est à vous de porter le courage. Personne ne le portera à votre place. » Il avait raison.

Puisque rien n'était simple ni normal au journal, il fallut accueillir au sein de notre conseil, comme représentant d'une structure appelée *Le Monde* Prévoyance, le nouveau responsable du groupe Médéric. Il s'agissait de Guillaume Sarkozy, frère aîné du président de la République. Si les relations entre les deux hommes étaient réputées lointaines et teintées de mépris de la part du cadet, cette situation n'en fut pas moins inconfortable. Qu'un membre de la famille du chef de l'État assiste à nos discussions stratégiques et emporte nos documents internes, voilà qui me contrariait. D'autant que Guillaume Sarkozy se fit souvent très pressant pour obtenir les notes les plus détaillées sur nos travaux, quittant la salle du conseil avant la fin, sitôt en possession de ce qu'il attendait. Je me souviens d'une fois où, ses chemises sous le bras, il s'éclipsa en murmurant sans malice qu'on l'attendait à l'Élysée.

Je n'imagine pas qu'il ait pu ainsi communiquer ces informations à son frère, mais cette insistance à réclamer notre « business plan » et sa ressemblance si frappante avec Nicolas Sarkozy, en plus massif, ne laissait pas de me troubler. À l'issue du conseil du 4 avril, il prit la parole en se déclarant « très impressionné d'arriver dans une assemblée aussi mature, ce qui n'était pas l'image [qu'il] en avait de l'extérieur »...

Nos propos étaient surtout l'expression d'une urgence. Nous avions présenté un plan très offensif pour alléger nos coûts fixes et retrouver de l'air afin d'afficher des comptes redressés dans la perspective de la recapitalisation. Entre-temps, dans le même entretien de *L'Express* où j'avais écarté toute cession de nos titres phares, j'avais précisé mes intentions sur le contrôle du *Monde*. « Il est évident qu'aucun actionnaire ne doit devenir dominant, soulignais-je. Si l'un d'eux pouvait dire demain : *"Le Monde,* c'est moi"*, ce serait très problématique. » J'ajoutai que je n'allais pas agir « comme si Lagardère n'était pas là », mais je préparais déjà les esprits à l'idée qu'on ne pourrait plus émietter davantage notre capital. Le message était clair : le plan tout de suite, et se hâter lentement pour la recapitalisation, dans le cadre d'une commission que je m'étais engagé à créer, et que Louis Schweitzer allait présider. Lorsque, anxieux, je soumis à Louis le protocole que j'avais signé dans le bureau de Minc, il se montra rassurant : «Vous n'avez rien conclu de compromettant. »

Le 4 avril, un lourd silence avait accueilli notre présentation du plan. Installés en retrait au titre d'invités non membres, les représentants des syndicats avaient écouté avec gravité les principales mesures, retenant d'abord ces mots de David Guiraud : « Restaurer la rentabilité de la Société éditrice du *Monde* par la mise en place d'une nouvelle organisation accompagnée d'un plan de sauvegarde de l'emploi. Celui-ci entraînerait la suppression de cent vingt-neuf emplois dont les deux tiers à la rédaction. Il devrait s'articuler en deux phases : un plan de départs volontaires (soumis à l'acceptation de la direction) et un plan de départs non volontaires. » Il s'agissait ensuite de céder les entités déficitaires ou non stratégiques (Fleurus Presse, Éditions de l'Étoile — dont les *Cahiers du cinéma* —, *Danser,* La Procure) dont nous ne pouvions, en tant qu'actionnaire, accompagner correctement le redressement ou le développement.

David Guiraud précisa les objectifs : retrouver un équilibre financier global dès 2009, dégager un résultat positif en 2010, et revenir à l'équilibre la même année pour le quotidien. Dans le secteur des médias, la crise des *subprimes* provoqua un effondrement des recettes publicitaires. Malgré ce manque à gagner estimé à quelque 20 millions d'euros pour le groupe *Le Monde* en 2009, nous dégageâmes cette année-là un résultat opérationnel positif de 2 millions d'euros, quand nos concurrents directs (*Le Figaro*, *Les Échos*) enregistraient des pertes. Nos charges financières nous empêchèrent d'atteindre l'équilibre global que seule une recapitalisation pouvait rétablir. L'enjeu était bien là : nous allions semer des graines sans moyens pour les faire lever. Nous allions redresser l'exploitation du groupe afin de prouver à des investisseurs que la faiblesse du *Monde* était non plus son activité quotidienne mais son asphyxie financière.

Ce 4 avril, une fois asséné le coup de massue du plan, je repris la parole pour annoncer qu'en parallèle une réflexion éditoriale serait engagée sur les suppléments et l'offre magazine du *Monde*. Au journal, un aspect du plan ne passerait jamais : nous faisions porter l'essentiel des sacrifices sur le quotidien, épargnant les magazines et la filiale numérique, cible de toutes les attaques de la SRM. Une voix s'éleva pour nous soutenir sans réserve : celle de Claude Perdriel. Après avoir rappelé qu'en quarante-quatre ans il n'avait jamais licencié personne au *Nouvel Observateur*, il salua un plan « courageux » et se déclara prêt à le soutenir. Les représentants de Lagardère employèrent le même adjectif. M. Sarkozy (Guillaume) pouvait se montrer impressionné.

Le round qui s'ouvrit fut une épreuve sans merci face aux « partenaires sociaux », qui dénoncèrent avec véhémence la brutalité du plan, estimant qu'il obéissait à une approche purement comptable et ne correspondait à aucune réflexion stratégique d'organisation. Devant ces accusations, mon premier réflexe fut de répondre sans attendre. Le DRH Frédéric Ranchet sut freiner mes ardeurs. En période de plan social, je n'avais pas le droit de m'expliquer devant les salariés tant qu'un comité d'entreprise *ad hoc* consacré aux mesures envisagées ne s'était pas tenu. Si j'avais dérogé à cette règle, j'aurais commis un délit d'entrave susceptible de provoquer l'annulation de tout le processus, une complication doublée d'une perte de temps inenvisageable puisque, précisément, nous devions agir vite.

J'eus vraiment en travers de la gorge cette menace de délit d'entrave qui m'empêchait de m'adresser aux personnels du *Monde* avant le 14 avril, date prévue du comité d'entreprise extraordinaire au cours duquel David Guiraud et moi informerions les instances syndicales. Dans les dix jours qui suivirent le conseil de surveillance, les délégués du personnel purent ainsi communiquer sur notre projet, attiser l'inquiétude et la colère, sans que nous puissions dire un seul mot ! C'en était bien fini des discours responsables, de la reconnaissance de l'urgence à réduire nos coûts. Pendant que les plans de départs touchaient *Libération*, *Le Figaro* ou la branche presse de Lagardère, certains s'obstinaient à croire notre journal à l'abri de la tourmente, dans la rédaction et parmi les élus syndicaux. Année après année, de cérémonie de vœux en pots occasionnels, JMC l'avait répété sans dévier dans ses discours anesthésiants : au *Monde*, nous ne connaissions pas la crise.

Le conflit se cristallisa d'emblée autour des départs contraints que nous étions prêts à provoquer si le seul volontariat se révélait insuffisant pour obtenir les économies nécessaires. Un matin après le bouclage, l'intersyndicale au grand complet fit irruption dans mon bureau, une bonne quinzaine de personnes décidées à me faire plier. Je pris le temps de les écouter tout en leur disant que nous avions des instances de dialogue et que je m'opposais à ce genre d'échange impromptu qui, c'était voulu, portait sa charge d'intimidation. Ils me remirent un texte en forme de tract où ils me demandaient de revenir sur les départs contraints. C'était hors de question.

Ainsi débuta un contentieux qui allait provoquer trois non-parutions du journal en moins d'un mois, ce que la presse qualifia de « grèves historiques » au *Monde*, ce dernier ayant connu des menaces de débrayage non abouties en 1951 et 1984. La seule grève restée dans les mémoires remontait à 1976 et n'avait eu lieu, disait-on, que pour protester contre la mainmise de Robert Hersant sur *France-Soir*, et non à la suite d'une crise interne. Je me trouvais donc, avec David Guiraud, responsable d'un mouvement historique. Si j'étais prêt à sacrifier ma popularité, je n'avais pas deviné que les ennuis viendraient si vite.

Le feu venait aussi de prendre au pôle magazine, où l'on protestait contre les cessions. Élus et salariés demandaient des efforts aux cadres et aux dirigeants. C'était bien le sens de mes propos lorsque j'avais annoncé que « tous les étages » seraient touchés par le plan. Fabrice Nora, directeur de la branche magazine, et Patrick Collard, directeur général du quotidien, quittèrent le groupe, de même que le directeur commercial, et furent chaque fois remplacés en interne, leur départ permettant de substantielles économies. Pour ma part, j'avais des mois auparavant renvoyé au garage la Vel Satis de mon prédécesseur, un geste que Louis Schweitzer me reprocha gentiment en sa qualité d'ancien patron de Renault, mais qu'il approuva sans réserve comme président du conseil de surveillance. David Guiraud fit de même et récupéra une Golf d'occasion au parking. C'est dire si nous avions la folie des grandeurs.

Le plus souvent, je me rendais à mes rendez-vous sur un vélo pliant, non pour faire genre, mais parce que je me sentais bien à pédaler ainsi, la tension tombait un peu. À l'aube, l'air frais du matin dans Paris à peine réveillé me donnait du jus pour toute la journée. Je garde un merveilleux souvenir de ces modestes chevauchées entre Auber, où me déposait le RER, et le boulevard Auguste-Blanqui : l'avenue de l'Opéra illuminée, les lampes douces de la Comédie-Française, les pavés luisants de la grande cour du Louvre et les reflets moirés de la pyramide, les policiers en faction, frigorifiés, devant le porche de l'immeuble ou logeait Chirac, quai Voltaire. Sur la rive gauche, dans la montée vers le Luxembourg, me parvenait l'écho cristallin de la fontaine Médicis, dont le chant n'était pas encore recouvert par la rumeur de la circulation. Je longeais la vitrine parfois mystérieusement éclairée de la librairie Corti — était-ce Michel Boyer qui, entré par effraction, massicotait des exemplaires tout neufs du *Rivage des Syrtes*? Puis je basculais dans la descente de la rue Claude-Bernard jusqu'aux derniers hectomètres menant au *Monde*, roulant sur l'ancien cours de la Bièvre, avec ces étranges petits goulots de cuivre incrustés dans les trottoirs et indiquant « bras vif de la Bièvre ».

Mais en cette fin d'hiver 2008, je m'efforçais d'ignorer les provocations. Les syndicats faisaient monter la pression. J'étais sans cesse pris à partie, critiqué pour un plan de redressement rebaptisé « plan d'affaissement », n'obéissant, disaient-ils qu'à une logique financière dépourvue d'imagination. Beaucoup semblaient avoir oublié les menaces qui pesaient sur nous. Arnaud Lagardère, dans un entretien au *Figaro*, venait d'affirmer que si le pouvoir éditorial au *Monde* ne l'intéressait pas, il convoitait le pouvoir économique.

« Je ne veux pas que le quotidien tue le site et réciproquement », précisait-il alors qu'il venait de quitter notre conseil de surveillance « pour des raisons d'emploi du temps », remplacé par Pierre Leroy, un des anciens fidèles de son père. « Il va falloir réconcilier les deux, poursuivait Lagardère, et je ferai tout pour que Bruno Patino reste à la tête du *Monde.fr*. »

Les difficultés s'accumulaient. Le groupe avait perdu 15 millions d'euros supplémentaires en 2007. Depuis 2003, le quotidien avait reculé de près de 10 % en diffusion, à raison de quelque trente-cinq mille exemplaires par an, et la publicité avait fondu de 40 %. Si les revenus du site explosaient, ils étaient loin de compenser les pertes du *Monde*, qui, au plan éditorial, se devait de conforter sa cible dite de CSP +, c'est-à-dire des lecteurs les plus éduqués, figurant parmi les plus hauts revenus de la société française. Toutes les enquêtes d'audience le montraient : *Le Monde* était, avant *Le Figaro*, le journal des élites.

Dans ce contexte de crise, ce discours était difficilement audible par les journalistes du *Monde*, qui répugnaient à admettre que la clientèle du journal se recrutait dans les classes les plus aisées. Le discours des années 1995-2005 sur *Le Monde* journal « populaire de qualité » visait un lectorat fantasmé. Nous étions d'abord achetés par les élites et par ceux qui, étudiants et curieux de tous horizons, voulaient accéder au savoir de ces élites. Dans l'esprit d'une partie de la rédaction, cela signifiait que *Le Monde* écrirait désormais pour les riches, qu'il ne dérangerait plus, qu'il laisserait les puissants à leurs turpitudes. On me jeta à la figure la formule de JMC, après le départ d'Edwy Plenel, qui avait préféré au journalisme d'investigation le « journalisme de validation ». Formule maladroite mais juste. Les enquêtes à charge et manipulatrices de quelques idéologues autour de Plenel avaient trop nui au *Monde*. Il était nécessaire d'y mettre le holà. La confiance de nos lecteurs était à ce prix.

Ce retour aux fondamentaux journalistiques et économiques fut vécu comme une grande violence. Toute la maison bruissait de réunions syndicales, d'assemblées informelles, de propos incendiaires relayés par les confrères de la presse écrite, des radios, des télévisions et des sites d'information. J'appris douloureusement ce qu'il en coûtait d'agir sous le regard permanent des médias. Fallait-il riposter, se taire, laisser dire des contrevérités, réagir aux provocations ? David et moi avions choisi de privilégier le dialogue interne plutôt que l'expression publique. Celle-ci se limita à nos communiqués officiels, assez laconiques, à l'issue des conseils de surveillance, le risque du fameux délit d'entrave nous interdisant d'aller au-delà.

L'espace médiatique fut ainsi occupé par tous ceux qui contestaient la stratégie suivie et trouvaient sur certains sites hostiles au *Monde* des relais privilégiés pour s'épancher. Dès l'annonce de notre plan, l'intersyndicale condamna fermement « des mesures d'une sévérité sans précédent ». « Cette hémorragie annoncée est le résultat d'une gestion irresponsable de l'entreprise par les précédents directoires et d'une vigilance inexistante du conseil de surveillance », affirmait un communiqué cosigné par la CGT, la CFDT et le SNJ (Syndicat national des journalistes), qui dénonçait un « plan apocalyptique » et demandait perfidement : « Lagardère aurait-il fait pire ? »

Plusieurs fois il me sembla qu'à tout prendre certains ultras syndicaux, en liaison avec leurs collègues de l'imprimerie, auraient préféré une recapitalisation immédiate avec un acquéreur aux « poches profondes » comme Lagardère, plutôt qu'un plan d'économies destiné à préserver notre indépendance. Beaucoup rêvaient encore d'un mécène qui viendrait gentiment déposer au pied du sapin une centaine de millions d'euros sans demander aucun compte en retour.

Au matin du 8 avril, un premier mot d'ordre de grève fut voté à une écrasante majorité. Nombre de salariés prirent la parole pour se dire « assommés par ce coup de massue énorme », fustigeant qui les « dépenses du directoire », qui les « errements des dirigeants », brandissant l'effigie d'un ogre sous le titre « *Le Monde* dévore ses enfants ». Les plus modérés, s'ils admettaient la nécessité de faire des économies, jugeaient la note bien trop salée. Le malaise de la rédaction renvoyait aussi au mal-être d'une profession dont le modèle économique était brutalement attaqué par l'érosion des diffusions, les fermetures de kiosques, l'irruption massive des gratuits et d'Internet.

J'étais conscient de cet effet de sens. Jusqu'ici, *Le Monde* avait artificiellement échappé à la révolution en marche. Cette fois il la subissait de plein fouet, ses fragilités financières internes venant démultiplier l'effet dévastateur de la crise générale de la presse quotidienne. « Sur quel critère va-t-on virer les gens ? demandait un journaliste cité par *Libération*. Les rouquins, les yeux bleus, les pieds plats ? » Me prenait-on pour un boucher ?

Interrogé par l'AFP, je rappelai que ni David Guiraud ni moi n'avions pu encore nous exprimer devant le comité d'entreprise, ni devant les salariés, l'intersyndicale ayant refusé au nom du délit d'entrave. « Je regrette qu'un mouvement de grève soit décidé de façon informelle, à main levée, alors que nous n'avons pas encore exposé notre plan. C'est ma responsabilité de prendre en compte la réalité économique », avais-je conclu, démentant que certaines catégories de salariés seraient protégées. Mais l'inquiétude allait grandissant. À la rédaction, après les départs volontaires de 2005, on ne voyait guère plus d'une dizaine de candidats au guichet de sortie. Faudrait-il désigner plus de cent personnes ? Et selon quels critères ? Avec la direction, nous avions travaillé sur une organisation cible permettant de réaliser des baisses d'effectifs sans mettre en péril le journal. Mais si, avec David Guiraud, je tenais bon sur la nécessité du volet « contraint », c'était avec cette barre sur le cœur qui ne lâchait plus prise.

Ma décision de recruter Françoise Fressoz, éditorialiste politique aux *Échos*, pour diriger le service France-Europe du *Monde*, fut bien sûr mal vécue. Mais je n'avais d'autre choix. Nul en interne n'était en mesure de prendre les rênes de ce service malmené par le passé, et qui se retrouvait sans chef. Les représentants syndicaux demandèrent de nouveau un entretien pour m'adresser leurs remontrances. Je leur répondis qu'on ne les avait pas beaucoup entendus quand le service politique avait été décapité par l'ancienne direction. Il m'appartenait de le reconstruire. L'entretien s'arrêta là et on ne m'interpella plus sur cette embauche.

Le 10 avril, je reçus le soutien bienvenu de *Challenges*, l'hebdomadaire économique de Claude Perdriel. Dans sa rubrique « Il l'a dit, l'a-t-il fait ? », le journaliste Marc Baudriller reprenait mes propos de janvier : « Je mettrai en œuvre de façon irréversible l'indispensable plan d'économies », précisant que j'avais prononcé ces mots avant de devenir P-DG du groupe. « Quatre mois après, écrivait Baudriller, il a tenu parole. Le coup est rude. »

C'était l'heure de vérité. J'étais directeur du *Monde*, président d'un groupe de presse auréolé de titres prestigieux. Malgré les portraits parus dans la presse sur cet étrange « maître du *Monde* » qui publiait des romans plutôt que des essais politiques, je me sentais moins investi d'un pouvoir que d'une mission : empêcher que le journal sombre. Éviter *in extremis* la prise de contrôle « naturelle » de Lagardère. Je pensais déjà au coup d'après, j'échafaudais le scénario d'un groupe de presse européen composé d'actionnaires étrangers qui ne se mêleraient pas de la scène politique française. Mais avant de construire ce rêve-là, il faudrait démontrer ce que Louis Schweitzer appelait une « crédibilité de gestion », et pareil crédit passait par un plan d'une rigueur infaillible.

Je n'allais pas me dérober. C'est pourquoi je concentrai sur moi tous les tirs de la rédaction, de la SRM et des syndicats, incarnant la « culture » du *Monde* davantage que David Guiraud et Louis Schweitzer, fraîchement arrivés.

Nous refusâmes toute concession et la grève eut bien lieu le lundi 11 avril. Le jeudi précédent, les personnels des magazines avaient enclenché un mouvement similaire, à la suite de mon refus de publier un texte dans lequel ils justifiaient leur refus du plan. Je me rangeais à la position de David : il était hors de question que les journaux du groupe deviennent les supports de tracts syndicaux simplificateurs auxquels nous n'aurions pu répondre. Qu'auraient compris les lecteurs ? Un compromis fut trouvé le lendemain, des journalistes de chaque titre rédigeant des articles exposant les faits et citant les communiqués de l'intersyndicale. La grève ne toucha pas les magazines. Elle bloqua *Le Monde*, où la perspective de voir un journaliste sur quatre, un salarié sur cinq, quitter la maison, causait un véritable traumatisme.

Au comité d'entreprise ordinaire du vendredi, au cours duquel nous avions distribué les documents détaillés du plan, nous avions insisté : si les modalités étaient négociables, le principe ne l'était pas. Je rappelai qu'au sortir de ce plan, si de quatre-vingts à quatre-vingt-quatorze postes de journalistes disparaissaient, sur un total de trois cent quarante, il resterait encore plus de rédacteurs qu'en 1995, pour un journal alors plus riche en pagination.

Chaque jour, la concurrence publiait des articles qui, volontairement ou non, jetaient de l'huile sur le feu. Ainsi cet article de

La Tribune du 14 avril, titré « Comment le groupe *Télérama-La Vie catholique* a été dépecé ». Suivait ce constat accablant : en 2003, Colombani et Minc avaient offert au *Monde* le contrôle de PVC « à un prix imbattable de 90 millions d'euros ». Une bonne affaire, à l'évidence, pour notre groupe. « Certains à l'époque, écrivait *La Tribune*, dénoncent la mainmise du *Monde*, déficitaire et endetté, sur un groupe rentable doté d'une jolie trésorerie de trente millions d'euros. Déjà des voix s'élèvent pour prévenir d'un futur dépeçage de PVC. Le groupe de Jean-Marie Colombani ne les contredira pas longtemps : en février 2004, il cède Presse Informatique, une pépite qui gère 70 % des abonnements de la presse française et qui représente 30 % du chiffre d'affaires des PVC. *Le Monde* empoche un chèque de 25,5 millions d'euros. Puis, en 2005, *Le Monde* récolte plus de 35 millions d'euros de la cession de l'immobilier parisien des ex-Publications de *La Vie catholique*. » Le fameux « paiement sur la bête » avoué par Minc.

Dès lors, l'idée de céder Fleurus (et ses douze titres pour la jeunesse), mais aussi *Danser*, La Procure et en sus les *Cahiers du cinéma*, était vécue comme une injustice de plus. Que les efforts de restructuration portent d'abord sur le quotidien ne calmait guère la colère des PVC. Et le monde interactif y alla de sa solidarité — au moins de façade — avec le « papier » en décidant, le jour de cette première non-parution, de ne publier aucun article des journalistes en grève du *Monde*, se contentant de dépêches d'agence.

M'appuyant sur le secrétaire général de la rédaction Jean-Pierre Giovenco, et sur le DRH Frédéric Ranchet, je dus me familiariser avec la procédure et les termes du plan social, en particulier avec les livres III et IV du Code du travail, le premier — examiné en second — traitant des modalités de départ, des indemnités et des formules d'incitation ; le second — examiné en premier... — traitant de la situation économique et de la répartition des efforts. Pendant ce temps, le Parti communiste français se fendait d'un communiqué soutenant les grévistes, rejoint par plusieurs associations de journalistes. Il en allait, disaient les manifestants, de l'« exercice de la démocratie ». Avec mes obsessions gestionnaires, j'avais le sentiment d'être passé du mauvais côté, celui des *cost killers* qui ne pensent qu'aux marges bénéficiaires. Il est vrai que des bénéfices, *Le Monde* n'en voyait plus la couleur depuis longtemps. Les titres de nos confrères étaient éloquents : « Jour noir au *Monde* » (*Libération*) et même « *Le Monde* s'est arrêté de tourner » (*L'Yonne républicaine*).

Au lendemain de cette journée éprouvante, David et moi avions tenu un nouveau comité d'entreprise, extraordinaire cette fois, pour détailler les mesures d'économie envisagées et les principes de réorganisation dans la rédaction. J'insistai sur la nécessité de décloisonner certains services du journal et d'inciter la rédaction à travailler sur plusieurs supports, en particulier pour les pages du magazine *Le Monde 2* et pour le site Internet que je souhaitais au plus vite rapatrier à Blanqui. Je fixai les priorités à renforcer : l'économie, l'environnement et les ressources naturelles, la démographie, la politique, le débat intellectuel. Une indiscrétion autorisa un journal à caricaturer ma vision en me soupçonnant de vouloir m'en prendre à la culture et aux sports. Accusation absurde pour qui me connaissait un peu.

Je plaidai pour un journal chaud et réactif, plus dense du lundi au jeudi, plus étoffé le week-end. Au total, je chiffrai à mille pages en rythme annuel les économies de papier, sachant qu'elles porteraient moins sur le quotidien que sur les suppléments. Je savais ce que je faisais : agir ainsi sur la pagination, c'était épargner de vingt à trente emplois ! Lors des travaux de Vivaldi, j'avais assez entendu nos lecteurs se plaindre de l'épaisseur du journal, qu'ils étaient frustrés de ne pas lire pour être convaincu du *Less is more*. À condition de fournir une offre éditoriale de haute tenue, une sorte de *Herald Tribune* assumant ses choix et tablant sur l'excellence de chaque article, comme l'expliquait très bien Alain Frachon. Si le lecteur trouvait chaque jour quatre ou cinq articles indispensables pour sa compréhension de l'actualité, nous serions sauvés.

L'effet psychologique de mes annonces fut terrible. Une traînée de poudre embrasa la rédaction au sortir de ce CE : je voulais démanteler *Le Monde*. On suspendit le comité pour s'adresser aux salariés, dans un amphithéâtre chauffé à blanc, le même où j'avais été si bien élu quelques mois plus tôt. Il y eut peu de questions. Nous avions parlé avec calme et détermination. C'est après que l'agitation enfla. Guetté par les journalistes des autres médias, je finis par m'exprimer : si je comprenais le mouvement de grève et l'émotion, le qualifiant de « moment grave et exceptionnel », ma responsabilité consistait à faire des choix douloureux pour redresser *Le Monde*. Alain Faujas, représentant du SNJ, et avec lequel j'allais bientôt construire une relation de confiance, déclara que la direction s'apprêtait à « ruiner la crédibilité éditoriale du *Monde* », craignant de voir s'imposer le « copier-coller de dépêches d'agence ». Offrir un quotidien insipide, dépouillé de toute originalité, c'est précisément ce que nous voulions éviter — et qu'on évita. Au contraire, menée par Alain Frachon, la rédaction redoubla d'efforts et d'inventivité pour concevoir un journal inspiré.

Le 16 avril, les salariés du quotidien votèrent à bulletin secret une seconde journée de grève non reconductible, avec trois cent quarante-six voix pour (81,4 %). Rassemblés devant l'immeuble, cent vingt-neuf grévistes avaient enfilé des tee-shirts blancs numérotés symbolisant le nombre de départs prévus, et c'est le visage couvert de masques blancs à nez proéminents rappelant la commedia dell'arte qu'ils s'étaient couchés à même le trottoir. Cela donnait, dans une dépêche, des propos critiques et anonymes attribués à la salariée 46 ou à la salariée 47... « Fotto si tu savais... ton plan où on se le met », criaient les grévistes. « Les gens craquent, à l'infirmerie c'est le défilé. Le médecin a alerté les syndicats », témoignait une déléguée du SNJ. Les employés rejetaient les mesures nécessaires, trouvaient toutes les raisons possibles pour différer leur mise en œuvre. On cherchait des boucs émissaires, le site numérique (qu'il fallait taxer), *Télérama* (qu'il fallait céder). On me regardait de travers.

Lagardère et Prisa attendaient. Le temps pressait à mon horloge blindée. Notre discours n'avait guère apaisé les esprits. « Le message n'est pas passé, confiait un journaliste aux *Échos*. Ni l'économie du plan ni le projet éditorial censé accompagner la réorganisation n'ont convaincu. » *Libération*, sous le titre « La grève dure au *Monde* », écrivait que mon plan « faisait l'unanimité contre lui ». Les syndicats reprochaient au directoire d'être inflexible. « Je ne reviendrai pas sur le principe des départs contraints », avais-je dit à l'AFP, mais « tout ce qui pourra être fait dans le cadre du volontariat le sera ».

Si le journaliste Bernard Poulet, dans un entretien à *Témoignage chrétien*, nous créditait d'une action courageuse après avoir hérité des « erreurs du passé », il notait l'évidence : « La SRM, en ignorant les réalités économiques, n'a pas agi à temps pour éviter la prise de contrôle de ceux qui paient, les investisseurs privés Lagardère et Prisa. Sur ce plan, l'exception qu'était *Le Monde* est en train de mourir. »

Nous avions donc ouvert deux fronts : le redressement du journal et les cessions concernant les *Cahiers du cinéma*, Fleurus et La Procure. Le 17 avril, lors d'un nouveau CE chez Fleurus, David Guiraud et moi prîmes la décision d'infléchir légèrement nos propositions : si aucun repreneur ne proposait mieux que nous pour la presse magazine, alors *Le Monde* se chargerait lui-même de la restructuration et du redressement de Fleurus. Et si la cession s'accompagnait de licenciements, les salariés de cette branche seraient traités avec une entière équité, à savoir comme ceux du *Monde*.

Le soir même, au terme d'une nouvelle journée conflictuelle, je reçus un appel d'Alain Faujas. Il reconnaissait la nécessité de consentir des sacrifices boulevard Blanqui, mais il demandait un peu d'air pour mener son action syndicale et favoriser les départs volontaires. « Tu nous asphyxies, me reprochait-il. C'est impossible d'avancer si tu ne lâches pas un peu de lest. » J'appelai David et après concertation entre nous — jamais en trois ans l'un ne prit une décision sans l'accord de l'autre — je repris contact avec Faujas en ces termes : « Voici notre proposition. D'abord on abandonne le chiffre chiffon rouge de cent vingt-neuf départs. L'objectif reste une économie globale de 9,4 millions sur la masse salariale. Si partent des salaires plus élevés que la moyenne, cela fera moins de suppressions de postes. Deuxièmement, nous acceptons que le volontariat s'exerce sur tous les emplois salariés de la maison, et pas seulement sur les postes que nous voulons voir disparaître dans la réorganisation. Nous pratiquerons alors la mobilité interne pour que les emplois indispensables soient pourvus. Enfin, nous acceptons d'améliorer les conditions financières et de reclassement en les alignant sur le plan de départ volontaire de 2005. »

Faujas parut satisfait. Il me conseilla de communiquer d'abord sur l'aspect financier, ce qu'on me reprocha ensuite, comme si j'avais voulu « acheter » les départs. Mais l'essentiel était acquis. Le lendemain matin, après deux journées de grève dans la même semaine, on se retrouva face à face, directoire et syndicats, pour un nouvel échange. J'annonçai officiellement nos propositions et les élus, sans le montrer, comprirent que le moment de négocier était venu. « La direction a entrebâillé la porte », déclarèrent Alain Faujas et Michel Delberghe, de la CFDT, que je sentais tiraillé. Accepter le plan, n'était-ce pas collaborer avec les patrons ? À la veille du week-end, Fleurus et *Télérama* décidèrent la reprise du travail après avoir voté la grève le jeudi. David avait agi avec doigté, ferme mais à l'écoute. Nous n'aurions pas à déplorer une non-parution de *Télérama*, qui aurait coûté très cher. Les deux jours sans *Monde* avaient déjà représenté une perte sèche de 300 000 euros. Mais il ne fallait pas se réjouir trop vite.

Dans un éditorial rédigé en hâte et signalé à la une du 19 avril par un simple « À nos lecteurs », je brossai un tableau précis de la situation, insistant à la fois sur les sacrifices de gestion à accomplir et sur les ambitions éditoriales que j'entendais donner au journal en continuant d'approfondir la nouvelle formule de 2005. J'en profitai pour décrire le paysage ravagé dans lequel se débattait la presse en France et partout dans le monde, où une crise sans précédent la frappait sans merci.

> Si notre fragilité demeure, expliquais-je, c'est que le modèle économique sur lequel nous avons construit notre essor depuis des décennies se désintègre sous nos yeux. Et ce constat est vrai pour l'immense majorité des quotidiens, aux États-Unis comme en Europe. En 2001, les recettes publicitaires du quotidien avaient atteint le niveau record de 100 millions d'euros. Nos équipes se battent aujourd'hui pour défendre un budget à peine supérieur à 50 millions d'euros. Jamais, depuis près de soixante ans, les sommes investies par les annonceurs n'avaient été aussi faibles outre-Atlantique, enregistrant un décrochage de près de 30 %. La crise des *subprimes* et le fort ralentissement de la croissance ont propagé cette onde de choc chez nous. En ajoutant à cette baisse structurelle et conjoncturelle le déplacement des budgets publicitaires vers les sites Internet et les jour-

naux gratuits, il est aisé de comprendre à quel point l'économie de nos journaux est attaquée.

Il y a un demi-siècle, notre fondateur, Hubert Beuve-Méry, parlait de « l'indispensable, la bienfaisante publicité », laquelle représentait alors un peu plus de 40 % des recettes du *Monde*. Dans les années 1970, cette proportion était passée à plus de 60 % de notre chiffre d'affaires. Elle est retombée à quelque 20 % aujourd'hui, tandis que la diffusion réamorce sa lente mais sûre érosion. « S'il est vrai qu'un journal digne de ce nom comporte des éléments qui doivent toujours rester hors du commerce, écrivait encore Beuve-Méry, il est aussi, au sens le plus banal du mot, une entreprise qui achète, fabrique, vend et doit faire des bénéfices. »

Ces bénéfices manquaient cruellement au *Monde*. La partie était difficile à jouer dans un environnement capitalistique et financier chaque jour plus hostile. « *Can this newspaper be saved?* » se demandait le *Herald Tribune* dans une grande enquête qu'il consacra au *Monde*, illustrée par une photo des grévistes masqués. Le quotidien américain rappelait qu'en France le taux de lecture de la presse écrite était seulement de 181 pour 1 000, contre 371 pour 1 000 en Allemagne ou 274 pour 1 000 aux États-Unis. Le *Herald* mettait aussi l'accent sur l'inquiétude des journalistes du *Monde* de devoir s'intégrer tôt ou tard avec le site numérique qui portait lui aussi désormais la marque du *Monde*. Papier ou virtuel, « print » ou « Web », où était le vrai *Monde* ?

La réponse était sur les deux supports. Mais dans ce climat de tensions liées au plan social, demander aux rédacteurs du quotidien d'alimenter le Web en contributions écrites ou sonores sans être payés davantage leur donnait l'impression de creuser leur propre tombe. C'est pourquoi je m'acharnais à vouloir rapprocher physiquement les deux entités pour qu'elles inventent ensemble leur avenir. Ce fut chose faite à l'automne 2009, après bien des réticences, bien des susceptibilités ménagées au prix d'une diplomatie de haut vol digne du congrès de Vienne.

La guéguerre du papier et du Web était alimentée de l'extérieur. En témoigne ce « post » fielleux que mit alors en ligne le site Bakchich sous le titre « Aux chanceux journalistes du *Monde* ». Le ton était insupportable pour la rédaction :

Vous n'avez pas de chance : cent vingt-neuf emplois en moins, c'est rude. Un quart de l'effectif des journalistes, ça sonne. Ça assomme, même. Vous n'aviez pas l'habitude. Alors vous vous battez, vous assemblée-généralez, vous motionnez, vous vous mettez en grève. Et les journalistes, les autres, affluent. Vous avez de la chance : combien d'ouvriers en grève dans le nord ou l'est de la France ont eu droit à une telle couverture médiatique, y compris de la part du *Monde*?

Vous êtes, dit-on, l'actionnaire de référence. C'est bel et bien vous qui avez, année après année, accepté, avalisé, béni-ouiouité les rachats, les Ora, l'endettement, le train de vie. Vous savez qui vous a conduits là. Vous avez de la chance d'exercer ce beau métier de journaliste qui vous autorise aujourd'hui à enquêter, à rechercher, à rassembler, à raconter l'aveuglement général derrière deux hommes qui resteront dans l'histoire pour leur génie entrepreneurial et leur désintéressement, Minc et Colombani.

Vous avez de la chance : si le plan Fottorino-Guiraud échoue, vous pourrez encore vendre *Télérama*, ou *Courrier international*, ou les deux. Et si ce n'est pas encore suffisant, vos actionnaires ne vous laisseront pas tomber. Ils mettront de l'argent au pot [...]. On ne vous appellera plus « groupe *Le Monde* » mais « groupe Lagardère ».

Malgré sa forme provocante et désagréable, ce texte exprimait quelques vérités. *Le Monde* était en effet une chambre d'écho qui déclenchait un bruit médiatique assourdissant. Cette hypersensibilité, dont certains jouaient complaisamment, ne facilita pas la tâche du directoire. Rien n'était confidentiel, tout se déroulait sur la place publique, au nom de la nécessaire et inévitable transparence. Les vacances de Pâques approchaient. Les syndicats et les personnels restaient mobilisés. Nous en étions à la septième version d'un projet d'accord de méthode pour entrer dans l'application du plan, mais les formulations achoppaient toujours sur les départs contraints. Les élus plaidaient pour une première vague volontaire puis, seulement ensuite, après d'autres négociations, donc de nouveaux délais, une seconde vague envisageant les départs contraints. Il n'en était pas question.

Nous voulions ouvrir le guichet des départs le 6 mai, il n'y avait plus de temps à perdre. Devant notre fermeté, les syndicats appelèrent à un débrayage de deux heures. C'était un vendredi, jour du magazine, une vente à 2,5 euros. Le journal connut un très gros retard en kiosque. L'intersyndicale me demanda une nouvelle fois de publier son communiqué dans *Le Monde*. Je refusai. Et quand on convoqua un comité d'entreprise pour le 30 avril, veille du 1er Mai, les syndicats y virent une provocation.

La tension monta encore d'un cran lorsque, revenant à la charge, ils firent voter aux salariés une motion pour pouvoir disposer d'une page entière dans *Le Monde* afin d'expliquer aux lecteurs le conflit qui les opposait à la direction. « Nouvelle menace de grève au journal *Le Monde* », titra *Les Échos* du 29 avril. C'était vrai. Si l'intersyndicale n'obtenait pas cette page d'explications rédigée à sa sauce, ce serait de nouveau l'arrêt du travail. J'avais beau faire passer des messages d'assouplissement, c'était en vain. J'attendais que les syndicats entrent dans la négociation. Ils ne repartiraient pas les mains vides. Le plan de redressement avait été acté par les actionnaires, dont la SRM, actionnaire de référence. Les organisations syndicales devaient entendre qu'on ne reviendrait pas dessus. Déjà la dégradation du marché publicitaire laissait présager un très difficile exercice 2008. Je répétai aux *Échos* que nous épuiserions toutes les possibilités du volontariat, mais renoncer *a priori* aux départs contraints était alors impensable.

Le 1er Mai, les grévistes du *Monde* défilèrent à Paris affublés de leurs masques et des tee-shirts numérotés de 1 à 129. On s'entendit sur une pleine page dans le journal, où les positions de l'intersyndicale furent exposées aux côtés de celles de la SRM, l'ensemble présenté par un article d'information du service Médias paru dans une page voisine consacrée à la crise des quotidiens nationaux. Au moins les lecteurs pourraient-ils se faire leur opinion. Lors du CE du 2 mai, plusieurs grévistes firent irruption dans la salle pour dénoncer l'« attitude de blocage de la direction », nous obligeant à suspendre de nouveau la séance. Je finissais par me demander si les salariés avaient vraiment envie que ce directoire applique ses décisions, ou si l'ère de la cogestion se poursuivait comme avant.

D'autant que le bureau de la SRM, toujours courageux, et toujours au rendez-vous de l'ambiguïté, venait de nous adresser, ainsi qu'à Louis Schweitzer, une lettre demandant une réunion d'urgence du conseil de surveillance. Si la SRM n'était « pas opposée à l'idée d'un plan stratégique et de redressement », elle dénonçait l'« extrême rudesse des mesures » qui faisaient des personnels le « bouc émissaire de la mauvaise gestion passée ». Elle déplorait ainsi que « les économies soient concentrées sur la Société éditrice du *Monde* sans toucher la holding du Monde SA » (c'était faux). Elle se plaignait que « les sacrifices demandés le soient surtout au détriment des plus bas salaires » (faux), ou qu'« aucun plan de réorganisation ne soit connu » (encore faux), ou qu'« aucune relance éditoriale convaincante et mobilisatrice pour le quotidien et les autres titres du groupe n'ait encore été présentée » (toujours faux).

La SRM terminait en s'inquiétant « vivement » de la « dégradation du climat social de l'entreprise ». On tournait en rond. Avec un tel actionnaire de référence, nul doute que, s'il fallait sauver notre entreprise, ce serait à son corps défendant. À l'inverse, la Société des lecteurs (SDL), présidée par l'avocat Jean Martin, appelait le directoire à mettre en œuvre le plan. « N'ajoutons pas à la crise la confusion des rôles », écrivait la SDL. À juste titre, Louis Schweitzer jugea inopportune la tenue anticipée d'un conseil de surveillance.

Une troisième journée de grève fut donc votée, condamnant l'édition du *Monde* en date du 7 mai. La ligne dure l'avait emporté, mais avec une majorité moindre. Puisque le chiffre des cent vingt-neuf départs contraints restait un point de blocage, j'entrepris avec David d'expliciter la réalité que les syndicats ne pouvaient ignorer. N'avait-on pas déjà annoncé que, en fonction des salaires des partants, ce chiffre serait infléchi, le but étant de réaliser un certain montant d'économies ? « Toute la colère du *Monde* », titra *Libération*, insistant de nouveau sur notre intransigeance : « Devant une direction qui ne bouge pas, il faut taper encore plus fort. » *Libé* détaillait cependant nos avancées : les cent vingt-neuf postes à supprimer devenaient en réalité quatre-vingt-neuf si on retirait les postes concernés par des reclassements au sein du groupe, des accords de préretraite et des réductions de piges.

Il était temps de communiquer, et c'est aux *Échos* que je donnai un long entretien, qui parut sous le titre « *Le Monde* est une maison malade qu'il faut guérir à tout prix ». J'y incitai les syndicats à entrer dans la négociation, refusant de parler d'impasse. Je rappelai des choses simples : si, à l'été, les commissaires aux comptes constataient que notre plan n'était pas engagé, l'hypothèse écartée *in extremis* d'un administrateur provisoire serait à nouveau d'actualité ; en prévoyant une économie d'un millier de pages, nous réduirions nos coûts de 2 millions d'euros. Mais à la question « Est-ce envisageable de renoncer aux départs contraints ? » je répondis non. « Si à l'arrivée nous n'obtenons que deux tiers de l'objectif par des départs volontaires, nous serons obligés d'y recourir. »

Je répétai mon incompréhension de voir certains syndicats « donner l'impression de préférer la montée en puissance d'actionnaires externes au plan de la direction ». Nous tenions à ce que chaque salarié soit fixé sur son sort avant la mi-juillet. L'enlisement menaçait. On me cherchait des noises sur le projet éditorial, alors que je m'obstinais à poursuivre le sillon de 2005 : inventer un journal de choix et de tri, d'informations à haute valeur ajoutée et d'enquêtes, assumant de rompre avec le culte de l'exhaustivité, laquelle n'avait plus aucun sens à l'ère numérique. Le papier, c'était la chair de la robe Chanel : on ne devait y imprimer que l'essentiel et même la quintessence, le meilleur, l'original. Je citais souvent le « *Think different* » d'Apple et la réflexion d'un ancien patron du *NYT* : « On paiera toujours pour lire une explication, pas pour une information. »

Le 6 mai, une quarantaine de grévistes du *Monde* se rendirent en délégation devant les bureaux de la Halde, que présidait encore Louis Schweitzer. Ils n'avaient guère apprécié les propos du président du conseil de surveillance, le matin même, sur France Inter. Propos qui pourtant tombaient sous le sens. Qu'avait dit Louis ? « Si *Le Monde* ne rétablit pas son équilibre, il condamne son indépendance. » Quant au plan social, poursuivait-il, « ça doit toujours être quelque chose qu'on décide en dernier recours mais là, je crois qu'il faut le faire ». Le tee-shirt 53, rapporta *Libération*, s'en prit aux rémunérations de l'ancien patron de Renault (dont les fonctions au *Monde*, soit dit en passant, étaient bénévoles). Le tee-shirt 21 parla d'humiliation et de blessure dans la rédaction suite à la manière dont David et moi avions annoncé notre plan.

Au vrai, je n'ai jamais trouvé comment rendre publique une restructuration sociale sans déclencher une onde de choc. Je ne pouvais qu'adhérer au discours sur la place de l'information libre et indépendante dans une démocratie. Mais était-on indépendant quand on perdait de l'argent ? Non ? Alors il fallait en gagner, et d'abord cesser d'en perdre. Centrer le débat sur les rémunérations des cadres dirigeants était à l'évidence esquiver les vrais enjeux, mais les salaires des patrons sont toujours un bon moment de consensus dans les AG. *Le Monde*, pourtant, n'était pas le CAC 40.

Le matin du 7 mai, je reçus le bureau de la SRM venu me demander « un geste qui permette l'ouverture de véritables négociations avec les organisations syndicales ». Je ne cachai pas à mes interlocuteurs mon irritation de les sentir toujours au bord de se désolidariser du plan qu'ils avaient voté. J'assumais et j'appliquais des décisions difficiles, c'était le rôle du directoire. Mais ils pouvaient au moins cesser de louvoyer. Après une longue discussion qui entama mes réserves de patience, les représentants des rédacteurs-actionnaires finirent par prendre leurs responsabilités, s'engageant clairement en faveur du plan.

Dès le lendemain, David et moi reçûmes l'intersyndicale pour préciser notre position. Nous approchions du but : la « grève ultimatum » votée le 6 mai, et reconductible le 13 mai, ne fut pas adoptée. On entra enfin dans la négociation jusqu'à la divine surprise : avec cent trois personnes finalement candidates au départ, le montant des économies obtenues ne rendrait pas nécessaire la mise en œuvre du volet des départs contraints. Ce fut un grand soulagement, qui n'allait pas sans la tristesse de voir s'éloigner une soixantaine de journalistes, une trentaine de cadres et une quinzaine d'employés, parmi les plus anciens de la maison.

Bien des départs s'accompagnèrent de délicats entretiens dans mon bureau, avec certains rédacteurs qui m'avaient accueilli à bras ouverts plus de vingt ans plus tôt, et qui ne trouvaient pas leur place dans l'univers numérique. *Le Monde* ne devenait-il pas une « Web publication » qui se figeait une fois par jour sur le papier ? Il fut particulièrement douloureux de voir partir des hommes de la qualité de Daniel Vernet, de Thomas Ferenczi, d'Henri de Bresson, et tant d'autres. Éric Le Boucher et Claire

Blandin, mes amis du début, gagnèrent d'autres cieux. Il faudrait s'habituer aux visages qui se détournent, aux amis qui n'en sont plus. En fait non, je ne m'habituerais pas. Je mesurais à travers ces départs combien notre collectivité était à fleur de peau, avait les nerfs à vif. Nous étions un journal qui ne dormait pas, formé d'équipes fatiguées, épuisées, et je crois que nous aurions gagné à prendre du repos. Oui, à dormir un peu. Mais ce n'était pas le quart d'heure, comme disait David.

Nous espérions que tous ces efforts et ces déchirements ne seraient pas vains. La crise publicitaire de ces années 2008-2009 allait annihiler les économies si durement acquises, au point que, dès l'année suivante, il faudrait gager *Télérama* pour obtenir un prêt-relais de 25 millions d'euros de la BNP, laquelle le conditionna à une recapitalisation. Voici comment les choses allaient s'enchaîner. Mais, à la veille de cet été 2008, nous étions encore confiants. Nous avions sérieusement diminué nos coûts, même si la SRM et l'intersyndicale nous reprochèrent plus tard, à tort, d'avoir laissé filer le coût du plan social. N'était-ce pas eux pourtant qui, grève après grève, avaient exigé que nous revoyions à la hausse les conditions financières de départ pour permettre à plus de volontaires de s'inscrire, et éviter ainsi les licenciements? Ce double langage permanent avait de quoi rendre fou, disons nerveux. Mais nous devions garder notre énergie car l'épreuve n'était qu'à son commencement.

2

SCÈNES DE CHÂTEAU (1)

En avril 2007, un mois avant l'élection de Nicolas Sarkozy à la présidence de la République, Alain Minc m'avait fait part de son trouble quant à la tonalité du journal, qui devenait à ses yeux « nettement anti-Sarko ». Il me l'avait déjà dit une fois en passant, mais cette fois il se montra plus insistant. J'étais alors directeur de la rédaction et il m'imputait directement la teneur des contenus du *Monde*. « Votre base dérape. Ridet a du talent [Philippe Ridet suivait la campagne de Nicolas Sarkozy], mais Mandraud est ségolâtre [Isabelle Mandraud, alors chargée de suivre Ségolène Royal]. Cela crée un déséquilibre. Sarkozy est le seul qui propose du fond. Et ne négligez pas qu'il va devenir président. » Minc en était convaincu dès avril, un sondage du *JDD* avait encore conforté son pronostic, qui situait le chef de l'UMP à 30 % au premier tour. « Je lui conseille de parler avec vous, me glissa Minc en confidence. Avec Jean-Marie, il y a trop de prêtés pour des rendus, trop de fils. Ségolène lui a fait la danse du ventre et il a basculé en sa faveur. »

Quelques jours plus tard, un échange téléphonique eut lieu avec le candidat de la droite, dont j'ai gardé quelques traces manuscrites. Dans cette conversation, le futur président estimait que Plantu avait franchi la ligne jaune. « Il me représente avec un brassard du FN. Ridet s'intéresse à mon caractère, il cherche à savoir si j'ai l'air heureux. Vous trouvez ça digne d'un journal comme *Le Monde*? » M. Sarkozy avait toujours du mal à prononcer mon nom, qu'il croyait être Fetrino. Il ne supportait pas les critiques suscitées par son idée d'un ministère de l'Identité nationale. « Lévi-Strauss a dit que l'identité n'était pas une pathologie », laissa-t-il tomber avant de revenir sur les dessins de Plantu, qui le hérissaient.

Deux jours plus tard, Minc me rappela. La voix était distante et lasse. Il me suggéra de réaliser une interview de Sarkozy. Je lui répondis que nous en avions déjà fait une. Il avait vu JMC à New York et lui avait exprimé ses griefs sur le glissement antisarkozyste du journal. Je deviendrais bientôt directeur du *Monde* et je sentais bien que Minc, président du conseil de surveillance, me testait. Serais-je docile ou rebelle? Quand Plantu, le lendemain, m'appela pour me soumettre son idée de dessin pour la une, je me gardai bien de lui rapporter les horreurs que j'avais entendues, et je le laissai représenter Sarkozy à sa guise. Je m'abstins aussi de toute critique auprès des deux journalistes chargés de suivre les deux principaux candidats à la présidentielle. Lorsque Nicolas Sarkozy fut élu, en revanche, je demandai à Plantu d'enlever quelques attributs nauséabonds à sa caricature, soit les mouches, soit le brassard. De lui-même il laissa tomber le brassard puis les mouches, sensible à mon argument : Sarko était désormais le président de tous les Français, élu avec 53 % des suffrages. Pour autant, notre talentueux dessinateur ne fut jamais bridé par moi dans ses élans critiques et sarcastiques.

Depuis son élection à la présidence de la République, j'avais eu peu de contacts avec Nicolas Sarkozy. Le 27 août 2007, il m'avait convié dans les jardins de l'Élysée en compagnie d'Alain Duhamel, de Catherine Nay et de Franz-Olivier Giesbert, pour une conversation à bâtons rompus qui me laissa surtout l'odeur de son cigare et l'impression désagréable, partagée par mes confrères, de devoir subir les diatribes du nouveau maître des lieux contre la gent journalistique, un refrain qu'il reprendrait souvent. « Vous pensez que la liberté de la presse, c'est critiquer. » Il s'épancha à propos de Philippe Ridet, qui avait couvert sa campagne pour *Le Monde*, me signifiant qu'il serait opportun de lui faire changer d'air, sur le thème « Il me connaît trop, il s'ennuie ».

J'avais déjà pris la décision d'envoyer Ridet comme correspondant à Rome, mais ce ne fut en rien la conséquence d'une demande venue du sommet de l'État. Si Sarkozy en avait assez de Ridet, l'inverse était vrai aussi, et Philippe m'avait demandé de le relever. Depuis longtemps il souhaitait le poste de Rome. J'avais accepté. En Italie il trouva Berlusconi. Ce ne fut pas la *dolce vita*. Le président regretta le temps où les journalistes du *Monde* s'intéressaient vraiment à la politique. Il versa une larme de crocodile sur feu notre excellent confrère André Passeron, jalousant Chirac d'avoir été compris par cet orfèvre avisé du gaullisme. Lui n'avait affaire qu'à des incultes, qu'on se le dise ! Il s'en prit verbalement à une journaliste du *JDD* qui, à ses yeux, n'avait rien compris à je ne sais quoi.

Relisant mes notes de cet entretien, je réalise que ce moment fut plus instructif que dans mon souvenir. Sarkozy tranchait d'emblée avec ses prédécesseurs. Avocat et non énarque, il plaidait sans cesse, comme s'il avait confondu le verbe et l'action. Il paraissait devoir se justifier de tout. Avait-il oublié qu'il avait remporté l'élection, ou sentait-il à nos airs parfois dubitatifs qu'il devait à tout prix convaincre chacun d'entre nous de ses bons choix ? Son discours était un mélange d'humilité et d'un trop-plein d'assurance propre à ceux qui en sont tragiquement dépourvus. J'aurais d'autres occasions d'observer cette faille chez lui : dans une salle remplie de supporters, il lui suffirait de sentir un seul regard hostile pour être déstabilisé et n'avoir de cesse de le rallier. Peut-être serait-ce là sa principale faiblesse, à moins que ce ne soit sa force : manquer de confiance en lui au point de ne pas supporter la moindre réserve.

Mais ce jour-là il jouait plutôt les matamores — un mot dont le sens originel, « qui mate les Maures », lui va comme un gant de fer. Je retrouve cette réflexion surprenante de la part d'un homme qui venait à peine d'accéder aux plus hautes fonctions. « Pourquoi faire un deuxième mandat ? demandait-il. Pas besoin ! Tout a changé en trois mois en politique intérieure. » Plus loin, à propos de l'opposition, cette remarque : « La gauche est durablement plombée. Vous savez pourquoi ? Elle ne parle pas au peuple, elle se parle à elle-même. » Les ouvriers ? « Quand ils me voient ils s'écrient : "Il est comme nous. On comprend ce qu'il dit". » Sarkozy vantait son rapport au peuple, louait son propre courage (« Dois-je être offensif ou me protéger ? » — bien sûr il allait au combat...). Il témoignait de son « bonheur » à travailler avec Kou-

412

chner, tressait des louanges à Rachida Dati (« C'est une vraie, elle vient de la zone, elle aurait pu mal tourner »), parlait avec entrain du « lumineux Raymond Soubie » (que je retrouverais sur mon chemin au moment de la recapitalisation), disant de son conseiller aux Affaires sociales qu'il avait « faim comme un jeune homme ».

Il couvrait aussi d'éloges son nègre-conseiller le séguiniste Henri Guaino, plume sergent-major de ses discours de candidat : « Il se glisse en moi. Nous sommes en symbiose. Séguin était mortifère. Henri est un constructeur. Pendant la campagne on s'appelait la nuit. Il me lisait des passages et ça nous faisait venir les larmes aux yeux tellement on était émus. Je n'ai jamais saboté mes discours. Je garde l'esprit de mes promesses et je suis imperméable aux influences de la technocratie. » Comme nous l'interrogions sur le sens de l'ouverture — Patrick Devedjian persiflait qu'elle pourrait s'étendre jusqu'aux sarkozystes —, le président parlait clair : « Je prends les meilleurs. » Y compris dans le camp d'en face ? « J'ai besoin de diversité autour de moi, répondait-il. Je suis multiple. J'ai rompu avec mon entourage qui voulait m'emprisonner. »

D'entrée de jeu, la rupture tant annoncée par Nicolas Sarkozy fut d'abord la rupture avec les siens. « Je sais ce que je veux. Je ne demande pas qu'on pense pour moi. Je me sens libre et je m'appuie sur une équipe de pur-sang. Je dis à Fillon : "Rayonne, sois heureux, tu es Premier ministre. Faut avoir faim"... » Déjà François Fillon connaissait sa douleur d'être transparent. « Celui qui est élu, c'est le patron, disait le chef de l'État. Il doit démultiplier l'action. Moi je dois être authentique, y aller à fond. Vous savez, je suis applaudi quand je fais mon jogging. » Mais dès ce rendez-vous impromptu du 27 août, tout en martelant : « Je fais le boulot à fond, je suis passionné par ce que je fais », admettant s'être débarrassé d'un poids en remportant l'élection suprême, il lâcha ces quelques mots : « Profondément j'aime pas cette vie. » Tout Sarkozy était là, la syntaxe fautive, la pseudo-confidence aux accents de sincérité. « J'aime pas cette vie. »

Je quittai les jardins présidentiels assez irrité, après que le président m'eut demandé si je ne roulerais pas à vélo un de ces jours avec lui. Était-ce une plaisanterie ? Je voyais déjà la photo dans *Paris-Match*. La symbolique aurait été du tonnerre. Et pourquoi pas le tutoyer ? Il m'y encourageait de son propre tutoiement. Mais j'avais mon idée là-dessus. Tutoyer empêchait de rudoyer. Je conservais le « vous » de politesse et de distance, avec le sourire bien sûr. Quant à la sortie à bicyclette, je répondis au président qu'il roulait trop vite pour moi. Il n'en fut plus jamais question.

En février 2008, une entrevue d'une demi-heure en tête à tête eut lieu à l'Élysée. Arrangé par Minc, ce rendez-vous devait caler nos relations pour le quinquennat, de manière que *Le Monde* observe une sorte de *gentleman's agreement* vis-à-vis du président. Je ne savais pas très bien ce que tout cela signifiait et sans doute Sarkozy non plus car l'entretien fut bref, il pensait à autre chose, et je me souviens seulement de la pyramide de chocolats dans laquelle il m'invita à piocher. Lors des vœux à la presse, quelques semaines plus tôt, le président avait eu un échange vif avec Laurent Joffrin, alors patron de *Libération*. Sans doute le but était-il de ne pas se mettre *Le Monde* à dos en ménageant un dialogue à froid. Sarkozy me parla de sa réforme sur le régime spécial des fonctionnaires. Ce fut tout.

Depuis mon élection à la tête du journal, en juin 2007, j'étais bien décidé à ne pas faire du *Monde* une machine ni pro- ni anti-Sarkozy. Laurent Greilsamer et Alain Frachon défendaient la même ligne : nous devions rendre compte de cette présidence pour ce qu'elle était, raconter la rupture tant annoncée, le style, le fond, mais nous garder de tout a priori. Un président d'un nouveau genre écrivait ce qu'il appelait lui-même le roman national. Il appartenait au *Monde* d'en être le meilleur chroniqueur. C'est à l'aune des valeurs humanistes et tournées vers la modernité, mélange de justice, d'équité, et de goût des réformes, que nous jaugerions ce personnage déconcertant qu'on appelait alors l'hyperprésident.

Sans états d'âme, nous allions soutenir Sarkozy dans ce qui nous apparaissait comme des réformes nécessaires ou des actions courageuses, et nous condamnerions ses dérapages sur les libertés, les dérives judiciaires et policières, l'obsession sécuritaire et sa défense de l'identité nationale remplie d'arrière-pensées. Jusqu'à ses faiblesses à l'égard de son fils Jean, dont Minc m'expliqua qu'elles étaient les affres d'un père au regard d'un enfant qui avait grandi loin de lui, et non les signes d'une sarkozie devenue satrapie.

Parlant de père, je n'avais pas éteint mon téléphone portable aux obsèques du mien, le 18 mars. Il sonna à la fin de la cérémonie et j'eus la surprise d'entendre la voix de Carla Bruni, épouse Sarkozy depuis peu. « Je vous dérange ? » Je balbutiai qu'en effet ce n'était pas le moment et elle s'excusa. Une heure plus tard je la rappelai. Elle me proposa une tribune dans laquelle elle mettait un point final à l'affaire du SMS qu'aurait adressé Nicolas Sarkozy à sa femme Cécilia pour qu'elle regagne le foyer conjugal. Sous le titre « Halte à la calomnie », Carla Bruni écrivait : « On ne peut, sans danger, laisser la rumeur prendre le pas sur l'information. Désormais l'affaire du faux SMS est close ; mon mari vient de retirer sa plainte contre *Le Nouvel Observateur* après réception de la lettre d'excuses qu'Airy Routier (ndlr : le journaliste à l'origine de la fausse information) m'a adressée. »

Le lendemain en début d'après-midi, une heure à peine après la parution du journal, Nicolas Sarkozy demanda à me parler au téléphone. Il me remercia chaleureusement d'avoir publié le texte de son épouse. Je lui répondis que j'y avais vu de l'intérêt pour nos lecteurs. Voulait-il me dire autre chose ? Visiblement non, sauf ceci, qui me stupéfia. « Vous savez, s'écria-t-il enthousiaste, Carla l'a écrit toute seule ! » L'idée ne m'avait pas effleuré qu'il pût en être autrement. Mais l'insistance avec laquelle il me donna cette précision me troubla. Les jours suivants, une rumeur circula : de proches amis de Carla Bruni-Sarkozy auraient tenu son stylo. Je gardai de cet épisode un goût désagréable. Mais je connaîtrais bien pire.

Sans doute le moment le plus édifiant se déroula-t-il à l'Élysée le 9 avril suivant lors d'un déjeuner d'intellectuels, c'était en tout cas l'étiquette donnée à cette rencontre. Le président, lisait-on alors dans les échos des magazines, aimait à s'entourer de penseurs sachant penser... Son message était connu d'avance : il tenait à nous convaincre qu'un an après sa prise de pouvoir il était le seul président à avoir si profondément réformé le pays à la vitesse de l'éclair, et que ses prédécesseurs, comparés à lui, avaient été des tortues, voire d'immobiles statues. Étaient présents l'avocat et essayiste Nicolas Baverez (à qui je confierais plus tard une chronique), l'historien et professeur à Sciences Po Jean-François Sirinelli, l'éditorialiste du *Nouvel Obs* Jacques Julliard avant son départ pour *Marianne*, et le patron des Éditions Grasset Olivier Nora.

Un incident se produisit avant même que nous soyons introduits dans la vaste salle à manger du palais. Lorsque je me présentai dans le salon d'attente, les autres convives étaient arrivés. On me signala que la conseillère du président, ancienne rédactrice en chef au *Point*, Catherine Pégard, était dans tous ses états. Nicolas Sarkozy écumait de rage à cause de la une du *Monde* qui allait sortir incessamment. Didier Migaud, encore président socialiste de la commission des finances à l'Assemblée nationale, critiquait sévèrement la loi dite Tepa sur le travail, l'emploi et le pouvoir d'achat, popularisée par le fameux slogan «Travailler plus pour gagner plus». Sept mois après sa promulgation, ce dispositif se révélait, selon Migaud, « coûteux et inefficace ». Et *Le Monde* avait consacré sa manchette à cette révélation. Mes confrères me firent savoir que Catherine Pégard était livide car le chef de l'État lui avait reproché de ne pas être au courant à l'avance de cette une. Mais comment aurait-elle pu le savoir ? Allait-on bientôt devoir transmettre à l'Élysée, avant parution, la teneur de nos gros titres ?

Je m'attendais à une volée de bois vert. Nicolas Sarkozy fut habile et joua l'ironie plutôt que la colère, même froide. Le déjeuner débuta avec près d'une demi-heure de retard et il fit bonne figure pour nous accueillir, prenant sur lui pour cacher son irritation.

À peine assis, il engagea un dialogue inattendu, que je devais retranscrire sitôt le repas terminé.

« J'aime beaucoup le dernier roman de M. Fottorino, commença-t-il en prenant notre petit groupe à témoin tout en s'adressant à moi. —Vous le préférez à mon journal », répondis-je sur le mode de l'humour, sentant le rouge me gagner. Ce genre de prise à partie sur le mode du compliment factice me mettait très mal à l'aise. «Votre roman a vocation à durer. — Un journal, c'est fragile, surtout en ce moment », répliquai-je. Il eut un sourire entendu. «Vous faites tout pour qu'il soit fragile. Car le débat, oui, je suis pour. Mais pas la mauvaise foi. Je déteste ces papiers à charge, et je ne parle pas de l'odieux SMS de ce voyou d'Airy Routier. — Je ne proteste pas, fit Jacques Julliard tout bas. — Mais

donner la parole à Didier Migaud pour critiquer la fiscalité... »,
reprit le président l'œil posé sur moi. Il n'alla pas au bout de sa
phrase. Son début signifiait bien qu'il récusait les compétences du
parlementaire socialiste en la matière. Ce qui ne l'empêcha pas,
après la disparition brutale de Philippe Séguin, de le nommer
président de la Cour des comptes.

C'était la première fois, mais pas la dernière, que le chef de
l'État évoquait mon travail littéraire sur ce mode : me flatter pour
mes romans avant de critiquer mon journal et ma manière de le
diriger, de ne pas tenir ma ligne, de ne pas tenir ma rédaction,
comme si une communauté de journalistes était un chien qu'on
mène en laisse. Cette première offensive fut somme toute assez
sobre comparée à d'autres, qui viendraient plus tard. Jamais je
n'eus la vanité de me prendre pour le « grand écrivain » que le
président désignait bruyamment aux témoins de ces scènes faussement amicales. « Caresse de chien donne des puces », disait-on
dans mon enfance. Avec le temps, les critiques du président
allèrent crescendo.

Au cours de ce déjeuner, nul ne put vraiment placer un mot.
Sarkozy parlait, parlait, parlait et, s'il écoutait quelqu'un, c'était
d'abord, c'était toujours lui, n'attendant finalement de ses hôtes
raclant leur assiette que de serviles et masticatoires acquies-
cements. Le monologue tourna d'abord autour de la belle et
divine Carla, qui avait enregistré son nouveau disque dans un
studio spécialement aménagé à l'Élysée. « Quelle artiste ! » fit-il
avec émotion, pénétré de toute la grâce ruisselante d'un Terrien
pris dans le halo d'une étoile. Nous opposions à cet enthousiasme
sympathique des sourires polis ou gênés, il fut question du CD
de Carla qui avait ravi les membres du gouvernement. C'était
touchant.

La suite le fut moins quand Sarkozy dévoila leurs projets
d'avenir. Manifestement il y avait réfléchi, et la musique n'était
pas celle d'un second mandat : « Avec Carla on ne veut que du
bonheur tranquille, dans une belle maison puisqu'on a les moyens.
Je suis président. Mon prochain statut sera ancien président,
et celui-là durera très longtemps. Alors je ferai comme Bill
(comprendre : Clinton) ou comme Tony (comprendre : Blair) : je
ferai des conférences et là, je me bourrerai ! »

417

Il est utile de décomposer cet instant qui nous laissa tous si pantois que deux mois plus tard dans l'enceinte de l'Observatoire où Alain Minc avait convié le Tout-Paris des réseaux politico-financiaro-intello-médiatiques, la haute silhouette d'Olivier Nora se rapprocha de moi pour me demander dans un souffle si nous avions bien entendu ce que nous avions entendu. Mais reprenons. « ... et là, je me bourrerai » : ce n'était pas une familiarité du président signifiant qu'il descendrait de grands crus avec sa belle Italienne. Non, il s'agissait de s'en mettre plein les poches, et s'il était question pour lui de se bourrer, c'était d'argent, disons de fric, de pognon, pour rester dans la note.

Sarkozy avait joint le geste à la parole, écartant de la main gauche le haut de sa veste pour plonger la main droite bien aplatie au fond de sa poche intérieure. Se bourrer. Il n'était pas président depuis un an qu'il se voyait déjà ancien président à vie et se remplissant les poches en monnayant son expérience, comme ses amis Bill et Tony. Ce spectacle, si on peut parler ainsi d'un tel accès de vulgarité, n'avait pas seulement notre petite assistance comme témoin. Le maître d'hôtel, les femmes préposées au service, un garde républicain en faction — l'ai-je rêvé? —, tous ces personnages silencieux par devoir avaient forcément entendu ces saillies qui, comme dans *Les bonnes* de Genet, seraient sans doute commentées à foison une fois le déjeuner terminé. À moins que le personnel du palais, figé en statues entre les plats, ne se fût habitué à laisser tomber ces paroles dans la zone interdite de sa mémoire...

Mes notes sont assez décousues, à l'image des propos de Nicolas Sarkozy, qui recouvrait tout l'espace de sa voix — on eût dit le vol d'un bourdon qui ne se pose jamais. Il était dit que nous repartirions le stylo rempli d'éditoriaux prémâchés glorifiant son bilan d'exception. « Je n'ai reculé sur rien. Le bouclier fiscal a favorisé la relance. J'ai supprimé l'ISF. Je n'ai pas menti. Je ne suis pas comme Giscard, qui sautait tout ce qui passait, là-bas, dans ce qui est aujourd'hui le bureau de Guéant. Au bout d'un an Mitterrand n'a plus rien fait, et Chirac j'en parle même pas. » Il était content de lui, Sarkozy, content de nous avoir là avec lui, tranquille, nous étions son oxygène au milieu de tous ses devoirs.

Et il reprit son lamento : « Je n'aime pas cette vie avec tous ces gens. Avec Carla on se demande : "Mais qu'est-ce qu'ils ont tous ?" Elle m'a demandé qu'on passe le dimanche soir ensemble, alors dès qu'on peut on reste là, enfermés, on regarde des DVD, on ne voit personne. Carla... Vous savez, sa tribune dans *Le Monde*, elle a écrit le texte du premier au dernier mot. Je lui ai donné le scoop, le retrait de ma plainte. Elle a dit aux médias qu'il y avait une déontologie ! » Il s'extasiait, il pérorait, il nous gavait de mots. « J'écris le roman national depuis 2004. Je fais vendre. Quand un magazine ne sait pas qui mettre en couverture, il me met, moi. Je fais vendre des millions de magazines ! »

Puis vint le clou du spectacle. Tout à coup notre hôte chercha le nom d'une journaliste qui l'avait critiqué pour le prix de son ancienne montre, une journaliste du *JDD*. Il détacha la nouvelle qu'il avait à son poignet et se mit à la faire tourner autour de la table, dans le sens bien sûr des aiguilles d'une montre. Son dernier cadeau de Noël 2007. « Elle vaut quatre fois plus cher que l'autre ! triompha-t-il. Carla est entrée dans le magasin et elle a dit : "Je veux la plus belle pour Nicolas". » La plus belle, la plus chère aussi, il le clamait sans retenue.

Chaque convive s'abîma dans la contemplation de cette Patek Philippe avec phases de Lune et quantième perpétuel, un présent estimé à 65 000 francs suisses, pendant que le président continuait le récit de son conte de fées. « Le temps, c'est ma force, martelait-il. Moi je ne veux pas être réélu comme les autres avant moi. Je peux faire autre chose dans la vie. Avec Carla, dès le deuxième jour on savait qu'on allait se marier. On est allés à Disney pour laisser les médias faire leurs images et que ce soit derrière nous. Les politiques, ils attendent des mois. Nous, on sort deux secondes et ça y est »...

L'épisode de la montre passé, on réussit à poser quelques questions d'ordre international. Le président étala son amitié avec Gordon Brown depuis qu'il avait été ministre du Budget de Balladur. Il insista sur l'axe Paris-Londres, qui contrebalançait l'axe Paris-Berlin, laissa entendre que Paris rendait des services de maintenance de l'arme nucléaire britannique. Évoquant son atlantisme, sa réconciliation avec l'Amérique, il rappela que Chirac lui avait interdit de rencontrer John McCain, le candidat des républicains face à Obama, sous prétexte que c'était un fou. « Je me suis précipité chez McCain », fit-il avec un sourire de gamin effronté.

Sarkozy à l'Élysée, Chirac dans sa vieillesse, il n'en finissait pas de régler ses comptes, ne lâchait pas l'ancien président, semblant s'escrimer dans une lutte vaine et grotesque avec son ombre. « Poutine voulait nommer Chirac président d'un conglomérat pétrolier. J'ai dit : "Moi vivant, il n'en est pas question"! »

Visiblement, le grand jeu planétaire lui plaisait. « Un jour Israël tapera sur l'Iran comme il l'a fait en Syrie, sans demander l'autorisation aux Américains ni à personne. Les Syriens n'ont pas beaucoup crié car ils n'avaient pas dit qu'ils fabriquaient le matériel nucléaire que les Israéliens ont détruit. » C'était au moins une information intéressante. En septembre 2007, l'armée israélienne avait en effet entrepris un raid mystérieux sur des installations militaires syriennes sans que Damas réagisse outre mesure.

Au dessert il repoussa l'éclair au café glacé pour demander trois simples boules de glace et enchaîna en vrac sur les retraites (« Les quarante et un ans de cotisation, c'est signé »), avant de chanter les louanges du secrétaire général de la CGT Bernard Thibault, « un type bien. J'aurais pu le mettre à terre. Je ne l'ai pas fait et au contraire j'ai salué son action ». Nous en étions au café quand il eut quelques mots admiratifs pour le fils d'Hosni Moubarak, un type « très bien », en qui il voyait le successeur de son père. Il s'avoua soufflé de la réussite de Ben Ali : 85 % des jeunes Tunisiens étaient scolarisés. On se quitta après qu'il eut raconté son déjeuner avec le roi de Jordanie et sa belle épouse Rania. Il s'enthousiasma soudain pour leur projet de relier par un canal de 800 kilomètres la mer Morte, qui perdait 1 mètre par jour, à la mer Rouge. Nous quittâmes l'Élysée dans ce rêve de grandeur et pourtant chacun, rendu à lui-même, ne put que mesurer la petitesse de cet épisode : un déjeuner avec le président des Français.

Deux semaines plus tard, dans mon éditorial du 25 avril, je dus prendre sur moi pour tenter d'évaluer sans trop céder à l'agacement l'action de Nicolas Sarkozy au bout de ses douze premiers mois de mandat. Je ne souhaitais guère me laisser influencer par la désastreuse impression que m'avait laissée la rencontre du 9 avril. Sous le titre « Trop Nicolas, pas assez Sarkozy », je m'efforçai de ramener l'activisme du nouveau chef de l'État à sa juste proportion :

Depuis un an le président a beaucoup agi et s'est beaucoup agité. Il s'est impliqué lui-même dans des affaires décisives ou mineures, rabaissant son premier ministre au rang de collaborateur et son gouvernement en troupe de figurants. Y compris ses ministres d'ouverture tenus pour de simples ralliés. De la réforme des régimes spéciaux à celle de la carte judiciaire, des heures supplémentaires défiscalisées à la fusion Unedic-ANPE, du contrôle de l'immigration à la rétention de sûreté, du fameux bouclier fiscal à la réforme des universités, le nouvel élu n'a guère chômé. Puisant sa substance dans le mouvement et cherchant sa cohérence dans la parole, préférant l'ubiquité à la rareté, la jonglerie avec cent dossiers plutôt que l'aboutissement d'un seul.

Nicolas Sarkozy avait changé : de prévisible, il s'était rendu illisible, effaçant le véritable cap de son action sous la rhétorique émoussée de la rupture. Le paradoxe était saisissant et je ne me privai pas de le dire. La somme de ses actes versait la France dans une grande soustraction : moins d'espoir, moins d'argent, moins d'envies assouvies. Le président avait beau jeu d'affirmer que nul avant lui n'avait autant bouleversé la donne du pays. En vérité, l'hôte de l'Élysée avait entrepris des réformes dont l'ampleur, sans être mineure, n'était pas de premier ordre. Sans commune mesure, par exemple, avec les nationalisations de 1981, ou avec la tentative avortée de Chirac-Juppé en 1995 sur les retraites de la fonction publique et les régimes spéciaux.

Au-delà de l'écume des choses, de la lecture de la lettre de Guy Môquet, de l'idée saugrenue de faire porter à chaque enfant de CM2 la mémoire d'un enfant déporté, au-delà encore des cafouillages sur le mot « rigueur », que n'avait pas le droit de prononcer la ministre de l'Économie Christine Lagarde, ou sur la primauté du curé sur l'instituteur pour transmettre les valeurs, je portai au crédit du président d'avoir réinstallé la France dans le concert des nations. D'avoir en particulier réchauffé la relation avec les États-Unis, rompant avec une posture française antiaméricaine stérile et anachronique.

Restaient en revanche très critiquables à mes yeux les initiatives en matière d'immigration — avec la politique du chiffre et ses traques humaines — et, sur le terrain des libertés fondamentales, la remise en cause des arrêts du Conseil constitutionnel quand celui-ci désapprouvait, à raison, les conditions légales de la rétention de sûreté.

Que restait-il du formidable élan qui avait amené tant de Français aux urnes au terme d'une campagne présidentielle pleine, à tous les sens du terme, de promesses? Heureux d'avoir communié aux sources d'une démocratie revitalisée, le pays voulait croire que tout était possible. Que chacun, puisque le nouveau chef de l'État l'avait affirmé, pourrait prendre son destin en main, améliorer surtout sa condition matérielle dans un pays libéré de ses carcans sociaux, de ses pesanteurs administratives et, pourquoi pas?, de ses tabous égalitaristes. De tout cet espoir, de ce lien privilégié, direct, vertical, tissé par le verbe entre un homme et un peuple, il ne subsistait qu'une illusion. L'économie annonçait des orages quand l'Élysée annonçait un mariage. Le charme était rompu. Trop Nicolas et pas assez Sarkozy, le président exhibait son bonheur individuel et les caisses vides de l'État. Il était devenu fiction quand la réalité le réclamait, se comportait en petit frère des riches, volant en jet et convolant avec une artiste.

Tout cela aurait pu passer si la prospérité avait été au rendez-vous. « Rarement président n'a eu autant de légitimité et de marge de manœuvre pour réformer. Mais il a dilapidé ce capital entre la surexposition de sa vie privée et son esquive sur le pouvoir d'achat », analysait Stéphane Rozès, alors directeur général de l'institut CSA, que j'avais connu jadis sur les bancs de Sciences Po, au séminaire de Léo Hamon, vieux gaulliste de gauche. Rozès était à l'époque un militant trotskiste qui nous en imposait par sa maturité et sa culture politique. Il n'était plus « trostko » mais avait affûté sa capacité d'analyse en observant de près tous les acteurs du jeu, les conseillant souvent, et tâchant de mesurer l'écart entre le souhaitable et le possible dans l'espace public. J'avais renoué avec lui et aussi avec un autre complice de la rue Saint-Guillaume, le politologue Dominique Reynié, qui n'avait rien perdu de sa chaleur ni de son bel accent de Rodez. L'institution présidentielle est fondamentalement « paternaliste », estimait Reynié. Or le président ne s'était guère glissé dans l'habit du père ou du guide, laissant naître un sentiment d'abandon doublé de la déception sur les résultats concrets.

À dérouler le film à l'envers, on avait d'abord observé un chef de l'État pas comme les autres, qui avait fait de l'omniprésence une omniprésidence. Et puis plus rien : il avait quasiment disparu dans les premières semaines de janvier. Pour Jean-Marie Rouart, Sarkozy s'était d'abord épousé lui-même et n'avait pas pris le temps « d'interroger ce conseiller austère : le silence ». Un président n'avait pas droit au bonheur, ou alors en toute discrétion. Il y avait du jansénisme dans la fonction, de la gravité dans l'allure. Et laisser entendre que le job ne lui plaisait pas tant que ça ne rassurait personne.

Mon éditorial du 25 avril 2008, comme tous ceux que je devais lui consacrer en près de quatre ans, déplut au chef de l'État. Mais il n'en était pas encore au point de me le signifier directement. Hormis un curieux message que je fus chargé de lui passer par l'ambassadeur d'Iran en France, M. Ali Ahani, au terme d'un dîner avec ce dernier, à travers lequel le diplomate priait officieusement Nicolas Sarkozy d'aller à la rencontre de Mahmud Ahmadinejad, je n'eus plus aucune nouvelle de l'Élysée et c'était parfait ainsi. À propos de l'Iran, M. Sarkozy me répondit qu'il n'était pas question pour lui de se rendre dans un pays dont le leader entendait rayer Israël de la carte.

C'est un an plus tard, en avril 2009, que le président se rappela à mon attention. Un matin vers 11 heures, l'édition du journal était bouclée, il me joignit sur mon portable. À peine une voix de femme avait-elle prononcé les mots « Je vous passe le président de la République » que je reconnus son phrasé singulier.

« M'sieur Fottorino, ça ne m'étonne pas que vous perdiez des lecteurs, vu la ligne du *Monde*! — Bonjour, monsieur le président. Pourquoi dites-vous ça? » Il prit une intonation faussement détendue. « Alors, je fais un voyage d'État de quarante-huit heures en Espagne. Un succès! Mais bien sûr les succès ça n'intéresse pas *Le Monde*. Nous avons réglé de graves questions avec Zapatero. Cela donne un articulet dans vos pages le premier jour et rien le lendemain! — Je vais regarder, répondis-je, mais je suis surpris de ce que vous me dites. Nous avions un correspondant et un envoyé spécial, cet événement a dû être bien couvert. »

423

Bien sûr, je ne m'attendais pas à cet appel et, à vrai dire, le voyage de Sarkozy en Espagne n'avait rien d'exceptionnel. Il reprenait la longue litanie des visites de chefs d'État français à Madrid qui se promettaient avec leurs homologues espagnols de faire leurs meilleurs efforts pour lutter contre ETA. Ce bref séjour avait été pimenté par le duel glamour qui promettait de belles scènes de genre entre la première dame de France, ex-top modèle devenu Mme Sarkozy, et la princesse Letizia Ortiz, ancienne star du petit écran ibérique, qui avait épousé le prince des Asturies Felipe, fils de Juan Carlos. Une photo immortalisa l'instant où les deux héroïnes de cette journée mémorable gravirent les marches d'un perron. L'image fit le tour du monde, mais sans doute ne marqua-t-elle guère les lecteurs du *Monde*, où elle ne trouva guère sa place. Était-ce l'origine de l'ire présidentielle ? Voulait-il du *Gala*, du *Voici*, lui qu'on présentait comme le « mari de Carla ».

Je menai ma petite enquête auprès des journalistes chargés de cette rencontre. Contrairement aux affirmations de Sarkozy, l'article du *Monde* avait été le plus complet de toute la presse. En raison de notre bouclage matinal, nous avions obtenu avant nos confrères le communiqué final franco-espagnol. Il me fut précisé d'ailleurs que ce n'était pas grâce aux collaborateurs de l'Élysée, qui n'avaient rien voulu lâcher. Si le journal avait été au rendez-vous sur le sujet, c'est que notre correspondant à Madrid Jean-Jacques Bozonnet avait profité de ses bonnes relations avec l'équipe de Zapatero pour obtenir les informations nécessaires. Je ne pris pas la peine de rappeler le président pour me justifier. Notre conversation avait été assez pénible pour que je ne cherche pas à la reprendre.

Lorsque, confiant dans nos écrits, je lui avais répondu que nous avions traité au mieux cette information, il s'était soudain lâché : « De toute façon vous serez toujours contre moi. Ça vous regarde si vous faites un journal socialiste, le journal de Martine Aubry et de Ségolène Royal. Continuez, mais ne vous plaignez pas de perdre vos lecteurs. » Piqué au vif, je lui avais dit que Martine Aubry et Ségolène Royal critiquaient elles aussi *Le Monde* et que, s'il avait entendu leurs griefs, il aurait constaté que je m'efforçais de tenir le journal à l'écart de tout engagement partisan. Mais cela ne servait à rien et je le savais. Sarkozy n'écoutait que lui-même.

Quelques semaines plus tard, en date du 5 mai 2009, pour les deux ans du mandat de Sarkozy, j'accentuai le trait esquissé l'année précédente dans un éditorial titré « Une affaire de style ». Cette fois, je n'hésitai pas à dire combien le président occupait sa fonction de manière si déconcertante qu'elle semblait vidée de sa substance. Un paragraphe retint l'attention :

> Moins que l'inspiration réformatrice, écrivais-je, c'est l'exécution qui pèche chez Nicolas Sarkozy. Une affaire de style qui finit par irriter après avoir soulevé curiosité et espoir. Il ne suffisait pas de vouloir s'affranchir des codes en usage dans la République, de jeter aux orties l'héritage de ses prédécesseurs, à commencer par celui de Jacques Chirac, ou encore d'ouvrir avec frénésie mille chantiers, au risque de n'en achever correctement aucun. Encore fallait-il créer une pratique nouvelle en phase avec notre société, faite d'un dosage subtil d'individualisme et d'élan commun, de « moi d'abord » et de « tous ensemble ». En deux ans, le chef de l'État a peu inventé, mais il s'est beaucoup vanté.

Le ton de mon éditorial était mesuré, dépourvu d'agressivité, mais la critique se voulait franche. Si je reconnaissais les succès de Sarkozy, ils étaient à mes yeux très insuffisants au regard du fossé qui s'était creusé entre la consistance du candidat et l'inconsistance du chef de l'État, qui n'était plus qu'incantations et gesticulations. Le hasard voulut que deux jours après la parution de ce texte, le président de Publicis Maurice Lévy me convia à son élévation au grade de grand officier de l'Ordre national du mérite. Par amitié pour lui, pour l'aide qu'il apportait au *Monde* (son groupe avait souscrit pour 12 millions d'euros d'Ora du *Monde*), je ne voulais pas manquer cette cérémonie. Le carton indiquait qu'elle se déroulerait au palais de l'Élysée, et que le chef de l'État en personne remettrait sa décoration à M. Lévy. Aussi me rendis-je au palais avec une légère appréhension. Je connaissais assez Sarkozy pour prévoir qu'il se manifesterait. Je ne fus pas déçu.

À peine avait-il prononcé son éloge sur une estrade de la salle des fêtes qu'il m'avisa dans l'assistance et m'adressa un signe du doigt comme font les pions à l'adresse des élèves chahuteurs dans la cour du collège. Je m'approchai un sourire aux lèvres mais sur mes gardes, tandis que les convives faisaient cercle autour du nouveau promu et du président. Il me tendit la main puis me malaxa l'épaule comme à son habitude. Toujours ce besoin de vous toucher comme pour mieux s'assurer que vous êtes bien là et que, d'une certaine manière, il vous tient.

Il commença ainsi, s'adressant à moi autant qu'aux témoins les plus proches de la scène. « Ah, monsieur Fottorino ! Vous devriez être à l'Académie française, vraiment, je le pense ! » fit-il en cherchant alentour des regards approbateurs. Étaient présents Claude Lanzmann, Philippe Labro, FOG et bien d'autres *happy few* de la société médiatique. « Mais..., poursuivit le président porté par un même souffle, votre édito d'avant-hier procède d'une démarche fasciste. » Nul ne broncha. Il avait bien dit « fasciste » ? Maurice Lévy oscilla d'un pied sur l'autre, Lanzmann risqua une critique sur la position du *Monde* à propos d'Israël. C'était bien le moment de parler d'Israël ! Je me tournai vers Sarkozy et lui répliquai que le mot était à l'évidence excessif. « En quoi voyez-vous du fascisme dans ce que j'écris ? » demandai-je sans m'énerver.

Nous partagions un moment de détente et, la preuve, le président avait arboré un large sourire pour proférer cette blessante énormité, non sans avoir au préalable, comme pour désamorcer sa grenade, flatté mon amour-propre d'auteur. En vain. « Vous écrivez que ce que je fais est bien mais que le problème c'est mon style. Le style, c'est l'homme. Vous contestez l'homme que je suis. Je n'ai sans doute pas assez de terre à mes souliers, comme l'a écrit un de vos éditorialistes. Je trouve que c'est fasciste. » Nous restâmes quelques minutes à disserter sur ce qui était fasciste et sur ce qui ne l'était pas. Puis il s'éloigna. Mes proches à qui, au journal, je racontai l'incident, furent stupéfaits, même s'ils connaissaient les écarts verbaux du président. Fallait-il réagir ? Certainement pas. Je refusai toute polémique, ravalai ma bile. L'essentiel était de ne pas engager *Le Monde* dans un combat personnalisé avec le chef de l'État.

On en resta là, mais je savais que la guerre était déclarée et qu'il ne nous lâcherait pas. Je ne voyais pas encore bien quels moyens il emploierait pour nous nuire. Je saisirais mieux quelques semaines plus tard, quand Vincent Bolloré déciderait brusquement de ne plus imprimer son gratuit *Direct Matin* sur les rotatives du *Monde*, invoquant une mauvaise impression des campagnes publicitaires qui mécontentait ses annonceurs. La lettre recommandée de cette rupture de contrat nous était parvenue à la mi-juillet, deux semaines après un conseil d'administration où aucun problème de ce genre n'avait été soulevé. Il nous paraissait étrange qu'en plein été une décision si lourde soit prise sans discussion.

Mis devant le fait accompli, nous étions en réalité victimes du fait du prince. J'appris plus tard que Bolloré avait agi pour complaire à Sarkozy, comme devait me le confirmer, lors d'un déjeuner, un de ses proches. En septembre, lors d'une rencontre avec Vincent Bolloré, celui-ci m'avait assuré vouloir compenser ce retrait par le lancement d'un quotidien à 50 centimes, projet qu'il prétendait imminent et qui ne vit jamais le jour. Je fus d'autant plus attristé que ma relation personnelle avec l'industriel breton avait toujours été franche et chaleureuse.

La manœuvre était cousue de fil blanc. Très au fait des questions industrielles du *Monde* grâce aux conseils de Raymond Soubie, le chef de l'État savait que la meilleure façon d'affaiblir *Le Monde* était de l'étrangler financièrement. Ce n'était pas très difficile, vu notre situation d'endettement. L'imprimerie, avec une rotative à bout de souffle et des ouvriers du Livre très remontés, était notre talon d'Achille. Un plan de modernisation était nécessaire mais nous n'en avions pas les moyens. David Guiraud, qui présidait Le Monde Imprimerie, se livrait à des exercices d'équilibriste très périlleux pour préserver la paix sociale. La rumeur courut aussi que *Le JDD* s'apprêtait à quitter Ivry, invoquant des coûts trop élevés. Arnaud Lagardère n'aurait eu aucun scrupule à contenter son « frère » Nicolas, même s'il se disait que le jeune patron était moins en grâce que naguère auprès du président. Le document dénonçant le contrat était déjà rédigé quand j'intervins auprès de Didier Quillot. Il fit le nécessaire pour qu'il reste lettre morte. J'appréciai son geste. C'est *in extremis* que *Le Monde* garda *Le JDD*, mais pour peu de temps. La nouvelle formule, conçue dans un format tabloïd, devait définitivement éloigner cette publication de nos rotatives au printemps 2011.

Quant aux *Échos*, détenus par Bernard Arnault, ils ne cessaient de vouloir dénoncer leur contrat d'impression conclu pourtant jusqu'en 2013. Dans cette période de tension avec le chef de l'État, je recevais lettre recommandée sur lettre recommandée de leur P-DG Nicolas Beytout, dont l'objet était de renégocier à la baisse le coût de nos prestations, de rembourser un prétendu trop-perçu, avec menaces à la clé de quitter Ivry s'il n'obtenait pas satisfaction. David Guiraud connaissait parfaitement le contrat, et pour cause : c'est lui-même qui l'avait négocié en 2003 quand il dirigeait *Les Échos*. Beytout m'avait même vivement reproché d'avoir confié à David la charge de ce dossier.

Une procédure judiciaire s'engagea, qui tourna à notre avantage. Mais le signal était clair : dans cette période de grande tension, sur fond de crise publicitaire et financière, le pouvoir tentait de nous asphyxier par la voie industrielle en incitant les groupes de presse « amis » à quitter l'imprimerie du *Monde* afin d'accélérer notre perte. La ligne éditoriale du journal était si déplaisante, nous étions si incorrigibles qu'il fallait nous donner une bonne leçon. Puisque Sarkozy n'avait pas réussi auprès de moi son opération séduction, en dépit des tentatives de Minc pour que je noue avec le chef de l'État une relation de confiance, puisque *Le Monde* continuait à longueur de colonnes de se rendre insupportable, il devrait payer.

Mon agenda de 2009, à la date du lundi 11 mai, garde la trace d'un petit déjeuner avec Alain Minc à 8 h 15 au Plaza. Le conseiller du président fixait ici ses premiers rendez-vous, à gauche en entrant dans la vaste salle circulaire, un coin discret qu'un paravent soustrayait aux regards, mais d'où il pouvait à loisir apercevoir le petit monde des importants, ses clients, ses relations d'affaires, ses ennemis aussi. La conversation roula inévitablement sur Sarkozy et je racontai à mon hôte combien m'avait surpris son intervention à propos de notre couverture de son voyage en Espagne. Après m'avoir écouté attentivement tout en avalant un mélange de fromage blanc et de fruits rouges, Minc m'affranchit : « Vous n'avez pas compris. Sarko espérait que *Le Monde* traduirait le grand portrait de lui paru dans *El País*. » En effet, je ne comprenais rien. De quel portrait parlait-il, et en quel honneur aurions-nous publié de tels extraits ? « Il y a quelques mois j'ai demandé à Cebrián de rencontrer Sarko. Ils se sont séduits l'un l'autre et Cebrián a fait du président un excellent portrait dans son journal.

Vu les accords entre *El País* et *Le Monde,* Sarko espérait que vous le publieriez ... »

Minc pouvait donc, selon ses dires, convoquer le patron du *País* et lui commander un papier sur Sarko. Cela ne me choquait pas que Juan Luis Cebrián, grande figure du journalisme espagnol, consacre un portrait au président français à l'occasion de sa visite en Espagne. Je n'étais pas choqué davantage que Juan Luis ait pu être séduit par le bonhomme : 53 % des Français l'avaient été au moins une fois. Mais de là à utiliser *Le Monde* comme service après-vente de la bonne image présidentielle de Sarkozy au-delà des Pyrénées... Je m'étonnais que Minc, fin connaisseur des arcanes du *Monde,* ait pu laisser croire à son maître qu'une chose pareille était même envisageable. Son sentiment de puissance l'aveuglait-il à ce point?

En réalité, notre relation avec l'Élysée était devenue si tendue que le rubricard chargé de suivre le président n'avait plus accès à lui. Pour tâcher d'apaiser les esprits, la chef du service France Françoise Fressoz me suggéra une démarche auprès de Sarkozy pour tenter de normaliser nos rapports, faute de les rendre chaleureux. Le 3 juin à 18 h 45, nous fûmes tous deux reçus par un Sarkozy souriant, flanqué de son conseiller en communication Franck Louvrier.

C'était la fin d'une belle journée, il faisait doux, le soleil caressait encore les visages et le président choisit de nous recevoir sur la terrasse face aux jardins du palais. Il m'écouta une nouvelle fois plaider la cause du *Monde,* lui expliquer que nous n'étions pas contre lui. Françoise Fressoz et moi, nous lui fournîmes bien des exemples montrant que notre propos n'était pas de nous opposer à lui mais de décrypter au plus près, au plus vrai, sa politique pour la France. Je rappelai que les lecteurs du *Monde* étaient pour partie des acheteurs du *Figaro,* et il n'était pas question de nourrir une vision partisane de l'actualité. Il ne sembla guère convaincu mais l'important était ailleurs : le fil était renoué, les journalistes du *Monde* seraient de nouveau *persona grata* auprès du chef de l'État.

Nous sirotions nos jus de fruit quand soudain les pneus d'une auto crissèrent sur le gravier. Le visage de Sarkozy s'éclaira. C'était Carla. Il lui fit signe d'approcher. Elle vint nous saluer d'une main ferme, le regard lointain et figé comme son sourire. Dans ce doux après-midi qui s'achevait, un air glacial nous saisit tout à coup. La froideur millimétrée de Carla Bruni me rappela la scène vécue dans les jardins de la place Beauvau, deux ans et des poussières plus tôt, lorsque Cécilia était apparue dans cette même attitude distante. Carla, comme naguère Cécilia, semblait avoir répondu à une obligation fixée par Sarkozy qui aurait dit : tu viendras saluer, tu resteras un instant puis tu pourras t'éclipser. Françoise Fressoz et moi quittâmes l'Élysée avec une sensation de malaise. Nous venions de vivre un instant artificiel, mal joué par de mauvais acteurs. Et sur le fond, je savais que Sarkozy n'avait pas abandonné un gramme de sa rancœur à l'égard du *Monde*, comme la suite le montrerait.

Cinq jours après cet entretien de faux-semblants, je reçus un courrier signé Jean Sarkozy, « président du groupe de la majorité départementale » au conseil général des Hauts-de-Seine. Le jeune élu me demandait d'examiner le CV détaillé de la rédactrice en chef du magazine *Neuilly 92*, me vantant sa rigueur et son professionnalisme. « Je vous serai reconnaissant de bien vouloir étudier sa candidature avec attention et vous remercie par avance de bien vouloir me tenir informé de la suite susceptible de lui être réservée. » Je n'en crus pas mes yeux. Était-ce un hasard, une provocation, une maladresse, une naïveté ? J'avais déjà le président sur le dos, son frère Guillaume dans notre conseil, qui se faisait de plus en plus lourd en demandant chaque fois « un business plan » à trois ans. Fallait-il maintenant accéder aux desiderata du fils, qui voulait placer au *Monde* une de ses protégées ? Bien sûr, je ne donnai aucune suite à ce courrier.

Mais Jean Sarkozy allait bientôt faire parler de lui de manière bien plus spectaculaire en postulant pour la présidence de l'Epad, l'établissement public d'aménagement de la Défense. L'affaire fit grand bruit, au point que les médias du monde entier se déplacèrent à Neuilly. Comme c'était prévisible, le président vit dans la réaction du *Monde* — si partagée pourtant — une attaque intolérable contre sa personne. Sous le titre « Brouillage », j'avais écrit ce bref édito le 14 octobre :

Nul ne saurait reprocher à un fils d'être le fils de son père.
Fût-il président de la République. Que ce fils ait conquis

ses premiers lauriers politiques dans le fief paternel de Neuilly passe à la rigueur, encore qu'une victoire sur des terres moins naturellement favorables eût été plus probante. Mais laisser Jean Sarkozy, 23 ans, toujours étudiant en droit, briguer la présidence de l'Établissement public de la Défense, voilà de quoi douter de l'impartialité du pouvoir en place.

À la lumière de cette affaire, qui soulève à juste titre un déluge de critiques, on se demande comment le chef de l'État et ses conseillers ont pu laisser naître pareille situation. Sommes-nous revenus en France dans une pratique de cour si perverse que nul n'oserait dire au monarque qu'il se fourvoie ? Une insidieuse terreur se serait-elle installée, au point que de serviles édiles précèdent les desiderata du roi ? Alors que Nicolas Sarkozy défend ce mardi le principe d'égalité des chances au lycée, voici qu'il encourage — ou ne décourage pas — les ambitions d'un rejeton pour le moins pressé.

Ce qui sidère, c'est moins l'appétit du fils que le laisser-faire du père. Quand on est chef d'une nation démocratique, tout n'est pas permis. Ce n'est écrit dans aucun manuel, mais il est des choses qu'on ne fait pas, qu'on ne s'autorise pas.

Nicolas Sarkozy, lui, s'autorise. À humilier plus que de raison son Premier ministre. À poursuivre en justice — dans le procès Clearstream — quand nul ne peut juridiquement lui rendre la pareille. Pas de corde de rappel, pas de fil à plomb. Quel brouillage d'image, quel gâchis pour un président épris de réformes et de modernité ! Où est passé le candidat Sarkozy qui vantait avec conviction en janvier 2007 la « République irréprochable » ?

Je m'attendais à une tempête présidentielle. À un coup de téléphone orageux. Ce fut pire. Il n'y eut rien que le silence. Aussi lourd que le reproche qui sourdait. D'où viendrait l'attaque ? Elle me fut rapportée quelques jours plus tard par des confrères de la rédaction. Elle filtra dans un écho du *Point*. Le président avait reçu pas moins de six journalistes du *Figaro* pour leur donner une interview. Et dans le off, il s'en était particulièrement pris à ce directeur du *Monde* qui ne tenait pas sa rédaction, qui écrivait des éditoriaux indignes, qui écrivait des livres la nuit...

À l'évidence, je l'indisposais chaque jour un peu plus. Il n'y avait que le président de la SRM pour croire que j'avais des accointances avec Sarkozy, au point d'avoir imposé la publication d'un courrier de son directeur de cabinet Christian Frémont sur les dépenses de l'Élysée. En 2008 en effet, *Le Monde* avait donné le premier des informations sur l'explosion du train de vie de la présidence. J'avais reçu une lettre de Christian Frémont dans laquelle il détaillait pour la première fois lesdites dépenses. Alain Frachon et moi considérions qu'il s'agissait d'une information à donner sans tarder à nos lecteurs, accompagnée d'un article d'analyse et de réfutations, s'il se devait, de nos spécialistes. Peu après, à la réunion de 7 h 30, Gilles Van Kote (dit GVK) me demanda, ennuyé, si j'avais lu *Le Canard enchaîné*. Je découvris alors un écho dans lequel certains au *Monde* critiquaient ma diligence à publier un pli élyséen prétendument arrivé à mon domicile par motard, une affabulation totale. Pourquoi un motard de la présidence serait-il venu chez moi? Quelle connivence voulait-on insinuer?

Des membres, bien sûr anonymes, de la SRM avaient donc estimé que j'étais aux ordres de Sarkozy, et l'avaient laissé entendre au *Canard*. Pareil soupçon, pareille méthode faisaient plaisir à voir.

La bataille était engagée avec le pouvoir sur fond de recapitalisation du *Monde*. Malgré nos efforts pour améliorer les résultats du groupe, le manque à gagner publicitaire pesait sur nos comptes. Les sorties de cash restaient trop lourdes en raison de nos coûts fixes, de l'érosion de la diffusion du quotidien et surtout de nos frais financiers (avec le remboursement d'une première tranche d'Ora pour les 5 millions d'euros dus aux Caisses d'épargne). Au printemps 2009, il fallut négocier un prêt-relais de 25 millions d'euros auprès de BNP Paribas. Cette dernière ne voulait pas s'engager seule. Pour répartir les risques, elle souhaitait associer à l'opération deux autres banques, Natixis et Oséo. L'affaire était mal engagée : quelques années plus tôt, Minc avait « fourgué » pour 5 millions d'euros d'Ora au réseau des Banques populaires.

Sous Colombani, *Le Monde* n'avait manifesté aucune volonté de rembourser. Je reçus un matin un coup de fil courroucé d'un responsable de cette banque. « Répondez-vous à votre courrier ? me demanda de but en blanc le représentant de Natixis. — Bien sûr, pourquoi cette question ? » Il laissa exploser sa colère. « Parce que votre prédécesseur n'a jamais répondu à une seule de nos lettres recommandées ! » Rendez-vous fut pris sur-le-champ et Louis Schweitzer put débloquer ce point sensible. C'est dire qu'on ne se précipitait pas pour nous avancer de l'argent. Le prêt de 25 millions nous fut finalement accordé, non sans mal. Il nous permit de passer l'année 2009 et de mieux nous positionner dans la perspective de la recapitalisation. Mais il engageait doublement notre destinée : BNP Paribas exigeait que *Télérama* serve de gage au remboursement de ce prêt. Elle exigeait aussi que, compte tenu des fuites en avant financières du *Monde* depuis trop longtemps, celui-ci s'engage à se recapitaliser dans les deux ans. Nous étions cette fois au pied du mur.

Il n'était pas question de vendre *Télérama*. Les travaux de la commission Recapitalisation présidée par Louis Schweitzer avaient fait apparaître des ouvertures : si Lagardère et Prisa détenaient des droits préférentiels importants accordés par Colombani et Minc, notamment celui de récuser un « acteur majeur des médias français » qui voudrait entrer dans le capital, s'ils bénéficiaient aussi de clauses antidilution, il était possible de trouver d'autres actionnaires que ces deux poids lourds de notre capital.

La partie était donc jouable, à condition de séduire de nouveaux investisseurs à « poches profondes ». C'était tout l'enjeu des mois à venir. Les états d'âme du président étaient le cadet de mes soucis, même si je ne mésestimais pas sa capacité de nuisance. Depuis qu'avec David Guiraud j'avais pris la direction du groupe, nous nous battions sur tous les fronts, éditorial, numérique, publicitaire, financier, industriel et social, dans un marché effondré. À brasser tant de dossiers, j'éprouvais la frustration de ne plus suivre le journal d'aussi près qu'avant. Je me disais que c'était un mauvais moment à passer, un sacrifice à consentir pour remettre le groupe sur de bons rails à la faveur de la recapitalisation. Écrire un éditorial, superviser la réunion de 7 h 30, regarder l'évolution de la une sur mon écran avant de descendre, vers 10 h 15, au central pour humer l'air du bouclage et valider le titre de la manchette, échanger mes points de vue sur le journal avec Alain

Frachon et Laurent Greilsamer, toutes ces petites piqûres quotidiennes me rappelaient que j'étais au fond et avant tout un journaliste. De longues réunions à l'ordre du jour complexe remplissaient mon agenda, quand je rêvais encore et toujours d'améliorer les contenus du quotidien.

3

CENT FOIS SUR LE MÉTIER...

J'ai conservé le mail que m'adressa Sylvie Kauffmann un jour de l'été 2006. J'étais alors directeur de la rédaction et Sylvie directrice adjointe. Pierre, son mari, venait d'être nommé ambassadeur à Singapour. Elle quittait Paris pour plusieurs années. Ce fut un choc pour moi qui avais tant aimé travailler avec Sylvie. Depuis ses débuts à l'AFP, elle avait connu les conflits d'Irlande du Nord et de Nouvelle-Calédonie, l'Union soviétique et les pays d'Europe de l'Est, avant de passer plusieurs années aux États-Unis comme correspondante du *Monde*. J'appréciais tout en elle, son intelligence, sa clairvoyance, son ouverture d'esprit, sa franchise, son impertinence, ses manières de grande professionnelle à sang froid, à qui je projetais de confier un jour la direction de la rédaction. Dans ce mail, elle me disait avec des mots simples que justement elle préférait me dire au revoir par écrit pour m'épargner ses larmes.

Alain Frachon fut un admirable directeur de la rédaction et, d'une certaine manière, le départ de Sylvie m'évita de choisir entre l'un et l'autre. Alain m'avait donné son accord pour deux ans. Il resta finalement deux ans et demi à ce poste si dur, où il se montra d'une résistance inouïe, mesurant chaque jour l'adversité dans laquelle nous devions sortir ce journal, entre les manques d'effectifs liés au plan social et les retards de production horripilants de l'imprimerie qui, trois ou quatre fois par semaine, nous forçait à livrer les kiosques seulement en milieu d'après-midi et non à l'heure, cruciale pour la vente, du déjeuner.

Début 2010, Sylvie devint la première femme directrice de la rédaction du *Monde*. C'était ma fierté d'avoir ainsi promu une femme à ce poste qu'avaient occupé avant elle des journalistes de premier ordre comme Thomas Ferenczi, Daniel Vernet, Bruno Frappat, Edwy Plenel ou Gérard Courtois. Dans le même élan, j'avais eu à cœur de nommer Marie-Claude Decamp chef du service International, Marie-Pierre Subtil chef des pages Enquêtes, Françoise Fressoz à la tête du service Politique, Marie-Béatrice Baudet chef de Planète.

Planète ? C'était ce nouveau service imaginé dès 2005 au sein de Vivaldi et que j'avais enfin créé en septembre 2008, réunissant des journalistes des services Science et Environnement, afin de traiter des questions majeures de notre époque qui ne trouveraient de solutions que mondiales : le climat, la pollution, les flux migratoires et l'urbanisation, l'épuisement des ressources naturelles, la géopolitique des énergies de demain, et bien sûr les grandes catastrophes, tsunamis et tremblements de terre, dont la fréquence s'accélérait, de l'Asie à la Louisiane, avant Fukushima.

Je choisis d'installer ces nouvelles pages dès l'ouverture du journal, afin de signifier aux lecteurs qu'avant la diplomatie et les conflits, plus importants pour le sort de l'humanité que la énième tension entre Israël et les Palestiniens, sujet bien sûr majeur, certains enjeux planétaires intéressaient les lecteurs, des plus anciens aux plus jeunes. Cet espace ne traduisait pas seulement l'engagement du journal en faveur d'un développement harmonieux, économe, respectueux des grands équilibres, susceptible de garantir la paix entre les nations. Il devait refléter la quête d'une croissance moins prédatrice à travers le monde, avec le souci de combattre les égoïsmes, les pénuries, et les inégalités. Le service Planète chercherait les lieux et les acteurs du changement déjà confrontés aux problématiques du futur.

Quand Sylvie Kauffmann retrouva le boulevard Blanqui après plus de trois ans d'éloignement (mais reliée au *Monde* par sa passionnante « Lettre d'Asie » et ses reportages de terrain), elle put mesurer tous les changements que nous avions apportés au journal. L'année 2009 avait vu enfin l'équipe du Monde interactif s'installer au siège, dans les premiers jours de septembre. Le départ de Bruno Patino et l'embauche de Philippe Jannet, ancien patron du site des *Échos*, à la tête du MIA (*Le Monde* interactif), avaient facilité ce mouvement. Bruno Patino s'y était toujours opposé, craignant que son « bébé » numérique ne perde son autonomie et sa créativité au contact du quotidien.

Ce ne fut pas sans réticences ni méfiance réciproque que *Le Monde* interactif prit ses quartiers au siège. Il y eut des frictions, des coups de gueule quand le site mettait en ligne des textes contradictoires avec ce qu'écrivaient les rubricards du papier. Mais avec Frachon et Jannet, nous avions tenu le cap : il s'agissait de monétiser de plus en plus de contenus numériques en basculant progressivement le journal dans l'espace payant du site. En contrepartie, la rédaction devait fournir chaque jour une vingtaine de contributions multimédias (textes brefs, sons, chats) afin de continuer d'animer la partie gratuite et de maintenir l'audience exceptionnelle du *Monde.fr*, qui représentait début 2009 plus de quarante-cinq millions de visiteurs uniques, plaçant *Le Monde* largement au premier rang des sites d'information.

Le Figaro, c'était de bonne guerre, annonçait qu'il était en tête, agrégeant les audiences de sites qui n'avaient rien à voir avec l'information, comme le conjugueur.com. Mais les annonceurs publicitaires ne s'y trompaient pas, ni Apple, qui choisissaient en priorité la marque *Le Monde* pour diffuser leurs messages ou populariser leurs innovations, de l'iPhone à l'iPad.

Sylvie Kauffmann avait accepté une mission difficile : rapprocher plus avant les rédactions du papier et du Net afin qu'elles travaillent ensemble sous son autorité. Il faudrait franchir bien des obstacles pour y parvenir. Elle se montra si impliquée dans ce projet que le « newsdesk » qui vit le jour sous son impulsion, composé de journalistes venus des deux rédactions, abattit une tâche considérable, obtenant des contributions d'une centaine de rédacteurs du *Monde*. En parallèle, je m'investis fortement avec elle, Isabelle Talès et Laurent Greilsamer pour rénover encore le journal, lui apporter plus de densité. Nous avions conçu une page Deux consacrée à de très brèves informations, dans l'esprit du « What's News » du *Wall Street Journal*. Il s'agissait de donner ici tout ce qu'un lecteur pressé devait savoir sur l'actualité de manière à lui fournir une vision panoramique du monde en cinq minutes.

On lança aussi une double page titrée « Contre-Enquête », dont la vocation était d'aller chercher derrière l'information, derrière la communication, la réalité d'un sujet, ses non-dits, ses ambiguïtés, sa dimension dérangeante, voire polémique. Avec le retour de Sylvie Kauffmann, je mesurai combien nous avions dû nous éloigner des innovations de la nouvelle formule de 2005. À cause du poids des habitudes. À cause surtout du manque de moyens qui nous avait fait renoncer à contrecœur aux belles pages Focus richement infographiées, à la page Futur, à la « fabrique de l'info », qui manquait cruellement pour décrypter la mise en scène de l'espace public, l'État-spectacle permanent. Il était temps de se relancer avec des idées neuves, c'était le signe de notre dynamisme éditorial, de notre intelligence collective, de notre passion non émoussée pour notre métier, pour notre journal.

Souvent interrogé sur la ligne du *Monde*, et cherchant lui-même à la définir, Louis Schweitzer m'avait demandé de rédiger un texte qui permettrait d'y voir plus clair. C'était une question intéressante, dont je débattis avec mes amis de la direction. Frachon avait construit un discours éclairant sur *Le Monde* comme journal des élites qui avait accompagné la modernisation de la France d'après guerre au temps de la reconstruction, des grandes entreprises nationales, de la Datar. Son prisme international était affirmé : une ligne résolument européenne, considérant que la construction de l'Europe était le meilleur garant d'un monde équilibré entre la puissance américaine et l'empire de l'ex-URSS, avant que n'apparaissent dans le paysage les nations dites émergentes d'Amérique latine et d'Asie.

Je traçai une frontière entre notre soutien à la modernité sous toutes ses formes et notre vigilance sur les atteintes aux libertés, qu'il s'agisse des prélèvements d'ADN des détenus, de la vidéosurveillance, de l'usage des données informatiques ou de la chasse à l'homme devenue chasse aux Roms lancée à l'été 2010 par Brice Hortefeux.

« *Le Monde* est un quotidien pluraliste. Il ne fixe aucune ligne à laquelle ses rédacteurs devraient se conformer. Il respecte la diversité de leurs opinions, à condition que celles-ci n'aillent pas à l'encontre des valeurs qu'il défend. Il respecte aussi la diversité des points de vue dans ses pages Débats et dans son courrier des lecteurs. » Tiré du texte « *Le Monde* et ses principes » figurant en ouverture du Livre de style de notre journal en date de 2002, cet extrait destiné à Louis Schweitzer en préambule à ma note marquait à la fois l'intérêt et la difficulté consistant à définir *la* ligne du *Monde*. Albert Londres prétendait ne connaître qu'une seule ligne : celle du chemin de fer. C'était, derrière le trait d'esprit, rappeler le fond et le fondement du métier de journaliste : aller voir, rapporter, vérifier de ses propres yeux, afin de délivrer une information juste et honnête, complète et fiable.

« Vous ne verrez derrière moi ni banque, ni Église, ni parti politique », affirmait Hubert Beuve-Méry, définissant la ligne du *Monde* en creux et montrant le caractère relatif de cette notion. Pour autant, *Le Monde* défendait des valeurs qui avaient évolué et s'étaient enrichies au fil du temps, au gré des grands sujets qui avaient agité tant la communauté internationale que la société française, structurant la vie politique et intellectuelle. En toute matière, le journal se voulait indépendant, gardant distance et sens critique à l'égard des pouvoirs, tout en acceptant d'ouvrir ses colonnes à des positions opposées aux siennes.

Le socle historique des valeurs du *Monde* — sans cesse adapté aux exigences du moment — se composait d'au moins trois piliers : d'abord le respect et la dignité des personnes. Puis un regard favorable et vigilant sur la modernité. Enfin la dimension internationale. Le premier pilier incluait la dénonciation de toutes les formes de racisme, d'ostracisme, de discrimination envers les minorités (homosexuels, immigrés) ou envers les femmes (défense de la contraception, de l'IVG, de la pénalisation du viol, de la parité). *Le Monde* soutenait le principe d'universalité des droits de l'homme. Il restait attentif à leur respect par les grandes puissances (États-Unis, Europe). Il se méfiait du discours culturaliste justifiant de ne pas respecter ces droits ailleurs, en Afrique ou en Chine.

À travers son histoire, cette sensibilité s'était traduite par de nombreux combats pour la justice sociale et pour la justice tout court, pour la défense des plus faibles et des démunis, par la dénonciation du colonialisme, des « sales guerres » et de la torture. *Le Monde* était enfin particulièrement attentif au respect des libertés publiques, surtout si elles étaient menacées au nom de la sécurité.

Le pilier de la modernité recouvrait des champs très divers : l'intérêt pour les partis du mouvement, l'intérêt pour la modernisation de l'État, de l'économie (la constitution de grands groupes industriels), des relations sociales, afin de combiner l'équité avec l'efficacité. L'intérêt enfin pour la science, la recherche, les découvertes et les expérimentations sur le vivant, gènes et cellules souches.

Sur le plan international, *Le Monde* prenait acte de la mondialisation et du degré avancé d'interconnexion de l'économie mondiale. Mais il défendait l'idée de régulation, ne séparait jamais la création de richesses et la question de leur répartition. *Le Monde* était européen et internationaliste, attaché à l'intégration européenne. Il n'ignorait pas que le désir d'Europe s'était passablement estompé. Il estimait cependant positif le bilan de la construction européenne, sans ignorer que l'espace national restait celui de l'expression démocratique de chacun des peuples de l'Union. Nous estimions que l'Union européenne affichait un modèle de gouvernance et de règlement des conflits qui pouvait inspirer le reste du monde.

Le Monde de 2009 n'était bien sûr pas celui de 1944, ni même celui des années 1960 ou 2000. C'est pourquoi, outre les questions planétaires, un autre pilier était apparu pour fonder le socle identitaire du journal et définir ses prises de positions, ses orientations, sa sensibilité : l'économie. Plus que jamais la notion d'indépendance vis-à-vis de tous les pouvoirs me semblait conditionner notre crédibilité, dans un moment où la plupart des grands médias étaient adossés à des groupes industriels et financiers aux ramifications politiques connues.

Notre doctrine en matière économique fut longtemps très militante, avec l'empreinte laissée par Gilbert Mathieu, héritier de la gauche sociale et chrétienne, antiaméricaine, antitrust, sans doute anticapitaliste. Sous l'ère Plenel, la mise au ban de l'entreprise et du CAC 40 était le mot d'ordre, avec ses justes combats et ses excès.

Je voyais pour ma part dans l'économie un nouveau pilier éditorial du *Monde*. Sur ce terrain encore, Alain Frachon m'avait aidé à y voir plus clair. Nous combattions le court-termisme, la priorité donnée à des retours sur investissements toujours plus élevés et rapides, aux dépens d'une création de richesse durable, d'un emploi stabilisé, du respect de l'environnement. Nous acceptions l'efficacité de l'économie de marché, mais pas l'instauration d'une société de marché privilégiant la seule réussite matérielle comme une fin en soi. Si le journal reconnaissait l'importance de l'entreprise, la nécessité de son développement hors de contraintes paralysantes pour l'innovation et le dynamisme des hommes, il défendait l'importance des grands médiateurs de la société tels les associations, les partis et les syndicats. En particulier en France où l'individu se retrouvait trop souvent isolé face à l'État.

Le Monde dénonçait le caractère de plus en plus inégalitaire de la société française, sans croire que la question sociale s'améliorerait forcément si l'on prolongeait indéfiniment l'esprit des avancées de 1936. Dans une économie globalisée, à l'heure où le libéralisme à l'anglo-saxonne et la social-démocratie montraient leurs limites, Le Monde appelait à une réflexion nouvelle sur ce que devait être le progrès social. Il entendait l'orienter vers la question centrale qui façonnait la cohésion de la société : l'emploi — ou comment y accéder (priorité à la formation à tout âge), comment le rémunérer (politique fiscale), comment le favoriser, comment l'humaniser.

À Louis Schweitzer, j'avais précisé que Le Monde ne se voulait ni de gauche ni de droite, même si une majorité de lecteurs se situait dans la partie modérée de la gauche. Entre Le Figaro et Libération, Le Monde cultivait la nuance, évitant les réflexes conditionnés par tel ou tel a priori idéologique, telle facilité ou paresse de pensée. Il ne refusait pas de s'engager. Il ne s'en privait guère à travers ses éditoriaux, ses analyses, ses chroniques, ses choix de reportages ou d'enquêtes. Mais chaque fois que la matière se révélait complexe — et elle l'est souvent —, Le Monde s'efforçait de décortiquer cette complexité pour aider le lecteur à se construire sa propre opinion. Nous nous méfiions des solutions simples ou simplistes, du manichéisme ambiant, des réflexions binaires, des sommations à choisir son camp, des « y a qu'à ». Cette pratique de la nuance — nos détracteurs parlaient d'eau tiède — n'empêchait pas, au nom des grands principes, des engagements clairs et tranchants. Ces prises de position n'en prenaient alors que plus de force.

Je me souviens de ma discussion avec Louis Schweitzer qui suivit sa lecture du document sur la ligne du *Monde*. Au fond, il s'étonnait à juste titre que nos éditoriaux ne fassent pas l'objet d'une plus grande concertation entre nous. Il découvrait que ce rythme du quotidien nous forçait plutôt à réagir qu'à réfléchir. Si nos circuits de relecture — nous nous relisions les uns les autres — permettaient des ajustements, l'édifice reposait d'abord sur la confiance que nous nous portions, sur le postulat que chacun se faisait une « certaine idée du *Monde* » nous protégeant de fâcheuses embardées. L'air que nous respirions ensemble tenait lieu d'accord implicite, de consensus plus ou moins spontané.

Une rédaction n'était pas une armée marchant d'un même pas. Elle n'était pas forcément docile et ductile, il fallait du doigté, de l'écoute et beaucoup d'implicite pour que chaque jour et trois cent dix fois par an le miracle se reproduise : un journal renaissait sans cesse, dans une solution de continuité relative qui permettait d'afficher près du logo le nom du fondateur, Hubert Beuve-Méry. C'est cet ADN-là que réclamaient nos lecteurs. Un témoignage nous en fut donné s'il en était besoin avec l'édition spéciale du journal pour son 20 000e numéro, le 15 mai 2009, avec vingt unes témoins de l'Histoire choisies dans la multitude depuis 1944, de la mort d'Hitler à l'odyssée spatiale chinoise. Les ventes au numéro, multipliées par deux, dépassèrent toutes nos espérances. C'était le signe de reconnaissance de lecteurs qui, génération après génération, s'étaient formés autant qu'informés avec le journal de Beuve. Le passé nous avait portés, restait à inventer un avenir.

Ces passionnantes réflexions de fond occupaient trop peu de place dans nos emplois du temps surchargés. David et moi, nous avions simplifié l'environnement du quotidien. Devant la profusion de suppléments invisibles consacrés à la mode ou aux voyages, nous avions créé un mensuel d'art de vivre baptisé simplement *M*. David avait été à l'origine du lancement du supplément Série limitée aux *Échos*, et il voyait quel parti *Le Monde* pourrait tirer d'un tel magazine.

Rapidement on sécurisa un budget publicitaire de quelque 300 mille euros par parution. En comité de rédaction, on me reprocha cette innovation. Je pus répondre que l'argent récolté à travers *M* permettait de financer un réseau sans égal de correspondants à l'étranger, ou d'envoyés spéciaux sur tous les théâtres de guerre, de crise, bref, cet argent qui faisait grincer les belles âmes était converti en belles pages du quotidien. Jusqu'ici, ces publications attrape-pub étaient souvent accompagnées de contenus éditoriaux sans grand intérêt. Nous avions eu au contraire le souci d'offrir mieux que des articles prétextes. Des signatures comme celles de Josyane Savigneau, Michel Guerrin, Florence Noiville ou Anne-Line Roccati vinrent donner à *M* sa patte maison, par de grands entretiens (avec Élisabeth Badinter) ou des textes de haut niveau, comme celui du professeur au Collège de France Antoine Compagnon sur la littérature.

Pendant que les affaires sensibles du groupe nous occupaient, David et moi, je pouvais m'appuyer sur Laurent Greilsamer et Alain Frachon : ils faisaient tourner le journal, l'animaient, rappelaient les règles. Avec Laurent j'arbitrais les demandes de la publicité, toujours plus agressives et dénaturantes pour le journal à mesure que l'état de nos finances se fragilisait. Il fallait savoir dire non. Non à la vente pendant un an, chaque jour, de l'oreille de une, en haut à droite, un espace très convoité. Non à l'habillage du *Monde* en bleu ou en rose. Non à des campagnes sur plusieurs pages dont les visuels passeraient à travers les articles, au mépris de la maquette et de l'information.

Notre règle était claire : on ne fermait jamais la porte, on tentait une contre-proposition, qui le plus souvent était acceptée. Mais, dans le rôle qui était désormais le mien, je devais peser le poids de chaque chose, la publicité, qui avait un prix, et l'image du *Monde*, qui n'en avait pas.

Soucieux de panser les plaies du plan social, nous avions tenté de mobiliser la rédaction et l'ensemble des personnels sur un projet dit Darwin — c'était le bicentenaire de sa naissance — pour projeter notre marque à l'horizon des trois prochaines années. Darwin, pour marquer cet instant crucial où l'« espèce médiatique » devait muter pour survivre. Nous avions travaillé en profondeur avec la sociologue Pascale Weil en vue de mieux cerner cette époque « post-moderne » où l'autorité verticale et les projets collectifs avaient cédé la place, favorisés par les nouveaux outils numériques, à l'ère de l'horizontal, du « tout le monde parle à tout le monde », de l'individu roi et maître de ses choix.

Nous étions submergés d'informations. Le journal de référence devait se réinventer en journal de préférence, celui qu'on privilégie pour sa capacité à apporter non du savoir mais de la connaissance, c'est-à-dire la compréhension de ce savoir.

De ce grand *brain storming* naquirent des groupes de réflexion sur l'approche du lectorat féminin (toujours négligé), de la politique, de la culture, et aussi, piloté par le directeur commercial Patrick de Baecque, sur le chaînon manquant des 24-35 ans, à qui *Le Monde* ne savait pas parler. Notre lectorat avait en moyenne plus de cinquante ans. Pouvait-on le rajeunir en modifiant l'offre éditoriale du quotidien? Ou fallait-il créer de nouvelles publications destinées à de jeunes urbains, comme l'avait fait avec succès le *NRC Handelsblad*, aux Pays-Bas, avec son quotidien du matin *Next* qui reprenait sous une maquette plus dynamique une bonne partie des contenus de son journal phare diffusé le soir? Allions-nous vers une dématérialisation rapide de nos journaux, avec un quotidien qui se réinventerait trois ou quatre fois par jour sur une tablette numérique? Et alors quel était l'avenir du *Monde* sous sa forme papier?

Comme d'autres patrons de presse, j'étais confronté à une interrogation qu'aucun de mes prédécesseurs — excepté JMC à la fin de son mandat — n'avait connue : *Le Monde* tel qu'il existait depuis soixante-cinq ans était-il condamné à disparaître, non seulement pour des raisons économiques mais surtout en raison des nouveaux usages, des nouvelles manières de transmettre l'information et de la « consommer »?

Selon les périodes, ces questions m'excitaient ou m'accablaient. Certains soirs, après des réunions qui s'étaient enchaînées non stop du matin jusqu'au soir tard, je me retrouvais seul et groggy, avec une sensation de tournis, d'impuissance, comme si je n'avais aucune prise sur le cours des choses, toujours happé par des contingences, des mécontentements à désamorcer, des dysfonctionnements à résoudre. Il fallait agir dans l'urgence. La presse était un métier pour gens pressés. L'inquiétude gagnait, la nervosité s'amplifiait. Nous avions un plan, un projet, encore fallait-il trouver le temps de les expliquer, les moyens de les réaliser. Le lendemain matin, j'avais recouvré l'énergie suffisante pour attaquer une nouvelle journée, les rendez-vous en série, les ordres du jour épineux où je jonglais avec la pagination à resserrer, les annonceurs à séduire (que de numéros de duettistes, avec David, lors de déjeuners minutés !), les millions à trouver (avec Louis et David, dans une épuisante chasse au trésor...).

Parfois je trouvais les mots, les idées, les enchaînements, je me sentais convaincant, pris dans une ébriété de paroles qui devait saouler mon entourage mais je croyais à ce verbe. D'autres fois au contraire, je bredouillais, les mots me manquaient, je me sentais confus, creux, sans une once de pertinence, l'esprit en hachis Parmentier à force de sauter sans cesse d'un sujet à l'autre sans véritable cohérence, avec l'urgence pour fil rouge.

Par bonheur, l'équipe était courageuse, animée d'un excellent esprit, solidaire. Nous faisions front. Au quotidien, Laurent Greilsamer devait assumer un rôle difficile en imposant souvent mes desiderata sur le contenu et la construction des pages. Très souvent le matin, happé par d'autres tâches à peine la rédaction en chef sortie de mon bureau, tous debout, les traits déjà tirés, je chargeais Laurent de cette veille ingrate mais nécessaire. Il n'hésitait pas à me sortir d'une réunion budgétaire ou publicitaire pour attirer mon attention sur un article sensible, un titre bancal, une illustration inopportune ou incompréhensible. À mon poste, je compris que pour ce journal réalisé dans une extrême tension, dans une fatigue frisant l'épuisement, le plus utile était le regard neuf et frais, le regard qui voit les erreurs, qui empêche une grosse bourde, un contresens. Cela rendait modeste de se dire qu'on servait surtout à ça, à empêcher plus qu'à impulser.

Je ne peux écrire ces lignes sans penser à ces forçats volontaires de la salle d'édition qui chaque matin faisaient que le journal finissait par sortir pour un BAT (bon à tirer) à 10 h 30, et même à 10 h 20 le vendredi, jour du magazine. Je revois la chef d'édition Françoise Tovo, son calme, sa densité quand il fallait relire la copie, corriger, couper un titre, appeler le rédacteur ou son chef pour éclaircir *in extremis* un passage confus, un chiffre incohérent, et les aiguilles de l'horloge qui tournaient. Je revois Françoise Morel, qui assurait chaque matin la délicate liaison avec l'imprimerie. Et les rédacteurs en chef aux yeux collés sur les écrans, si près que leur cerveau avait dû prendre cette forme rectangulaire et plate. Ils se succédèrent avec dévouement et assiduité : Michel

Kajman et son sens absolu des finitions, Sophie Gherardi qui chantonnait et promenait partout sa bonne humeur placide dans ce monde de brutes, Isabelle Talès qui, avec le jeune éditeur Laurent Borredon, titrait comme personne feu les pages 3. Nos amis correcteurs derrière leur pile de dictionnaires, répondant du tac au tac : fallait-il un tiret à Yad Vashem (réponse : non), deux n à dragonne (réponse : oui), et le président chinois, son nom commence par un *h* ? Hu... oui !

Le journal à peine bouclé, d'autres tâches surgissaient pour la rédaction et le central de l'édition. Infatigable, ne se plaignant jamais du surcroît de travail, Laurent Greilsamer avait pris en charge avec l'éditeur Michel Sfeir toute la « deuxième vie » du *Monde*, c'est-à-dire le développement des hors-série. Il conçut en particulier la collection « Une vie, une œuvre » (Lévi-Strauss, Camus, Edgar Morin, Nietzsche) qui rencontra le succès, adossée à des débats que nous animions dans l'auditorium. Laurent pilota aussi le lancement d'un mensuel reprenant les meilleurs papiers du mois écoulé avec une iconographie somptueuse, renouant avec l'esprit du *Monde 2* des origines, qu'appréciaient nos lecteurs.

Sans aucune publicité, le mensuel trouva très vite un public de fidèles et d'abonnés. On prolongea cet effort patrimonial par l'exploitation de nos archives avec les éditions Les Arènes, pour trois gros volumes rassemblant des sélections de grands reportages, de portraits et de grands procès. Toutes ces actions, ajoutées aux rencontres du *Monde des livres*, que je lançai avec Robert Solé (nous reçûmes J.M.G. Le Clézio et Umberto Eco en invités d'honneur), avaient pour but de resserrer les liens physiques, j'allais dire charnels, entre le journal et ses lecteurs.

Alors que s'imposait le virtuel, nous avions à cœur de créer du « spectacle vivant », comme avec notre fidèle hôte du théâtre du Rond-Point Jean-Michel Ribes, à qui je proposai d'animer ce que j'appelai des « Débats dangereux ». Il fut emballé et plaça ces rencontres sous la belle devise d'Oscar Wilde : « Une idée qui n'est pas dangereuse ne mérite pas d'être appelée une idée. » Trois fois l'an, devant une salle comble, nous composions un plateau d'économistes, d'essayistes, de responsables politiques, d'empêcheurs de penser en rond, et c'était une autre manière pour *Le Monde* de se déployer dans l'espace public.

À la veille de cette année 2010, je me sentais en confiance. Après une immersion de deux mois au *Monde.fr* et dans le quotidien, Sylvie Kauffmann allait prendre les rênes de la rédaction. Côté financier, nous avions choisi BNP Paribas comme banque-conseil pour piloter la recapitalisation. À vrai dire nous n'avions guère le choix puisque nous étions liés à l'établissement présidé par Michel Pébereau pour notre prêt-relais si chèrement obtenu de 25 millions d'euros. Ce choix créait-il un conflit d'intérêts ? La direction de la BNP avait jugé que non, et ses équipes s'étaient mises au travail avec David et notre staff financier. Mes contacts avec Ezio Mauro, le directeur de la rédaction de *La Repubblica*, me laissaient espérer une ouverture capitalistique du côté de Carlo De Benedetti, l'industriel italien patron du groupe L'Espresso. Pour avoir soutenu Ezio lors de son combat face à Berlusconi (lequel invitait ses amis chefs d'entreprise à couper les vivres publicitaires de *La Repubblica*), je m'étais attiré la sympathie du vieux magnat italien, qui souhaitait me rencontrer. J'avais accepté sur-le-champ, demandant à être accompagné de Louis Schweitzer et de David Guiraud. Rendez-vous était pris à Rome pour le 13 janvier.

J'étais un peu soulagé. Il me semblait enfin que le paysage s'éclaircissait. D'autant qu'après un exercice 2008 très difficile, où nous n'avions pu que limiter les dégâts, le groupe allait mieux : il allait dégager en 2009 un résultat positif de 2,2 millions d'euros. Ce n'était pas le Pérou, mais enregistrer un signe + à la suite de tant de colonnes en négatif, c'était une première victoire, la récompense de tant d'efforts, de tant de sacrifices, d'une stratégie à laquelle David et moi croyions dur comme fer : recentrer le groupe sur ses titres phares, *Le Monde, Télérama, Courrier, La Vie*, le tout enveloppé dans un écrin numérique, et renforcer notre métier de base, cultiver notre cœur de cible, explorer de nouveaux espaces de légitimité.

Fin 2009, nous avions accompli une grande partie de nos objectifs : la librairie La Procure avait été vendue dans de bonnes conditions pour l'enseigne et pour son personnel. Le britannique Phaidon avait repris les *Cahiers du cinéma* après de longues discussions entre le directoire, l'acquéreur et la Société des amis des *Cahiers*, qu'animait avec passion Claudine Paquot, qui décéderait peu après. Avant de céder sans plaisir ce titre emblématique, nous avions réuni quelques représentants des Amis, parmi lesquels le directeur général de la Cinémathèque Serge Toubiana et Michel Piccoli. Le premier facilita l'opération avec beaucoup d'élégance. Quant à Piccoli, coupant court aux états d'âme de quelques-uns, il eut cette phrase : « Je me méfie de nous. » Le « nous » visait les professionnels de la profession, les gens de cinéma, qui pouvaient être tentés de reprendre les *Cahiers*, financièrement exsangues. Son avis valut décision. La Société des amis se rangea au schéma que David Guiraud avait préparé, et l'affaire se régla en douceur. Le processus avait été plus douloureux avec Fleurus Presse, qui espérait demeurer dans le giron du groupe. Ce n'était plus possible et la vente s'effectua dans un mélange de tristesse et de rancœur du personnel à notre endroit, bien que David, une fois encore, eût déployé une énergie énorme pour aboutir à une solution acceptable. *Le Monde* recapitalisa Fleurus avant de le céder, afin d'assainir sa situation financière. Il demanda à l'acquéreur, Jean-Martial Lefranc, de maintenir la ligne éditoriale des titres vendus, engagement qui ne fut pas tenu. Je regrettai cette issue, mais avions-nous le choix ?

À marche forcée, le groupe avait tenu son budget, cédé ses branches déficitaires, retrouvé un peu d'air. Notre ambition était que *Le Monde* fasse de nouveau envie, que des investisseurs voient en nous une opportunité et non une œuvre de charité. Nous approchions. Ça se réchauffait. J'avais répété en 2008 qu'il était hors de question de nous recapitaliser tant que nous serions encore à terre. Un adage dit : « Qui mendie ne choisit pas ». Nous espérions pouvoir choisir.

Ce chiffre de + 2,2 millions d'exploitation positive me donnait du nerf. Le quotidien continuait de perdre de l'argent, mais la marque *Le Monde* se rapprochait de l'équilibre grâce aux recettes du numérique, des numéros spéciaux, des hors-série et des produits dérivés (les « livres qui ont changé *le Monde* », les grands opéras, les coffrets de jazz). L'activité opérationnelle était en voie d'assainissement, en dépit d'une conjoncture dévastée. Cela signifiait qu'il rentrait plus d'argent dans ce groupe qu'il n'en sortait, si on s'en tenait à sa seule activité. Le point noir restait bien sûr l'endettement et les frais financiers, ces fichues Ora à rembourser, et aussi le prêt de 25 millions d'euros gagé sur *Télérama*, l'imprimerie qu'il faudrait céder, tout ce qui continuait de plomber notre horizon et rendait indispensable la recapitalisation. D'autant que, crise oblige, nous avions dû procéder à des dépréciations d'actifs, un jeu d'écriture comptable qui constatait de façon assez arbitraire une dégradation des titres de presse.

Ce procédé fit apparaître dans nos comptes une perte bien supérieure à la réalité. Louis Schweitzer estimait que nous avions eu la main un peu lourde. Mais le directeur financier de Lagardère, Dominique D'Hinnin, avait insisté dans ce sens. En sa qualité de président du comité d'audit, il n'entendait prendre aucun risque. Il en allait de sa responsabilité. Si la crise s'éloignait, estimait l'homme de confiance d'Arnaud Lagardère, il serait toujours temps de corriger à la hausse. Mais en attendant, cette pression à la dépréciation fut perçue dans la rédaction comme la volonté de Lagardère d'abaisser à l'excès la valeur du *Monde* pour mieux ensuite le racheter. Ce scénario s'éloignait mais le sentiment anti-Lagardère restait tenace et brouillait la vision de nombreux journalistes.

S'agissant du site industriel d'Ivry, David avait annoncé la couleur dès notre prise de fonctions : *Le Monde* n'avait pas vocation à demeurer imprimeur. Il se concentrerait aussi vite que possible sur son métier d'éditeur de presse. Les « camarades » avaient peu apprécié ce langage, mais c'était celui de la vérité. Et depuis des mois, David s'escrimait pour réussir un montage financier qui aurait permis à un imprimeur espagnol de racheter notre filiale industrielle. Nous avions approché la Caisse des dépôts, que dirigeait Augustin de Romanet, dont Louis Schweitzer pensait qu'il serait disposé à jouer les actionnaires temporaires de l'imprimerie, le temps de trouver un professionnel. Avec *Le Monde*, croyait-on, le chiraquien Romanet aurait à cœur d'affirmer son autonomie vis-à-vis de Sarkozy.

Un rendez-vous pendant l'été avec un de ses proches collaborateurs, Jérôme Gallot, nous avait laissé quelque espoir. En charge à la Caisse des dossiers de participation, il m'avait entrepris sur son sujet de prédilection : la bicyclette. Il venait d'accomplir l'étape montagneuse du Tour de France ouverte aux amateurs, et nos échanges cyclistes avaient facilité le contact.

J'échafaudais alors un scénario excitant : donner au *Monde* une dimension européenne, avec des Italiens, des Espagnols, pourquoi pas les Suisses de Ringier, propriétaires du *Temps*, dont nous étions déjà partenaires ? Quand il dirigeait *Les Échos*, David Guiraud avait pu mesurer l'intérêt d'un actionnaire étranger, exigeant sur les comptes, non interventionniste sur les contenus. Ce schéma me séduisait. D'autant que Lagardère semblait désormais sur le reculoir, concentrant son intérêt sur la filiale numérique. Claude Perdriel aurait pu entrer dans ce schéma d'un groupe de presse européen composé de grands acteurs du métier confrontés aux mêmes problématiques : une érosion des ventes du papier, l'essor d'activités numériques n'offrant pas encore un modèle économique viable, la crise des marchés publicitaires, la lourdeur des imprimeries quand s'accélérait la dématérialisation de l'information.

Cette solution aurait préservé l'indépendance éditoriale du *Monde*. Avec un actionnaire aux frontières, absent de la scène politique et économique française, nous avions la garantie que, en contrepartie d'une gestion très rigoureuse, le journal aurait été sanctuarisé, à l'abri de toute pression, de toute arrière-pensée d'un actionnaire piaffant d'exercer une influence dans la sphère publique. C'était un rêve. Il fallait le faire tenir debout. La complexité était dans l'accumulation des dossiers : tenir bon sur les comptes, renforcer la dynamique éditoriale et commerciale, développer de nouveaux titres, renforcer les sites numériques, densifier l'immobilier à Blanqui pour se libérer de loyers au pôle magazine (en rapatriant au siège, en plus du *Monde* interactif, *La Vie*, *Le Monde des religions*, *Prier*, certains services comptables), et bien sûr conforter le possible acquéreur de l'imprimerie.

Pour la recapitalisation proprement dite, Louis Schweitzer se chargeait de convaincre les détenteurs d'Ora (Publicis en premier lieu, Saint-Gobain, *La Stampa*, Diego Della Valle) d'accepter de les voir dépréciées de moitié. Il prendrait, comme il le disait avec des faux airs de Tournesol, sa canne et son chapeau, pour obtenir ce geste des anciens bienfaiteurs du *Monde*, avec l'espoir que certains d'entre eux, comme Pierre Bergé, se montreraient intéressés à entrer dans le capital. Tous acceptèrent le sacrifice demandé sur les Ora. Aucun en revanche, dans cette phase exploratoire, ne manifesta d'enthousiasme à l'idée d'investir davantage.

C'était l'année de tous les espoirs et de tous les dangers. *Le Monde* allait continuer sa route sans passer par le tribunal de commerce ni tomber entre les mains de Lagardère, comme m'en avait supplié la Société des rédacteurs deux ans plus tôt. Ce serait enfin l'amorce du renouveau. Ce serait aussi l'année de ma révocation.

4

TROUVER L'ARGENT

Je savais inévitable la recapitalisation. Elle était tracée dans nos chiffres comme une ligne d'horizon qui, loin de s'éloigner au fil de nos pas, n'avait cessé de se rapprocher. Louis Schweitzer avait conscience de cette échéance à laquelle je m'étais engagé dès janvier 2008, ignorant tout des modalités et des rigueurs d'une telle opération. Notre structure juridique était si complexe, les droits de Lagardère et de Prisa, liés en outre par un pacte d'actionnaires, étaient si étendus, avec des droits de premier refus, des droits de préférence et des clauses antidilution, que le dossier paraissait inextricable.

Depuis 2005, le comité d'audit surveillait de près l'évolution des comptes du *Monde*. Et, prenant son rôle à cœur, Dominique D'Hinnin s'était installé dans un rôle de Cassandre éclairé, nous pressant sans cesse, avec une souriante fermeté, d'accélérer le processus de recapitalisation. Ses arguments emportaient l'adhésion d'une grande partie des actionnaires partenaires.

Malgré les mesures d'économie réelles adoptées, le retournement de la conjoncture nous était défavorable. Le groupe consommait trop de cash. Ses capacités d'autofinancement restaient négatives, ses frais financiers et ses coûts fixes trop lourds. Il arriva plusieurs fois à Dominique D'Hinnin de forcer le trait à dessein et de brandir la perspective quasi imminente du dépôt de bilan devant le conseil de surveillance au grand complet, représentants syndicaux compris, muets mais pas sourds. Louis Schweitzer, tout en reconnaissant la grande fragilité de l'édifice, jugeait cet avis trop alarmiste.

Depuis son arrivée à la présidence de notre conseil, Schweitzer avait mesuré l'importance du temps. S'il était conscient des besoins de recapitalisation, il entendait d'abord nous donner un peu d'air, laisser le directoire agir pour retrouver ce qu'il appelait une crédibilité de gestion. L'objectif de la recapitalisation ne pouvait être de financer les fins de mois du *Monde*. Nous devions revenir à l'équilibre, inscrire le groupe dans la perspective d'un nouveau départ. C'est à cette condition seulement que des investisseurs seraient à même, en libérant des fonds, de respecter notre indépendance. Au printemps 2009, Schweitzer avait eu l'habileté de constituer non pas une commission de recapitalisation mais un comité dit Fonds propres, dont les travaux devaient préciser les droits existants des actionnaires capitalistiques déjà présents au capital.

Cette commission, à laquelle siégeaient notamment Dominique D'Hinnin, Jean-Louis Beffa et un représentant de Prisa, établit que le droit de premier refus d'un nouvel actionnaire ne s'exerçait pas de manière systématique. Il fallait pour cela que l'impétrant pèse un poids significatif dans le domaine des médias. Louis avait décidé de ne pas réunir trop souvent cette commission, et pour cause. Toute avancée prématurée vers la recapitalisation nous aurait privés d'une marge de manœuvre destinée à prouver aux actionnaires que nous agissions de façon vertueuse.

La course de lenteur aboutit à ce que nous voulions : à l'été 2008, il apparut que Lagardère et Prisa ne représentaient pas pour *Le Monde* une issue obligée. Nous pouvions chercher ailleurs, sous certaines conditions complexes. Il faudrait par exemple que, le moment venu, tous les protagonistes internes et externes, dont les porteurs d'Ora, acceptent à l'unanimité le schéma final proposé. Mais dès lors que cette hypothèque Lagardère-Prisa fut levée, Dominique D'Hinnin et les Espagnols ayant validé cette clarification des droits, nous pûmes avancer plus sereinement sur tous nos fronts : la bataille pour l'équilibre économique et financier, le règlement du dossier de l'imprimerie, et la recherche active de nouveaux investisseurs, sachant que des deux premiers fronts dépendrait l'issue du troisième.

Les rôles étaient clairement distribués. Louis Schweitzer était à l'évidence le mieux placé pour activer le processus de recapitalisation. Le directoire que nous formions, David et moi, se chargeait de la gestion dans le respect du mandat qui lui avait été confié par le conseil de surveillance, tout en veillant à la dynamique éditoriale, commerciale et publicitaire. Le dossier de l'imprimerie relevait plus directement de David, même si notre trio eut parfois à s'en mêler. Dans cette période, Louis Schweitzer rendit quelques visites confidentielles. Il rencontra en particulier Michel Pébereau, patron de BNP Paribas, Marc Ladreit de Lacharrière, patron de Fimalac, et l'ancien P-DG de Saint-Gobain Jean-Louis Beffa.

Sa question était simple : pouvait-on envisager une opération de nature comparable à celle qu'avait montée dans le passé Alain Minc ? réunir un tour de table d'actionnaires mécènes acceptant de mettre au pot du *Monde* sans exiger de contrepartie en terme de contrôle ? Louis se vit opposer un non ferme et catégorique, un non un peu ricanant, un peu humiliant : cette fois, l'argent coûterait cher, il coûterait du pouvoir. Et il serait de plus en plus difficile d'en trouver. L'heure n'était pas à la générosité. Il n'y eut que la Société des rédacteurs pour rêver du contraire.

À la SRM, les grands Yaka estimaient déjà que nous nous y prenions comme des billes de n'avoir pas encore dégoté le mécène bonne pâte qui lâcherait 60 voire 100 millions d'euros sur notre bonne mine avec pour seule exigence de voir son nom gravé quelque part sur la façade de l'immeuble... L'époque avait changé : qui paierait voudrait forcément diriger.

Au terme de l'exercice 2008, le directoire afficha des résultats qui lui valurent les félicitations des actionnaires, y compris les plus vétilleux, comme Pierre Richard, l'ancien patron de Dexia, qui ne cessait de nous rappeler à l'ordre. Nous reçûmes les encouragements appuyés de Didier Quillot, de Claude Perdriel et de Jean-Louis Beffa, conscients des efforts engagés, de leur dureté, de leur nécessité. Mais si, selon l'expression de Louis, nous avions retrouvé du crédit, nous n'avions pas atteint l'équilibre visé. Tous les groupes de médias avaient vu leurs recettes s'effondrer devant l'impact en cascade de la crise des *subprimes* aux États-Unis.

Malgré des manques à gagner considérables, nous avions quasiment réalisé le budget prévu. C'était une prouesse, mais c'était insuffisant. Avec des « si » nous aurions atteint l'équilibre et même dégagé des excédents. Mais les « si » n'appartiennent pas aux bilans des entreprises. Nous subissions un calendrier malheureux. La crise avait quasiment annihilé les effets du plan social. En outre, sa gravité avait changé le climat : les investisseurs potentiels se montraient d'une extrême prudence. Sans doute se disaient-ils que plus le temps passerait, plus l'opportunité de nous racheter à vil prix grandirait... C'est bien cette spirale que nous voulions casser en redoublant d'efforts sur la gestion du groupe.

L'adversité était de taille : non seulement nous n'avions pas retrouvé l'équilibre, mais il apparaissait chaque jour plus clair que l'articulation étroite, pour ne pas dire le télescopage, du dossier de l'imprimerie avec celui de la « recap » rendait cette dernière plus difficile encore. L'imprimerie n'était qu'un centre de coût. Acheter une nouvelle rotative aurait coûté de 30 à 40 millions d'euros, ce qui était exclu. David avait pris langue avec un industriel espagnol très dynamique, bien connu de Prisa. Le processus était complexe pour amener cet acteur de taille moyenne à absorber un outil aussi lourd que le nôtre. Louis imaginait un repli sur une seule rotative à Ivry, un rapprochement avec *Le Figaro* pour compléter la production en région parisienne, puis une délocalisation massive en régions pour produire le journal dans de meilleurs délais pour les lecteurs de province.

Cette option séduisante était de loin la plus lourde en termes social, industriel et financier. Le Syndicat du livre, en particulier ses branches les plus archaïques, aurait bloqué la sortie du journal sans limites de temps pour empêcher une telle réorganisation, qui aurait jeté sur le carreau plus de deux cents ouvriers sur les trois cents que comptait l'imprimerie d'Ivry, la plus grande de la région parisienne. L'équation était simple : *Le Figaro*, avec son outil flambant neuf payé 90 millions, était en surcapacité et manquait de clients. *Le Monde*, lui, possédait des machines essoufflées, mais son plan de charge était plein.

La logique, vue de Sirius, eût été de transférer de la charge du trop-plein vers le pas assez. Mais un élément bloquait tout : s'il existait plusieurs imprimeries, il existait un seul Syndicat du livre. Courir le risque d'un conflit dur dans tous les centres de production parisiens était très dangereux. Plus encore pour *Le Monde* désargenté que pour Dassault, qui pouvait voir venir. Nous butions chaque fois sur le nerf de la guerre. Vendre l'outil à un repreneur qui s'engageait à le moderniser : cette perspective était moins lourde socialement et aurait permis une solution de continuité acceptable pour tous. À condition de trouver la perle rare prête à investir dans cette cathédrale industrielle alors qu'on commençait à parler d'impression numérique, de petites structures à production flexible.

Lors d'une réunion, le vice-président de la Société des rédacteurs, Adrien de Tricornot, nous demanda sans ciller pourquoi nous ne mettions pas une bonne fois à la porte les trois cents ouvriers de l'imprimerie dans un cri du cœur : « C'est eux ou nous ! » — sous-entendu nous les journalistes. Sa fibre sociale s'arrêtait aux murs de Blanqui.

Mes agendas portent la trace de plusieurs voyages à Madrid en compagnie de Louis et de David pour rencontrer les dirigeants de Prisa, Juan Luis Cebrián et Jesús Ceberio, l'ex-directeur du *País*. De déjeuners en dîners, la tonalité évolua nettement. Au premier conseil de surveillance qu'il avait présidé, début 2008, Louis Schweitzer avait eu un aparté avec Cebrián. Le patron espagnol avait été catégorique : pour lui, *Le Monde*, c'était sacré. Le moment venu, il y mettrait l'argent nécessaire à son redressement.

Au fil des mois, d'octobre 2009 au 15 mars 2010, date de notre dernière expédition éclair à Madrid (départ de Paris à la fin de l'après-midi, retour le lendemain au petit matin), nous entendîmes nettement un « oui, dès que je pourrai ». Ce « oui » devint ensuite un « pas maintenant ». Entre-temps, après des investissements malheureux, le groupe de Cebrián avait contracté une dette supérieure à 5 milliards d'euros. Nous entendions dans les milieux bancaires, en particulier chez BNP Paribas, que Prisa ne pourrait jamais participer à une opération financière au *Monde*. Ce que démentait Cebrián, dans un discours plutôt confus.

Je me souviens d'un long déjeuner à Madrid le 7 février 2010, au cours duquel Juan Luis se montra très confiant. Il affirmait avoir déjà réuni 3 milliards sur les 5 à rembourser par son groupe. La structure financière de Prisa allait changer, sans doute existerait-il une cotation à New York puisque les nouveaux actionnaires de Prisa seraient américains. Il devrait solliciter leur accord pour participer à la recapitalisation du *Monde* mais il n'aurait aucun mal à l'obtenir. Lors des *road shows* qu'il faisait aux États-Unis pour présenter son groupe aux investisseurs, il mettait toujours en avant la participation de Prisa dans *Le Monde*. Il devrait en outre recevoir le feu vert de ses financiers (dont BNP Paribas) pour se lancer dans notre opération, mais il déclara dans le même souffle que jusqu'à 50 millions d'euros, les banquiers n'auraient « pas grand-chose à dire ».

Ce jour-là, Cebrián se dévoila sur plusieurs thèmes sensibles. Il nous confia d'abord qu'il verrait Arnaud Lagardère pour établir une stratégie, sachant que si l'un montait au capital du *Monde*, ce ne pouvait être sans l'autre, eu égard à leur pacte d'actionnaires, dont nous ignorions la teneur précise (et en réalité Cebrián eut toutes les peines à rencontrer le patron de Lagardère). Il s'engagea par ailleurs à entrer en contact avec Carlo De Benedetti pour explorer une solution commune, sachant qu'il entendait être majoritaire au bout du compte (et Benedetti, qui reçut Cebrián, ne voulait pas moins que lui être majoritaire...). « Si les Italiens ne viennent pas, ajouta Juan Luis, Prisa peut trouver des investisseurs en Amérique latine. Dès que j'aurai réglé la question de la dette de mon groupe, cela devrait marcher. » Il précisa que de riches Espagnols étaient disposés à l'aider mais il avait refusé : « Je préfère de riches Américains, c'est meilleur pour l'indépendance éditoriale ! C'est un confort pour la rédaction. »

Le message était passé : préférer l'étranger à l'investisseur national. Sur ce point, nous étions d'accord. Je l'étais un peu moins quand il exposa sa vision du partage des rôles entre ce qui, une fois rebattues les cartes du capital, relèverait de la rédaction d'une part et de l'actionnaire de contrôle d'autre part. « La question de savoir si *Le Monde* paraît le matin ou le soir n'est pas du ressort de la SRM, fit-il, catégorique. C'est un problème de gestionnaire car il concerne le produit et pas le contenu. J'accepte un droit de veto seulement sur le contenu. » Matin ou soir, prérogatives des journalistes versus droits de l'actionnaire : nous étions au cœur de ce qui serait bientôt source d'embrouillaminis dans la candidature de Prisa.

Un mois plus tard, nous étions de retour à Madrid. Entre-temps, nos interlocuteurs italiens avaient avancé dans l'examen minutieux de nos comptes. Ils n'avaient émis aucun avis dans un sens ou un autre. Au moins n'étaient-ils pas partis en courant, demandant au contraire toujours plus d'éléments chiffrés et juridiques pour se forger leur opinion. Je me souviens précisément de ce dîner dans une rue tranquille de Madrid par une douce soirée de mars qui annonçait le printemps. Nous attendions nos hôtes sur un banc, devant le lieu fixé du rendez-vous, impatients de connaître leur position sur la recapitalisation. Cebrián répondit à nos questions sur la situation de Prisa, en particulier sur le rôle de ce fonds américain baptisé Liberty qui se proposait de prendre le contrôle du groupe espagnol.

Pour la première fois j'entendis parler de son jeune président, Nicolas Berggruen, que Juan Luis présenta comme un *homeless* génial — et milliardaire — qui vivait dans les avions et les grands hôtels, possédait des champs de blé en Australie, des fermes éoliennes en Turquie... Son père, Heinz Berggruen, avait fui le nazisme en 1936. Il était devenu aux États-Unis un célèbre et richissime marchand d'art, proche de Picasso et de Klee. Pour Cebrián, le fonds Liberty ne contrôlerait pas Prisa. Il s'agissait d'un fonds composé de dizaines de milliers de petits investisseurs qui, une fois détenteurs de titres, se fondraient dans son groupe. La famille Polanco continuerait de le contrôler bien que devenue minoritaire. En d'autres termes, le fonds Liberty s'autodissoudrait en entrant dans Prisa.

Il s'agissait d'un ovni financier dont aucun de nous n'avait jamais entendu parler. Cebrián ajouta que Nicolas Berggruen n'avait pas demandé de siège dans son conseil, et que c'est seulement à la demande de Juan Luis qu'il avait accepté. Cette description nous était apparue étrange : comment un riche investisseur qui orientait les placements de son fonds vers un groupe surendetté pourrait-il se montrer ensuite si évanescent?! À l'évidence, tout cela restait bien vague, assez mystérieux et peu rassurant. Comme disait parfois David Guiraud, citant Milton Friedman, « *There is no free lunch* », rien n'est jamais gratuit, à la fin il faut bien que quelqu'un paye le repas...

Le conseil de surveillance du 9 avril 2010 ne dissipa guère le malaise : Jesús Ceberio lut une déclaration au nom de Cebrián, dans laquelle il indiquait l'intérêt de son groupe pour la recapitalisation du *Monde*. Mais son engagement était assorti de tant de conditions restrictives (dont le non-remboursement des Ora en numéraire) qu'au final il parut évident que Prisa n'était pas en mesure d'entrer dans la course, tout au moins dans le calendrier imposé. La suite le montrerait quand les Espagnols demanderaient au conseil de repousser de quinze jours la date de dépôt des offres, ce que Louis Schweitzer accorda une fois, mais pas deux : il n'était pas question pour les commissaires aux comptes de certifier des résultats au 30 juin sans avoir la garantie écrite qu'un schéma de recapitalisation était bel et bien sécurisé.

David Guiraud avait préparé le terrain d'atterrissage avec ceux qu'on appelait les Cac (commissaires aux comptes) et le tribunal de commerce, dans le cadre d'une procédure de conciliation visant à protéger l'entreprise. Il n'était pas question de repousser indéfiniment les délais, nous risquions une crise aiguë de trésorerie. Lors de ce conseil, interrogé sur la position de Lagardère, Dominique D'Hinnin avait clairement déclaré que son groupe ne participerait pas à la recapitalisation du *Monde*. Finalement, l'épouvantail de la SRM trois ans plus tôt avait renoncé. Une telle prise de contrôle aurait donné lieu à d'incessantes batailles sans garantie de pacifier le terrain. Cela fut vécu comme une bonne nouvelle dans la rédaction. J'avais le sentiment d'avoir rempli une partie non négligeable de notre feuille de route. J'eus la faiblesse de penser que mes longues et amicales discussions avec Pierre Leroy, avec Didier Quillot et avec Dominique D'Hinnin pour dissuader leur groupe de « prendre » *Le Monde* n'avaient pas été vaines.

Un an plus tôt, Arnaud Lagardère rêvait encore de ce fameux *trophy asset*. Didier Quillot me l'avait dit sans malice en marge d'une réception officielle au Festival de Cannes 2009, et cette annonce m'avait mis aux cent coups. Jusque tard dans la nuit j'avais marché dans les rues remplies de cinéphiles, nœud papillon dans la main, remâchant mon inquiétude avec un sentiment d'impuissance. Depuis des semaines, le dossier d'octroi du prêt de 25 millions n'avançait plus. Lagardère trouvait sans cesse des arguments juridiques pour ralentir le processus, et je m'interrogeais alors sur les motivations de Dominique D'Hinnin à temporiser, lui qui savait notre fragilité financière. Je vis soudain un lien entre les objections intempestives de Lagardère sur les conditions du prêt bancaire et ses visées renforcées sur *Le Monde*. Le matin à la première heure, j'avais prévenu Louis Schweitzer et David

Guiraud de ce regain d'intérêt inquiétant. N'était-ce pas pour éviter sa montée au capital que j'avais été désigné par les journalistes et les personnels du groupe, début 2008 ?

Le retrait de Lagardère me soulagea. Il laissait le champ plus libre à une solution extérieure. Mais laquelle ?

Au lendemain de la candidature confuse de Prisa, Claude Perdriel chercha à nous joindre d'urgence. La veille, au conseil, il était resté de marbre en écoutant Jesús Ceberio lire sa déclaration. Sa réflexion était simple et radicale : il n'était pas question de laisser les Espagnols acquérir *Le Monde*, d'autant que, à juste titre, ce fonds américain ne disait rien qui vaille au patron de l'*Observateur*. Il avait tourné tout cela dans sa tête jusqu'à une heure avancée de la nuit et, au matin, il avait naturellement conclu qu'il devait faire une offre d'achat pour *Le Monde*. Son directeur général Denis Olivennes lui confia avoir eu la même idée.

Rendez-vous fut pris le lendemain matin pour un petit déjeuner au domicile de Claude Perdriel. David et moi le trouvâmes décidé, chaleureux et bienveillant comme à l'accoutumée, enthousiaste à la perspective de rapprocher *Le Monde* et son propre groupe dans un ensemble cohérent partageant les mêmes valeurs journalistiques, la même éthique, une sensibilité politique voisine. Depuis près de trois ans, Claude Perdriel avait été un soutien fidèle à l'action du directoire. Il nous conviait souvent dans la salle à manger de l'*Obs*, place de la Bourse, pour nous conseiller, tâcher de nous aider dans notre quête incessante de trésorerie, manifester son amitié et sa solidarité.

Claude Perdriel, je l'admirais depuis mes années étudiantes, quand j'avais été un lecteur assidu du *Matin de Paris*, qu'il avait porté avec enthousiasme et détermination. J'aimais sa joie de vivre, son énergie communicative. Je savais que dans sa jeunesse, à Lyon, il avait connu la faim, la pauvreté, l'antisémitisme. Il était d'une humanité supérieure, ni imbu, ni méprisant. Tout en lui forçait le respect, et combien de fois, cherchant son regard dans nos conseils de surveillance, j'avais trouvé un éclair bleu, malicieux, si précieux.

Je ne cachai pas ma joie lorsqu'il nous informa de son projet. Il connaissait les comptes du *Monde* — puisque siégeant parmi nous depuis de longues années. Il se disait capable de rassembler rapidement de 50 à 70 millions. Il avait confiance dans sa capacité à obtenir les sommes de ses banquiers et, s'il le fallait, il céderait quelques tableaux de sa collection privée. Rien ne semblait pouvoir l'arrêter. À cet instant, nous ignorions que Claude Perdriel ne disposait pas de poches assez profondes. Sa relative fragilité financière deviendrait un argument contre lui et le pousserait plus tard à des alliances malheureuses. Mais dans cette matinée d'avril, il nous parut que le ciel s'éclairait grâce à son audace et à son ambition. Une seule ombre passa, quand il nous confia son intention d'installer Denis Olivennes aux commandes du groupe.

Je n'y voyais pas d'inconvénient de principe : diriger le journal suffisait à ma peine et j'aurais volontiers cédé la présidence du directoire à David Guiraud, ou participé à une coprésidence qui, de fait, fonctionnait parfaitement. L'objection portait sur la personne de Denis Olivennes et sa pratique éditoriale. Directeur général devenu directeur de la rédaction du magazine, il avait heurté les journalistes de l'*Obs* en interviewant Nicolas Sarkozy un week-end sans les en prévenir. Surtout, il semblait par trop perméable aux thèses présidentielles, au point que l'hebdomadaire donnait parfois le sentiment à ses lecteurs d'avoir perdu sa gauche. Les rédactions du *Monde* et de l'*Obs* étaient si liées que j'imaginais mal la SRM soutenir un projet où le garant de l'indépendance du *Monde* serait Denis Olivennes. Je ne développai pas outre mesure cet argument devant Claude, trop heureux de voir se dessiner une solution acceptable et excitante. Il serait bien temps de parler à Denis Olivennes pour éclaircir ce point.

Quelques jours plus tard, un nouveau petit déjeuner eut lieu chez Claude Perdriel. Étaient présents autour de lui Denis Olivennes, un responsable financier de l'*Observateur*, Louis, David et moi. La discussion fut fructueuse. On n'aborda pas la future gouvernance du groupe, nous concentrant sur les aspects financiers du montage. Avant de nous séparer, Denis Olivennes s'approcha de moi pour me remettre une chemise bleu ciel en me soufflant, d'un air mystérieux : «Tu liras.» Il s'agissait d'un tirage sur imprimante d'un certain nombre de ses éditoriaux parus dans *Le Nouvel Observateur*, avec des passages stabilobossés en bleu ciel aussi. Je promis de lire et dans l'auto qui nous ramenait au journal, je compris la démarche d'Olivennes. Les phrases qu'il s'était appliqué à surligner reflétaient dans ses éditos les passages où il avait critiqué Sarkozy. Le message était clair : il n'était pas un valet du pouvoir.

Cette démarche me parut maladroite et un brin puérile. Croyait-il me convaincre ainsi de son indépendance d'esprit vis-à-vis du chef de l'État ? Était-il si mal à l'aise avec cette critique qu'il devait tenter de se dédouaner ? Ce geste eut sur moi l'effet inverse et, quand nous fixâmes ensemble une date de déjeuner, mon impression défavorable s'était déjà renforcée. Il m'avait donné rendez-vous le 11 mai à La Closerie des lilas. Je m'étais installé à une table au hasard, côté brasserie, quand il me demanda par texto de le rejoindre à une table isolée. Il m'attendait, assis sous un portrait encadré de Franz-Olivier Giesbert. Si bien que tout au long de ce repas qui se voulait cordial, j'eus cette impression étrange que nous étions écoutés par le malicieux FOG...

Je connaissais un peu Denis Olivennes. Nous avions eu par le passé des relations amicales, quand il dirigeait la Fnac et que je participais en qualité d'auteur à certaines manifestations comme le Goncourt des lycéens. Il m'avait invité un soir au Stade de France pour écouter un concert de U2. Je me sentais assez libre avec lui pour jouer cartes sur table. Je ne lui cachai pas que j'aurais sans doute du mal à faire admettre à la rédaction un projet l'installant à la tête du groupe. Il me raconta son parcours à l'*Obs*, se défendit de toute collusion avec Sarkozy, et m'apprit qu'il avait été finalement élu par les journalistes à la direction de l'hebdomadaire. Je l'interrogeai sur son lien avec Minc, car ce dernier, du temps où il égrenait à voix haute les noms de ses successeurs possibles à la tête de notre conseil, avait souvent mentionné le sien. Denis Olivennes répondit qu'il n'en avait jamais été question pour lui. Minc avait lancé son nom de sa propre initiative. Olivennes affirmait lui avoir même reproché ce procédé. Il me fit comprendre que ses relations avec le manitou de l'avenue George-V n'étaient pas au beau fixe.

On se quitta sur ces explications. Le lendemain, ayant de nouveau été témoin de propos anti-Olivennes tenus par des membres importants de la SRM, j'appelai Claude Perdriel pour lui exprimer mes doutes. Denis Olivennes était avec lui. Il put ainsi entendre mes réserves grâce au haut-parleur. Je ne doutais pas que nous trouverions un moyen d'aplanir la difficulté. Claude était de bonne volonté, et désormais pleinement engagé dans son projet de reprise du *Monde*, constructif, optimiste, avec une gourmandise de garnement.

Louis, David et moi entretenions un espoir modéré mais réel. En ce début de printemps 2010, l'échiquier n'était pas vide, même s'il n'était pas rempli de pièces maîtresses. Nous pouvions jusqu'à un certain point compter sur Prisa. Claude Perdriel remuait ciel et terre pour construire une offre. Et nous avions surtout notre joker italien dans la manche, en la personne de Carlo De Benedetti. Notre première entrevue avait eu lieu le 13 janvier dans son hôtel particulier de Rome. C'était un de ces voyages qui n'en sont pas vraiment, où vous prenez un avion à l'aube, puis un taxi qui vous dépose au lieu de rendez-vous. Vous discutez plusieurs heures avant qu'une auto vous ramène à l'aéroport et vous revoilà à Paris à la nuit tombée.

Nous fîmes un certain nombre de voyages de la sorte, à Rome et à Milan, à Madrid aussi. Je garde le souvenir fugace d'un retour d'Espagne très tôt le matin, après une courte nuit passée dans un hôtel au design glacé, où tout était vitré, transparent (y compris les lavabos), d'une saisissante froideur. Et, dans les allées de l'aéroport menant au contrôle des voyageurs, la haute silhouette de Louis Schweitzer marchant devant nous à grands pas, ses lacets défaits sautant tels de jeunes serpents au-dessus de ses souliers noirs : à l'approche du portique, mais loin encore, il avait délacé ses chaussures. C'était un trait de Louis que j'avais découvert en le côtoyant : l'obsession de ne jamais perdre une seconde, de rendre le temps très dense et intense, toujours en action, en réflexion, pensant peut-être à plusieurs choses à la fois et anticipant l'ordre de leur accomplissement à la manière d'un sauteur de haies.

Mais revenons à Rome et à ce matin du 13 janvier. Nous avions parcouru à pied la dernière centaine de mètres dans un quartier charmant de rues pavées et dépourvues de trottoir, où l'on se serait attendu à voir surgir Gregory Peck et Audrey Hepburn lancés à toute allure sur une Vespa vrombissante. On nous accueillit dans un vieil hôtel particulier plein de charme, le pied-à-terre romain du patron de *L'Espresso*, et la discussion alla d'emblée bon train. Carlo De Benedetti avait convié sa directrice générale Monica Mondardini et le patron de *La Repubblica* Ezio Mauro. À nous trois, nous pûmes brosser le tableau le plus complet possible de notre situation, Louis resituant l'enjeu capitalistique de l'opération, David présentant notre premier bilan opérationnel, et moi exposant les exigences de renouveau éditorial du *Monde* dans un univers en pleine mutation, à la recherche d'un nouveau modèle économique.

L'une des premières questions que me posa Carlo De Benedetti fut : « Où est Alain Minc dans *Le Monde* ? » Je lui expliquai que l'ancien président du conseil de surveillance n'avait plus aucun lien organique avec nous mais qu'en sa qualité de conseiller de Nicolas Sarkozy, en particulier pour les médias, il disposait encore d'une influence réelle, qui pouvait se convertir en pouvoir de nuisance. Chacun de nous avait en mémoire les déboires de Carlo De Benedetti dans les années 1990, lors de son OPA hostile sur la Société générale de Belgique, une opération inspirée par Alain Minc et qui lui avait coûté très cher.

« Quand je vois Minc, je lui serre la main, confia Benedetti. Mais si mon fils Rodolfo le rencontre, alors il lui met sa main dans la figure. » On comprit deux choses : le fils de Carlo n'aimait pas perdre de l'argent. Et si le père restait très engagé dans l'aventure des médias, c'était Rodolfo le financier qui tenait les cordons de la bourse. Lui seul déciderait *in fine* si un investissement dans *Le Monde* valait la peine, aussi prestigieux soit ce titre pour son condottiere de père, retiré des affaires mais rêvant d'un dernier coup d'éclat lui assurant une place enviable dans l'establishment européen.

Ce premier contact fut chaleureux et prometteur. Carlo De Benedetti était rassuré de traiter avec Louis Schweitzer. Les deux hommes avaient eu affaire ensemble quand Louis dirigeait le cabinet de Laurent Fabius à Matignon, au milieu des années 1980. Un respect mutuel leur en était resté. Carlo gardait un excellent souvenir du traitement que lui avait réservé le désormais président du conseil du *Monde*. C'est dans ce climat de confiance que s'était déroulée cette longue entrevue de janvier, Ezio Mauro et moi réfléchissant à haute voix sur les initiatives communes que pourraient prendre *Le Monde* et *La Repubblica,* tandis que David ouvrait grands nos dossiers et nos comptes à Monica Mondardini et à ses experts financiers. Rendez-vous fut pris pour une première séance de travail à Paris dans les semaines suivantes. Nous regagnâmes Paris avec de bonnes ondes. Carlo De Benedetti n'avait pas caché qu'il avait les moyens de faire l'opération, qu'il ne voyait pas d'inconvénient à y associer d'autres partenaires, mais que ce n'était pas obligé. En clair, il était candidat à une prise de contrôle du groupe *Le Monde*, se réservant la stratégie industrielle et laissant au journal sa pleine liberté éditoriale.

Le léger sentiment d'allégresse que nous éprouvions fut de courte durée. Alors que nous construisions notre dossier de recapitalisation, nous apprîmes deux jours plus tard que BNP Paribas se retirait, invoquant un conflit d'intérêts lui interdisant d'être à la fois notre prêteur (pour 25 millions d'euros) et notre banque-conseil engagée à nos côtés pour lever des fonds. Cette décision fut pour nous un coup de tonnerre qui mortifia y compris l'équipe de la banque qui avait déjà beaucoup avancé avec David, lequel connaissait bien son interlocuteur pour avoir travaillé avec lui du temps des *Échos*. La nouvelle m'arriva dans des circonstances très singulières : je me rendais à un colloque franco-britannique qui se tenait dans la campagne londonienne et la voix de David au téléphone était aussi blanche que la neige qui tombait.

Je voyageais à bord de l'Eurostar dans un compartiment où j'avais pris place en face de Michel Pébereau. Erik Izraelewicz, directeur de *La Tribune*, nous avait rejoints. Et nous échangions plaisamment des propos variés qui allaient de la régulation des flux financiers à la science-fiction, dont Pébereau était un lecteur éclairé doublé d'un chroniqueur pertinent dans *Le JDD*.

Je venais de tomber à mon tour en pleine science-fiction. Michel Pébereau me parlait avec beaucoup de douceur et d'aménité quand mon téléphone sonna. Le nom de David s'afficha sur l'écran. « Grosse tuile. BNP Paribas nous lâche », m'annonça-t-il *ex abrupto*. Je me levai d'un bond pour m'éloigner, incrédule. « Je suis en face de Péberau. On parle depuis une heure. Il ne m'a rien dit ! Tu sais pourquoi ? » David ne connaissait pas l'explication. Son contact chez BNP Paribas était sous le coup de la décision, qui venait bien d'en haut. Il évoqua le conflit d'intérêts sans trop y croire. Un mois plus tôt, ce risque avait été écarté par Pébereau lui-même et la banque avait accepté de traiter notre dossier. Je pris congé de David et regagnai ma place en face de Pébereau, resté avec Izra. Cette fois c'est moi qui devais être blanc.

J'ignorais en quoi consistaient ces rencontres franco-britanniques dont Jean-Louis Beffa était le grand ordonnateur côté français. Depuis plusieurs années, tantôt d'un côté du Channel, tantôt de l'autre, des responsables économiques et politiques de très haut niveau se réunissaient au vert pendant quarante-huit heures afin d'échanger leurs visions, leurs expériences et leurs anticipations sur la marche du monde, avec comme fil rouge la relation entre nos deux pays. À ces rencontres seraient présentes certaines figures du prochain gouvernement conservateur de David Cameron, comme George Osborne, dont il ferait son chancelier de l'échiquier. J'y croiserais aussi Alain Minc, Laurent Fabius, Jean-Louis Bianco, Anne-Marie Idrac, l'ancien patron du *Figaro* Philippe Vilain ou Jean-Marie Colombani. Mais ce soir-là, j'avais la tête ailleurs. Quel coup fourré venait donc de se produire ?

Le bus qui devait nous emmener sur les lieux du colloque ne sortait pas des embouteillages londoniens. Il nous fallut près d'une heure et demie pour atteindre enfin notre but, un hôtel perdu au milieu de la campagne anglaise recouverte de neige, où je découvris le lendemain matin des ravissantes biches paissant tranquillement...

On nous attendait au dîner inaugural. Nous étions en retard. Une hôtesse me dirigea. On m'avait installé à la table d'honneur. La salle était sombre et, en approchant, j'aperçus Jean-Louis Beffa puis Louis Schweitzer. Il était bien sûr au courant de l'affaire et se promettait d'alpaguer Pébereau aussitôt que possible. « D'ailleurs il est ici, vous êtes assis à côté de lui », fit Louis en m'indiquant mon couvert. Ainsi me retrouvais-je entre Laurent Fabius et Michel Pébereau, dont le voisin n'était autre que l'ancien ministre travailliste Peter Mandelson. La conversation fut très britannique et un peu socialiste. Conversant avec mes interlocuteurs distingués, je me retins d'aborder avec Michel Pébereau le sujet qui me brûlait les lèvres et accélérait mon pouls. Nous étions convenus, Louis et moi, qu'il s'en chargerait après le café.

Pourtant, vers le milieu du repas, le parrain des banquiers français se tourna vers moi pour m'interroger sur *Le Monde*. Il admit que la période devait être très difficile. Était-ce du cynisme, de l'ironie, une hypocrisie vernissée ? Profitant de cette ouverture, je m'enhardis à lui expliquer notre plan d'action. Je brossai un tableau complet du paysage, le plan social, les cessions, le retour à des règles vertueuses, la crise qui réduisait la portée de nos efforts, pour déboucher sur la nécessaire recapitalisation.

Je lui tendis plusieurs perches mais il n'en saisit aucune. Plusieurs fois je fus au bord de lui dire que je venais d'apprendre sa décision brutale de ne pas accompagner *Le Monde* dans cette nouvelle épreuve. La BNP, banquier historique du journal, pouvait-elle nous lâcher à ce stade critique ? Et pour quelle raison ? Ce fut un moment pénible. Là où j'aurais pu profiter de discussions passionnantes, interroger des interlocuteurs très pointus sur la crise économique et financière, je me sentis abattu, obsédé à l'idée de chercher à comprendre ce qui arrivait, et pressé de voir s'esquisser une solution de rechange, si Pébereau ne revenait pas en arrière.

Après le dîner, quand les participants s'égaillèrent dans un immense salon, je vis Louis Schweitzer s'isoler avec le banquier. Leur entretien fut bref et infructueux. Louis et moi trouvâmes ensuite un endroit tranquille dans un bar de l'hôtel. Il continuait de neiger. J'avais froid aux os et j'étais soudain épuisé. On baignait dans une atmosphère à la Agatha Christie, un monde policé qui tuait devant une tasse de thé. Tout cela était incompréhensible. Pourquoi ce croc-en-jambe ? «Vous avez publié dans *Le Monde* un article qui lui a déplu », commença Louis. À quel papier faisait-il allusion ? Il s'agissait d'une enquête parue dans les pages économiques, laissant apparaître une vérité : BNP Paribas, à travers la personne de Michel Pébereau, était présent dans la plupart des conseils d'administration des entreprises du CAC 40.

Je me remémorai tout à coup l'article et l'infographie qui l'accompagnait, avec la photo du banquier au centre, le schéma montrant sa position centrale dans le capitalisme français, comme une araignée au cœur de sa toile. J'avais vu cet ensemble avant sa parution, je n'avais pas souhaité le bloquer ou le retarder. Sans doute n'était-il pas opportun, au moment où nous discutions notre avenir, d'irriter celui qui tenait une partie de la solution entre ses mains. Mais fallait-il obéir à des réflexes d'autocensure, ne pas parler des sujets qui pouvaient fâcher? Déplaire nous condamnait-il à dépérir?

Il était de toute façon trop tard pour faire marche arrière. Ce qui était paru était paru. Louis avait eu beau plaider la cause du *Monde*, son interlocuteur s'était montré inflexible. Il réitéra son amicale mais ferme pression dès le lendemain matin au petit déjeuner, sans davantage de succès. Celui qui passait pour le plus grand banquier d'Europe digérait mal la moindre réserve à son égard. Il semblait tant convaincu de son bon droit que la critique à son encontre, forcément infondée, ne pouvait reposer que sur de mauvaises motivations. Si Pébereau ne varia plus d'un pouce, il fit toutefois savoir à Louis qu'il ne ferait rien contre nous dans notre recherche d'un nouveau banquier-conseil. Il nous suggéra même Calyon, la banque d'affaires du Crédit agricole. C'est elle qui reprit le dossier à la volée.

Par chance, le responsable de l'opération, François Kayat, se révéla avec son équipe d'une efficacité remarquable pour intégrer nos « surcontraintes ». Il fut un négociateur inspiré et tenace, s'immergea avec ardeur dans les arcanes complexes de nos structures. Malgré la multiplicité des acteurs dont il fallait obtenir l'accord unanime (en particulier les orataires que Louis avait convaincus de céder leurs Ora à moitié prix), malgré la multiplicité des droits propres aux actionnaires déjà présents au capital, François Kayat réussit le tour de force de rapprocher les points de vue de parties aux intérêts souvent divergents.

On passa sur l'épisode BNP car il fallait avancer. Mais je n'oubliai pas, ni David, ni Louis, que je sentis ébranlé par la dureté de Pébereau, son ami de si longue date. Jamais au cours de sa prestigieuse carrière l'ancien patron de Renault n'avait essuyé un refus si brutal. Jamais non plus, un an plus tôt, il n'avait senti autant de résistance d'une banque (aux caisses pleines) pour conclure un prêt de 25 millions.

À plusieurs reprises, face à l'adversité, face aussi au plaisir à peine voilé que certains de nos interlocuteurs semblaient éprouver en nous voyant nous débattre dans nos difficultés, Louis Schweitzer crut déceler ce qu'il appelait la *Schadenfreude*, la joie mauvaise qu'éprouvent parfois les esprits pervers devant le malheur des autres. Et plus d'une fois il nous cita le proverbe favori de son père, ancien président du FMI : « Il ne faut jamais surestimer la méchanceté des gens ; il ne faut jamais sous-estimer leur bêtise. » Malgré ce vade-mecum salutaire pour l'esprit, nous n'étions pas au bout de nos surprises. Ni de nos déconvenues.

Dans cette période intense, scandée par les réunions financières interminables et tardives avec les experts de Calyon, nous faisions montre de la plus grande transparence avec les responsables de la SRM. Sous le sceau de la confidence, David et moi les tenions informés de nos démarches auprès de Benedetti, de Prisa et de Claude Perdriel. Sollicité par Gilles Van Kote, qui n'obtenait pas de rendez-vous avec eux, je fis en sorte que Cebrián le rencontre, ainsi que Carlo De Benedetti, qui l'accueillit sur ma demande à Milan. D'où ma surprise quand le même Van Kote affirma à la rédaction que dans cette période le directoire avait agi sans tenir informée la SRM. Louis Schweitzer fut plusieurs fois reçu par son conseil et pratiqua lui aussi la plus grande transparence, sachant que certains éléments devaient à l'évidence rester confidentiels, ainsi que le demandaient en chœur les membres du conseil de surveillance. Trop d'adversaires du *Monde* souhaitaient faire capoter la recapitalisation. Nous devions agir avec une extrême discrétion.

Carlo De Benedetti ne souhaitait pas que son nom apparaisse dans les communiqués, et nous avions eu à cœur de protéger son anonymat. Engagé dans un plan social pour son propre groupe de presse, et craignant que sa démarche soit jugée inopportune en France, il préférait avancer sans bruit. Nous avions respecté sa volonté, même s'il apparut très vite aux yeux des principaux protagonistes que le groupe *L'Espresso* était bien en lice. À partir du 24 février, j'avais organisé des déjeuners informels avec les chefs et les adjoints de chaque service du journal, de l'International à la Culture, pour les tenir au courant des discussions en cours, précisant les contours des scénarios possibles. Je comptais sur leur sens des responsabilités pour qu'ils communiquent au mieux auprès de leurs troupes afin que le message circule : nous avancions, des candidatures se constituaient, mais aucune issue n'était claire, eu égard à la densité du calendrier et des lourdes questions qu'il fallait régler simultanément, les Ora, l'imprimerie, les droits respectifs des actionnaires.

Tous les fronts étaient ouverts, bien malin qui aurait pu prédire l'épilogue de l'histoire. Mais à tous j'avais clairement indiqué qu'à l'issue du processus nous perdrions le contrôle de la gestion du *Monde*. Notre combat porterait sur l'indépendance éditoriale. À dessein, David et moi n'intervenions pas dans les médias. Nous souhaitions que le conseil de la SRM s'approprie au maximum l'opération en qualité d'actionnaire. L'appropriation alla bien au-delà de nos souhaits... Van Kote, lui, multipliait les déclarations. Au point de laisser croire qu'il était le seul à se démener pour la recapitalisation, et que le directoire se roulait les pouces.

Pas plus que moi son métier n'était de gérer des affaires aussi complexes. Je lui exposai à plusieurs reprises le poids de notre responsabilité commune, chacun dans son rôle. J'avais de la sympathie pour lui et pensais être compris quand je lui répétais que l'idéal serait que son choix et le nôtre — celui du directoire — pour le repreneur soient identiques. Il en convenait. Je l'informais régulièrement de tous les éléments clés des discussions engagées avec les candidats potentiels ou déclarés. Je découvris que ce n'était pas réciproque lorsque, dans un article du *JDD* paru courant mars, il laissa entendre que d'autres candidats, français, pourraient se faire connaître. Visiblement il disposait d'informations que je ne connaissais pas. Je lui téléphonai pour obtenir des éclaircissements. Il resta évasif, je verrais bien. Devant mon insistance il prononça le nom de Matthieu Pigasse.

Je compris que le banquier d'affaires, patron de Lazard France, ne s'était adressé qu'à la SRM, en sa qualité d'actionnaire. Et Van Kote, sans doute flatté par cette attention, s'en prévalut ensuite pour juger de l'inefficacité du directoire et de Louis Schweitzer.

Quelques semaines plus tôt, le 16 mars, participant à un déjeuner de *L'Express*, j'avais rencontré l'économiste Daniel Cohen, qui m'avait interrogé sur la recap. Je lui avais répondu que nous avancions lentement sur un terrain miné mais que des solutions se dessinaient. « Veux-tu que j'en parle à Matthieu? » m'avait-il demandé. « Si tu veux », avais-je répondu. David Guiraud avait déjà rencontré Matthieu Pigasse en mars, à la demande de ce dernier, mais la discussion n'avait porté que sur *Télérama* et sur *Le Post*, un site participatif né dans la sphère du *Monde* interactif. À aucun moment Matthieu Pigasse n'avait laissé entrevoir son véritable dessein. Il avait proposé ses services comme banquier d'affaires. Mais puisque nous avancions avec Calyon, c'était inutile. L'idée ne nous serait pas venue spontanément de confier le sort du journal au patron de Lazard. À la fin de son entretien avec David, Pigasse avait émis cette remarque : « Ce serait triste que *Le Monde* devienne espagnol. » Leur discussion en était restée là.

Je me souvenais aussi que Minc avait suggéré que Pigasse lui succède à la présidence du conseil du *Monde*, mais cette idée avait avorté. Depuis lors, il n'avait plus été question du nouveau propriétaire des *Inrocks*. Il finit par nous contacter, David et moi, et c'est seulement le 21 mai que nous fîmes connaissance. Deux jours plus tôt, j'avais déjeuné avec Pierre Bergé, qui m'avait convié chez Laurent, un grand restaurant des Champs-Élysées. Il avait réservé en terrasse, ensoleillée ce jour-là, mais s'était ravisé : Alain Minc y trônait déjà !

Bergé ne souhaitait pas être vu par le conseiller de Sarkozy, dont il était bien sûr l'ami. Cela donna lieu à une scène cocasse : demandant Pierre Bergé à l'accueil, je l'aperçus dissimulé derrière une épaisse tenture, droit comme un I, me faisant signe de son embarras à la vue de Minc. On aurait cru du Feydeau. Pour mon premier contact avec l'ancien patron de Saint Laurent, on nous installa en tête à tête, seuls dans une immense salle à manger du premier étage qui ne déparait pas avec, par exemple, celle de l'Élysée...

Autant le déjeuner avec Pigasse fut speed, à l'image du personnage, qui se méfiait de la graisse, du sommeil et du vin, autant les deux heures passées avec Pierre Bergé furent un moment chaleureux et de grande franchise. Je lui dis que si Beuve-Méry avait encore vécu, il aurait probablement voulu placer son journal à l'abri d'une fondation. Je plaidai aussi pour que *Le Monde* ne devienne pas une publication militante pour la gauche, ni pour aucune autre sensibilité politique. Bergé écouta et me déclara que s'il devenait actionnaire, il me garantissait qu'au bout d'un an je pourrais vérifier qu'il n'aurait jamais fait peser sur moi la moindre pression éditoriale.

Le sort a voulu que je ne sois plus là pour le prendre au mot, mais si surprenant que cela puisse paraître avec le recul, malgré la férocité passionnée que je détectai dans son regard et parfois dans son propos, l'homme me fit une belle et forte impression. Aujourd'hui encore, bien qu'il ait eu à prononcer ma révocation, mon sentiment est demeuré intact. La déception n'a pas effacé le respect.

Courant mai, le rythme s'accéléra encore. Claude Perdriel, à qui je parlais encore souvent au téléphone, était incrédule devant l'offre possible de Pigasse et Bergé, que le patron de Free Xavier Niel n'allait pas tarder à compléter. « Je ne vois pas comment les journalistes du *Monde* pourraient choisir comme propriétaire le patron de la banque Lazard ! se rassurait le fondateur de l'*Observateur*. Ce trio, ajoutait-il, c'est l'attelage du Père Noël. Ils ne peuvent pas être indépendants du pouvoir car ils ont besoin des interventions de l'État pour leurs affaires. » Perdriel ne voyait pas bien comment des investisseurs ne connaissant rien ou presque aux médias pourraient être préférés à lui, dont les références en matière de presse, et d'éthique professionnelle, étaient indiscutables. Il avait raison.

Pourtant le vent allait tourner. Sa candidature, qui avait d'emblée séduit la rédaction comme elle m'avait séduit, devint au fil des jours plus problématique, moins lisible. Il exprima soudain de l'inquiétude sur les comptes du *Monde*, sur le coût de l'imprimerie. Puisqu'il siégeait à notre conseil, il ne découvrait rien. Mais la musique qui s'installa doucement fut qu'il ne pourrait réussir l'opération seul. Il finit par accepter que Denis Olivennes se tienne en retrait, se proposant de prendre lui-même la présidence du directoire. L'inquiétude venait désormais de la seule question qui se posait alors : s'il n'avait pas financièrement les reins assez solides, qui seraient ses alliés ?

Un premier coup de froid se produisit quand *Le Nouvel Observateur* se rapprocha de Prisa pour constituer son offre. N'était-ce pas en réaction à la candidature espagnole que Perdriel avait crânement souhaité voler au secours du *Monde* ? En faisant alliance avec Prisa, il semblait se dédire. Et nul ne pouvait ignorer que Minc était devenu le conseiller des Espagnols. Au journal, l'impression fut désastreuse. Il parut évident que ce montage était l'œuvre de l'éminence de Sarkozy, soupçonné en outre de vouloir revenir au *Monde* par la fenêtre, dans les bagages des Espagnols, dont Claude Perdriel ne serait que le faux nez. Le capital de sympathie dont jouissait le patron de l'*Obs* fut sérieusement ébranlé.

À l'inverse, le trio nouvellement constitué par Pierre Bergé, Xavier Niel et Matthieu Pigasse avait de quoi séduire, avec un investisseur chenu au profil de mécène, un génie de la nouvelle économie et un jeune banquier atypique, issu d'une lignée de journalistes, qui avait rénové un magazine versé dans la rock attitude. Si l'ensemble était déconcertant, la rédaction estimait qu'il fallait prendre au sérieux ces prétendants aux mains pleines. Certes, ce n'était pas ce dont on avait rêvé *a priori*, mais leur diversité faisait leur charme. J'estimais pour ma part que chacun pourrait être le contre-pouvoir de l'autre, et qu'il ne fallait jamais se fier aux apparences. Le trio dit BNP (Bergé-Niel-Pigasse) commençait à retenir l'attention.

C'est dans ce contexte de fébrilité, d'interrogations et d'inquiétude, que Nicolas Sarkozy se rappela brusquement à mon souvenir. Un épisode se joua, brutal, complexe, très déstabilisant, dont la seule partie connue donna lieu à d'innombrables commentaires sur ma prétendue convocation à l'Élysée. Comme si un directeur du *Monde* pouvait répondre à une convocation expresse du président. Les faits furent plus édifiants encore que les indiscrétions rapportées à l'époque par les médias.

SCÈNES DE CHÂTEAU (2)

Comme souvent avec le président, tout commença par un coup de fil comminatoire. C'était le samedi 22 mai 2010 en début d'après-midi. Le journal venait de sortir à Paris. J'étais en province. Quelques minutes avant l'appel, j'avais reçu un texto d'Alain Minc ainsi libellé : « Cher Éric, voici le genre de hoquet que m'inspire parfois le journal. Édito du jour : la QPC [Question prioritaire de constitutionnalité] instaurée en juillet 2008 sur une idée de Robert Badinter. L'honnêteté était d'ajouter : et instaurée à l'initiative de Nicolas Sarkozy. Amitiés. Alain. » Pour mieux comprendre, il s'agissait d'un nouveau dispositif permettant aux citoyens de saisir directement le Conseil constitutionnel afin de contester des lois portant atteinte aux droits et aux libertés garantis par la Constitution. L'éditorial rendait aussi hommage à Jean-Louis Debré, président du Conseil constitutionnel, et réputé peu amène vis-à-vis de Sarkozy.

Je n'avais pas écrit cet éditorial mais, comme tout ce qui se publiait dans *Le Monde* sous ma direction, j'en assumais chaque ligne. L'appel du président ne me surprit qu'à moitié à la suite du texto de Minc. Après la formule habituelle prononcée par une voix féminine, « Secrétariat de la présidence, je vous passe le président », un dialogue s'amorça, que je pris soin ensuite de noter tant qu'il résonnait encore (« cognait » serait plus juste) dans mes oreilles.

« Bonjour, m'sieur Fottorino, excusez-moi de vous déranger un samedi mais je rigole. Devant tant de malhonnêteté je rigole. Vous êtes tellement aveuglé par votre haine à mon égard que...

— Je m'attendais à votre appel, Alain Minc m'a adressé un SMS. »

Le président, sur le ton de la colère, vexé sans doute que je sous-entende combien ce coup de téléphone me paraissait prémédité :

« Alain Minc n'est pas mon porte-parole ! Je peux penser moi-même sans qu'il me dise ce que je dois faire ! Même s'il dit parfois des choses intelligentes... Votre édito d'aujourd'hui est un comble de malhonnêteté. Vous encensez Badinter, qui ne l'a pas voté. Vous rendez un hommage appuyé à Jean-Louis Debré. Je rigole. Et moi qui ai voulu cette réforme, rien ! Pas une allusion ! M'sieur Fottorino, si vous n'appelez pas ça de la malhonnêteté, je me demande ce que c'est. Vous écrivez que je suis liberticide...

— Vous ne nous lisez pas bien, risquai-je au milieu de la tempête, qui redoubla.

— Vous dénoncez les cumulards dans votre journal. Mais vous êtes un cumulard ! Quand cesserez-vous à la fin d'écrire des livres et de vouloir diriger la rédaction la plus compliquée de France ? Il va falloir choisir. On ne peut pas faire les deux. Duras a dit des choses là-dessus, et Nabokov aussi...

— Ce que vous dites est absurde, m'entendis-je répliquer.

— Vous tenez des propos injurieux !

— Mais ce que vous dites prouve que vous ne savez ni ce qu'est un journaliste ni ce qu'est un écrivain. »

Soudain il baissa d'un ton et m'invita à passer le voir pour parler de cela. J'étais curieux de savoir ce qu'il me dirait de Duras et de Nabokov, et on en resta là. Ce qui fut ensuite présenté comme une convocation de Sarkozy n'était qu'un élan naturel de curiosité journalistique. J'étais pressé de savoir ce qu'il allait me raconter sur le sujet. Plus sérieusement, je ne négligeais jamais une invitation à parler avec le président, quelle que soit mon opinion de lui. C'était même mon devoir, en ma qualité de directeur du *Monde*, d'aller l'interroger sur sa politique et sa vision du monde. Tous mes prédécesseurs à ce poste avaient noué ce genre de contact avec le locataire de l'Élysée. En l'occurrence, j'imaginais déjà le questionner sur l'Europe après la crise, et pourquoi pas obtenir une interview pour le journal afin, pour une fois, de le détourner du *Figaro*...

Dois-je l'écrire ? En transcrivant la suite de cette conversation, je tremble à l'intérieur, d'une rage et d'une émotion que je croyais retombées. L'échange n'était pas terminé. Le président allait au contraire entrer dans le vif du sujet. Je ne compris pas aussitôt que sa colère forcée cachait autre chose : le sort du *Monde*, pour lequel il se passionnait.

« Bon, reprit-il, je vois que vous avez des candidats. »

Il faisait allusion à un entretien paru dans *Le JDD* (son édition du samedi), dans lequel David Guiraud et moi estimions que notre groupe était redevenu une opportunité pour des investisseurs. Nous voulions montrer que notre gestion rigoureuse nous avait rendus susceptibles d'intéresser de nouveaux actionnaires.

« Moi, je ne veux pas m'en mêler, ajouta le président. De toute façon ce journal sera toujours contre moi. Souvenez-vous tout de même ce qu'il en a coûté à votre prédécesseur d'être en ma faveur mais d'appeler à voter Ségolène Royal. À titre amical je vous le dis, quand on a face à soi des groupes de la qualité de Lagardère, de Prisa, et Juan Luis Cebrián est un homme que j'aime beaucoup, ou M. De Benedetti, que je ne connais pas, on n'a pas la folie de se jeter dans les bras de ce trio BNP, en particulier de ce Niels [*sic*] ! Mais je ne m'en occupe pas !

— Bien sûr que si, vous vous en occupez, répondis-je, ne serait-ce qu'à travers l'imprimerie.

— L'imprimerie est l'erreur historique de Colombani », lança-t-il, péremptoire.

Je m'étonnai qu'après un an de silence il m'appelle sur ce sujet. Il réitéra son invitation à venir le voir la semaine suivante. Cette fois la conversation était terminée.

Aussitôt j'appelai Sylvie Kauffmann pour lui faire le récit détaillé de cet échange inouï, lui répétant mot pour mot ce que j'avais entendu, soucieux de partager avec elle mon trouble et ma colère. Ce week-end-là, Sylvie éplucha toute la presse pour voir si nos confrères rendaient grâce à Sarkozy sur la QPC. Ni *Libération* ni même *Le Figaro* ne l'évoquaient, signe que son coup de téléphone avait un autre mobile. Mais lequel ? M'intimider ? Me dissuader d'aller plus loin avec Niel et consorts ? Je joignis aussi Françoise Fressoz pour qu'elle réfléchisse aux thèmes que je pourrais aborder lors du rendez-vous prochain avec le président. La crise européenne, la mésentente avec l'Allemagne et la politique économique en seraient les principaux, s'il acceptait de s'exprimer.

Je mettais au propre notre conversation quand Alain Minc me téléphona : « C'est moi qui ai dit à Sarko de vous appeler. Voyez, il faudrait que vous construisiez la même relation de confiance que Joffrin avec lui après l'algarade de janvier 2008. » Au moins c'était clair. Quant à la QPC, je sus plus tard que le président y avait d'abord été très hostile. C'est seulement après avoir écouté les arguments de Jean-Louis Debré qu'il avait changé d'avis.

Le président du Conseil constitutionnel, qui ne l'appréciait guère, lui avait pourtant fait valoir qu'il pourrait porter cette réforme à l'actif de son bilan. Ce n'était pas rien, d'offrir aux Français de nouveaux droits. Et puisque l'auteur final de la réforme serait non pas Debré mais Sarkozy, le président jugea que c'était parfait ainsi. Aussi était-il monté à bord de la réforme, comme un abonné du dernier train. S'en arroger la paternité était habile, mais je fus convaincu, s'il en était besoin, que le chef de l'État avait piqué une fausse colère pour aborder un vrai souci à ses yeux : l'avenir du *Monde*.

L'emploi du temps présidentiel était si chargé que le secrétariat de l'Élysée me fit savoir que Nicolas Sarkozy me recevrait seulement une semaine plus tard, le lundi 7 juin, à 9 h 15. Depuis son coup de téléphone, j'avais eu le temps de réfléchir avec Laurent Greilsamer, Sylvie Kauffmann et Alain Frachon. Ils étaient les seuls à connaître par le menu la substance des propos que Sarkozy m'avait tenus. Ils seraient les seuls, avec David et Louis, que j'informerais de l'entretien à l'Élysée, dont j'ignorais encore combien il serait déterminant, sinon décisif, pour la suite des événements.

Un garde républicain me conduisit aux portes vitrées du palais et, de là, je fus invité à gagner le premier étage. Comme j'attendais d'être reçu en feuilletant la presse du matin, quelle ne fut pas ma surprise de voir venir s'asseoir près de moi un petit homme qui se présenta avec aménité : « Raymond Soubie », puis, laissant un blanc : « Le président m'a demandé d'être là. » Brusquement quelque chose venait de changer. Pourquoi Sarkozy avait-il voulu que son conseiller social assiste à notre entrevue ? Sûrement pas pour disserter sur Marguerite Duras ou sur Vladimir Nabokov ! Ne laissant rien percevoir de ma contrariété, je rappelai à M. Soubie qu'il connaissait bien notre maison pour avoir jadis composé un ticket lors de la première tentative de JMC au poste de directeur du *Monde*, au début des années 1990. « J'ai essayé une fois, pas deux ! » fit-il avec malice. À l'époque, la rédaction l'avait écarté, apprenant par une enquête de Laurent Greilsamer qu'il entendait conserver des activités professionnelles extérieures au journal à travers son groupe de presse Liaisons, spécialisé dans le social.

Autre sujet d'étonnement, Raymond Soubie connaissait parfaitement aussi nos dossiers industriels. Son bref exposé sur la situation des imprimeries parisiennes fut irréprochable. Il connaissait, s'agissant du *Monde*, l'état de vétusté d'une rotative, et le coût financier et social d'un plan de modernisation. Il savait sur quelles options nous réfléchissions, ayant intégré la charge pour la Caisse des dépôts et, partant, pour l'État, de décisions qui entraîneraient le départ de nombreux ouvriers. Une grande porte s'ouvrit. Le président nous attendait. J'entrai sur mes gardes.

Je pris place dans un fauteuil face au chef de l'État, et Raymond Soubie s'assit sur ma droite. Le locataire de l'Élysée avait sa tête des mauvais jours, ses sourcils froncés se rejoignaient au milieu du front comme chez les rois maoris. La pyramide de chocolats était toujours là, il m'invita à piocher. Les premières minutes, il m'ignora. Le visage et le buste ostensiblement tournés vers son conseiller, c'est pourtant à moi qu'il parlait en répétant les mêmes phrases :

« Raymond, nous nous tenons le plus loin possible de ce dossier du *Monde*. Vous m'entendez, Raymond ? C'est compris ? le plus loin possible, sur le plan économique, industriel... Plus nous serons loin, mieux ce sera pour nous. Autrement on va encore m'accuser... Le plus loin possible, hein ?, Raymond. »

Soubie opina du chef. Je ne suis pas sûr qu'il émit le moindre son.

« Alors, comment ça va ? » me demanda cette fois le président en se tournant vers moi et en arborant un premier sourire.

Je lui répondis une banalité : nous avions pas mal de dossiers sur le feu, la recapitalisation, l'imprimerie, mais on avançait bien. Aussitôt il me coupa, et c'est le mot, car le ton devint soudain très tranchant.

« Bon, mais vous avez déjà choisi votre candidat. Louis Schweitzer dit partout qu'il est pour Bergé, pour Pigasse et pour ce Niels [re-*sic*].

— Pas du tout, répondis-je. Louis Schweitzer ne dit rien de la sorte. Rien n'est encore décidé. » Soubie s'agita un peu sur son fauteuil, l'air de penser qu'en effet Louis ne s'exprimait pas en ces termes. Mais le président l'ignora.

« Écoutez, fit-il en me fixant, que *Le Monde* passe sous le contrôle de ce Niels, l'homme des peep-shows, vraiment, m'sieur Fottorino !...

— Il cherche une respectabilité, avança Soubie.

— Il est milliardaire mais il n'a pas de respectabilité », renchérit Sarkozy, le visage fermé, comme excédé.

Visiblement, l'origine de la fortune de Xavier Niel le troublait. À l'évidence il en avait après le patron de Free sans que j'en saisisse la raison, peut-être inavouable. Je fis remarquer que Claude Perdriel, tout estimable qu'il était à mes yeux, avait aussi gagné de l'argent avec le Minitel rose. Mon hôte ne releva pas mais maugréa encore après « ce Niels », contrarié que son gouvernement lui ait accordé la quatrième licence de téléphone.

« Mon ami Martin Bouygues en a été très marri mais c'est chez Fillon que ça s'est décidé. » Visiblement, Sarkozy n'avait pas digéré cette impudence de Matignon. « En tout cas, reprit-il de son ton courroucé, si ce Niels devient propriétaire du *Monde*, il ne faudra pas compter sur l'argent du contribuable pour le dossier industriel. »

Je sentis qu'enfin nous touchions au cœur de l'enjeu de cette rencontre. Je demandai :

« Que voulez-vous dire ?

— Reprendre *Le Monde*, c'est racheter un actif et un passif. Dans le passif il y a une imprimerie. Niels a de l'argent, il doit assumer son risque. Comment voudriez-vous que je justifie devant le contribuable que l'État, par l'intermédiaire de la Caisse des dépôts, utilise des fonds publics pour aider un investisseur financier à s'acheter *Le Monde* ? Le contribuable, que je sache, ne va pas devenir actionnaire du *Monde*. À l'arrivée, ce sera Niels. »

La menace était à peine voilée : si le trio BNP prenait le contrôle du *Monde*, Sarkozy ferait en sorte que tout schéma de vente de l'imprimerie à un tiers avec l'appui de la Caisse des dépôts, comme nous l'envisagions depuis un an, soit rendu impossible. Et, bien sûr, tout obstacle mis à la cession du site d'Ivry risquait ni plus ni moins de faire échouer le processus de recapitalisation. Je ne mesurais pas encore la charge explosive des propos du président car il enchaîna dans une longue diatribe qui me laissa sans voix. Ce ne furent que reproches et acrimonie.

« Vous n'avez pas voulu de Lagardère car Arnaud est mon ami. L'histoire est que son père m'avait pris sous son aile, il me voyait comme son protégé. Arnaud est un garçon gentil. Vous croyez que *Le JDD* est un mauvais journal parce qu'Arnaud est mon ami ? Si sa commandite avait explosé, j'aurais demandé au FSI [Fonds stratégique d'investissement, un organisme d'État qui « entre au capital d'entreprises dont les projets de croissance sont porteurs de compétitivité pour le pays »] de prendre une participation. Car Lagardère est le seul grand groupe de médias que nous ayons en France. Plus que Bouygues. Plus que Perdriel. Il ne faut pas faire de peine à Perdriel, il a un hebdomadaire, une régie... Mais il est petit, ce n'est pas un groupe comme Lagardère. » Raymond Soubie et moi écoutions. Je mémorisais chaque mot, chaque expression du visage, chaque inflexion de la voix. C'était mon métier. « Si Perdriel se rapproche du *Monde*, au moins cela peut-il avoir un sens industriel, reprit-il. Ce n'est pas mon ami. Bon, il y a Denis [Olivennes]. Mais ce serait plus justifiable pour le contribuable de constituer un grand groupe de presse français, même s'il se situait à gauche. Vous avez aussi possibilité d'aller vers le groupe de Cebrián, qui est un groupe valable, comme celui de M. De Benedetti, même si... — et le président eut un regard furtif vers la photo encadrée de son épouse sur une table basse —, même s'il faut parfois se méfier des Italiens... »

L'entretien se termina ainsi. Sans doute y eut-il encore quelques échanges de *small talk*, comme disent les Américains, mais j'étais trop ébranlé pour solliciter une interview même informelle sur la politique économique de la France, et le président était soudain pressé d'en finir. Sitôt rentré au journal, je réunis mes proches de la rédaction en chef pour un débriefing. Dans l'auto j'avais noté les propos de Sarkozy. Nous étions tous abasourdis. J'informai David Guiraud et Louis Schweitzer. Les allusions à la Caisse des

480

dépôts nous laissaient craindre une intervention directe auprès d'Augustin de Romanet pour faire capoter le *deal* si fragile de cession de l'imprimerie aux Espagnols intéressés.

À la fin de la journée, signe que la vie vous apporte en un laps de temps réduit des sensations très contradictoires, nous étions conviés, David Guiraud et moi, dans un lieu chic des Champs-Élysées à recevoir le grand prix des médias décerné chaque année par la profession sous l'égide du magazine *CB News*. Après plusieurs rencontres du jury — dans lequel figurait Matthieu Pigasse —, le groupe *Le Monde* s'était vu attribuer la plus haute récompense, coup de chapeau à notre gestion et à notre dynamisme éditorial, qui avait aussi été couronné par le prix du meilleur repositionnement avec *Le Monde Magazine*. Sous l'impulsion de Didier Pourquery, nous avions entièrement repensé l'ancien *Monde 2* avec des partis pris éditoriaux qui ressemblaient davantage au *Monde* : des sujets d'actualité, des portraits, de grands entretiens, de la culture, des voyages, des chroniques, dans un mélange qui s'améliora de numéro en numéro et fidélisa davantage de lecteurs du quotidien. « On feuilletait *Le Monde 2*, on lit *Le Monde Magazine* », avait estimé le jury, saluant aussi la « rare élégance » de la couverture, que nous avions axée sur une simple photo plein cadre. Quant à la stratégie globale du directoire, elle avait été saluée par la profession comme « la matière grise contre la matière crise ». En particulier le lancement de l'offre d'abonnement dite quadruplay (papier, magazine, web et iPad), qui traduisait notre obsession de faciliter l'entrée des usagers dans l'univers du *Monde* devenu une marque multisupports.

Dans nos séminaires Darwin, nous avions martelé ces objectifs : passer de la référence à la préférence, du soliste à l'orchestre, simplifier nos accès et nos structures (marketing, publicitaires), créer de la rareté. À marche forcée, grâce à des équipes admirables de résilience après nos crises en série, nous relevions la tête, et ce prix était un encouragement à poursuivre l'effort. Mediapart avait reçu le prix du meilleur site numérique d'information, et je n'avais pas été insensible au fait qu'Edwy et moi soyons réunis sur une « photo de famille ». J'avais appris par des indiscrétions de plusieurs jurés que si *Le Monde* l'avait emporté, ce n'était pas grâce à Matthieu Pigasse, qui, tout au long des discussions préliminaires, avait durement critiqué le journal et son magazine, ne leur trouvant aucune qualité.

Je rentrai chez moi vers 21 heures. C'était une de ces journées qui n'en finissent pas, riches en événements, en émotions, en signaux contradictoires, où le chaud et le froid semblent souffler de concert. Le lendemain, au début de la matinée, nous prenions un avion pour Milan : Carlo De Benedetti et son staff nous attendaient pour nous faire connaître leur décision. Nous étions remplis d'espoir. Je préparais mes affaires quand vers 23 h 30 mon téléphone sonna. C'était une heure inhabituelle. Ma famille et mes amis savaient que j'essayais toujours de me coucher vers 22 h 30 pour ne pas prendre le réveil de 5 h 30 pour un coup de massue. « Pardon de vous déranger si tard », fit mon interlocuteur. C'était Emmanuel Berretta, du *Point*. Il savait que j'avais rencontré le président le matin même et, visiblement, quelqu'un lui avait raconté la scène. J'étais troublé d'entendre dans sa bouche certains de mes propos et d'autres de Sarkozy. Qui donc avait pu l'informer ? Ce ne pouvait être à mon sens ni le président ni Raymond Soubie. Au *Monde*, ceux que j'avais mis dans la confidence se comptaient sur les doigts d'une main, et je répondais de chacun. Nul d'entre eux ne se serait risqué à lui parler. Alors ? Sarkozy avait-il raconté notre entretien à Minc, lequel aurait expliqué à ce journaliste que j'avais « dealé » la question de l'imprimerie du *Monde* avec le président, comme si le rendez-vous avait été à mon initiative. Je ne demandai pas ses sources à Berretta. Je l'écoutai me dire ce qu'il savait de l'entretien, corrigeai certains points, en précisai d'autres.

Dès lors qu'il connaissait l'essentiel, il était préférable que la version diffusée soit correcte. Il confondait manifestement des éléments de l'entretien et d'autres provenant du coup de téléphone que m'avait passé Sarkozy dix jours plus tôt. Je raccrochai effondré, appréhendant déjà le bruit qu'allait produire cette information. Depuis des mois nous avancions avec méthode et discrétion pour réussir la recapitalisation du groupe. Je devinais que l'intervention présidentielle une fois rendue publique orienterait forcément le cours des choses. Mais dans quel sens ?

J'avais rejoint Louis et David à Roissy quand le « post » de Berretta fut mis en ligne sur le site du *Point*. D'une certaine manière, notre départ pour Milan tombait bien : je n'aurais pas à répondre à tous les appels de confrères qui allaient saturer mon répondeur au cours de cette journée à marquer d'une croix noire. Car Benedetti, la mort dans l'âme, décida finalement de ne pas franchir le Rubicon et renonça à ajouter *Le Monde* à sa couronne. Ce fut un non triste, désolé, un non motivé, argumenté, un non sans appel.

Sous le titre « Sarkozy appelle le patron du *Monde* », Berretta éventait l'affaire.

Il était étonnant, commençait-il, que le président de la République soit totalement absent d'un dossier aussi sensible que la recapitalisation du *Monde*... Surtout au moment où la seule offre réellement déposée à ce jour relève d'un trio — Matthieu Pigasse, Pierre Bergé, et Xavier Niel —, dont au moins deux membres seront de probables soutiens au candidat socialiste issu des primaires du PS. Ce vide est comblé. Selon nos informateurs élyséens, Nicolas Sarkozy a décroché son téléphone, voici une dizaine de jours, pour se plaindre auprès d'Éric Fottorino, directeur du *Monde,* de l'un de ses éditos. Un prétexte, car l'édito en question (sur la réforme de l'exception de constitutionnalité) n'avait rien de bien virulent. La conversation ripa plutôt vers la candidature du trio sus-décrit. Tout en faisant mine de ne pas s'en mêler, Nicolas Sarkozy concentra ses critiques sur Xavier Niel, présenté comme « un homme du peep-show », peu digne d'entrer au capital du journal fondé par Hubert Beuve-Méry.

Nicolas Sarkozy, même s'il est l'homme des grâces, n'a pas oublié que les premiers euros tombés dans la poche du jeune Xavier Niel étaient issus du business florissant du Minitel rose... Selon Nicolas Sarkozy, ce serait « une folie » de faire entrer Niel dans la bergerie du *Monde*. Mais, bien sûr, la recapitalisation du *Monde*, le chef de l'État assurait n'en avoir rien à faire. Toutefois, il avait à cœur de rappeler qu'à ses yeux *Le Monde* avait commis une erreur magistrale, il y a deux ans, en se refusant à des groupes aussi respectables que Lagardère ou l'espagnol Prisa. Il est vrai qu'Éric Fottorino a bâti sa légitimité de patron auprès de ses journalistes en stoppant l'offensive du groupe Lagardère sur *Le Monde*. Le président de la République n'a pas pardonné cette offense faite à son ami Arnaud Lagardère...

483

Selon le journaliste du *Point*, le président de la République aurait plutôt vu d'un bon œil l'entrée de Benedetti dans la sphère du *Monde*, estimant que le magnat transalpin de soixante-seize ans, éloigné de Paris, n'avait pas d'intérêt particulier à pousser la candidature d'un Dominique Strauss-Kahn ou d'une Martine Aubry. De même que la candidature de Claude Perdriel lui semblait un moindre mal dans la mesure où « Denis »(Olivennes) ferait office de corde de rappel.

> Pendant ce temps, Perdriel se cherche des alliés. Ça tombe bien, il se trouve que Stéphane Richard (actuel patron d'Orange et ancien dircab de Christine Lagarde) pourrait lui apporter les 35 à 40 millions d'euros qui lui font défaut. Richard possède, en effet, une fortune personnelle issue de l'immobilier. De là à ce qu'Orange s'engage, plus tard, dans la foulée de son patron... Après tout, la filiale Internet du *Monde* (*Le Monde* interactif) ne manquerait pas totalement d'intérêt pour le groupe télécom, murmure un proche du dossier. Et Lagardère — pourtant fortement ancré au sein de celle-ci — pourrait consentir à y faire une place à Orange. On verrait plus tard pour les contreparties...

Ce papier me troublait. Il officialisait ce que je pressentis d'emblée comme une très mauvaise nouvelle pour la candidature de Claude Perdriel : l'entrée en lice d'Orange, présidé par Stéphane Richard, ancien directeur de cabinet de Christine Lagarde, dont il apparut rapidement qu'il agissait sur ordre de Sarkozy. Approché par Denis Olivennes, il avait rejoint l'offre du *Nouvel Obs* pour la conforter financièrement. Je trouvais curieux et inquiétant que l'annonce de l'arrivée d'Orange coïncide avec le coup de semonce du président à mon endroit.

Dans les jours qui suivirent, Claude Perdriel affirma qu'un accord était intervenu entre Orange et Lagardère pour que le premier rachète au second ses 34 % dans *Le Monde* interactif. Tout cela semblait bien trop beau pour être vrai, et pour être naturel. Quelqu'un y avait mis la main, et qui d'autre que l'Élysée pour inviter Orange à s'investir dans la presse écrite. L'initiative était d'autant plus incongrue que peu avant, dans son premier discours de P-DG d'Orange, Stéphane Richard avait clairement affirmé une stratégie numérique, bien éloigné de nos vieux métiers. Mais que n'aurait-on fait pour *Le Monde*...

Parmi les réactions mises en ligne sur le site du *Point* figurait celle-ci : « Aux dernières nouvelles, Sarkozy aurait menacé Éric Fottorino de retirer le soutien de l'État de 20-25 millions d'euros prévus pour la modernisation de l'imprimerie du *Monde*. Voilà une illustration de ce que le chef de l'État entend faire des "États généraux de la presse" : un instrument au service de sa stratégie de contrôle, direct ou indirect, des derniers médias qui lui échappent encore. Il préférerait, à n'en pas douter, et son conseiller Alain Minc avec lui, que *Le Monde* tombe dans l'escarcelle d'Orange. Il y trouverait un moyen de le museler et Minc le naufrageur une occasion de revanche. Sarkozy rêve depuis toujours d'imiter Berlusconi. Il monte donc en régime. Mais les lecteurs du quotidien de référence s'opposeront à ce qui serait un pas de plus vers un régime d'exception. »

Une tonalité nouvelle commençait à s'installer, détestable et pourtant inévitable : la candidature de Claude Perdriel, désormais flanqué des Espagnols de Prisa conseillés par Minc, et d'Orange mis en branle par l'Élysée, devenait une candidature Sarkozy. Et l'offre du trio BNP, elle, apparaissait comme la garante des libertés éditoriales face à un pouvoir assoiffé de contrôle des médias. Le moment venu, cette perception pèserait lourd dans le choix de la rédaction du *Monde*.

De son côté, Berretta ne lâchait pas le dossier. Le 11 juin, sous le titre « Sarkozy fait pression sur le patron du *Monde* », il récidiva :

Comme nous le révélions mardi, Éric Fottorino vit ces derniers jours sous la pression de l'Élysée. Nicolas Sarkozy a non seulement téléphoné au directeur du *Monde* pour s'inquiéter de la reprise du journal par le trio Pigasse-Bergé-Niel, mais il l'a aussi convoqué à l'Élysée sur le même sujet. Nous confirmons que le chef de l'État a bel et bien exercé une pression sur la direction du *Monde* concernant l'imprimerie, le point noir du dossier de reprise. Si le trio Pigasse-Bergé-Niel était retenu, *Le Monde* ne pourrait pas compter sur les aides publiques. Il ne faut pas être grand clerc pour comprendre pourquoi Nicolas Sarkozy redoute le trio composé de Matthieu Pigasse, Pierre Bergé et Xavier Niel. Le premier, banquier d'affaires, est un soutien affiché du PS. Le deuxième a toujours été un fidèle compagnon de route de la gauche. Quant à Xavier Niel, sa fortune (qui ne dépend d'aucune commande publique) et son tempérament libertaire le rendent incontrôlable. Par son intervention dans ce dossier, Nicolas Sarkozy pousse, en vérité, la Société des rédacteurs du *Monde* (la seule vraie décisionnaire) à adopter cette candidature de préférence à toutes les autres.

L'offre de l'espagnol Prisa paraît, quant à elle, peu crédible. D'une part, le groupe est tombé entre les mains d'un fonds américain (Liberty Acquisitions). On ne voit pas bien la rédaction du *Monde* voter pour un fonds provenant de la bannière étoilée... D'autre part, Prisa croule sous une dette de près de 5 milliards d'euros, de très loin supérieure à celle déjà écrasante du *Monde*.

Entre-temps, je m'étais exprimé dans une dépêche de l'AFP pour confirmer que j'avais bien été reçu par le chef de l'État. Mais, contrairement à ce qui fut écrit par Berretta et toute la presse, il ne s'agissait pas d'une convocation, comme en témoigne le verbatim de mes conversations téléphoniques avec le président. Après consultation du conseil de surveillance, Louis Schweitzer avait accepté d'accorder un délai à Prisa et à Perdriel jusqu'au 24 juin pour qu'ils bouclent leur dossier de recapitalisation, ce que ne demandaient pas Bergé et consorts. Quant à la SRM, elle voyait avec perplexité se plomber la candidature du patron de l'*Obs*, tout en restant circonspecte devant l'étrange trio dit BNP qui, pourtant, gagnait des points en séduction.

L'écho de ma « convocation » par l'Élysée prenait des proportions insensées. La presse, y compris étrangère, y consacrait des articles, du *Herald Tribune* et du *Financial Times* aux journaux espagnols ou allemands. Tout ce bruit me déplaisait. Je connaissais assez le président pour savoir qu'il devait enrager de la tournure prise par les événements. *Le Point* — dans son édition papier — titrait : « Sarkozy à la conquête du *Monde* », avec, en « chapô » : « Pressions. Qui pour sauver *Le Monde* ? Le président de la République a son idée. » Tout semblait se précipiter. L'entrée d'Orange dans la course était si... téléphonée que même les soutiens de la maison à Claude Perdriel en étaient tout retournés.

Un papier à la une du *Canard enchaîné*, « Bientôt la fin d'un *Monde*, s'accompagnait d'un dessin de Pancho titré « Sarko menace Fottorino, patron du *Monde* », où l'ancien caricaturiste du journal me représentait renfrogné, bras croisés, devant un Sarkozy debout et tempêtant :

> « Ce n'est pas parce que je n'ai pas le temps de diriger *Le Monde* que vous allez pouvoir faire n'importe quoi !! » L'article, signé du journaliste Jean-Luc Porquet, prenait la mesure de la secousse : ironisant sur « l'État irréprochable » vanté par le candidat Sarkozy, il écrivait que dans cet État-là, « on ne peut rien reprocher au président. Il se croit tout permis. Il se permet tout. Personne ou presque ne moufte : silence ébouriffant des partis, des philosophes autoproclamés, des postillonneurs professionnels, des lanceurs de grands débats bidons. Sarkozy a déjà à sa botte les directions de TF1, du *Figaro*, d'Europe 1, du *JDD*, etc. Il a aidé à imposer Bernard Arnault à la tête des *Échos*. Il a fait en sorte, par l'entremise de son fidèle Guéant, que le moribond *France-Soir* atterrisse dans les mains d'un opaque oligarque russe [...]. Sarkozy prépare à sa manière le terrain pour sa réélection de 2012 ».

Le jugement était pertinent, hélas. S'il ne digérait pas l'éviction de Minc début 2008, le président avait par sa conduite donné un sacré coup de pouce à la candidature qu'il semblait vouloir écarter. C'était à ne rien y comprendre. À l'évidence, il avait sous-estimé — ou la « source élyséenne » de Berretta — l'impact que produirait ma confirmation de son intervention. La pression s'accentua sur moi le lundi 15 juin au matin lorsque je reçus d'abord un appel du journaliste du *Point*. « Louvrier [le fidèle homme de la communication de Sarkozy] me dit par texto que Soubie va démentir ta version dans la journée », m'apprit-il.

Mon sang ne fit qu'un tour, et j'écrivis un projet d'éditorial pour informer nos lecteurs de ce qui se passait. Je l'attendais, son démenti ! Jusqu'ici je n'avais pas voulu envenimer les choses en m'exprimant directement sur les propos tenus par le chef de l'État.

Mais cette fois je devais réagir. Plus tard dans la matinée, Raymond Soubie m'appela. Il avait la voix glacée, rien à voir avec le ton doucereux de la semaine précédente. Un drôle de dialogue s'engagea.

« Le président est très mécontent de ce qui arrive, commença-t-il.

— Moi aussi je suis très mécontent, ripostai-je. L'article du *Point* parle de source à l'Élysée. Je n'ai fait que confirmer ce que savait le journaliste. Il a aussi fait état de propos échangés avec M. Sarkozy au téléphone, et non lors de ma visite. Mon téléphone est-il écouté ? »

Il marqua un silence, répondit d'une voix moins assurée qui trahissait son trouble :

« Il faut calmer cette histoire. Je vais envoyer quatre lignes à ce journaliste pour dire que vous avez en effet rencontré le président mais qu'il n'a pas manifesté d'intérêt pour le dossier du *Monde*, qu'il n'a pas exprimé de préférence pour un candidat et qu'il n'a pas évoqué l'imprimerie.

—Vous allez dire ça ?! demandai-je, interloqué.

— Il faudrait que nous soyons d'accord sur les termes...

— Monsieur Soubie, si vous publiez un texte, je démentirai votre démenti dans la minute. Je ne suis pas chargé de faire la com de l'Élysée !

— C'est ennuyeux... Mais le président n'a pas parlé de l'imprimerie.

— Je suis journaliste et à ce titre j'ai l'habitude de tout noter. »

À cet instant, la directrice de la rédaction Sylvie Kauffmann entra dans mon bureau et je l'invitai d'un geste de la main à rester. Elle écouta la suite de cette incroyable conversation. J'attrapai mon carnet vert à spirales et commençai à lire à Soubie le compte-rendu de la discussion.

« Ce n'était pas aussi précis ! protesta mon interlocuteur.

— Mais alors, que faisiez-vous à cet entretien si ce n'était pas pour évoquer l'imprimerie ?

—Vous en avez parlé, pas lui... »

Comment osait-il ? Je poursuivis ma lecture.

« La ligne est claire, insista encore Soubie : le président ne se mêle pas de cette histoire, il n'a rien à en tirer. Il ne s'en mêle plus du tout. Vous risquez de n'avoir plus qu'un candidat unique à la reprise. Avec tout ça France Télécom hésite beaucoup... »

Le conseiller du président s'arrêta là, visiblement décontenancé par ma détermination. Berretta attendit longtemps le démenti de l'Élysée.

J'hésitais à publier mon éditorial dénonçant la manœuvre de Sarkozy. J'avais beau dire que je n'avais pas répondu à une convocation, c'est ce mot qui dominait et me restait en travers de la gorge. Claude Perdriel, blessé à juste titre par les critiques formulées par sa candidature bien mal accompagnée, estimait que je n'aurais jamais dû me rendre seul à ce rendez-vous, que la directrice de la rédaction Sylvie Kauffmann aurait dû m'accompagner. Mais vu les circonstances de l'invitation, il n'y avait aucune raison. J'avais plus d'une fois rencontré le président seul sans que le dialogue tourne à la menace.

Si je renonçai à publier cet éditorial, c'est après un appel de Maurice Lévy, le plus gros orataire du *Monde*, régisseur et ami. « Je rentre des États-Unis. Je découvre toute l'histoire. C'est embêtant. N'oubliez pas que votre objectif, c'est de recapitaliser *Le Monde*. Avec le président, tout ce qui attise est mauvais, tout ce qui apaise est bon. » J'écoutais attentivement les conseils du sage. J'évoquai l'éditorial que j'hésitais à publier. « Faites attention, Éric, me dit-il aussitôt. Cela pourrait mal finir. » Mal finir ?

Je compris que sa position d'orataire était délicate. Louis Schweitzer avait obtenu que tous les détenteurs d'Ora sacrifient la moitié des sommes investies. Minc agissait et s'agitait pour les dissuader d'accepter pareil arrangement. Maurice Lévy rencontra Sarkozy et Soubie. Il me fit savoir lors d'un second appel que les deux hommes avaient manifesté une volonté d'apaisement, qu'ils souhaitaient éviter toute provocation et que, dès lors, il n'y aurait pas de communiqué de l'Élysée démentant les informations parues sur ma rencontre avec le chef de l'État. Je répondis à Maurice Lévy que dans ces conditions je retiendrais ma plume, et l'incident fut clos.

Le 16 juin, je déjeunais avec Stéphane Fouks dans une brasserie des Gobelins. Ce n'est pas entre Gitans qu'on se raconte la bonne aventure. Il alla droit au but. À ses yeux, l'offre Perdriel était de loin la meilleure dès lors que Stéphane Richard, par ailleurs son client, venait conforter le patron de l'*Obs*. Il me fit valoir tous ses arguments. Je l'écoutai sans me dévoiler, mais en lui opposant tout ce qui coinçait aux yeux de la rédaction, dont je connaissais les hantises. Notre ami Claude Perdriel, que je regrettais de voir si mal entouré, avait beau jurer qu'il ne voyait plus Minc, tout semblait démontrer que son projet était désormais structuré par l'homme de Sarkozy si pressé de prendre sa revanche sur ceux qui, au *Monde*, l'avaient débarqué. Les mauvaises langues disaient même que Minc était depuis le début derrière celui qu'on appelait affectueusement Perdreau.

Je n'y croyais pas une seconde, mais le résultat était là : les prises de position erratiques de Claude, son intention de baisser les salaires et d'augmenter le temps de travail, les doutes sur sa surface financière, le rôle de « Denis » associé à la fortune future du groupe de l'*Observateur* (matériel sanitaire compris), la financiarisation anglo-saxonne du groupe Prisa conseillé par Minc, la rumeur d'un retour aux affaires de Bruno Patino, tout cela finissait par assombrir le tableau. En ramenant Prisa et Orange dans la besace de Perdriel, loin de le servir, Minc l'avait plombé. Nul ne voyait poindre un projet commun. Des tensions managériales et industrielles ne manqueraient pas de se faire jour très vite entre les trois entités dont les responsables n'avaient aucune raison de s'entendre. Cebrián ne plaidait-il pas pour un journal du matin quand Perdriel défendait farouchement la parution du soir ? Comme toujours avec Minc, les montages étaient astucieux mais l'exécution s'annonçait défaillante.

L'arrivée si providentielle d'Orange était la goutte d'eau en trop. Je voyais bien comment Orange pouvait renforcer sa marque en absorbant *Le Monde.fr*. Mais je voyais mal en quoi l'arrivée d'Orange renforcerait la marque *Le Monde*. Nous serions au contraire coupés de tous les autres acteurs du numérique, et Orange, en matière d'information, avait une réputation d'archaïsme comparé à ses concurrents. Plus les jours passaient, plus il devenait évident que le groupe de télécom était venu en service commandé. Sans grande conviction. Au point qu'après m'avoir laissé un soir un long message confus sur sa candidature, et malgré mes nombreux rappels, c'est seulement dix jours plus tard que Stéphane Richard trouva le temps de me téléphoner sans me donner un seul argument valable à sa présence dans le dossier du *Monde*.

De l'autre côté, le trio était habile, fringant, talentueux aussi pour trouver l'oreille des rédacteurs en parlant du « bien commun » que représentait *Le Monde*. L'intervention de Pierre Bergé dans un rôle de (vrai-faux) mécène compta aussi pour beaucoup dans le futur succès de l'offre BNP. Et si le personnage de Matthieu Pigasse détonait, l'aigreur que lui vouait Minc le rendait intéressant aux yeux de beaucoup. Je comprenais, d'après des propos rapportés de bonne source, que le jeune banquier de Lazard s'était lancé dans l'aventure « pour le fun » et, si Minc le détestait, c'était aussi que Pigasse avait supplanté son maître comme *deal maker*.

Pigasse faisait de l'ombre à Minc et n'était de surcroît pas reconnaissant des bienfaits naguère prodigués par son aîné. Fidèle à sa réputation — « Ou tu reconnais ce que j'ai fait pour toi, ou je te dézingue » —, Minc n'hésitait pas à entraver la marche de Pigasse vers *Le Monde*, comme il tentait de dissuader son ami Pierre Bergé d'entrer dans cette course folle, qu'il lui promettait de perdre. Plus Minc déployait son ardeur à empêcher le camp adverse, plus le trio se rapprochait du but... Au point que les esprits les plus retors estimaient que Minc, le moment venu, se placerait au service de Niel, le plus fortuné, pour le ramener vers le bercail sarkozyen... Ces coups de billard à plusieurs bandes étaient trop subtils — ou écœurants — pour mon esprit simple.

Le lendemain de mon déjeuner avec Stéphane Fouks, une de ses collaboratrices m'appela dans la soirée sur mon portable. Ce que j'entendis me confondit. « Monsieur Fottorino, j'ai vu hier soir au Châtelet Liliane Bettencourt, elle m'a aussitôt parlé de vous. Elle veut absolument vous connaître. Pourriez-vous venir demain chez elle à l'heure du déjeuner ? » Je me montrai plus que méfiant. Comment cette femme à qui je n'avais jamais eu affaire, et qui à l'évidence ne connaissait pas mon nom, était-elle soudain amenée à vouloir me rencontrer toutes affaires cessantes ? Je réservai ma réponse et, dès le lendemain matin au journal, je convoquai le responsable de la culture, Michel Guerrin, spécialiste du dossier Banier-Bettencourt. Je lui racontai l'appel de la veille, m'ouvrant de mes doutes. Guerrin me confirma que nous avions fait une demande six mois auparavant pour obtenir un entretien avec la milliardaire, mais en vain. Et là, tout à coup, comme par miracle, les portes s'ouvraient! Je cherchais le piège. Je demandai à Michel s'il voulait bien se présenter là-bas à ma place. Il aviserait une fois sur les lieux.

Au milieu de la matinée, la collaboratrice de Fouks me rappela pour me demander si j'allais bien chez Mme Bettencourt. Je répondis que je viendrais en compagnie de Michel Guerrin, ayant bien sûr déjà décidé que je n'irais pas. « Nous serions heureux de pouvoir nous entretenir avec elle », précisai-je pour brouiller les cartes. Mon interlocutrice hésita. Ma proposition semblait contrarier ses plans. « D'accord, finit-elle par décider. Mais Mme Bettencourt souhaiterait vous voir d'abord seul pendant un moment avant de recevoir M. Guerrin. » À l'heure dite, Michel se présenta devant l'hôtel particulier de la milliardaire. Il fut reçu par son gestionnaire de patrimoine (alors Patrice de Maistre, par ailleurs collecteur de fonds pour l'UMP) et trouva une femme sous influence, très sourde, ne semblant guère maîtriser son sujet. L'entretien tourna court dès que le journaliste du *Monde* se montra trop pressant dans ses questions. Il en tira une très bonne page Trois, « Vingt et une minutes avec Liliane Bettencourt ».

Il n'était pas rentré de son rendez-vous que déjà le téléphone sonnait au bureau de mon assistante Madeleine Fitoussi. Des journalistes demandaient s'il était vrai que je m'étais rendu chez Mme Bettencourt pour obtenir d'elle des fonds en vue de la recapitalisation du *Monde*. Un confrère prétendit même que j'avais sollicité la milliardaire pour le compte de... Claude Perdriel. Il était là, le piège que j'avais pressenti. On voulait m'instrumentaliser, sans doute un photographe en planque m'avait-il shooté devant la riche demeure de la non moins riche héritière de L'Oréal. Qui avait intérêt à me faire passer pour un apprenti-sorcier jouant double jeu, un coup favorisant prétendument le trio en éventant les propos de Sarko, un coup rabattant prétendument « l'argent de la vieille » pour Perdreau? Lequel n'était bien sûr pour rien dans cette manœuvre. Il fallait avoir les nerfs solides et la tête froide. Si j'ajoute que dans cette même période mon portable tomba bizarrement en panne un week-end, quelques minutes après une conversation très confidentielle avec un dirigeant de Lagardère, que d'étranges échos se faisaient entendre dans mon combiné fixe, que dans ma rue des inconnus passaient des journées entières au volant de voitures banalisées garées à deux pas de chez moi, je finis par développer malgré moi une certaine paranoïa.

J'avais chargé mon assistante de dire aux journalistes que je ne répondrais pas sur ce sujet. Si quiconque envisageait d'en faire mention, je le poursuivrais systématiquement pour diffamation. Aucun journal ne fit écho de cette manœuvre éventée, sauf *La Tribune*, quelque temps plus tard, dans une chronologie des événements.

Mais puisque toutes les histoires, même les plus déplorables, finissent en chansons, je fus sidéré de recevoir pour la première fois de ma vie une invitation pour deux personnes au théâtre des Champs-Élysées pour la soirée du vendredi 18 juin. On y donnait *Idoménée*, l'opéra de Mozart. L'invitation m'était adressée par Raymond Soubie en personne, président dudit théâtre. Louis Schweitzer, lui aussi pour la première fois, reçut le même carton. « Nous sommes montés en grade », me confia-t-il en souriant devant cet épilogue cocasse qui ne nous amusait au fond ni lui ni moi. Inutile de dire que ce soir-là, nos places au théâtre restèrent vides. Nous avions eu notre content de comédie.

6

DÉSILLUSION ITALIENNE

Le bruit occasionné par cette affaire avait éclipsé un événement à mes yeux bien plus important et dommageable, qui changea le cours de la recapitalisation du *Monde*. Léger retour en arrière : le 8 juin, nous nous étions envolés pour Milan, Louis, David et moi, dans l'espoir d'obtenir de Carlo De Benedetti un engagement ferme. Son équipe avait passé nos comptes au crible pendant des centaines d'heures. De tous les candidats, ils étaient de loin ceux qui s'étaient le plus investis dans la *data room*, cette structure de mise à disposition de données confidentielles sur les comptes du groupe. Dans l'avion, nous espérions encore que l'industriel italien se lancerait dans l'aventure. Il en mourait d'envie. Ce n'était pas rien, le statut de propriétaire du *Monde*. Nous savions que son fils Rodolfo était moins excité par la presse. J'avais fait savoir à Monica Mondardini que nous étions prêts à le rencontrer, mais elle n'avait pas jugé ce rendez-vous utile, à ce stade. C'est elle qui avait décortiqué le dossier, c'est à elle que Carlo De Benedetti s'en était remis pour arrêter sa décision.

Quelques jours plus tôt, le groupe suisse Ringier avait fait savoir qu'il pourrait regarder notre dossier. En réalité, il n'en fit rien, mais l'idée d'un groupe européen semblait pouvoir se dessiner avec des Italiens majoritaires, qui viendraient conforter la position en retrait de Prisa, du *Nouvel Observateur*, et pourquoi pas de Ringier. Des contacts avaient eu lieu entre Benedetti et Cebrián, puis entre Benedetti et Perdriel. La conclusion à laquelle chacun était arrivé est qu'il était prêt à collaborer avec les deux autres à

494

condition de contrôler le tout et de laisser aux autres une place minoritaire. Benedetti n'accordait pas une grande confiance à Cebrián pour la gestion, et pas davantage à Perdriel. L'inverse était vrai aussi. Mais puisque ces grands professionnels se parlaient, acceptaient de réfléchir à un projet commun, rien n'était perdu : un grand groupe européen pouvait encore voir le jour.

J'échafaudais encore ces montages dans ma tête quand nous arrivâmes dans les locaux milanais du condottiere. C'était un vaste appartement séparé en deux à l'intérieur d'un immeuble moderne. D'un côté les pièces à vivre, de l'autre une salle de réunion dont tout l'espace était occupé par une très grande table. En entrant je fus gêné par la climatisation qui soufflait à grand bruit, ce qui donnait l'impression que nos voix étaient avalées. Carlo De Benedetti n'était pas arrivé. Ses collaborateurs, Monica Mondardini et Ezio Mauro, nous avaient accueillis avec le sourire mais sans rien dévoiler de ce qui serait bientôt annoncé. Quand leur patron parut enfin, quelque chose dans son regard me fit penser que ce serait non. La ventilation n'était pas seulement bruyante. Elle refroidissait tant la pièce que je gardai ma veste. Monica Mondardini tendit une note d'une dizaine de pages à Carlo De Benedetti. D'une voix enrouée, après nous en avoir distribué à chacun une copie, il se mit à lire lentement.

Visiblement, la directrice générale de *L'Espresso* était allée loin dans son travail, et cela se sentait à la manière dont elle présenta une radiographie précise du groupe *Le Monde*. En allant vers la conclusion, je découvris que son constat était peu engageant, qui préconisait de tout remettre à plat. Avais-je bien compris ? Malheureusement oui. Il apparut au terme de l'intervention de Carlo De Benedetti que, compte tenu de l'état de nos fonds propres, de la dette, de la situation de l'imprimerie, du marché publicitaire qu'ils découvraient très inférieur au marché italien, rien n'était envisageable. Sauf à initier une procédure de règlement judiciaire afin de repartir sur des bases totalement nouvelles et assainies, dans une gestion spartiate. Le groupe *L'Espresso* était pour sa part engagé dans un lourd plan social, et l'opportunité d'un investissement estimé à 100 millions d'euros apparaissait dans ces conditions bien compromise.

Le choc fut rude. Nous l'encaissâmes dans la douleur. Mon

rêve d'un grand ensemble européen, mon rêve d'indépendance sanctuarisée s'effondrait. Je savais qu'on ne trouverait pas meilleure solution. Il faudrait pourtant en trouver une, mais j'étais trop sonné pour y penser dans l'instant, avalant mon amertume pendant que notre hôte s'exprimait d'une voix enrouée. « Je suis désolé, mais nous ne pouvons pas donner suite », fit Carlo De Benedetti, affecté par sa décision. Visiblement il n'avait pas été complètement libre de son choix, ses poches étaient aussi celles de son fils. Si le maître des lieux avait rêvé de posséder *Le Monde*, il ne pouvait pas risquer de mettre en péril sa propre entreprise de presse avec un tel achat. Nous étions loin de l'enthousiasme romain de l'hiver. C'était un printemps pourri.

Nous savions que, les Italiens au pouvoir, la gestion aurait été féroce. Mais la contrepartie en termes d'indépendance éditoriale aurait été entière avec ces actionnaires cantonnés aux frontières. David Guiraud avait connu ce schéma aux *Échos*, au sein du groupe Pearson. Si ses reportings réguliers à Londres auprès de la boss Marjorie Scardino étaient placés sous le signe de l'exigence, il avait pu développer le quotidien économique à l'abri de toute pression. Nous étions prêts à entrer dans un tel système avec des professionnels reconnus. Ce fut une immense déception que d'entendre les arguments de nos amis.

Sans doute existait-il une part de non-dit : la crainte d'une campagne anti-italienne en France menée, qui sait, par Minc et ses amis. Benedetti ne voulait pas apparaître comme un prédateur transalpin venu rafler un joyau tricolore. Mais la note que nous avait remise Monica Mondardini n'évoquait pas la dimension sensible et politique du dossier. Tout au plus pouvait-on lire, en conclusion du document : « Les obstacles à surmonter préalablement à tout engagement possible sur l'opération sont extrêmement compliqués (imprimerie, actionnaires, rédactions) et tout à fait incompatibles avec le timing demandé par *Le Monde*. »

Étaient ainsi évoqués les droits très importants, même s'ils n'étaient pas totalement invalidants, conférés à Lagardère et à Prisa en 2005, ainsi que les coûts réels de la recapitalisation, que les financiers du groupe *L'Espresso* situaient au total non à 60 millions, ni même à 100 millions, mais à 140 millions d'euros, ce qui nous apparut exagéré. Il est vrai que dans leur raisonnement, ils prévoyaient une réduction supplémentaire de personnel de cent cinquante personnes, dont la moitié au *Monde*, pour une enveloppe chiffrée à 25 millions. L'addition italienne aurait été bien plus salée que nous l'imaginions.

Quand on quitta la salle climatisée pour rejoindre un grand salon où un déjeuner nous attendait, il fallut se forcer pour faire honneur à la viande et au riz sauvage, rouge rouille comme du sang séché. J'ai oublié de quoi nous parlâmes. Cette fois les voix portaient parfaitement mais c'est le cœur qui n'y était plus. On ne s'attarda pas, il fallait repartir vers l'aéroport. Je me repassai le film des événements, le coup de semonce de Sarkozy, le prix du meilleur groupe de médias, mon entrevue avec le président rapportée dans la presse, le non italien, l'évolution inquiétante de l'offre Perdriel. Nous accusions le coup. Nous avions perdu notre carte maîtresse. Un jour, dans mon bureau, Louis avait demandé à chacun de nous d'établir un classement des candidats par ordre de préférence. Nous étions tombés d'accord pour inscrire Benedetti en premier. Il fallait oublier.

À peine l'avion posé à Roissy, je rallumai mon téléphone portable. Ezio Mauro m'avait laissé plusieurs messages me demandant de le rappeler d'urgence. Que s'était-il passé ? Carlo De Benedetti avait-il changé d'avis ? C'eût été trop beau. Ezio me transmit un message de son patron : celui-ci avait parlé avec Cebrián et proposait que chaque candidat verse 5 millions pour permettre au *Monde* de passer l'été afin de poursuivre sur la voie d'une solution en septembre. Mais un tel délai était impossible. Autant, à la demande de Claude Perdriel et de Prisa, Louis Schweitzer consentit à repousser de deux semaines le dépôt des dossiers, autant il était rigoureusement impossible de repousser les échéances aussi loin. Notre trésorerie était trop tendue. Surtout, les commissaires aux comptes et le président du tribunal de commerce n'auraient pas accepté une situation où aucun plan solide de recapitalisation ne serait validé avant l'été. Enfin, le trio BNP ne demandait aucun délai. Il était prêt.

Dans le taxi nous ramenant de Roissy, je joignis le président de la SRM Gilles Van Kote et lui proposai un rendez-vous, dans mon bureau. Nous voulions l'informer de la décision italienne. Il viendrait accompagné du banquier conseil de la SRM, Emmanuel

Macron, un inspecteur des Finances entré en 2008 chez Rothschild et qui travaillait gracieusement, nous fut-il précisé, pour les rédacteurs. Aussitôt ce jeune financier se montra d'une arrogance sans nom pour affirmer qu'il était parfaitement possible de retarder le processus, sous-entendant que nous n'avions pas exploré toutes les solutions. David et Louis eurent beau lui expliquer qu'il se trompait, qu'ils connaissaient *a priori* mieux la situation que lui, il resta sur ses positions dans une attitude de mépris si caractérisée que pour la première fois je vis la colère et l'indignation traverser le regard de Louis Schweitzer. Lassé de se faire dicter sa conduite, Louis eut quelques mots pour remettre l'insolent à sa place, et la discussion tourna court.

Quelques jours plus tard, à l'assemblée de la SRM qui se tenait à l'auditorium, le même Macron se présenta avec une heure de retard pour éclairer les rédacteurs dans leur choix. Il se livra alors à un exposé qui abasourdit l'auditoire, estimant que les journalistes auraient bien tort de se précipiter, que tout pourrait se régler plus tard, qu'il n'y avait aucune urgence à choisir une solution dans l'immédiat. Par chance, une partie des rédacteurs sentit le danger d'une telle exhortation qui aurait conduit la maison dans le mur. Mais le jeu de ce banquier fut pour le moins trouble. Quel était son intérêt à faire capoter le processus par ses propos irresponsables ? La réponse vint plus tard : Emmanuel Macron était un proche d'Alain Minc. Le conseil de la SRM, qui l'avait choisi, ne s'en vanta pas.

7

DE NOUVEAUX PROPRIÉTAIRES

Pour que le personnel puisse départager les candidatures en connaissance de cause, deux rencontres furent organisées le 24 juin à l'auditorium, retransmises sur de grands écrans dans le hall de notre siège à Blanqui, destinés à ceux qui n'avaient pu trouver place dans la salle. Avant ces grands oraux, je donnais d'instinct l'avantage au trio dit BNP. J'imaginais au jugé qu'il était majoritaire dans la rédaction, de l'ordre de 53-55 %, mais je n'en aurais pas mis ma main à couper tant l'image de Claude Perdriel restait, à juste titre, très forte parmi les journalistes. Au sortir de la prestation des deux camps, je fus convaincu que le trio l'emporterait haut la main.

Pierre Bergé se montra d'emblée percutant qui, tout en saluant le courage du fondateur de l'*Obs*, s'étonna de son alliance avec l'opérateur Orange et avec les Espagnols de Prisa, dont la nouvelle structure capitalistique — le fameux fonds américain — était problématique en termes d'image et d'indépendance du *Monde*. Pigasse parla de son goût pour la presse hérité de son père, ancien dirigeant de *La Manche libre*. L'offre du trio, présentée sous la bannière *Le Monde libre*, reprenait d'ailleurs le sigle LML du grand hebdomadaire de Basse-Normandie. Quant à Niel, il insista sur la nécessité de redonner aux journalistes les moyens de faire leur métier dans de bonnes conditions, tout en permettant au directoire de se concentrer sur la stratégie de développement et non plus sur de stressantes questions d'argent. On comprit que les montages capitalistiques conçus dans le passé par Minc ne recevaient pas ses suffrages.

Le ton du trio plut d'emblée. Son message était clair : il n'avait pas vocation à diriger *Le Monde*. Il voulait investir dans ce « bien commun », dans autre chose qu'un simple actif industriel c'est-à-dire dans une idée, une ambition, une histoire et un devenir. Bergé, Niel et Pigasse, chacun à sa façon, surent se montrer convaincants, affichant deux priorités : d'abord délivrer le groupe de sa dette, puis investir dans des solutions et non combler des déficits. Les trois investisseurs poussèrent loin leur profession de foi. Ils s'engageaient à fournir tous les moyens nécessaires pour financer une relance éditoriale, en particulier pour enrichir l'offre week-end du *Monde*, pour développer les projets des magazines et des sites numériques, pour moderniser enfin l'outil industriel d'Ivry, à condition d'y conserver des clients. Certains dans l'assistance se demandaient si on avait affaire au(x) prince(s) charmant(s), ou si un loup se cachait quelque part. Dans l'instant, l'offre était alléchante, d'autant que le trio se disait disposer à écouter les équipes, à ne pas déclencher une révolution dans le management.

Comme le martelait Pierre Bergé, ils ne chercheraient pas de synergies avec un autre groupe mais privilégieraient l'essor du *Monde* et de ses marques phares, « sans avoir quiconque à placer, pas même une standardiste ». Cette vision volontariste séduisait. En annonçant qu'ils donneraient au *Monde* les moyens de son développement sur la base de projets que le management leur présenterait, les repreneurs du trio dit BNP marquaient des points. Conscients des carences éditoriales du quotidien, humbles sur les pistes à suivre, ils souhaitaient que le directoire se concentre sur son métier premier, le journalisme sous toutes ses formes, et définisse des axes stratégiques favorisant l'essor des marques du *Monde*. Redevenir plus encore un quotidien de référence, chercher à l'extérieur les renforts nécessaires : le trio avait su trouver les mots pour redonner l'élan d'une ambition collective.

Pierre Bergé avait en outre promis de doter les sociétés de personnel, forcément diluées par la recapitalisation, d'une minorité de blocage. Cette « relution » (c'était le terme usuel, le contraire de « dilution ») serait financée sur les fonds personnels de l'homme d'affaires, dans le cadre d'une fondation. Cet engagement aux accents de mécénat ferait basculer ceux qui hésitaient encore. Si les « internes » pouvaient opposer leur veto à toute modification des statuts, si les salariés des magazines pouvaient se prononcer contre l'arrivée de tout nouvel actionnaire, l'offre semblait d'autant plus solide et sérieuse. Sans compter que Bergé et Niel avaient déclaré qu'en cas de disparition de l'un ou l'autre leur participation serait sanctuarisée dans une fondation.

À l'opposé, la candidature de l'*Observateur* allié à Prisa et Orange s'effondra tristement. Après une intervention d'un Claude Perdriel égal à lui-même, enthousiaste, volontaire, courageux, jonglant avec les diffusions et les questions d'imprimerie pour dire qu'il avait des solutions dans sa manche, l'intervention de Prisa fut très décevante : manifestement, Cebrián n'avait pas préparé son affaire, et les alliés de circonstance avaient omis d'accorder leurs violons, ce qui donnait à leur attelage des airs d'arrangement mal fagoté. La vision espagnole d'un *Monde* du matin, fortement paginé, avec une rubrique sportive développée, laissa l'assistance perplexe, d'autant que Perdriel venait de défendre bec et ongles un *Monde* du soir, fidèle à sa tradition originelle.

Quant à Stéphane Richard, il fit une impression désastreuse en raison de son absence totale de maîtrise du dossier. Cette réalité éclata au grand jour lorsque, questionné à plusieurs reprises par l'assistance, il ne s'exprima qu'après avoir sollicité l'avis de son conseiller, Pierre Louette, l'ancien président de l'AFP passé chez Orange, qui venait à l'estrade lui souffler ses réponses à l'oreille. L'effet fut dévastateur parmi le personnel. Contrairement à ce qui avait été annoncé, Lagardère n'avait pas donné son accord à Orange pour une cession du *Monde* interactif. Si bien que cette candidature apparut au personnel du journal comme une nébuleuse de circonstance, et chacun avait assez de mémoire ou de jugement pour savoir qu'à l'origine Perdriel s'était déclaré intéressé à la reprise du *Monde* pour barrer la route aux Espagnols, et que Orange, après avoir annoncé s'intéresser aux tuyaux plus qu'aux contenus, n'avait guère vocation à investir spontanément dans *Le Monde*.

Se posait enfin, aussi, la question des moyens. Face à un trio d'hommes riches — pour au moins deux d'entre eux —, dont l'aisance financière rassurait, la candidature Perdriel n'offrait pas des poches aussi profondes si le coût de la recapitalisation devait excéder les 60 millions d'euros requis. Les deux camps avaient d'ailleurs mis sur la table des montants de l'ordre de 100 millions. C'était largement à la portée du trio BNP. Cela semblait déjà une limite supérieure pour ses concurrents. Et les restrictions sociales posées par Perdriel sur les salaires et le temps de travail avaient douché pas mal de ses supporters.

Ce jour-là, à la fin de la matinée, Cebrián vint me rendre une visite impromptue accompagné d'un inconnu. Il s'agissait de Nicolas Berggruen, le fondateur du fonds Liberty entré dans le groupe espagnol. Dans un excellent français, celui-ci m'exposa sans préambule, et avec un aplomb époustouflant, ce qui était le mieux pour *Le Monde*. Il me parla du journal, de son indépendance, de sa culture, comme s'il le connaissait depuis toujours. Il me pria poliment de bien réfléchir, souriant et ferme, répétant que la solution Prisa était à l'évidence la plus conforme à l'histoire du *Monde*. Quelques semaines plus tôt, Jesús Ceberio m'avait transmis un texte de Berggruen sur les investissements en Californie, en me demandant de le publier. Par le passé, aucune demande de ce genre ne m'avait été adressée par les responsables de Prisa. J'avais fait lire ce texte, rédigé en anglais, à Alain Frachon et Sylvie Kauffmann. Ils confirmèrent mon impression qu'il ne présentait guère d'intérêt pour nos lecteurs, et je fis savoir à Ceberio que je ne le publierais pas. Le discours de Cebrián sur les modalités de son accord avec Perdriel m'apparut encore très confus. Impression que confirma sa prestation devant les salariés.

Il fallait se rendre à l'évidence : la solution BNP offrait davantage de garanties dans un souci de pérennité. Le trio était de loin le mieux disant. En conscience, Louis Schweitzer, David Guiraud et moi fîmes notre choix en faveur de Bergé, Niel et Pigasse. Sans grand enthousiasme car nous étions encore sous le coup du désistement de Benedetti. Et puis nous avions une affection réelle pour Perdriel, même si ses déclarations sur les finances du *Monde* nous avaient heurtés. Il avait paru découvrir soudain une dégradation des comptes de l'imprimerie et du quotidien, lui qui siégeait à notre conseil et que nous tenions informé en toute transparence de nos activités. Comment lui aurions-nous caché le moindre chiffre ? Dans une interview à *Marianne*, n'avait-il pas récemment déclaré : « Le groupe est très bien géré par David Guiraud » ? Mais Perdriel s'était montré si désireux de nous aider, de trouver une solution, que lui préférer ceux d'en face était cruel. Cela dit, le temps pressait.

Dès le mois de mai, en manager avisé, David Guiraud avait engagé avec le président du tribunal de commerce une procédure de conciliation. Son principe était clair : nous gardions tous les pouvoirs de gestion du groupe. Pour donner le maximum de chances à la recapitalisation, un conciliateur nous aidait à desserrer la pression sur notre trésorerie en obtenant des délais de paiement auprès de certains créanciers, en l'occurrence nos bailleurs immobiliers et les organismes sociaux. Cette procédure menée par David était un acte normal et obligatoire vu le risque couru sur nos liquidités (à hauteur de 10 millions d'euros pour l'été). La démarche était bien sûr confidentielle. En phase de recapitalisation, les candidats à la reprise auraient pu utiliser cette procédure contre nous en négociant un prix plus bas. Tout était sous contrôle, mais il ne fallait pas tergiverser. Les discours abstentionnistes consistant à ne choisir aucun des candidats étaient dangereux : ils auraient immanquablement conduit *Le Monde* à la barre du tribunal.

Le directoire ayant choisi, nous confrontâmes notre décision à celle de la SRM. Van Kote était sur la même position. La question se posa de savoir si David et moi devions faire connaître notre préférence. D'un commun accord, on considéra qu'il était de notre responsabilité de l'indiquer au personnel. C'est ainsi que le 25 juin, dans un auditorium comble, Louis, David et moi nous présentâmes à la tribune pour fournir les explications les plus claires quant à notre position. Louis rappela dans un exposé concis la nécessité de la recapitalisation au regard de nos fonds propres insuffisants. Il souligna aussi qu'ayant cherché des mécènes qui auraient pu, comme par le passé, financer *Le Monde* sans contrepartie de contrôle, il n'en avait pas trouvé.

Ceux qui virent là un constat d'échec ou d'incapacité n'avaient à l'évidence aucun sens des réalités du moment. La crise était passée par là, et l'argent se payait avec du pouvoir. Louis Schweitzer avait assez d'entregent et de crédit personnel pour dénicher « avec sa canne et son chapeau » l'oiseau rare qui aurait volé gracieusement à notre secours. S'il n'y était pas parvenu, c'est qu'il n'existait pas.

Le monde avait changé. Bien des aventures culturelles nées après la guerre, la Fnac, le TNP ou encore les Éditions du Seuil, avaient aussi vu s'évanouir leur rêve militant et participatif, confrontées aux réalités d'un marché toujours plus dur. C'était ainsi et nous pouvions tous le regretter amèrement. Pour autant il fallait agir, menacés que nous étions par une procédure devant le tribunal de commerce.

Lorsque vint mon tour, je mesurai combien l'instant était solennel. Il m'appartenait de remonter aux racines du mal, à l'origine de notre faiblesse congénitale, à cet orgueil collectif et ancien qui avait consisté pour des journalistes à croire qu'ils pouvaient se muer en gestionnaires avisés. Je rappelai les années 1970, où *Le Monde* avait voulu deux imprimeries, une aux Italiens et une autre à Saint-Denis, et comment cette illusion industrielle avait été notre première vanité, celle qui finalement contribua à nous perdre, vu le gouffre que représentait le luxe de se vouloir imprimeur quand notre vocation se limitait au métier d'éditeur de presse. La « cathédrale » d'Ivry, construction de la fin des années 1980, occasionna une suite incessante de déconvenues, des prévisions initiales du coût à la défection du *Parisien*, des retards de production aux chantages à la grève du Livre. À l'heure où je parlais, le dossier de l'imprimerie restait en suspens, bien qu'en bonne voie. Rien ne pouvait plus avancer tant que le choix des nouveaux actionnaires ne serait pas connu.

Mon intention était non pas de stigmatiser telle ou telle direction, mais d'expliquer un processus qui nous avait conduits à ce jour si particulier où nous devions abdiquer notre indépendance économique faute d'avoir pu et su gérer correctement une entreprise, même si l'idée qu'un journal est une entreprise heurtait encore bien des esprits dans la rédaction. Plusieurs fois au cours des dernières années, j'avais proféré ces vérités mal vécues car perçues comme vulgaires : un journal indépendant était d'abord un journal qui gagnait de l'argent. Aucun article de la Constitution ne proclamait : article 1, *Le Monde* est assuré d'exister même s'il est déficitaire. Notre pérennité n'était pas gravée dans le marbre. Si notre marque — encore un mot qui faisait grincer les dents — était forte et prestigieuse, elle ne garantissait pas nos fins de mois.

Relisant les notes que j'avais rédigées pour ce moment crucial et lues le ventre noué, je ressens à nouveau une émotion intense. Le sort m'avait choisi pour faire passer à notre collectivité ce cap difficile, déchirant et nécessaire. J'étais entré dans cette maison le cœur léger, si fier, courant presque, pressé de faire mes preuves de journaliste, et il me revenait de mettre fin à cette utopie de soixante-cinq années, à ce rêve de journalisme autogestionnaire, à la belle aventure d'un journal de journalistes. Désormais nous passerions « sous contrôle », faute d'avoir su nous contrôler nous-mêmes. Il fallait payer. Au fond de moi, je devinais que tôt ou tard il faudrait une victime expiatoire à cet acte de reddition, et que j'étais bien placé pour jouer le rôle. Forcément. Qui me pardonnerait d'être l'homme de la perte de l'indépendance économique ? Le processus s'était bien sûr engagé avant moi et j'avais annoncé la couleur dès avant mon élection à la tête du groupe. Mais, pour autant, je resterais le directeur qui aurait vendu *Le Monde*. Encore fallait-il que ce soit aux meilleurs actionnaires possibles.

Mon exposé dura une vingtaine de minutes. Je lus lentement, en veillant à détacher chaque mot, à timbrer chaque phrase.

Le voici :

> Dans vingt ans, dans trente ans, chacun de vous se souviendra de cette date. Elle marquera ce tournant historique que représente pour nous tous, pour *Le Monde*, le journal et le groupe, l'arrivée d'un actionnaire majoritaire.
>
> Vous pourriez m'adresser le reproche, dans cet instant capital, de ne pas avoir parlé, de ne pas vous avoir dit au nom du directoire, de David Guiraud et de moi-même, ce qui fonde à ce jour ma position. Et vos reproches ne seraient rien comparés à celui que je me ferais si je gardais le silence.
>
> Je ne vous adresse pas de recommandation de vote, encore moins de directive. Chacun de vous décidera comme il le voudra, en conscience.
>
> Il y a vingt-cinq ans, poussant la porte du *Monde*, rue des Italiens, je n'aurais jamais pu imaginer qu'il me reviendrait cette responsabilité si lourde : amener notre collectivité à se choisir un nouvel actionnaire de référence.
>
> Il y a vingt-cinq ans pourtant, nous souffrions déjà de *la* maladie, celle qui consistait à se lancer dans des investissements coûteux et/ou hasardeux. Cette maladie qui avançait

à bas bruit était déjà inscrite dans nos chiffres. *Le Monde* venait de céder son immeuble historique. Il avait vendu sa maison. Notre « chez nous » n'était plus à nous. Déjà nous pâtissions de posséder deux outils d'impression, l'un sous l'immeuble des Italiens, l'autre à Saint-Denis. Déjà nous envisagions de construire une imprimerie très moderne à Ivry. Elle nous coûta plus cher que prévu. *Le Parisien*, contrairement aux engagements initiaux, ne vint pas s'y faire imprimer. À la même époque, *Le Monde* renonça à s'engager dans une offre de magazine de fin de semaine, contrairement au *Figaro* qui lança le *Fig Mag* avec le succès que l'on sait.

Nous connaissons une histoire brillante du *Monde* : celle de son indépendance. Le journal de référence, celui qu'on lit avec intérêt, celui que l'on respecte même s'il irrite, celui qu'on craint parfois.

Mais il existe une autre histoire du *Monde*, plus sombre. Celle d'une entreprise qui n'a jamais vraiment su gérer ni son développement, ni sa diversification.

Arrêtons-nous un instant aux années 2003-2004-2005.

Dans cette période *Le Monde* a :

— émis pour 74 millions d'Ora
— vendu l'immobilier de *Télérama* (pour 30 millions)
— vendu *Presse informatique* (pour 20 millions)
— rééchelonné sa dette
— effectué un plan social
— réalisé une recapitalisation à l'issue de laquelle les groupes Lagardère et Prisa sont devenus des actionnaires de référence du *Monde*.

Voilà pour le réel.

Ce réel, nous le connaissions.

Nous ne voulions pas le voir.

Ceux qui le voyaient mieux que d'autres ne voulaient pas y croire.

Notre conseil de surveillance surveillait insuffisamment.

« Il est possible que l'on soit sauvé par le simple fait de comprendre clairement un moment décisif », écrivait Thomas Bernhard. Notre collectivité ne comprenait pas.

Lorsque ce directoire a pris ses fonctions, en janvier 2008, le quotidien perdait de l'argent depuis 2001. Nos fonds propres, notre bilan étaient si dégradés que la recapitalisation était indispensable. Et nul investisseur n'était prêt à placer son argent dans *Le Monde* sans obtenir un véritable pouvoir sur la gestion.

Aujourd'hui a sonné l'heure du choix.

Il engage notre avenir à tous.

À qui donner les clés du *Monde*, sans vendre notre indépendance éditoriale, comme le demande Plantu dans sa planche du *Monde Magazine* de cette semaine?

Je mesure votre émotion.

C'est aussi la mienne.

Pour nous tous, depuis toujours, la plus belle manière d'écrire le mot « liberté » a été d'écrire *Le Monde*, d'écrire dans *Le Monde*, de dessiner dans *Le Monde*.

Comme vous j'ai éprouvé ce prestige, cette fierté de dire : « Je suis journaliste au *Monde*. »

Comme vous je vois aujourd'hui combien notre métier change et change vite.

Comme vous je vis cette défaite quotidienne insupportable que représente notre manque de moyens alors que nous débordons d'idées.

Alors nous devons nous poser les bonnes questions, même si la réponse est parfois le malheur de la question.

Nous devons trouver un point dans l'espace, quelque part, qui soit à la fois au plus près de notre histoire et au plus près de notre avenir, rapprochant nos valeurs intangibles de nos ambitions pour demain.

Pour nous déterminer, David Guiraud et moi-même, nous avons recherché une solution de continuité avec notre héritage. Quel projet respecte le meilleur de nous-mêmes, laisse à la meilleure part de nous la chance de s'épanouir, de se développer, en nous laissant maîtres de notre destin?

L'arrivée de nouveaux investisseurs ne saurait constituer un « oreiller de paresse » pour que tout continue comme avant : ce groupe doit être bénéficiaire, ce journal doit gagner de l'argent comme le font les magazines. L'indépendance, la vraie indépendance, est à ce prix.

Ce mot a souvent été répété dans notre maison, de façon incantatoire, au risque de perdre de son sens et de sa substance. L'indépendance d'une rédaction ne se mesure pas nécessairement à la part de capital qu'elle détient. Sinon peu de journaux de par le monde pourraient revendiquer leur indépendance. L'indépendance est un état d'esprit. Une capacité à résister, à dire non. Une rédaction n'est pas un chien qu'on mène en laisse. Ce n'est pas un bloc. Elle a moins besoin de directives que de perspectives. L'indépendance s'éprouve au contact quotidien de ce qui pourrait la menacer, comme le fer se bronze au feu.

Je me réjouis qu'au terme de ce long processus de recapitalisation deux projets solides nous aient été présentés. Celui du groupe *Le Nouvel Observateur* de Claude Perdriel, accompagné du groupe Prisa et de l'opérateur Orange d'une part; celui de Pierre Bergé, Matthieu Pigasse et Xavier Niel d'autre part.

Je ne veux pas entrer ici dans une analyse comparative poussée de ces projets.

Je ne veux pas non plus leur donner une lecture politique : j'ai trop d'estime et de respect pour Claude Perdriel pour le soupçonner de quelque connivence que ce soit avec le pouvoir quel qu'il soit. Sa parole me suffit.

Il est difficile d'être objectif quand on est amené à dire « je », même si ce « je » représente David Guiraud et moi-même. L'enjeu de ce « je » est depuis le début la recherche, dans l'intérêt supérieur de notre groupe, de la meilleure solution.

Aucun projet n'est sans risque. Qui s'est déjà marié avec la certitude que ce lien serait indissoluble à jamais, et simple et harmonieux toujours?

Les deux offres sont somme toute assez proches au plan financier, au plan du respect de l'indépendance des rédactions, des droits particuliers du personnel, même si des nuances existent à propos, par exemple, de la place du numérique ou du social.

J'ai voulu apprécier le degré d'indépendance qui nous serait donné à travers la cohérence des offres, la pérennité de l'investissement et de la structure proposée.

Le choix m'est apparu relever davantage de l'esprit des investisseurs que de la lettre, leur capacité financière ne faisant pas de doute, d'un côté comme de l'autre.

Devons-nous nous rapprocher d'un groupe de presse, de professionnels qui exercent le même métier que nous? Où se dégage une stratégie claire pour *Le Monde*?

Du côté de Claude Perdriel et de ses alliés?

Ma réponse est non.

Cette offre est un arrangement mal arrangé, qui laisse

entrevoir des tensions rapides entre M. Perdriel et Prisa, l'un voulant maintenir *Le Monde* en quotidien du soir, l'autre espérant le passer au matin et le publier sept jours sur sept, dimanche compris. Il me semble que $1 + 1 + 1 = 3$. Je veux dire que les stratégies de l'*Observateur*, de Prisa et d'Orange réunis ne font pas une stratégie pour *Le Monde*. Ce groupe a besoin d'harmonie, pas de nouvelles tensions ou d'indécision.

Sur la pérennité de l'investissement, M. Perdriel a accepté dans un mouvement très généreux de céder au personnel du *Monde*, pour 1 euro, le cinquième de sa participation dans *Le Monde*, s'il advenait que lui ou ses ayants droit décident de se retirer.

L'offre de MM. Bergé, Pigasse et Niel est le fruit d'une alliance. Ces investisseurs joueront pleinement leur rôle d'actionnaire. Ils partageront avec nous leurs idées sur la presse et le numérique. Ils estiment cependant qu'il nous appartient de leur présenter notre vision stratégique pour le groupe *Le Monde* et qu'ils soutiendront ce qui leur semblera pertinent. Cette dynamique, je l'espère profondément, nous donnera l'opportunité de trouver un second souffle, à condition que nous nous mobilisions pour inventer notre avenir.

Quant à la pérennité de l'investissement, M. Bergé a garanti au Pôle d'indépendance que les dons d'une fondation *ad hoc* permettraient à ce dernier d'atteindre une minorité de blocage.

Sans vouloir faire parler Hubert Beuve-Méry, je suis persuadé qu'en 2010 notre premier patron aurait tenté de protéger son journal à l'abri d'une fondation dotée de moyens et de droits. J'y vois un signe de continuité susceptible de garantir notre avenir sans blesser notre passé.

Pour terminer, je voudrais ajouter ceci : notre collectivité, trop souvent, a été animée de passions tristes consistant à se mortifier. Nous devons aller de l'avant, avec une confiance raisonnable en nous et la conviction que nos nouveaux actionnaires seront des partenaires précieux et sages.

L'habitude au *Monde* est de tenir chaque matin à 7 h 30 notre première conférence debout. Je suis sûr qu'ensemble, au *Monde*, dans tous nos magazines et sur nos sites, nous resterons debout très longtemps.

Avec le recul, certaines de mes paroles résonnent cruellement à mes oreilles. Sur l'instant, je les prononçai avec conviction, devant une salle concentrée. L'air était devenu épais, à peine respirable, tant la tension était forte.

Lorsque enfin je me tus, de longs applaudissements rompirent le bref silence qui avait suivi mes derniers mots. Signe que la parole n'était pas l'écrit. Lorsque, le 4 novembre, je publiai un éditorial dans le droit-fil de cette intervention, une partie de la rédaction, certes largement manipulée par une poignée d'irresponsables et d'ambitieux, n'en goûta guère la teneur. J'y reviendrai. Mais ce 25 juin, dans l'auditorium, j'eus la sensation que mon discours avait été libératoire. Louis, David et moi étions trois hommes de bonne volonté qui avions cherché par tous les moyens à engager le redressement d'un groupe voué au tribunal de commerce. Nous avions pris nos responsabilités. Nous revenions de loin. Trois ans plus tôt, la presse estimait que l'histoire était déjà écrite et que Minc pourrait offrir *Le Monde* à ses amis de Lagardère et de Prisa.

Le vote qui suivit fut conforme à la position du directoire : le trio BNP fut élu avec 90 % des voix. La candidature Perdriel-Prisa-Orange rassembla moins de 10 % des suffrages. « Les journalistes du *Monde* sont allés au sac d'argent », déclara, mauvais perdant, Alain Minc, qui avait tenté sans succès et jusqu'au bout de décrocher Pierre Bergé du trio par d'amicales pressions. Signe de ma disgrâce auprès de lui, plus jamais le conseiller du président ne me fit le moindre signe. Jusque-là, il avait entretenu le lien avec moi, me dispensant ses points de vue, souvent sévères, parfois pertinents, sur le journal. Décryptant pour moi certaines positions du président. Je ne me dérobais pas à ses invitations, me rappelant la règle que me répétait Noël-Jean Bergeroux : se tenir au plus près de son ennemi... Cette fois Alain Minc cessa tout contact. Nicolas Sarkozy de même. Il faudrait que je décide de poser plainte contre X, à la sortie de l'été, afin de dénoncer la violation des sources d'un rédacteur du *Monde* dans l'affaire Bettencourt, pour que se joue une scène ultime. Et fatale.

Une nouvelle ère s'ouvrait. Dans un « À nos lecteurs » en date du 30 juin, j'écrivais :

> Réunis lundi 28 juin après-midi, les deux conseils de surveillance du *Monde* ont voté à la majorité l'entrée en négo-

ciation exclusive, et pour trois mois, avec le trio d'investisseurs composé de Pierre Bergé, Xavier Niel et Matthieu Pigasse. Cette décision marque une étape décisive dans l'histoire du *Monde* — le journal et le groupe de presse — et dans le processus de recapitalisation engagé voilà plusieurs mois. Un processus qui se traduira par la prise de contrôle d'un nouvel actionnaire majoritaire, la Société des rédacteurs et l'ensemble des sociétés de journalistes et de personnel étant destinés à devenir minoritaires. Le vote favorable des conseils de surveillance permet ainsi dès aujourd'hui de poursuivre les discussions avec les candidats retenus, sans risque de tensions sur la trésorerie : les investisseurs se sont en effet engagés à mettre très rapidement à la disposition de notre groupe un prêt à hauteur de 10 millions d'euros.

Avant toute chose, il convient de saluer le geste particulièrement élégant de Claude Perdriel, qui, allié avec le groupe espagnol Prisa et l'opérateur Orange, avait construit pour *Le Monde* une offre à la mesure de son attachement pour notre maison. Si cette candidature n'a finalement pas été choisie, chacun a pu mesurer le sens aigu des intérêts de notre groupe démontré par le fondateur du *Nouvel Observateur*. Après avoir annoncé son retrait, Claude Perdriel a apporté son vote au trio Pierre Bergé, Xavier Niel et Matthieu Pigasse, avant de prendre congé de notre conseil. Qu'il trouve à travers ces quelques lignes l'expression de notre reconnaissance pour ce qu'il a apporté au *Monde*, sans que jamais son esprit d'indépendance soit pris en défaut.

La période qui s'ouvre sera déterminante pour notre avenir. Si le projet présenté par Pierre Bergé, Xavier Niel et Matthieu Pigasse a reçu les plus larges suffrages des salariés (au quotidien, dans les magazines, au *Monde* interactif) et de la Société des lecteurs, c'est qu'il a nourri l'espoir de voir notre groupe assainir ses finances tout en se donnant les moyens de se développer dans le respect de son identité et de ses valeurs.

Les semaines qui viennent seront mises à profit pour entrer de plain-pied dans la négociation avec nos nouveaux interlocuteurs, de la manière la plus constructive et attentive qui soit, afin de transformer les promesses en engagements précis.

C'est seulement au terme de ces discussions approfondies que nos conseils de surveillance finaliseront les projets d'accord conclus, après l'indispensable consultation des organes représentatifs du personnel. Au moment où le journalisme vit une profonde mutation, *Le Monde* ne peut que se réjouir de voir des investisseurs venir lui prêter main-forte afin de réinventer avec lui un modèle éditorial et économique placé sous le double signe de l'indépendance et de l'équilibre financier. Renouveler nos offres et nos contenus en écho avec notre époque, être rentables : notre pérennité est à ce prix.

Sur une planche parue dans le magazine sous le titre « Les clefs du *Monde* », Plantu raconta en quelques dessins comment *Le Monde* avait toujours intéressé l'Élysée. Il me représenta devant un coffre vide dans lequel ne restait plus qu'un bien précieux à ne pas vendre : une ligne éditoriale...

Les sommes prévues furent versées. Pendant l'été, juristes et financiers avancèrent à marche forcée pour finaliser l'opération, en particulier le remboursement des orataires. Mais le retard pris dans la constitution des dossiers nous amena au 4 novembre. Louis Schweitzer, David Guiraud et moi demandions des contacts plus fréquents avec les futurs propriétaires. Après un temps de flottement, il fut convenu qu'on se rencontrerait tous les jeudis soir à la Fondation Saint Laurent. Pendant plusieurs semaines, nous fûmes ainsi reçus par Pierre Bergé dans une salle de réunion littéralement « habitée » par Yves Saint Laurent à travers quatre grands portraits de lui signés Andy Warhol.

Dès la rentrée de septembre, deux batailles m'attendaient. L'une avec la Société des rédacteurs, qui réclamait ma tête sans trop savoir pourquoi ni comment la couper. L'autre avec les services de contre-espionnage, qui avaient intercepté les appels d'un rédacteur du *Monde* enquêtant sur l'affaire Bettencourt. Un acte qui m'amena à porter plainte contre X pour violation du secret des sources. Une telle décision de ma part, j'en étais conscient, serait vécue par le chef de l'État comme une déclaration de guerre. Gênant à l'intérieur, gênant pour l'Élysée, mon temps était forcément compté.

8

PLAINTE CONTRE L'ÉLYSÉE

Depuis quelques jours nous avions l'information, vérifiée, validée, indiscutable. Le téléphone du reporter Gérard Davet, qui enquêtait sur l'affaire Woerth-Bettencourt, avait été ciblé, de façon qu'on remonte à sa source supposée, David Sénat, alors conseiller de Mme Alliot-Marie, garde des Sceaux de l'époque. Si rien ne prouvait que ses conversations avaient été écoutées, il était avéré que les factures détaillées de ses appels avaient été fournies par l'opérateur téléphonique Orange à la demande expresse du contre-espionnage français. Devant pareille violation des lois en vigueur protégeant le secret des sources des journalistes, je me devais de réagir. Je pris minutieusement connaissance des articles que nous nous apprêtions à publier sur le sujet, dans l'édition datée mardi 14 septembre, et mesurai aussitôt la gravité des faits. Il m'apparut nécessaire d'accompagner notre dispositif d'une riposte judiciaire. « Appelle Baudelot, me suggéra Laurent Greilsamer. Il semble réticent à déposer plainte. »

J'appréciais beaucoup Yves Baudelot, l'avocat du *Monde* depuis au moins trois décennies avec Catherine Cohen-Richelet, deux fidèles du journal, défenseurs scrupuleux de nos libertés et de nos droits. Souvent, depuis mon élection, j'avais été mis en examen à la suite de plaintes en diffamation à l'encontre du *Monde*, par Julien Dray, par un roitelet de Tahiti ou d'autres plaignants de plus ou moins grande importance. J'avais été une fois entendu pendant deux heures dans les locaux de la DST après la parution d'informations classées « secret défense » et concernant al-Qaida.

Chaque fois j'avais été relaxé grâce à la pertinence et à l'habileté de nos avocats.

J'appelai Me Baudelot très tôt ce matin-là et lui exposai mon point de vue. Il m'écouta attentivement. Il fit valoir qu'une plainte contre X risquait de ne pas aboutir. Pour une raison simple : la violation de cette loi sur le secret des sources n'était pas assortie de sanction pénale. Je poussai mes arguments et Yves Baudelot se montra finalement favorable à la plainte, si incertaine fût l'issue. Il partageait mon indignation. Notre conversation terminée, je fis savoir à Laurent Greilsamer et à Sylvie Kauffmann que j'allais porter plainte au nom du *Monde*. Je prévins Louis Schweitzer et David Guiraud mais pas nos futurs actionnaires. Le processus de recapitalisation n'était pas achevé, je ne tenais pas à manifester le moindre zèle qui aurait pu me lier les mains par la suite.

À la lecture de notre enquête, très étayée et précise, j'avais tranché pour consacrer le titre principal du *Monde* à ce coup de force de l'exécutif, qui avait forcément commandité cette procédure illégale. Avec Sylvie Kauffmann et Laurent Greilsamer, j'arrêtai cette formulation destinée à la une : « L'Élysée a violé la loi sur le secret des sources des journalistes. » La réaction ne tarda pas. Sur France Inter le lendemain matin, le patron de l'UMP Xavier Bertrand lança la riposte. « Pourquoi un journal comme *Le Monde* se permet-il d'accuser sans preuve ? Pourquoi une telle agressivité ? » L'homme de Sarkozy indiqua que l'Élysée n'était pas intervenu. Si, de source policière, la Direction centrale du renseignement intérieur (DCRI) avait bien enquêté dans l'affaire Woerth-Bettencourt, il n'y aurait eu ni écoutes téléphoniques ni investigations sur des journalistes. Xavier Bertrand souligna en revanche « une infraction très grave de la part d'un conseiller au ministère de la Justice, d'un haut fonctionnaire ».

Interrogé le même jour sur France Info, je manifestai clairement ma surprise à l'attention du secrétaire général de l'UMP : pourquoi la DCRI avait-elle été chargée de cette enquête ? Y avait-il menace pour la sûreté de l'État ? Je précisai qu'à ma connaissance la DCRI ne s'autorisait pas toute seule de telles initiatives, et qu'elle n'avait pu agir que sur ordre. « Le contre-espionnage est détourné de sa vocation première, qui est notamment de lutter contre le terrorisme, précisai-je à l'antenne. Là, on l'utilise pour connaître la source d'un journaliste. Il s'agit d'une volonté d'intimidation. » Nul doute que ces propos furent très désagréables à la présidence.

Dès la veille, sur Europe 1, j'avais déclaré que pour titrer comme nous l'avions fait, c'est que nous avions « des certitudes et des éléments de preuve ». Pendant plusieurs jours, de radios en plateaux de télévision, y compris celui du « Grand journal » de Canal + où Sylvie Kauffmann et moi nous succédâmes, je martelai les mêmes exigences : obtenir une jurisprudence à la loi du 11 janvier 2010 qui renforçait la protection des sources des journalistes, une loi votée sous l'égide de Rachida Dati, qui, le soir de mon intervention télévisée, était assise à côté de moi, et ne put qu'acquiescer. Sur TV5 Monde, je critiquai l'imprudence de M. Bertrand à parler si vite quand il affirmait l'absence de toute intervention élyséenne. J'en appelai à l'arbitrage d'un juge indépendant et dénonçai le fait du prince que seule motivait l'obsession de l'Élysée de se protéger contre les fâcheuses conséquences de l'affaire Woerth.

Je donnai ensuite ce bref entretien au *Post*, le site participatif du *Monde*, soulignant une nouvelle fois le rôle évident de l'Élysée.

Concrètement, pourquoi portez-vous plainte ?

Le but de cette plainte est de faire appliquer la loi votée en 2010 renforçant le secret des sources : elle protège les sources directes comme indirectes. Notre but est de faire reconnaître que la procédure menée autour des journalistes du *Monde* est illégale.

Espérez-vous une condamnation ?

Pour ce qui est d'une condamnation, le problème vient d'une faiblesse de cette loi : elle ne prévoit pas de sanction et n'a pas encore de jurisprudence. Il faut donc qu'un personnage entre en scène : le juge, qui ne s'est encore jamais prononcé.

Pourquoi porter plainte contre X ?

Juridiquement, on porte plainte contre X quand les personnes impliquées dans une affaire ne sont pas déterminées. Nous avons des soupçons convergents mais c'est à la justice de déterminer le ou les responsables.

Selon vous, est-ce que Nicolas Sarkozy est directement impliqué ?

Personne dans l'appareil d'État ne peut prendre la décision d'une telle enquête sans l'aval du chef de l'État, qu'il soit explicite ou pas.

Avez-vous déposé votre plainte contre X ?

Nos avocats vont terminer la rédaction de la plainte ce week-end, on la déposera au début de la semaine prochaine. Il y a eu plusieurs réactions depuis le début de la semaine qui pourraient être apportées à notre dossier : celles de Frédéric Péchenard et de Jean-Claude Marin [respectivement directeur général de la police nationale et procureur de la République de Paris] montrent qu'il y a eu enquête irrégulière. Ce dernier parle d'une note en date du 2 septembre pour des actes de juillet.

Que pensez-vous des déclarations de François Fillon qui affirme que Le Monde *risque une mise en examen pour recel de l'instruction ?*

Je ne comprends pas ce contre-feu dans la mesure où nos révélations relèvent d'un travail journalistique.

N'ayant pas encore pris la plume dans le journal, et devant la pression qui s'intensifiait, je choisis de m'exprimer en ces termes dans un éditorial du 16 septembre que je titrai sobrement « Une question de principe » :

Au début de la semaine prochaine, *Le Monde* déposera une plainte contre X dans l'affaire de la violation du secret des sources d'un de ses journalistes enquêtant sur l'affaire Woerth-Bettencourt. En dehors de tout cadre légal, les services français de contre-espionnage ont usé, fin juillet, de moyens illicites pour tenter d'identifier un supposé informateur de notre reporter. Leur action a ciblé, grâce à la consultation de relevés téléphoniques, l'ancien conseiller pénal de la garde des Sceaux, M. David Sénat, désormais chargé de travailler sur un projet de cour d'appel à Cayenne. Depuis l'annonce de notre initiative judiciaire, lundi 13 septembre, dans nos colonnes, et en dépit du démenti catégorique de l'Élysée, plusieurs éléments sont venus renforcer, s'il en était besoin, la position du *Monde*.

D'abord la confirmation par Frédéric Péchenard, le directeur général de la police nationale, qu'une enquête visant à trouver l'origine des fuites avait bien été menée. Le patron de la police inscrit cette opération « dans le cadre de sa mission de protection des institutions ». Une telle mission érigerait la défense d'un ministre en difficulté politique en intérêt supérieur de l'État. Ensuite, contrairement à ce qu'affirme la Direction générale de la police nationale, aucune « personnalité qualifiée » désignée par la Commission nationale de contrôle des interceptions de sécurité n'a été consultée, ainsi que nous l'a affirmé son délégué général, Rémi Recio. Or, dans pareille affaire, cette consultation est impérative.

Enfin, le procureur de Paris, Jean-Claude Marin, n'a été saisi que par une note du 2 septembre — parvenue sur son bureau le 7 septembre — de l'enquête du contre-espionnage qui a permis, selon M. Péchenard, grâce à de « brèves vérifications techniques », de localiser la source recherchée.

Autrement dit, il a fallu quarante jours pour que la justice soit saisie par la police, signe que celle-ci s'était affranchie de toute procédure légale. Le procureur de Paris a demandé des explications supplémentaires sur ces fameuses « brèves vérifications techniques ». Il attend encore la réponse. Voici pour les faits.

Dans cette affaire, *Le Monde* ne conteste pas le droit de l'exécutif de vouloir mettre fin à des fuites. Nous condamnons, en revanche, des méthodes. Nous défendons des principes. Dès lors que la sûreté de l'État n'est pas en danger, mais seulement les intérêts d'une formation politique puissante, il est intolérable que des services de contre-espionnage, dans le halo d'opacité qui entoure leur activité, viennent marauder sur le terrain de la liberté de la presse.

Pour autant, il n'est pas question pour *Le Monde* d'entrer dans un combat singulier avec le chef de l'État. Nous laissons à la majorité ses règlements de comptes internes, et à l'opposition les clichés du « Sarkogate », avec le souvenir que, par le passé, la gauche fut loin d'être exemplaire sur ce terrain. La loi du 4 janvier 2010 renforce la protection du secret des sources journalistiques. Elle doit être appliquée.

La suite a depuis montré que nous avions eu raison de ne pas céder sur les principes et d'attaquer. Elle a montré aussi, malheureusement, que les services avaient bel et bien espionné le téléphone de notre collaborateur, en violation des règles fondamentales protégeant les sources des journalistes. Claude Guéant, le ministre de l'Intérieur, osa qualifier ces pratiques de « simples repérages ». Au bout du compte, le directeur central du renseignement intérieur, Bernard Squarcini fut mis en examen le 17 octobre 2011, poursuivi pour atteinte au secret des correspondances par personne dépositaire de l'autorité publique, collecte de données à caractère personnel par un moyen frauduleux, déloyal ou illicite, et recel de violation du secret professionnel. Une mise en examen qui, d'après l'imperturbable Guéant, n'empêchait pas M. Squarcini d'« exercer la plénitude de ses fonctions ». L'honneur du *Monde* était sauf. Je n'en dirais pas autant des représentants de ce que le candidat Sarkozy, en 2007, avait appelé l'« État impartial ».

9

UN ÉDITORIAL CONTROVERSÉ

Au lendemain de la signature définitive de l'acte de recapitalisation en faveur du trio BNP, j'écrivis un éditorial qui allait faire couler beaucoup d'encre et un peu de sang — le mien, au figuré... — bien que, sur le coup, à sa parution, le mardi, il ne suscitât guère d'émotion. Que disait-il de si terrible, ce texte paru le 4 novembre sous le titre « Écrire une nouvelle page » ? En voici les principaux passages :

Avant de tourner une page, il faut s'assurer de l'avoir bien lue. Surtout si le passé, si brillant soit-il, se solde par un échec économique et financier. Et par quelques écarts éditoriaux qui n'ont pas été pour rien dans les crises successives du *Monde*.

Ce n'est pas injurier notre histoire collective que d'en dresser le bilan critique. Bien des péchés d'orgueil ont été commis, à commencer par cette croyance, initiée dans les années 1970, qu'il fallait consacrer à notre imprimerie des sommes manifestement au-dessus de nos moyens. Dans le même temps, *Le Monde* n'a pas déployé les efforts nécessaires au développement de son cœur de métier : inventer sans cesse de bons journaux, gagner la bataille de l'information du papier au numérique, muscler une offre de fin de semaine qui n'a jamais bénéficié d'efforts financiers à hauteur des enjeux tant éditoriaux que publicitaires.

À quoi sert de maîtriser l'impression d'un journal quand on ne sait pas l'acheminer en temps et en heure vers le lecteur ? *Le Monde* s'est épuisé dans une course industrielle et a trop souvent repoussé les décisions difficiles au nom de la paix sociale. C'est seulement avec le concours d'actionnaires minoritaires puissants, Publicis pour la régie publicitaire et Lagardère pour le numérique, qu'il a pénétré des secteurs vitaux (le fondateur Hubert Beuve-Méry a parfois loué la « bienfaisante publicité ») et porteurs d'avenir (Internet). À l'orée des années 2000, *Le Monde* s'est lancé dans une stratégie d'acquisitions coûteuse et hasardeuse, quand bien même elle a permis de jeter les bases d'un groupe de presse avec des titres prestigieux comme *Télérama* et *Courrier international*.

Les carences de la gestion passée ne sauraient à elles seules expliquer les défaillances de l'entreprise *Le Monde*. Précisément parce qu'il ne s'agit pas d'une entreprise comme les autres, mais d'un journal, et pas n'importe quel journal : celui qui prétend devenir la référence, alliage de compétence et d'indépendance éditoriale.

Encore faut-il s'entendre sur le sens donné à l'indépendance. Journalistes, tenus à la rigueur et à la distance, nous ne sommes pas à l'abri de nos propres préjugés, de nos préférences politiques ou idéologiques. Sans remonter trop loin, *Le Monde* des années 1980 fut sévèrement sanctionné par ses lecteurs pour son soutien inconditionnel au gouvernement et aux idées de l'Union de la gauche. Le fort penchant du *Monde* en faveur d'Édouard Balladur en 1995 lui fut très préjudiciable. Comme ses écrits exagérément favorables à Nicolas Sarkozy au mitan des années 2000, avant de prendre position pour Ségolène Royal. Un journal qui s'était un temps donné pour mission de faire trembler le CAC 40, qui a parfois abusivement entretenu la suspicion envers les pouvoirs politique et économique, ne pouvait qu'en payer le prix. Que de leçons données ! Que de personnalités injustement malmenées, semoncées voire jugées dans nos colonnes ! L'erreur fut souvent de prendre nos excès pour l'expression de l'indépendance, quand ils n'étaient qu'insignifiance. Le journalisme, celui que nos lecteurs attendent, est fait d'expertise et d'ouverture d'esprit, d'analyses précises et de hauteur de vue, de nuance, de discernement. La révélation doit être vraie, la critique fondée.

Nous avons tiré leçon de ces égarements. Une réputation est difficile à construire, rapide à détruire. Notre journal doit être juste, au sens de la justesse. Il ne saurait s'ériger en justicier. Un journaliste n'est ni un magistrat ni un auxiliaire de police. Enquêter, oui. Enquêter à charge, accepter d'être l'instrument manipulé et manipulateur d'intérêts obscurs : jamais. « Dire la vérité, toute la vérité, rien que la vérité, dire bêtement la vérité bête, ennuyeusement la vérité ennuyeuse, tristement la vérité triste. » Cette formule de Péguy, souvent citée par Beuve-Méry, ne fixe pas les règles d'un journalisme carnassier, pas davantage qu'un pouvoir ne doit s'ériger en hors-la-loi pour intimider un journaliste et empêcher la mise en lumière de faits probants et dérangeants. À chacun de trouver la bonne distance, de connaître les limites de l'exercice.

Peu importe que les plus vives critiques contre *Le Monde* d'aujourd'hui soient portées par ceux qui l'ont eux-mêmes le plus gravement discrédité. Que notre collectivité paie à sa façon l'addition qu'ils ont laissée. La ligne qui nous importe désormais est celle de l'horizon. La page est lue et bien lue.

J'étais heureux d'avoir écrit cet éditorial. Je devais cette explication à nos lecteurs, comme le 25 juin j'avais raconté notre histoire, ses hauts et ses bas, à l'ensemble du personnel. Il me semblait que le jour où *Le Monde* abdiquait son indépendance économique, ce n'était pas un jour de gloire. Et qu'il fallait dire pourquoi sans rien cacher. Sans fuir la vérité, sans la maquiller, l'euphémiser. En effet, je n'étais pas un politique. Mais chaque ligne était la plus sincère qui fût. Elle ne visait pas tel ou tel des anciens patrons du *Monde*, ou alors elle les visait tous et moi compris. N'avais-je pas à mon lourd bilan, avec David, un plan social, des cessions d'actifs, une perte de contrôle du *Monde* ? Ceux qui lurent que je m'étais soustrait de ce bilan ne savaient pas lire. Ou alors voulaient lire autre chose, une sorte d'« arrêt de mort », comme titra gentiment un site de presse, qu'il s'agissait de mettre en scène, de monter en épingle.

Deux jours durant, cet édito ne provoqua aucun remous, aucune protestation dans la rédaction. Pierre Bergé m'adressa un mail de soutien :

Cher Éric, je viens de relire votre édito et je suis profondément touché par votre courage et votre lucidité. C'est une belle leçon de journalisme que vous donnez là ! Ceux qui ont failli couler *Le Monde* devraient avoir honte en le lisant. Merci de tout cœur d'avoir dit cela et de l'avoir si bien dit.

Ceux qui voulaient ma tête se réveillèrent à la fin de la semaine et le vendredi, pendant que je m'envolais vers les Rencontres littéraires de Beyrouth. Depuis trois ans, Josyane Savigneau me pressait de m'y rendre. Le dossier « recap » bouclé, j'avais fini par accepter ce week-end libanais. Je rencontrai là-bas des patrons de journaux et divers responsables du pays.

Cet édito fut donc l'occasion pour quelques-uns de lancer l'offensive dans mon dos. La pétition qui circula, assortie de ses premières signatures dans la rédaction, fut adressée aux actionnaires avant de m'être envoyée. Si bien que, lorsqu'une journaliste du *JDD* me demanda de réagir, je ne savais pas de quoi elle me parlait.

Soixante-seize journalistes avaient fini par signer un texte assez modéré dans sa forme, qui m'apostrophait en ces termes : « Éric, avons-nous été si mauvais pendant vingt-cinq ans et si bons depuis ? » De Beyrouth, je prévins les actionnaires de ce mouvement. L'épisode fut provisoirement clos. Le lundi, la messagerie interne fut utilisée pour rabattre d'ultimes signataires. Et chaque fois qu'une nouvelle recrue était trouvée, le chiffre total était réactualisé, comme au Téléthon le montant des promesses de dons... Ce procédé fit qu'à l'arrivée le quart de la rédaction avait signé. C'était beaucoup et je m'en attristai. Je déplorai surtout la méthode employée. Au moment où de nouvelles perspectives allaient enfin s'ouvrir, certains n'avaient donc rien d'autre à l'esprit que de me faire tomber.

Dès le lendemain, à mon grand soulagement, plusieurs signataires vinrent me voir, penauds. S'ils n'avaient pas apprécié tous les termes de mon édito, ils n'avaient pas la moindre intention de me chasser. L'un d'eux, en poste à l'étranger, avait fini par signer à la troisième relance d'un « ultra » qui, de Paris, se plaignait de n'avoir sur sa liste aucun correspondant. Je leur dis combien ils avaient été naïfs. Sans doute n'avais-je pas fait montre d'un grand sens politique en écrivant cet éditorial. Mais eux n'avaient pas été plus avisés en prêtant la main à cette manœuvre, dont j'appris plus tard qu'elle avait aussi été téléguidée de l'extérieur par des anciens du *Monde*.

À travers mon éditorial, je n'avais guère recherché l'approbation des actionnaires. Mes rappels d'un douloureux passé étaient aussi destinés à les mettre en garde contre la tentation, si humaine mais si dangereuse, d'influer sur la liberté éditoriale de la rédaction. Je demandai à certains de mes amis pourquoi ils avaient signé cette pétition. « Ai-je écrit des choses fausses ? » La réponse, singulière et déconcertante, était chaque fois : « Non, mais il ne fallait pas les écrire. » Un journaliste devait-il se méfier de la vérité ? Je compris que les passages qui avaient heurté ne concernaient pas mes critiques sur la gestion passée mais sur nos dérapages éditoriaux. Croire que je me plaçais en juge au-dessus de la mêlée, supérieur et non respectueux de notre histoire, c'était instruire contre moi un mauvais procès. Mais les chiens étaient lâchés, et une meute est rarement regardante sur les moyens quand la fin approche.

Les lecteurs, eux, avaient apprécié la teneur de cet éditorial, son ton et ses accents de sincérité. Dans sa chronique hebdomadaire, la médiatrice Véronique Maurus nota la discordance de voix entre celles qui venaient du dehors et celles d'une partie de la rédaction :

> L'éditorial d'Éric Fottorino a suscité un nombre relativement modéré de remarques, largement favorables, observait-elle. S'il a heurté une partie des rédacteurs qui se sont sentis visés, il a satisfait la majorité des lecteurs, qui y ont vu un *mea culpa* collectif bienvenu.

Comme c'était l'usage, j'avais répondu aux questions de la médiatrice. La fonction première de cet éditorial était selon moi de faire comprendre pourquoi nous avions été amenés à prendre une décision aussi lourde que de recapitaliser *Le Monde*, avec pour conséquence d'en perdre le contrôle économique. S'interroger sur le passé du journal ne signifiait pas le renier. Loin de m'en affranchir, je me sentais comptable de cette histoire commune. Si le contexte m'amenait à mettre l'accent sur nos faiblesses, je savais combien *Le Monde* restait malgré tout un journal d'une grande richesse, qui avait éveillé la conscience de plusieurs générations de lecteurs en leur offrant un journalisme exigeant marqué par sa profondeur et son expertise.

Sans doute, pour équilibrer cet éditorial, aurais-je dû consacrer quelques paragraphes à l'avenir du *Monde* une fois réglé son problème financier. Mais ces lignes d'espoir, elles n'étaient pas dans mon stylo. La veille, Louis Schweitzer, David Guiraud et moi avions eu la mauvaise surprise de voir les Espagnols de Prisa, éliminés en juin aux côtés de Claude Perdriel, prendre place dans le nouveau dispositif aux côtés du trio. Nul n'avait prévu ce coup de théâtre. Minc, qui conseillait Prisa, pouvait être fier. Cette surprise de dernière minute m'avait refroidi.

Jean-Marie Colombani ne tarda pas à se manifester en nous adressant une tribune de justification très agressive. Après une discussion téléphonique avec Sylvie Kauffmann, je mis un point d'honneur, bien qu'il m'en coûtât, à la publier *in extenso*, dans sa morgue et sa virulence à mon égard, y compris quand JMC m'accusait d'avoir causé la faillite du *Monde*. L'ancien patron du groupe s'était senti visé personnellement par mon éditorial. Ce n'était pas le but. Depuis ma prise de fonction, j'avais toujours veillé, dans mes déclarations publiques, à ne jamais stigmatiser sa gestion. Je n'allais pas commencer ce jour-là. S'il se sentit piqué, alors le vieux dicton « Il n'y a que la vérité qui blesse » avait raison. La vocation de cet édito n'était pas de le blesser.

10

LE TEMPS DES RUMEURS

En prenant l'initiative de m'affaiblir aux yeux des actionnaires, les auteurs de la pétition avaient déclenché les hostilités. Pourtant il manquait un chaînon à leur raisonnement : comment transformer cette bronca largement manipulée en vote de ma révocation par la rédaction. Je sentais la fébrilité de Sylvie Kauffmann, ulcérée par les attaques dont j'étais l'objet, sidérée que certains rédacteurs me fassent comme principal reproche d'écrire des livres.

L'affaire des voitures de fonction occupa la scène pendant plusieurs semaines en novembre. *Le Monde* était prétendument à la tête de quarante-six voitures de fonction, dont trente avec chauffeur. David Guiraud et moi, on se pinçait, lui avec sa vieille Golf, moi avec ma bécane ! Ces attaques étaient si viles qu'on ne se donna pas la peine de répondre, malgré les incitations de nos proches. Sans doute aurions-nous dû. La vérité éclata, mais plus tard, après notre départ. Et quand je lus dans *Le Point* que je roulais sur un vélo pliable, j'en étais tombé longtemps auparavant...

D'autres rumeurs blessantes circulèrent, par exemple sur la taille de nos bureaux. André Fontaine trouva des mots apaisants un soir tard où il me rendit visite. « Vous devez en avoir marre, non ? me demanda-t-il avec compassion. Vous savez, votre bureau est de loin le plus petit de tous ceux qu'ont occupés les directeurs du *Monde*. » Il avait raison, pourtant ce bureau était grand : il recevait chaque matin entre quinze et vingt personnes debout, pour la réunion traditionnelle. Je revis en imagination celui qu'il avait occupé aux Italiens, si intimidant, avec la fameuse pendule, que je gardais encore — mais la faux du petit angelot comptable du temps ne tarderait pas à siffler. Du bureau de Colombani, si vaste qu'il abritait une immense photo panoramique de New York signée François-Marie Banier, j'avais fait une salle de réunion.

Le bruit se répandit aussi que, si nous avions opté pour le trio BNP, c'est que David Guiraud et moi avions au préalable négocié notre maintien en poste. En vérité, nous n'avions pas même évoqué notre devenir avec les futurs propriétaires. À l'évidence, nous souhaitions poursuivre notre tâche dès lors que les moyens de concrétiser nos projets arrivaient enfin, après toutes ces années de restrictions. Mais il nous aurait paru déplacé de faire pencher la balance au nom de critères personnels que nous nous étions d'emblée interdit d'aborder. Fallait-il démentir de si grossiers mensonges ?

Comme dans toutes les histoires où se mêlent l'ambition, le pouvoir, l'envie, la jalousie et la médiocrité, comme dans toutes les aventures collectives, la médaille me montra son revers. Et comme dans toute comédie humaine, surgirent soudain avec ma mise à l'écart les figures qui font le sel des histoires, qui leur donnent du piment et aussi un goût de pourriture. Ainsi je croisai des traîtres, des fayots, d'éternels indécis, des avantageux, des paons, des hypocrites, des tourneurs de veste, ceux qui savent toujours trouver l'avoine, qui se situent d'instinct du bon côté du manche.

Par chance, il y eut aussi beaucoup de fidèles au sein du journal et parmi les lecteurs, anonymes ou non, qui m'adressèrent par mail et par courrier des signes si chaleureux et sincères que j'en fus souvent bouleversé.

De son écriture d'autrefois, formée à l'encre bleue de courbes océanes, l'ancien garde des Sceaux Robert Badinter m'envoya ces quelques lignes :

> Au moment où vous quittez la dunette du *Monde*, journal qui m'est cher, je veux vous dire combien j'ai apprécié le redressement intellectuel et l'élargissement du champ de vision que *Le Monde* aura connus et ses lecteurs appréciés

pendant votre magistère. La dignité, le respect des autres et de soi sont des vertus cardinales, rares en notre époque. Vous avez su les préserver et en donner l'illustration. Je vous félicite et vous en remercie, pour nous tous.

Ce « pour nous tous » me toucha particulièrement, tant j'avais voulu œuvrer pour ce collectif informel d'hommes et de femmes de bonne volonté épris du *Monde* comme on aime sa liberté.

Ma boucle au *Monde* était bouclée. À mon successeur, Erik Izraelewicz, je souhaitai le meilleur, moi qui, dans cette ultime période, après toutes ces années d'intense bonheur, avais tâté du pire. Au pot que j'organisai dans le hall où, trois ans plus tôt, la collectivité m'avait soutenu, ils furent nombreux à venir me saluer, journalistes, employés, syndicalistes. Le patron de la SRM ne se montra pas. Je lui aurais pourtant serré la main.

Ce jour-là je fis mes cartons seul dans mon grand bureau. Jamais en effet il ne fut si grand que dans ces derniers instants. Un vrai désert. Je laissai à Izra ma bibliothèque en forme de vague à l'âme. J'emportai les livres auxquels je tenais. Les autres, je les avais étalés des jours auparavant sur ma table de réunion, invitant mes visiteurs du matin à se servir. Ils le firent.

Dans l'après-midi, Plantu était venu me saluer avec son éternel sourire d'enfant triste qui commençait sur ses lèvres et montait jusqu'aux yeux. Il m'offrit un petit livre qu'il avait préfacé et illustré. Un joli petit livre sur les amoureux de Peynet destiné à adoucir un peu ce monde de brutes. Et Nicole Soulié, la responsable de la médiathèque du comité d'entreprise, m'avait apporté en cadeau, soigneusement emballé, un petit cycliste en plomb qui viendrait grossir mon peloton de coureurs miniatures. J'avais déjà des fourmis dans les jambes.

11

« AU REVOIR ET MERCI »

Mes derniers mots, je les avais réservés aux lecteurs du *Monde*, dans cet édito ultime qui parut le 11 février 2011 sous le titre « Au revoir et merci ».

Après vingt-cinq années parmi les plus belles et les plus intensément remplies de mon existence, je mesure combien j'avais fini par confondre *Le Monde* avec ma vie. Tout cela ne faisait qu'un et il ne pouvait exister à mes yeux qu'un journal, « le grand quotidien du soir », comme il ne pouvait exister qu'une seule vie, vécue au sein de notre prestigieuse et attachante maison.

Diriger *Le Monde* fut un honneur. Au moment de quitter ce que j'ai tant aimé, je tiens à remercier ceux qui, en 2007, m'ont encouragé à prendre de si lourdes responsabilités. Et ceux qui, pendant ces années difficiles de restructuration, m'ont accordé leur confiance et ont œuvré à mes côtés dans un esprit d'abnégation exemplaire. Au premier rang desquels Laurent Greilsamer, infatigable directeur adjoint du *Monde*, Alain Frachon, qui accepta d'être directeur de la rédaction au milieu des tempêtes, et Sylvie Kauffmann, qui prit la relève début 2010 avec tant d'énergie, de panache et de talent.

Sous leur direction, nous avons fait un bon et un beau journal, avec les moyens du bord, c'est-à-dire peu de moyens, mais avec une rédaction qui s'est battue sans jamais baisser les bras dans un contexte chahuté, pour les métiers de l'information, alors que le sort du *Monde* menaçait de se jouer à la barre du tribunal de commerce. Chacun a pris ses responsabilités avec courage et enthousiasme face à l'adversité. Notre entreprise était humaine, donc fragile. Nous nous sommes efforcés jour après jour de lui garder tout son sens, toute sa valeur, toute son attractivité.

Ensemble nous avons continué d'innover, d'améliorer *Le Monde* en nous adressant à l'intelligence de nos lecteurs, conscients que nous sommes de leur stimulante exigence. Je suis particulièrement fier que le grand quotidien de langue française qu'est *Le Monde*, avec son style bien à lui, ait cultivé son ouverture sur l'extérieur et manifesté sa curiosité pour les idées nouvelles qui traversent et agitent nos sociétés. C'est dans cet esprit d'aller regarder ailleurs que nous avons créé les pages « Planète », consacrées aux grandes problématiques de l'environnement et des populations, une page Trois, offrant chaque jour un traitement original de l'actualité, les pages « Contre-Enquête », répondant sans concession aux questions clés de l'actualité. Que nous avons aussi organisé dans nos pages les grands rendez-vous consacrés aux débats, qui ont souvent trouvé leurs prolongements dans l'auditorium du *Monde* ou chez nos amis du théâtre du Rond-Point.

Cette dynamique éditoriale était indispensable. Pour une marque de presse, l'innovation est une assurance-vie. Être le premier reste souvent la garantie d'être le meilleur. Chaque jour nous avons essayé de rendre notre journal et ses contenus indispensables, indiscutables, au milieu d'une révolution technologique invitant à un exercice complexe : allier rapidité et profondeur, réactivité et fiabilité. Apprendre, surprendre, éclairer, aider à réfléchir. Établir des hiérarchies, trier, décrypter, mêler pertinence et impertinence. Se libérer des préjugés, se méfier des habitudes.

Faire et refaire, offrir un journal inspiré, écrire juste, clair et dense. La tâche était et reste exaltante, dans un contexte où le culte de la gratuité semble retirer à l'information tout son prix. Pour donner de la valeur à l'éphémère, nous avons offert le meilleur du *Monde* dans un mensuel, multiplié les hors-série thématiques et les atlas avec les équipes de *La Vie*. Nous avons exploité nos archives avec les Éditions des Arènes et la puissance du Net. Bref, nous avons ouvert notre *Monde* pour lui donner sa pleine dimension.

Je suis heureux aussi d'avoir pu donner à des femmes ayant de grandes qualités des responsabilités majeures au sein du journal, à la tête de services phares, et, bien sûr, pour la première fois de notre histoire, à la direction de la rédaction. Je suis heureux enfin d'avoir permis le rapprochement du *Monde* « papier » et du *Monde* interactif en les réunissant sous un même toit en septembre 2009, jetant ainsi les fondations d'un seul *Monde* au service d'une seule grande marque de presse, tous supports confondus, tous ensemble et tous différents.

Je voudrais bien sûr rendre hommage à Louis Schweitzer, ancien président du conseil de surveillance, et à David Guiraud, ancien vice-président du groupe. Tous les deux m'ont épaulé dans des tâches nouvelles pour moi de gestion, de rationalisation de nos coûts, de redressement de notre exploitation, afin de faciliter une lourde et nécessaire opération de recapitalisation. Là encore le chemin fut difficile, douloureux parfois — un plan social touchant cent trente personnes, des cessions d'actifs comme La Procure, Fleurus et les *Cahiers du cinéma*. Il fallait, pour réussir, des équipes éditoriales et managériales soudées, marchant d'un même pas dans la même direction. Ce fut le cas, et je salue la valeur morale tout autant que la compétence des dirigeants et des cadres qui, chacun à son poste de responsabilité, ont permis à notre groupe de rester debout.

Les efforts n'ont pas été seulement accomplis au *Monde*. Le Pôle magazines, avec *Télérama, Courrier international* et *La Vie*, s'est illustré par une belle vitalité. Quant à notre filiale numérique, elle a poussé les feux de la nouveauté sur le site du *Monde.fr* comme sur les iPhone, iPad et autres tablettes. Au total, jamais l'audience de la marque *Le Monde* n'a été aussi forte, avec plus de sept millions de lecteurs, internautes et mobinautes.

Un nouvel avenir se profile aujourd'hui pour *Le Monde*, avec une nouvelle direction et des moyens accrus. Je souhaite de tout cœur bonne chance à mon successeur désigné et ami Erik Izraelewicz, ainsi qu'à l'équipe dont il s'entourera pour entraîner notre collectivité — j'aurai toujours du mal, parlant du *Monde*, à abandonner ce « notre ». Il ne m'appartient pas de dresser mon bilan. D'avoir servi au mieux notre idéal, animé sans cesse par un esprit d'indépendance et de combativité, suffit à ma paix intérieure.

Je ne saurais partir sans exprimer une pensée toute particulière à l'attention d'André Fontaine, le directeur qui m'« embaucha » au printemps 1986 et m'apprit mieux que quiconque la lourdeur de la tâche, l'humilité qu'il faut garder, la tension permanente entre passion et sang-froid, l'ambition de hisser *Le Monde* toujours plus haut. Son soutien bienveillant, ses visites du soir, sa lucidité, tout cela me restera comme un cadeau que vous fait la vie sans que vous l'ayez demandé, sans même être bien sûr de l'avoir mérité. C'est dire combien, à travers notre ancien directeur, je resterai attaché à cette aventure collective dont tout un chacun, au *Monde*, doit être fier.

Ce fut tout. Ce jour-là sur mon adresse mail du *Monde*, je reçus des messages qui me firent sourire. Une offre pour améliorer mon anglais. Des conseils pour améliorer ma e-réputation sur Internet. Une publicité vantant une méthode choc « pour un moindre mal managérial et un mieux-être au travail ». Il était temps de me déconnecter.

Le 13 mai 2011, trois mois après mon départ, Nicolas Sarkozy reçut à l'Élysée pour un petit déjeuner Erik Izraelewicz et Françoise Fressoz. Au terme de leurs échanges, se levant de table, il lança à la cantonade : « ... Et nous avons tous une pensée émue pour Éric Fottorino. Je lui avais dit : "Vous êtes un excellent romancier, je le pense sincèrement. Mais on ne peut pas tenir *Le Monde* en écrivant des romans. *Le Monde*, c'est 6 heures du matin-9 heures du soir non stop. »

Il défendit encore la solution Perdriel, parce qu'il « connaissait le métier ». Il vanta la stratégie du *Figaro* financé par Dassault, estimant que *Le Monde* devrait s'adosser à une radio et à une télé pour valoriser pleinement sa marque.

J'étais déjà loin.

Épilogue

LES HEURES ET LES JOURS

À l'instant de partir, six années avaient passé depuis ce jour enneigé de janvier 2005 où j'avais réuni la petite équipe de Vivaldi pour penser un *Monde* nouveau. Six années qui comptèrent double tant elles furent denses et chahutées. Jamais je n'aurais imaginé que ces travaux de réflexion me conduiraient un jour à la tête de notre prestigieuse maison, encore moins que m'incomberait la charge de présider un groupe de presse avec son quotidien, ses magazines, ses sites Internet. Je n'avais pas de plan de carrière. Je n'étais travaillé ni par un désir de pouvoir, ni par le goût de diriger une collectivité.

Longtemps j'ai trouvé mon bonheur dans l'exercice quotidien d'une liberté immense que m'accordait *Le Monde* pour vaquer au gré de mes passions successives. Plume à la main, j'ai adoré ces deux premières décennies de promeneur professionnel, traînant mon miroir le long des routes pour donner la vie à voir et en saisir les moindres reflets.

Chaque pas a entraîné le suivant. D'abord curieux de mon métier, j'ai élargi mon horizon pour découvrir ses multiples facettes. D'une certaine façon, je suis allé « au bout du *Monde* », explorant des territoires dont je n'avais pas idée : la maquette d'un journal, sa typographie, son rythme, sa pagination, la problématique de l'impression et de la distribution, les aspirations complexes des lecteurs, les aléas publicitaires. Et aussi, et encore, l'irruption de la presse gratuite, la montée en puissance des médias numériques, dont la vague submergea notre vieux modèle économique sans proposer d'alternative viable.

Pourquoi donc me suis-je lancé dans une aventure aussi excitante qu'éprouvante ? La réponse est simple. Je voulais rendre à ce journal un peu de ce qu'il m'avait donné. Un peu de ce tout. Pendant de longues années il m'avait porté, apporté, transporté. Il m'avait offert le monde à voir. Il m'avait affermi dans mes failles, il m'avait donné confiance en moi en m'accordant la sienne. Il avait forgé mon nom. Il m'avait fait croire à ce nom qui n'avait pas toujours été le mien, en l'imprimant au bas d'un gros millier d'articles puis, honneur insigne, chaque jour à la une pendant presque quatre ans.

Je n'imaginais pas que la tâche serait si inquiétante, si lourde, si ingrate et si traumatisante parfois. Et pour cause. Je réalise à présent combien ma période de direction a coïncidé avec la fin d'un long cycle pour la presse écrite. Avec le chant du cygne d'une histoire brillante née au mitan du XIXᵉ siècle, et que me racontait souvent mon ami Laurent Greilsamer. Dans une préface à sa riche biographie de Beuve-Méry, reparue en 2010, il s'est penché sur Émile de Girardin, le véritable inventeur de la presse moderne. Selon ce visionnaire, un journal devait se vendre deux fois : à son public et à ses annonceurs publicitaires. Fondateur de *La Presse*, en 1836, un quotidien « politique, agricole, industriel et commercial », il avait créé les conditions de son succès populaire en réduisant de moitié le prix de l'abonnement, et en trouvant dans le recours massif à la réclame, comme on disait alors, une nouvelle source de recettes.

« Les rédacteurs d'un journal ont d'autant moins de liberté de s'exprimer que son existence est plus directement soumise au despotisme étroit de l'abonné », estimait cet élu du peuple, qui introduisit les romans-feuilletons d'Honoré de Balzac et d'Alexandre Dumas pour doper ses tirages. Jadis, les journaux du soir étaient réservés aux *happy few* qui les lisaient en fin de journée dans les cafés, au fumoir, après les courses et la séance de Bourse. Émile de Girardin fit éclater ce modèle bourgeois, qu'il propagea auprès d'un vaste public.

Le succès sans précédent des quotidiens accompagna l'essor de la vie démocratique. La période des Trente Glorieuses fut encore florissante pour la presse, mais celle-ci commença à pâtir des carcans économique et juridique mis en place à la Libération. Les pesanteurs s'étaient multipliées, avec en particulier le monopole de l'impression et de la distribution accordé au Syndicat du livre CGT. S'amorça un lent déclin, accentué par les nouveaux modes et supports de diffusion de l'information qui avait pris la voie immédiate des ondes et des images télévisées, l'allure attrayante des magazines sur papier glacé, plus modernes, plus colorés, affranchis aussi des contraintes propres aux quotidiens.

La presse d'opinion périclita avec la perte de terrain de l'Église et du Parti communiste, la remise en cause générale des idéologies. On assista à une première grande concentration des « nationaux » à mesure que disparaissaient de très nombreux et anciens titres. Sur les vingt-huit quotidiens nés à Paris à la Libération, treize seulement subsistaient en 1969. Ils se comptent à présent sur les doigts d'une seule main. Qui se souvient de *L'Aube*, journal d'inspiration chrétienne fondé par Francisque Gay? Disparus aussi *Le Populaire* de Blum ou le *Combat* de Camus, et *L'Aurore* qui publia le « J'accuse » de Zola. Idem de certains journaux nés plus tard, dont *Le Matin* et *Le Quotidien de Paris*.

Lorsque je me suis lancé dans le journalisme, fin 1979, je n'avais pas réalisé que la profession traversait déjà une crise sérieuse. La désaffection des lecteurs, les chocs pétroliers renchérissant les coûts de fabrication et le prix de vente des journaux, tous ces phénomènes fragilisèrent une presse sommée sans cesse de se renouveler avec des moyens insuffisants. Les titres phares résistaient tant bien que mal, sauvés de l'asphyxie par les aides publiques. Les anciens parlaient avec des trémolos dans la voix des grandes années du *Figaro*, du *Monde*, de *France Soir*, quand ces titres enregistraient des diffusions à faire pâlir d'envie. Les années difficiles rejetèrent cet âge d'or très loin dans les mémoires. « Ils ne mouraient pas tous, mais tous étaient frappés... » Ce n'était pas la peste. C'était les pertes, exercice après exercice. Plaies d'argent, plaies mortelles.

Après l'an 2000, le modèle numérique plongea brusquement la presse écrite dans une ère nouvelle, imposant sa rapidité, et surtout sa gratuité. Le papier allait-il disparaître, et quand? Fallait-il basculer vers le Net pour s'affranchir des archaïsmes de l'impression et de la distribution? Ou devait-on croire à nos intuitions en cherchant le salut dans une offre éditoriale adaptée aux besoins et aux attentes des lecteurs d'aujourd'hui?

Questions sensibles, questions essentielles, à la mesure des enjeux. Pas un jour où, pendant ces années à la tête du *Monde*, je n'ai été frôlé par ces ombres menaçantes laissant entrevoir la fin du modèle, le crépuscule des journaux en papier. La combativité ne pouvait occulter le doute. L'époque incitait à l'humilité quand il s'agissait de tracer les pistes de l'avenir. Ce qui était valable pour le *New York Times, Les Échos* ou *Libération* ne l'était pas nécessairement pour *Le Monde*. C'était aussi une bonne nouvelle : notre destin nous appartenait en propre ; il nous incombait de vouloir et de pouvoir l'inventer.

Pour ma part, je penchais pour un journal plus serré, plus essentiel, moins bavard, le contraire de l'hypermarché. Ne pas tout traiter, mais traiter par l'excellence ce qui relevait de nos choix. À la fin de sa vie, l'écrivain Saul Bellow avait tendance à tout trouver trop long. C'était aussi mon impression pour le journal : on était toujours trop long, pas assez dense. Chacun le sait : il est plus difficile de faire court. Je me méfiais du fantasme de la presse anglo-saxonne multipliant les cahiers thématiques pour satisfaire chaque membre de la famille, au risque de noyer le cœur du projet éditorial dans une pile indigeste de papier. Il fallait beaucoup de moyens pour se lancer dans cette direction, qui générait des coûts élevés par rapport à d'hypothétiques lecteurs.

Les temps avaient changé car le temps lui-même n'était plus le même. Nous avons assisté dans la première décennie du XXIᵉ siècle à une formidable accélération, qui a sorti l'information de son axe. Pas une heure, pas une minute, pas une seconde sans que l'info bouge, change, se fasse chasser par une autre. Il n'y a plus de journaux que continus à la radio et aussi à la télévision, avec parfois confusion des images, des commentaires parlés et de messages écrits défilant sans s'arrêter au bas des écrans, cours de Bourse, faits divers, déclarations de responsables politiques...

Dans cette ritournelle vertigineuse, nous avons tenté de maintenir avec *Le Monde* un point fixe, un point de repère, un havre de réflexion. Confrontés à ce paradoxe cruel et révélateur : jamais notre marque de presse n'a fidélisé autant de lecteurs sur ses nombreux supports, de l'écrit aux écrans. Malgré ce succès d'audience, les recettes ne sont pas parvenues à combler ses coûts. Et la notion de journal libre de toute attache a fini par s'évanouir. En devenant une entreprise sous contrôle, *Le Monde* a rejoint la cohorte de ces titres renommés dont le sort est désormais lié au capital et au bon vouloir de capitaines d'industrie ou de la finance, *Le Figaro*, *Libération*, *Les Échos*, ou encore *Le Point*, *Le JDD*, *Paris-Match*.

Avant de tourner cette page, je mesure combien les jours furent longs et les heures plus encore. Diriger *Le Monde*, c'était assumer une multiplicité de tâches dont je n'avais pas imaginé la diversité ni la complexité avant de m'y atteler. Étais-je encore journaliste ? Oui quand il s'agissait d'écrire un édito, de réfléchir à un titre de une, à un angle de papier, à de nouveaux contenus. Mais le plus clair de mon temps passé à la direction du journal puis à la présidence du groupe fut employé ailleurs. À réorganiser sans cesse les équipes après le plan social. À gérer la pénurie. À traiter de questions juridiques, financières, commerciales, industrielles, sociales, stratégiques, sous le contrôle du conseil de surveillance, de la SRM, des syndicats et, souvent, des médias.

Le coq-à-l'âne était devenu la règle. Je passais d'une réunion de rédaction à un conseil d'administration, d'une interview matinale sur une station de radio à une négociation salariale. D'un déjeuner avec des annonceurs publicitaires à une réunion avec le patron du Louvre, Henri Loyrette, pour développer des partenariats entre nos deux maisons, avant de plonger dans les dossiers de la recapitalisation, de la réforme de la maquette ou du Magazine. Les soirées se terminaient parfois sur la scène du Théâtre du Rond-Point où j'animais tel débat politique, ou, privilège dont je sus à peine profiter, dans une salle d'Opéra où je fermais les yeux à peine les lumières éteintes, pour grappiller un peu de sommeil. Heure après heure, mes journées ressemblaient à d'étranges mille-feuilles indigestes. Mais c'est dans cette frénésie d'hyperactivité que j'ai à coup sûr chassé le *black dog* de la déprime. « Pessimisme de l'intelligence, optimisme de la volonté. » Dans cette époque terrible pour la presse, j'avais choisi d'aller de l'avant sans trop m'appesantir sur les risques, porté par une équipe vaillante et entièrement dévouée à notre marque, par quelques idées fortes et l'énergie du coureur de fond.

Au cours de ce *Tour du « Monde »*, j'ai tenté d'exprimer une vérité, ma vérité. Et, disant « je », j'ai souvent voulu dire « nous ». Une pensée de Confucius me revient : « Lorsque tu fais quelque chose, sache que tu auras contre toi ceux qui voulaient faire la même chose, ceux qui voulaient faire le contraire, et l'immense majorité de ceux qui ne voulaient rien faire. »

J'ai eu envie de faire, et de faire au mieux. Ai-je réussi ? Aux autres d'en juger. Ce fut un long voyage et il m'arrive parfois de m'éveiller en pensant qu'il n'est pas achevé, qu'on attend mon papier avant le bouclage... Mais non, j'ai déjà dit au revoir et voici qu'à présent j'écris le mot « fin ».

EMPRUNTS

Plusieurs titres de parties ou de chapitres de ce récit sont empruntés à des œuvres d'écrivains « Un splendide avenir d'oiseau » est tiré de *L'Homme sans qualités*, de Robert Musil. « Livide au milieu des tempêtes » provient du poème de Victor Hugo « La conscience », du recueil *La légende des siècles*. « Naissance d'une passion » est le titre d'un roman de Michel Braudeau, prix Médicis 1985.

541

Composition CMB Graphic
Achevé d'imprimer
par Normandie Roto Impression s.a.s.
61250 Lonrai le 3 mars 2012
Dépôt légal : mars 2012
Numéro d'imprimeur : 120848
ISBN 978-2-07-013419-9/Imprimé en France.

183743